DANS LA MAIN
DE L'ANGE

DU MÊME AUTEUR

Romans

L'Ecorce des pierres, 1959, Grasset

L'Aube, 1962, Grasset.

Lettre à Dora, 1969, Grasset.

Les Enfants de Gogol, 1971, Grasset.

Porporino ou les Mystères de Naples, 1974, Grasset et Livre de Poche.

L'Etoile rose, 1978, Grasset et Livre de Poche.

Une fleur de jasmin á l'oreille, 1980, Grasset.

Signor Giovanni, 1981, Balland.

Voyages

Mère Méditerranée, 1965, Grasset et Livre de Poche.

Les Evénements de Palerme, 1966, Grasset.

Amsterdam, 1977, Editions du Seuil.

Les Siciliens, 1977, Denoël (en collaboration avec Ferdinando Scianna et Leonardo Sciascia).

Essais

Le Roman italien et la Crise de la conscience moderne, 1958, Grasset.

L'Echec de Pavese, 1967, Grasset.

Il Mito dell'America, 1969, Edizioni Salvatore Sciascia (Rome).

L'Arbre jusqu'aux racines, *Psychanalyse et création*, 1972, Grasset.

Eisenstein, *l'Arbre jusqu'aux racines II,* 1975, Grasset.

La Rose des Tudors, 1976, Julliard.

Le Promeneur amoureux, *de Venise à Syracuse*,1980, Plon.

Traduction

Sandro Penna, Une étrange joie de vivre et autres poèmes, 1979, Editions Fata Morgana (en collaboration avec Jean-Noël Schifano).

DOMINIQUE FERNANDEZ

DANS LA MAIN
DE L'ANGE

roman

BERNARD GRASSET

PARIS

IL A ÉTÉ TIRÉ DE CET OUVRAGE
VINGT-NEUF EXEMPLAIRES SUR
VÉLIN CHIFFON DE LANA, DONT
QUINZE EXEMPLAIRES DE VENTE
NUMÉROTÉS VÉLIN CHIFFON DE LANA
1 A 15 ET QUATORZE HORS COM-
MERCE CONSTITUANT L'ÉDITION
ORIGINALE

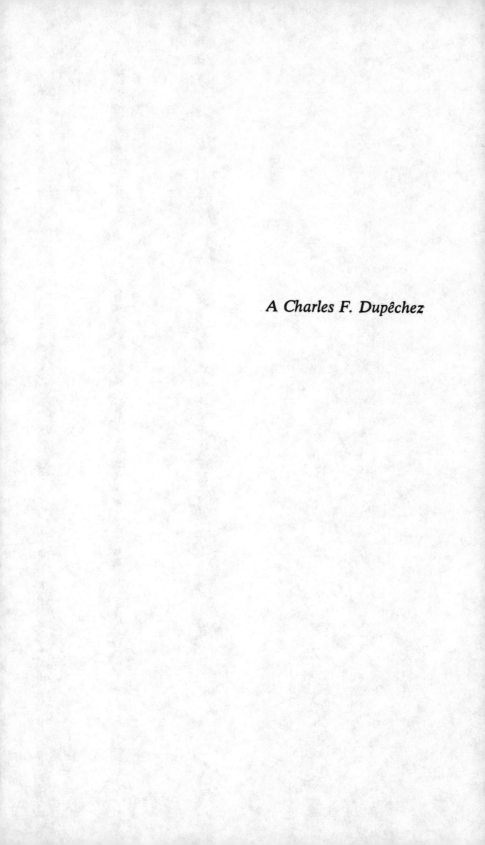

A Charles F. Dupêchez

On ne peint bien que son propre cœur, en
l'attribuant à un autre.

CHATEAUBRIAND.

I

1

Je suis né à Bologne, le 5 mars 1922. Que de choses, cher Gennariello, contenues dans ces quelques mots ! Et comme je me réjouis que tu aies le cœur assez simple, assez pur, et l'esprit encore tout frais et ouvert au spectacle du monde ! Je n'aurai pas besoin de brouiller artificiellement l'ordre de mon récit, ni peur de commencer par le début. Tu es mon destinataire, mon seul destinataire, je n'en veux pas d'autres. Reste toujours le garçon napolitain que j'aime, vif, sincère, robuste d'âme et de corps, prêt à entrer dans chaque nouveau livre avec le sérieux d'un enfant pauvre qui va pour la première fois à l'école, mais aussi à le rejeter en riant aux éclats si l'auteur t'assomme par un style compliqué et obscur.

Eussé-je choisi pour audience le frivole public littéraire, et ses pédants mentors qui lui font honte d'attacher foi au temps chronologique, me sentirais-je aussi libre de relater ma vie, un épisode après l'autre, comme ils sont arrivés ? Il faudrait, pour plaire à ces messieurs, briser la suite naturelle des événements, mépriser les dates, raconter à l'envers, bousculer présent, passé et avenir dans un casse-tête prétentieux. Il faudrait également que la parole ne soit plus ce vêtement simple de la pensée, tirant toute sa qualité, toute son élégance de sa parfaite proportion avec l'idée à rendre, mais un jeu verbal gratuit, ce qu'ils appellent du « langage », indépendant des choses à exprimer.

Toi, assis sur une petite chaise de fer dont l'émail blanc s'est écaillé un peu plus après les intempéries de l'hiver, dans la courette suspendue de votre appartement de Porta Capuana, sous les pampres de la tonnelle qui te protège du soleil de mai déjà brûlant, à deux pas de ton père qui somnole dans son fauteuil de toile, tu veux que les mots correspondent à des faits, et que les premières pages te parlent de ce qui a eu lieu d'abord. Je planterai devant toi, comme la forêt des druides au lever du rideau de *la Norma,* la ville et l'année de ma naissance. Tu apercevras tout de suite les rues, les maisons, le ciel de Bologne, pendant que ta mère, à peine essuyées les assiettes du repas de midi et le reste de la mozzarella mis à rafraîchir dans une serviette humide, prend son arrosoir pour faire la tournée des plants de basilic et de menthe.

Tu auras entendu parler des portiques de Bologne : toutes les rues du centre étant bordées d'arcades, il ne reste qu'un mince ruban de chaussée entre deux galeries couvertes. Courses, promenades, flâneries, sorties matinales et retours du bureau, la vie citadine emplit à toute heure les portiques. C'est là qu'on discute les nouvelles du jour, et qu'on maudit les hausses décidées par le gouvernement, mais d'abord la maladresse du gardien de but qui a fait perdre la Bologna contre l'Inter à Milan ou contre la Juventus à Turin. Tu trouverais magnifiques ces alignements de colonnes : mais, comme tout ce qui est vraiment beau et digne de décorer une ville, sache que le souci d'art fut ici secondaire, et que la fonction a primé l'ornement. A l'époque où l'essor de l'université — la première en Europe, avant même la Sorbonne de Paris — attirait un nombre croissant d'étudiants dans les murs de la cité médiévale, on chercha le moyen de multiplier les logements sans nuire au trafic urbain. Pas de banlieues dans ces temps : les murailles définissaient strictement le périmètre habité. D'où l'invention du portique. Placé en avant-corps devant les façades, assez robuste pour soutenir sur toute la longueur d'une rue plusieurs étages de chambres supplémentaires, il a d'abord servi à résorber l'afflux de la population. Des édits municipaux fixèrent la hauteur minimale : sept pieds bolonais, 2,66 m, de quoi laisser le passage à un homme sur son cheval.

Ne t'arrête pas à l'idée que les arcades protègent du soleil et de la pluie. Néglige aussi l'avantage de marcher à l'abri des agressions de la rue, bien que cet atout soit devenu mille fois plus précieux à l'époque où les jeunes imbéciles aux cheveux longs te frôlent de leurs motos vrombissantes, qu'au temps où le docte Accursio disputait de la Papauté et de l'Empire devant un cercle de cois bacheliers.

Admire plutôt la grande leçon d'esprit civique. Chaque maison se trouve reliée à ses voisines par un vestibule ininterrompu, de manière que celle du riche et celle du pauvre ne se distinguent pas du dehors. Les colonnes sont les mêmes pour tous, rondes, fortes, roses, les arcs en plein cintre (rarement en ogive) montent vers la clef de voûte devant la vitrine de la boucherie-charcuterie comme devant le portail à deux battants qui protège une cour patricienne. Si c'est une illusion dont il faut dénoncer la tromperie, avoue qu'il n'y

14

a jamais eu plus splendide chimère que ces trente-cinq kilomètres de galeries couvertes estompant l'inégalité des fortunes.

Autre bienfait du portique : il unit l'espace privé de l'habitation à l'espace public de la promenade. Moyen non seulement d'égalisation mais de communication sociale, il constitue une sorte de pièce ouverte à tous, de long corridor qui n'appartient à personne, un lieu de passage, de rencontre et d'amitié. Les citoyens s'y abordent plus facilement et y nouent des relations plus spontanées que s'ils avaient à se rendre les uns chez les autres, à presser sur un bouton de sonnette, à franchir le barrage d'une porte. Quand il faut rendre visite à un ami, ce n'est déjà plus tout à fait un ami, c'est « un autre » que tu as l'impression de déranger, même s'il ne te fait pas attendre et t'ouvre aussitôt ses bras. Sous le portique, la distinction entre « les uns » et « les autres » s'abolit. Chacun est disponible pour tout le monde. Chacun abandonne au plaisir d'être ensemble le souci d'être soi. Les vies privées se décloisonnent, les égoïsmes fondent. On perd son identité particulière au profit d'une douce et chaude sensation de camaraderie et de solidarité.

Cette civilisation du portique a prévalu à Bologne, dès le Moyen Age et seulement à Bologne, quand partout ailleurs la maison individuelle, de la demeure bourgeoise au palais aristocratique, manifestait la rivalité des classes, le pouvoir discriminateur de l'argent, la volonté de se singulariser, le goût du secret familial, le culte du coffre-fort et de l'alcôve. A Florence, par exemple, chaque palais forme un bloc à part. La splendeur de l'édifice qu'on peut contempler de plusieurs côtés exalte le prestige et la richesse du propriétaire. Rien de tel à Bologne, où l'architecture communautaire a triomphé du bâtiment isolé, et l'idéal populaire mis en déroute l'esprit de possession, d'ostentation et de clan. En sortant de mon lycée, lycée d'État de la petite et moyenne bourgeoisie, je trouvais côte à côte : le palais Spada (dont j'ai découvert le faste caché le jour où, ayant trompé la surveillance du portier et m'étant aventuré jusque dans la seconde cour, j'ai aperçu par une fenêtre ouverte, au plafond d'un salon décoré de stucs et de fresques, un ange en robe rose dans un tourbillon d'étoffes), le bar-tabac où nous avalions un café (Enrico le « corrigeait » avec un doigt de *grappa*), la laiterie (qui avait ma préférence) tenue par une montagnarde des Apennins, l'échoppe du savetier, la boutique du libraire, le bouge du marchand de bois et charbon. Entre tous ces endroits si différents et si inégaux, les arcades étendaient de pilier en pilier leurs festons unificateurs.

Certes, je n'étais pas dupe. Je savais bien que, sous les voûtes du palais baroque, le céleste messager rose ne posait pas dans l'assiette des convives un carré de polenta à côté de quelques rondelles de saucisson cuit de Modène, le maximum, en fait d'agapes, que notre ange à nous, plus prosaïque et plébéien — la solde mensuelle de mon père — nous permettait une fois par mois. Des riches et des pauvres, il y en a toujours eu à Bologne : mais, pendant plusieurs siècles au moins, ils ont tenu pour plus important ce qui les rapprochait que ce qui les séparait. Ne vivaient-ils pas dans la communauté du portique ? De cette légende, j'ai été nourri ; à cette incarnation de la fraternité humaine dans l'urbanisme, j'ai prêté foi. Contre l'idéal petit-bourgeois de la famille et de la clôture domestique, j'ai cru, non seulement ma ville natale, mais, par enthousiasme juvénile, l'Italie tout entière préservée ; me préparant ainsi bien des mécomptes que je me serais épargnés si la suggestion de ce décor de galeries et de colonnades avait été moins forte sur ma sensibilité sans malice.

Je sortais la nuit, je préférais encore à l'agitation colorée du jour le spectacle désert de ces longs corridors nocturnes, qui se succèdent identiques l'un à l'autre dans le mystère de l'obscurité. Des chats plus légers que des ombres bondissent d'un pilier à l'autre et se perdent au loin sous la voûte ; la lune glisse sur les toits ; un passant attardé relève le col de son manteau en sortant du bar dont le rideau de fer retombe avec fracas derrière lui. Tout rentrait dans le silence ; d'une fenêtre élevée pendait au bout d'une corde un seau où le garçon laitier déposerait à la première heure du lendemain une bouteille fraîche. Je m'émerveillais d'être né dans une ville où le quant-à-soi, l'identité particulière, le bonheur individuel, l'égoïsme familial semblent des notions inconnues ; où la défiance envers le prochain, le regard inquisiteur sur sa vie privée, l'habitude, jugée ailleurs légitime, de lui demander des comptes, ne servent pas de fondement aux rapports sociaux. Moi, qui devais être le « différent » par excellence, la brebis galeuse, le paria, cette utopie d'une société sans cloisons me fascinait. Devinais-je, déjà à cette époque, que la solitude, le bannissement, la persécution seraient mon destin ? Cherchais-je à me fortifier, par ce mythe d'une solidarité sans frontières, en vue du jour où on me tournerait le dos, où je ne trouverais plus personne pour m'aider ?

Moins confiant, moins impulsif, je ne me serais pas laissé prendre au mirage d'une architecture prestigieuse. Je jouissais à fond du sentiment que nous étions tous pareils, nous les habitants du portique, sans me douter que la crainte de mon propre avenir m'hypnotisait sur un rêve bien éloigné de la réalité. Que reste-t-il, à Bologne, de l'esprit médiéval ? Un vestige dérisoire, un souvenir trivial, pour tout dire un plat cuisiné. L'escalope bolonaise, oui, qui a fait le tour du monde, comme l'étendard fripé de notre antique splendeur. C'est une tranche de veau, couverte d'une lamelle de jambon et inondée de fromage fondu. Mes compatriotes, en vertu de cette ancienne culture associative qui s'est exprimée par le voisinage de la plèbe et des nobles sous leurs communes galeries, continuent à mettre ensemble et dans la même bouchée ce qui partout ailleurs fait l'objet de trois mets différents : le jambon mangé en hors-d'œuvre, la viande en plat de résistance et le fromage en dessert.

Je n'ai jamais manqué, à chacun de mes passages là-bas, d'emmener au Cantunzein mon camarade d'études et cher ami Enrico. Il avait gardé l'habitude de lorgner les filles et profitait de notre halte gourmande pour rimer quelque nouveau madrigal. Je choisissais une table sous la loggia et commandais la fameuse escalope : autant pour raviver en moi l'imagination sociale du portique en laissant mes yeux errer sur les alignements d'arcades, que pour ironiser sur notre déclin, nous qui avons épuisé les restes de notre vieux songe fusionnel dans la bouffonnerie d'une trouvaille culinaire.

2

Qui était ce nouveau-né que ses parents baptisèrent Pier Paolo ? Pierre et Paul ! Comme si on pouvait vivre uniment sous deux patronages aussi opposés ! Pierre : qui fit de Rome la ville du pontificat et transforma l'évangile de Jésus en religion de l'autorité. Un esprit solide, étroit, un des douze premiers apôtres, ami personnel du Christ, dépositaire de son message, attaché à la lettre de son enseignement, attelé à la tâche de construire l'Église, respectueux des rites et des hiérarchies, adepte du juste milieu, soucieux de ne pas choquer, ennemi des innovations. Et Paul, tout le contraire : inquiet, mystique, excessif, n'ayant pas connu le Christ et par là même affranchi de toute fidélité littérale, voyageur autant que Pierre fut sédentaire, parcourant le monde pour le convertir, violent, impopulaire, de caractère difficile même pour ses amis, de plus en plus isolé malgré l'affection d'une poignée de disciples, courant après le martyre, redoublant d'efforts à mesure qu'il approchait du but. Une fois mort, le peuple l'oublia. Il resta à peu près ignoré pendant le Moyen Age ; jamais d'églises bâties en son honneur ; aucun cierge brûlé. On ne le représentait ni en statue ni en peinture. Presque personne avant le XVIe siècle ne s'appela de son nom. C'est la Réforme qui ouvrit pour lui une ère de prestige et d'autorité. Face à Luther, qui embrasait le monde de sa passion et de son énergie, l'esprit de Pierre, la prudence conservatrice, la pompe du sacerdoce ne suffisaient plus. Il fallait rappeler au combat l'esprit de Paul, sa fougue et son fanatisme égaux à la fougue et au fanatisme du moine allemand. Chaque fois qu'une hérésie, c'est-à-dire un excès de foi, menace la routine de l'Église, on se souvient de Paul et qu'il a sillonné les terres et les mers une torche ardente au poing. Visionnaire importun par temps calme, providence au milieu de la tempête. Puis, quand la tourmente est passée, Pierre remonte

18

sur son trône. Il remet la tiare sur sa tête et bénit la foule qui l'acclame dans la majesté retrouvée de son pouvoir.

Témérité, solitude et misère de Paul. Assurance, splendeur, réussite de Pierre. Si fort que mon goût naturel m'inclinât vers l'homme de la quête et de l'errance, l'autre m'en imposait par son efficacité et par son rayonnement. Vers le fondateur de l'Église, vers le pasteur à la houlette infaillible montaient les ovations du peuple ; au vagabond utopique, au poète en haillons revenait la vraie gloire. Je me hâtais de rentrer de l'école pour reprendre le récit parallèle de leurs vies.

Christ était mort avant de s'être prononcé sur un point qui souleva immédiatement d'acerbes controverses parmi ses disciples. Les chrétiens, à l'avenir, seraient-ils tenus d'observer les diverses pratiques de la piété juive, ou la religion de Jésus s'affranchirait-elle du judaïsme ? Les premiers convertis, tous juifs, étaient en règle avec l'Ancien Testament : circoncision, respect des prescriptions touchant les viandes permises et les viandes prohibées, abstention du sang des animaux. Dans les cités antiques, on passait beaucoup de temps aux bains publics et aux gymnases. Les hommes s'y montraient tout nus. La circoncision exposait les juifs à de nombreuses avanies ; d'où leur tendance à fuir la vie commune et à former une caste à part. De peur de tomber sur des bêtes impures, ils évitaient de s'approvisionner au marché.

Les douze premiers apôtres, et Pierre parmi eux, ne concevaient pas qu'on pût devenir chrétien sans obéir en tout point à la loi mosaïque. Paul fut prompt à comprendre que les scrupules de quelques talapoins compromettaient l'avenir du christianisme. Il se mit à prêcher, au cours de ses lointains voyages, devant les non-juifs, les païens, les gentils ; les invitant à entrer dans le royaume de Dieu sans leur demander d'abord de s'affilier à la famille d'Abraham. A Antioche de Syrie, il rencontra un jeune homme, Titus, qu'il prit en amitié, convertit et s'adjoignit pour disciple.

Ces nouvelles choquèrent le groupe hiérosolymitain des apôtres. Paul flaira le danger et revint en hâte à Jérusalem. Il trouva les parents et les amis du Christ confits dans une bigoterie pesante, analogue à celle que leur maître avait si fortement combattue. Pierre, Jacques et Jean refusaient de recevoir Titus, l'accusant d'être resté mécréant. Ils ne connaissaient du monde que les arpents de désert et de vergers qui constituent la Palestine. Paul s'arrangea pour prendre à part le moins figé, le moins bonze des apôtres : Pierre justement. Il lui ouvrit l'immensité des territoires qu'il venait de parcourir en Asie Mineure, la multitude de ceux qu'il s'apprêtait à visiter : Macédoine, Grèce, Sicile, Italie, Espagne. Pourquoi imposer aux néophytes un joug insupportable à qui n'était pas de la race d'Israël? Il lui dit pour conclure : « Nous pouvons nous entendre : à toi l'Évangile de la circoncision, à moi l'Évangile du prépuce. » Les apôtres se rallièrent à ce compromis. La légitimité de la conversion des gentils fut admise ; en échange, Pierre obtint de Paul qu'il portât Titus à se laisser circoncire.

Je ne savais pas encore très bien ce que signifiaient ces mots de « prépuce » et de « circoncire » ; mais, de quelle partie de mon corps discutaient Pierre et Paul, je n'avais besoin de personne pour me l'apprendre. Au lieu de rire à l'idée que le sort de l'Église eût tenu à un bout de chair aussi misérable, je regardais mon sexe — j'avais alors onze ou douze ans — émerveillé et troublé de posséder quelque chose dont avait dépendu le destin de l'humanité.

L'histoire de Timothée acheva de me confondre. Paul l'avait rencontré lors de son premier voyage en Galatie : ce n'était qu'un enfant de quinze ans, dont il convertit la grand-mère et la mère. Quand il retourna quelques années après à Lystres, il trouva un jeune homme fait, qu'il aima tendrement et s'attacha comme un fils. Jamais, dit-il, ne vint à lui disciple aussi complètement selon son cœur. Toutefois, avec un secrétaire incirconcis à ses côtés, il craignit de graves embarras. Les querelles qu'avait à peine assoupies l'entrevue de Jérusalem pouvaient renaître. Paul voulut apaiser la méfiance de ses adversaires et désarmer leur blâme : il circoncit lui-même Timothée. Le petit garçon catholique que j'étais ne se défendait pas d'un certain malaise en lisant cet épisode aussi cruel que mystérieux. Si Paul avait réussi par son geste à prévenir un scandale et à éviter sa condamnation, je trouvais que ses ennemis lui avaient tendu un piège bien plus dangereux en le poussant à mutiler son ami de ses propres mains. Cette phrase qui paraissait si simple dans les *Actes des Apôtres :* « Il circoncit lui-même Timothée », me jetait dans des abîmes d'étonnement. Où s'était passée la scène ? Dans une chambre ? Sous un olivier ? Comment ? Le sang coula-t-il entre les jambes ? Paul était-il seul avec Timothée ? Qu'éprouva-t-il en tenant le sexe du jeune homme entre ses doigts ? Je retournais ces questions dans ma tête, tout en me sentant coupable de me les poser. Que la circoncision fût une pure affaire de principe, un problème d'autorité ecclésiastique, voilà qui semblait admis comme une vérité d'évidence par tous les auteurs qui en traitaient. Moi seul j'avais devant les yeux une image : un homme s'approchait d'un jeune garçon, le dénudait et pratiquait sur lui une opération dont les éléments s'appelaient verge, gland, couteau. Un acte plein de magie et d'épouvante : et il aurait fallu n'y voir qu'un geste diplomatique, une concession de Paul à Pierre !

On a dit, on a écrit que Paul était mon seul maître. Il est vrai que mes premiers rêves m'ont emporté sur ses traces, que ma ferveur enfantine a épousé les tribulations de ses trois grands voyages occidentaux, les amertumes de ses trois retours à Jérusalem. Plein de zèle et d'espoir, je m'embarquais avec lui à Antioche de Syrie, j'abordais aux rivages de l'Asie Mineure, je traversais les villes de Galatie. A Antioche de Pisidie, je prêchais dans la synagogue, avec moins de succès que sur la place publique, où les païens m'écoutaient volontiers. Les juifs se mirent en fureur et me bannirent du territoire. J'ai secoué sur la ville la poussière de mes pieds. A Iconium, ma prédication déclencha une émeute : je dus m'enfuir et quitter la capitale de la Lycaonie. A Lystres je fus arrêté par des fanatiques, traîné hors de la ville, écharpé à coups de pierres et laissé pour mort. Les Athéniens me raillèrent quand je parlai devant l'Aréopage. Le chef de la synagogue de Corinthe m'attacha les mains et me fit comparaître devant le proconsul romain d'Achaïe. A Jérusalem, la troisième fois, les juifs m'arrachèrent du temple pour me supplicier. Je dus mon salut au tribun qui commandait la garde romaine : il m'enferma dans l'ergastule. Je suis resté deux ans aux fers à Césarée, puis, transféré à Rome, je n'y ai connu jusqu'à ma mort que l'obscurité, les chaînes et l'abandon du cachot. Cinq fois au cours de mes prédications les juifs m'avaient appliqué leurs trente-neuf coups de corde ; trois fois j'avais été bâtonné ; une fois lapidé ; trois fois j'avais fait naufrage entre les îles ; j'avais passé un jour et une nuit accroché au milieu des vagues à un débris de navire ; huit fois j'avais failli périr en traversant des fleuves.

Fatigues, labeurs, veilles répétées, faim, soif, jeûnes prolongés, froid, nudité, geôles, telle était la vie de celui que je me fixais inconsciemment pour modèle lorsque, le soir dans mon lit, je dévorais ses aventures avec plus de passion que les romans de Jules Verne, d'Alexandre Dumas, de Salgari ou de Stevenson. Oui, mon héros préféré, c'était lui, cet homme de mine chétive, pieds nus, marcheur infatigable, sans cesse poursuivi et haï par ceux qu'il voulait sauver, ce rêveur chimérique en butte aux railleries et aux persécutions, partout dénoncé comme un provocateur, forcé de s'enfuir la nuit, dormant à la belle étoile, sans titre, sans mandat, sans pouvoir, sans autre autorité que celle qu'il tirait de ses épîtres rédigées sur un coin de pierre à la lueur de la lune.

A peine sorti de l'enfance, j'ai appelé Pierre à mon secours. J'aurais été perdu si j'avais cédé à la voix de celui qui flattait mes penchants naturels. Pierre m'a donné le sens de l'œuvre à construire, l'humilité, la patience nécessaires pour arriver à bout du travail commencé. Moi qu'on accuse d'avoir été hâtif, versatile, brouillon, nul ne sait avec quel acharnement j'ai discipliné mes instincts. Sans le bon sens et la modestie que j'ai appris à l'école de Pierre, aurais-je réussi à écrire mes livres ? Sans le souci de me mettre à la portée de mes lecteurs, aurais-je trouvé un public ? Un roman, un film ressemble à une église : il faut en assembler les parties avec un soin minutieux. Comme il est plus tentant de dénigrer les vertus indispensables à tout effort suivi ! Comme l'ordre, la régularité, la persévérance paraissent vite dérisoires ! Pierre m'enchaînait à mon bureau : quatre heures tous les matins devant mes papiers. Paul me poussait dehors, appelait avarice ma concentration, égoïsme cet horaire inflexible : sors dans la rue, me chuchotait-il à l'oreille ; prends des risques, perds ta vie si tu veux la sauver. Allais-je finir comme un scribe ou comme un professeur ?

Longtemps m'a déchiré ce combat. Pierre étalait sur mon lit une chemise blanche, un costume sombre, nouait une cravate à mon cou et m'envoyait à Venise ou à Cannes défendre mes films devant les jurys de festivals. Paul me déshabillait en hâte, ne me laissant qu'un maillot, une culotte de football et l'ordre de rejoindre au bout de la ligne de tramway les *ragazzi* dans les terrains vagues au pied des maisons populaires. L'appartement de via Eufrate, qui t'a choqué par son luxe romain ? Acheté sur l'injonction de Pierre. Paul a toujours refusé de monter par l'escalier de marbre à la rampe de bronze doré. Il attendait le crépuscule pour se présenter à la porte de service et m'emmener sans tarder vers les louches attractions de la gare. Qui devais-je écouter pour rester fidèle à moi-même ? L'un me souhaitait respectable, dans l'intérêt des causes que j'avais à soutenir. Pour la même raison, l'autre aurait voulu que je jette aux orties toute dignité. J'ai publié mes livres, j'ai bâti mon œuvre, j'ai recherché le succès pour obéir à Pierre. J'ai été vilipendé par la presse, traîné devant les tribunaux, cité trente-trois fois en justice par amour de Paul. Un jour pourtant l'un des deux a gagné. Je vais te raconter la circonstance étrange qui fait que la victoire est demeurée au Cilicien.

Les peintres ont souvent représenté les deux apôtres, chacun à un moment précis de sa vie. Toujours le même. Comme si les aventures de Paul pouvaient se réduire à une chute de cheval, tandis que Pierre n'aurait été bon qu'à rendre l'âme sur sa croix. C'était presque une règle que de mettre les deux saints en parallèle, mais par des scènes en quelque sorte opposées, puisque le supplice de Pierre marque la fin de son apostolat aussi sûrement que l'éblouissement de Paul le début de sa prédication. On prenait l'un au commencement, l'autre au terme de sa légende. Ainsi a procédé Caravage, dont les deux tableaux consacrés à Pierre et à Paul se font

22

face sur les murs de la petite église romaine de Santa Maria del Popolo. A gauche tu vois Paul venant d'être jeté à bas de sa monture ; à droite Pierre, crucifié la tête en bas. Il avait demandé cette faveur à ses bourreaux, étant trop humble pour s'égaler à Jésus.

La mort de Paul, moi, m'intriguait au plus haut point. Pourquoi n'avait-elle jamais intéressé les peintres ? Pourquoi la légende ne s'était-elle pas emparée de son martyre ? Il fut décapité, à ce qu'il semble, la même année que Pierre, en même temps que lui, dans la fournée des victimes envoyées au supplice par Néron. Mais autant les tortures infligées à l'un ont enflammé l'imagination populaire, autant le calvaire de l'autre ne soulève ni curiosité ni pitié.

Tous les premiers saints ont laissé un souvenir glorieux de leur mort. La lapidation d'Étienne, l'énucléation de Lucie, la décollation de Jean-Baptiste, l'écorchement de Bartholomé remplissent des milliers de fresques et de tableaux. A tous le supplice fut donné comme une apothéose. Les flammes et le glaive à Janvier, ton patron, le gril à Laurent, les lions à Blandine, les flèches à Ursule et à Sébastien. A tous sauf au missionnaire de Tarse. Je ne comprenais pas cette exception. Il me semblait que son histoire n'était pas finie, qu'il manquait une pièce. Après tant d'outrages et de mortifications, il aurait eu droit plus que quiconque à une fin spectaculaire. On ne se rappelait de sa vie que les extases, les miracles, les prêches, les victoires : mais l'échec final, l'agonie, la dérision et l'humiliation du billot ? Son scandaleux passage sur la terre méritait de laisser un autre souvenir que l'image d'un visionnaire et d'un exalté. Ni goutte de sang ni trace de cadavre. Le Seigneur l'avait rappelé tout doucement au ciel, sans lui permettre de frapper le monde par une note éclatante d'infamie.

Je sentais là une véritable injustice : peu à peu, j'en vins à me dire que c'était mon devoir de la réparer. L'histoire demeurée en suspens de Paul, à moi d'y apporter le complément nécessaire. La mort ignominieuse dont Dieu l'avait spolié, je la subirais à sa place. Je ne savais pas quand ni comment. Longtemps les seuls dangers que je courus furent les citations en justice, les saisies de mes livres et de mes films. Du jour où je ne me suffis plus de ces tracasseries, où j'ai commencé à risquer non plus mon travail mais ma peau, de ce jour date ce que j'appelle la victoire de Paul. Il pouvait compter sur moi : j'étais prêt à endurer des sévices inouïs pour redorer son auréole. Je rêvais que des bourreaux hilares m'assassinaient au bord d'une route et profanaient ma dépouille avant de l'abandonner dans la poussière du talus.

3

Susanna Colussi, ma mère, Susanna, du nom de son arrière-grand-mère, une juive polonaise qu'un soldat de Napoléon, mon trisaïeul, rencontra dans Varsovie occupée, conquit et ramena comme prise de guerre dans son Frioul natal. Les hommes, dans ma famille, ont toujours enlevé brutalement leurs femmes pour les soumettre à leur volonté prédatrice : mariages conclus par la force des armes plus que par les séductions de l'amour. Opérations militaires, perpétrées sous l'uniforme. Ainsi en a-t-il été de mes parents, un siècle après le rapt historique sur la Vistule.

Fils du comte Argobasto P... Dall'Onda, mon père Carlo Alberto descendait d'une antique famille de Ravenne. Fier de son titre, il aimait dans sa jeunesse à se faire photographier face à la mer, le poing sur la hanche, le regard tourné vers l'horizon, le menton levé par défi, les jambes courtes mais robustes solidement plantées dans le sable. Fanfaronnades d'autant plus nécessaires qu'il fallait cacher une réalité économique aussi peu favorable que possible aux ambitions d'un jeune patricien : un palais délabré dont le plus bel étage était loué à un marchand de couleurs enrichi par le négoce des vernis sous-marins ; une mère et des sœurs toujours en deuil de quelque parent émigré autrefois dans une ville lointaine, ce qui justifiait pour les voisins qui les regardaient se faufiler de bon matin vers l'église le port de robes noires et une contenance modeste assortie à un mépris hautain pour les frivoles variations de la mode ; enfin des repas chiches, indigestes et monotones, à base de pâtes achetées au rabais grâce à la complaisance de l'économe du proche collège des jésuites. On confectionnait la sauce tomate à la maison, pendant les trente jours du mois de septembre, dans le salon transformé en usine à bocaux. Le précieux dallage de marbre, un des rares vestiges de la grandeur nobiliaire, s'empourprait chaque année de jus sanglant.

Déjeuners et dîners si maigres, que mon père contracta l'habitude de jouer aux cartes : par désir légitime de subvenir à une fringale permanente, mais aussi pour ne pas déchoir de son rang. Un P... Dall'Onda qui ne jetterait pas l'argent à pleines mains ! Tu m'accuses d'être avare. Je n'aime pas la folle et vaine dépense, faite uniquement pour la parade. Dans la prodigalité de mon père, je distingue plus de tapageuse gloriole que de vraie générosité. Regarde ses yeux, dans le portrait que je t'envoie : durs, inquiets, à l'affût. Deux meurtrières. Il m'a transmis son masque crispé, ses joues creuses, ses mâchoires serrées, ses pommettes hautes, ses lèvres minces. Malchance ou impéritie, il dissipa le petit héritage de son père au jeu. Une seule issue, pour ce fils de famille incapable d'exercer un métier mais vaniteux de son nom et de son physique : l'armée. Le voilà militaire de carrière. D'abord en Libye, puis, en 1915, quand l'Italie entre en guerre, dans le Frioul, non loin de la frontière autrichienne. Sous-lieutenant, il est affecté à la garnison de Casarsa, le village de la famille Colussi.

Ma mère était la deuxième fille de paysans aisés. Son père avait monté une petite distillerie de *grappa,* qui fit faillite après la guerre. Les femmes travaillaient : institutrices, comme ma mère et une de ses sœurs, ou boutiquières, comme une autre de mes tantes, qui ouvrit une papeterie à côté de la maison. Mon père, quand il se déclara, fut d'abord éconduit. La rencontre avait eu lieu pendant le bal, sur la place du village, devant l'église. Ma mère, de taille menue, de tempérament vif et ironique, grande lectrice de romans, passionnée par son métier qui la rendait indépendante, écrivait des fables et des chansons, et vocalisait elle-même sur de vieilles ritournelles du pays. La vantardise et les galons d'un officier ne pouvaient que faire rire une jeune fille de cette trempe. Repoussé, il revint à la charge : on le vit foncer à Casarsa quelques jours après la fin du conflit. Il épousa ma mère presque de force : la force étant dans la brusquerie de ses manières, mais aussi dans la pression du village, des parents, des amis. Ma mère avait désormais trente ans. Elle céda à l'obligation de se marier, autant qu'à l'insistance rapace de celui qui, rentré de Vittorio Veneto avec les honneurs du triomphe, l'attacha à son char comme un trophée supplémentaire.

Jamais mes parents ne s'entendirent. Dès la première nuit, maman prit en horreur l'assaut du capitaine.

« Garibaldi a bon dos ! » hurlait-il en rebouclant son ceinturon. Il claquait la porte sur ces mots pour moi mystérieux et quittait la maison, outragé dans sa dignité virile à laquelle il offrait en guise d'apaisement les consolations vénales qui ne manquent pas aux abords des casernes. Puis, le voilà à nouveau chez lui, réclamant son dû périodique d'hommage conjugal comme le Minotaure sa ration annuelle de sang frais. Remontrances et imprécations accompagnaient ses retours au foyer. Les carreaux vibraient sous sa voix, d'autant plus dure et arrogante qu'à la morgue du soldat se mêlait maintenant la prépotence du fasciste. Moins d'un an après ma naissance, il était déjà au Parti, criant à tue-tête dans les couloirs que Mussolini le vengerait. Je me sauvais à l'autre bout de l'appartement. Ma mère conservait dans un placard un vieux manteau en peau de lapin. Combien de fois me suis-je enfermé dans ce cagibi poussiéreux, caressant contre ma joue la fourrure défraîchie, avec un immense désir de mourir combattu par l'envie d'éternuer.

Nous déménagions souvent, transférés par l'autorité militaire. Dans mon imagination, c'était ma mère qui prenait les devants et s'enfuyait, pour échapper aux brimades de la vie domestique. Elle m'appelait auprès d'elle, j'accourais de ma chambre et me jetais en pleurant dans ses bras. Nous entassions à la va-vite dans nos valises de carton bouilli fatiguées par d'innombrables voyages les vêtements et les quelques objets en notre possession. Ma mère devait m'empêcher d'y joindre le *bel paese* et les légumes du garde-manger que, dans mon anxiété, je voulais emporter comme secours de première urgence au cas où nous aurions échoué dans l'île déserte de Robinson ou fini comme Edmond Dantès dans une cellule du château d'If. Sur le quai de la gare, sans savoir que mon père nous avait précédés dans son nouveau lieu de garnison, je tremblais qu'il n'eût éventé notre fuite. Lancé à nos trousses, allait-il nous rejoindre avant l'arrivée du train ? Comme celui-ci tardait à venir ! J'épiais le moindre bruit en provenance de la campagne (la gare n'était souvent qu'une station au milieu des champs) et ne commençais à respirer que lorsque la barrière du passage à niveau s'abaissait devant les voitures. Denis Papin qui inventa la machine à vapeur ne dut pas éprouver plus de joie, lorsqu'il vit pour la première fois la bouffée jaillir hors de la marmite, que moi au moment où le panache de fumée blanche lancé par la locomotive annonçait la remise en route du convoi. Sauvés, nous étions sauvés !

Parme, Belluno, Conegliano, Sacile, Crémone, Scandiano, de nouveau Bologne : si telle ou telle de ces villes évoque pour d'autres tantôt un bouquet de violettes parfumées, tantôt un terminus de ligne en direction des champs de ski, tantôt un peintre de délicates madones, tantôt des dynasties de luthiers célèbres, je n'y associe quant à moi que de brusques départs, des caisses et des paquets amoncelés dans l'antichambre, la recherche d'un bout de ficelle pour comprimer un cageot qui éclate, la peur d'être découverts avant d'avoir réussi notre évasion, la queue impatiente au guichet de la gare, le soupir de soulagement à l'intérieur du wagon, puis, vers la fin du voyage, la nouvelle crainte, horrible, que le père n'ait déjoué notre plan et préparé la vengeance méritée par notre audace. Chaque fois, en effet, nous le retrouvions déjà dans la place : avec sa cantine d'officier trônant au milieu du salon, monument élevé à la gloire de sa virile personne, tombeau de nos chétives illusions.

Ainsi que tu le vois, il était devenu pour moi : le père. Je ne le désignais plus en moi-même autrement. Non plus : mon père, car devant sa force et sa violence ma mère me paraissait aussi vulnérable, démunie et impuissante que moi, comme si nous étions à égalité dans l'enfance et dans la petitesse. Mais non plus : notre père, l'autorité qu'il exerçait sur nous étant totalement dépourvue d'affection. Il était le père dans l'absolu, et seul cet article, dans sa brièveté cinglante, pouvait rendre l'effroi que nous inspirait sa conduite impérieuse, quand il s'affalait dans un fauteuil pour nous lancer sa jambe à débotter. Avait-il conscience de n'être au bout du compte qu'un raté ? Peut-être : mais ce qui, chez d'autres, aurait pu adoucir le caractère en l'inclinant à l'indulgence, aigrissait le sien jusqu'à la folie. Il prit le tic de se gratter la manche à l'endroit du quatrième galon manquant.

Quant à ma mère, elle ne fut jamais pour moi que maman. Ce mot qui s'enroule sur lui-même, avec la douce volute de sa consonne labiale répétée du bout des lèvres, me tendait l'image d'un cocon, d'un refuge, d'un nid ; et, dans la première syllabe, qui peut passer pour le féminin du pronom possessif, je projetais mon désir de m'approprier complètement et pour moi seul celle qui était tout pour moi. Tâche facile au commencement mais ensuite requérant une diplomatie et une astuce de chaque instant, depuis qu'un petit frère m'était né, trois ans après ma venue au monde. Guido, dont le nom ne se rattachait pour moi à aucun saint fameux, sinon à saint Sébastien peint par Guido Reni, dans cette toile du musée de Bologne que j'ai tout de suite adorée. Le tableau représente le jeune homme presque nu, les mains jointes derrière le dos et attachées au tronc d'un arbre, le buste incliné en avant, le visage levé vers le ciel. La beauté du corps, la jeunesse du modèle, la musique du paysage, la délicatesse des gris m'ont inspiré depuis des sentiments bien différents. Au début, c'est l'identité du prénom du peintre et du prénom de mon frère qui seule me troubla et me captiva : comme si, en associant à l'image de ce glorieux martyr celui qui était entré dans ma vie en rival, j'avais pu le percer de flèches à son tour et le punir des tourments qu'il m'infligeait. Lors de nos déménagements et de nos fébriles empaquetages, je l'accusais de nous mettre en retard, chaque fois que maman devait l'aider à rassembler ses jouets éparpillés sous le lit. A qui la faute si, arrivés à destination, nous voyions se dresser sur le seuil de notre nouvelle demeure, le sourcil froncé, poussant du pied avec mépris la collection hétéroclite de nos bagages, la silhouette formidable et courroucée du père ?

Avant même sa naissance, Guido m'a fait souffrir. Maman était encore enceinte, lorsqu'on dut me soigner aux yeux. Le Dr Marengo portait un manteau à col de castorette. Sa barbiche, soyeuse et unie, semblait un morceau de la même bête dont le pelage ornait son vêtement. Un énorme paraphe aux jambages compliqués remplit la moitié de l'ordonnance. Il laissa dans la main du père une petite bouteille et me pinça la joue avant de partir. Je me réfugiai dans ma chambre, anxieux de savoir si le père réussirait à ouvrir la porte que j'avais barricadée avec un échafaudage formé de ma table de nuit et de deux chaises renversées l'une sur l'autre. J'entendis son pas dans le couloir. Il agita plusieurs fois le bouton de la porte, puis un grand vacarme m'annonça ma défaite.

Nous étions dans la cuisine à présent : moi couché sur la table, gigotant tant que je pouvais, moins par désir de reprendre ma liberté que pour le contraindre à utiliser sa force ; lui penché au-dessus de mon visage, les lèvres retroussées sur ses dents, essayant d'une main de m'empêcher de bouger, de l'autre cherchant à faire tomber les gouttes. Mes muscles se relâchèrent, je cessai de me débattre, un sentiment de bien-être m'envahit.

Deux fois par jour le petit drame se renouvela : poursuite dans l'appartement, fuite dans le corridor, je suis rattrapé, je suis pris, je lutte, je résiste, je me rends. Un morceau d'or brille au milieu de sa bouche. Insigne de son pouvoir vraiment royal, supplément de beauté et de mystère à une scène réglée dans chaque détail : il ferme dans son dos la porte de la cuisine, il me soulève de terre, m'étend sur la table, me rive à la toile cirée, ouvre mon œil avec son doigt et verse dedans le collyre.

Pourquoi cette inflammation, et pourquoi aux yeux ? Jalousie, peur de perdre le monopole de l'affection maternelle ? Je me demande s'il n'y avait pas un autre motif. Ces scènes, où je jouais la victime et lui le bourreau, me rapprochaient de maman plus qu'aucun baiser du soir ou échange de câlineries. Comme elle, je subissais la tyrannie du père ; comme elle, il me tourmentait dans mon corps. Leur activité nocturne dans le silence de la chambre conjugale, je me la figurais sous le double aspect d'une cérémonie sanglante et d'une envolée paradisiaque. Torture et bénédiction : telles aussi les deux phases du traitement oculaire. Le doigt qui écartait ma paupière me brutalisait sans ménagement. J'éprouvais une vive douleur, comme une lacération fulgurante. A peine cependant la première goutte touchait la cornée et se répandait sur la membrane, j'exhalais un soupir de bonheur. L'euphorie du soulagement succédait au déchirement de la blessure, et le frisson de la délivrance à la honte de la sujétion.

Mais pourquoi toujours la cuisine ? Est-il vrai que le père m'y poussait ? Aussitôt que la fiole bleu sombre à étiquette jaune du Dr Marengo glissait de l'étagère du salon dans sa main, c'est moi qui me sauvais. Ailleurs devait se consommer le sacrifice. Au bout de l'appartement, dans la pièce où officiait maman, où le père n'entrait jamais sauf en cette occasion. Aire exclusivement féminine, réservée aux attributs du ménage, balais, serpillière, lavette, marmites, égouttoir ; antre et sanctuaire qui parachèveraient ma métamorphose en femme, lorsque le père m'aurait gratifié de la même mystérieuse offrande dont il honorait maman entre deux brouilles.

A leur chambre fermée par une poignée en forme de cygne me ramenait, chaque fois que je me trouvais seul à la maison, l'étonnement d'y voir un mobilier de série acheté aux Galeries Lombardes : sans aucun des meubles rares auxquels je me serais attendu, m'imaginant qu'un autel lui-même, de marbre comme ceux des églises, n'aurait pas été un décor indigne pour les retrouvailles de mes parents.

Le grand lit matrimonial, théâtre de ce rituel obscur, me fascinait pour une autre raison : de ses quatre boules de cuivre où se reflétait l'armoire de sapin, il en avait perdu une entre Parme et Crémone.

Identification à la femme, désir de jouer un rôle féminin par solidarité avec celle qu'outrageait la violence paternelle, refus de me reconnaître dans la grossièreté, la prépotence, la muflerie de mon sexe : soit, certaines préférences que j'ai manifestées adulte se ressentent de l'atmosphère que j'ai respirée enfant. Mais entendre « expliquer » mes goûts physiques par le foyer où j'ai grandi, par mon éducation, par ma « fixation » à ma mère (ainsi toi, Gennariello, si tu me plais autant, c'est parce que l'autre voie, la voie « normale », me serait à jamais interdite ! O blasphématoire ignorance de ta napolitaine beauté !), entendre « disculper » mes choix d'homme par mes antécédents familiaux (et du même coup me voir tendre la perche empoisonnée de la « guérison ») est de toutes les bontés que j'ai reçues des psychiatres celle qui m'écœure le plus.

Un atlas d'Europe leur en apprendrait bien davantage que leurs manuels de cliniciens. Qu'ils regardent où se trouve Casarsa, dans ce Frioul déjà engagé à moitié entre l'Autriche et la Yougoslavie et si frontalier qu'il n'appartient plus tout à fait à l'Italie ; qu'ils reportent ensuite leurs yeux sur Ravenne, ville du centre et qui, même si elle a été déchue du rang de capitale qui fut le sien au Moyen Age, garde d'insignes vestiges de sa puissance passée : et qu'ils disent si un enfant témoin de l'agression d'une mère frioulane par un père ravennate n'était pas enclin à pactiser secrètement avec la marge contre le centre, puis à élargir cette complicité instinctive à tous les domaines de sa vie.

Mon père n'occupait pas seulement une position géographique médiane (évocatrice pour moi des notions de moyenne, d'ordre, de norme, de coutume) contre ma mère « périphérique » (forclose, à l'écart), il personnifiait aussi, revêtu de son uniforme que lui fournissait le ministère de la Guerre, paré de ses galons, coiffé de sa casquette réglementaire, muni de ses papiers tricolores et habilité à crier ses commandements, Rome, le pouvoir, la loi. Deux raisons pour moi de refuser l'obéissance aux règles et de m'ouvrir spontanément à tout ce qui me paraissait différent, exceptionnel, dans l'ombre, limitrophe. Ineffables connivences, qui s'étendirent à chacun de mes terrains d'activité. J'ai écrit mes premiers poèmes en dialecte : aucune vaine nostalgie de folklore ni fantasme de paradis champêtre ne me poussa à cette tentative, sinon le choix de l'idiome maternel « excentrique » contre la langue officielle. En politique, j'ai été franc-tireur ; en amour, hors-la-loi ; en voyage, plus attiré par les solitudes dépeuplées du Yémen, aux confins du monde civilisé, que par des capitales comme Londres ou Paris. Il n'y a pas jusqu'à mon goût pour les banlieues qui ne montre comment, loin du cœur exécré des villes, je me retrouve chez moi dans les espaces suburbains. Combien de fois, quittant brusquement mes amis avant la fin du dîner, j'ai pris un tram qui m'emmenait jusqu'au terminus de la ligne. Un de ces ronds-points en rase campagne, comme naguère il y en avait tant autour de Rome : un peu d'herbe jaunie, deux bancs couverts de graffiti obscènes, un abri en ciment à la marquise brisée. Plus loin, contre le ciel, quelques carcasses de maisons populaires à demi construites. Je ne cherchais rien, je n'attendais rien, je poussais du pied le long des rails une vieille boîte de conserve. Le wattman me faisait signe : je remontais dans le wagon vide et repartais en direction des lumières, apaisé.

4

Ballotté sans cesse d'un endroit à l'autre, je vivais dans le sentiment du provisoire : mon seul point fixe étant Casarsa, le Frioul, la maison de mes aïeux maternels, où nous retournions chaque année, maman, Guido et moi, dès le début de l'été. Une carriole conduite par un voisin nous attendait à la gare. Le robuste bardot assailli par les mouches se battait les flancs avec sa queue. Nous traversions la route nationale qui relie Udine à Pordenone. Le village commence de l'autre côté, bâti le long d'une rue unique qui monte jusqu'à l'église et se scinde ensuite en deux branches, comme une fourche. En bas, presque à l'entrée, sur la gauche, voici notre maison : une porte à un seul battant, deux étages, cinq volets verts en façade, des géraniums à la fenêtre du milieu. Le bar des Amis lui faisait face. Le jeune garçon qui lavait les verres derrière le comptoir abandonnait un moment son travail pour nous aider à décharger les bagages. Il s'appelait Roberto, était un peu mon cousin. D'ailleurs qui, à Casarsa, ne se trouve pas apparenté plus ou moins à tous les autres ? Une demi-douzaine de patronymes suffisent aux cinquante familles. Les Colussi, les Morassutti, les Portolan, les Gregoris, les Campesis remplissent à eux seuls les registres de la paroisse et les épitaphes du cimetière.

Noms aussi peu italiens, pour la plupart, que la physionomie du village, où l'influence tyrolienne plaque un épais crépi sur les façades, sème de gros clous les volets pleins, peigne les rosiers dans les courettes, allonge le toit des granges, festonne le bois des balcons, accroche des coucous au mur des cuisines et remplace les couvertures du lit par des édredons de plume. L'Autriche, longtemps maîtresse chez nous, a passé la tenue de montagne à cette commune de plaine entourée d'un pays étale à perte de vue. Même du haut du clocher, le regard ne s'étend pas assez loin pour distinguer les premiers contreforts des Alpes. La campagne, qui commence aussitôt après les potagers, n'évoque guère, avec ses riantes frondaisons, un paysage italien ou méditerranéen : à part les vignes qui produisent le pinot gris de Casarsa, tu ne trouverais aucune des plantes que tu aimes. Tu ne pourrais tremper ton pain que dans de l'huile importée. Au lieu du basilic et de l'origan que ta mère cultive dans les pots de sa terrasse, tu n'aurais pour assaisonner tes tomates que le triste persil, dont les Anciens faisaient un emblème funèbre : chez toi, les bouchers ne s'en servent que pour le piquer, à la devanture de leur boutique, dans les naseaux des génisses mortes. Les cultures de maïs, non les champs de blé, ondulent au bord des canaux. Tracées au cordeau dans un décor toujours verdoyant, les routes s'étirent entre des rangées de chênes ou d'acacias. Tu rencontres des filles qui s'appellent Ingrid ou Trudeliese, des garçons baptisés Gunnar, Dieter, Franz à l'allemande.

L'étranger de passage ne s'arrête que pour avaler au restaurant, un peu avant l'entrée du village, quelques tranches de jambon de San Daniele et une couple de cailles avec un carré de polenta. Lourde et sans style lui paraîtrait l'église ; pauvre et banal, l'intérieur. Le génie de Venise, qui a rayonné sur les palais gothiques, les portiques à ogives, les loggias en pierre rose de la non lointaine Udine, s'est heurté chez nous au bon sens pratique et à la rusticité mal dégrossie de paysans qui ajouteraient un soc à leur charrue plus volontiers qu'une moulure à la fontaine publique. Leur capitale n'est pas la fine et élégante Udine mais, de l'autre côté, à égale distance, le gros bourg trapu de Pordenone, qui s'est enrichi par les fabriques de cotonnades et par les foires aux bestiaux ; devenant grâce au nombre et au revenu de ses habitants assez considérable pour accéder, quelques années après la guerre, au rang de chef-lieu de province, lors d'une cérémonie qui restera comme la seule date à commémorer dans les annales d'une ville totalement dépourvue d'événements. « Ils ont pris un préfet pour avoir un personnage historique », disait en riant maman, qui se souvenait de l'époque où elle se rendait à Pordenone sur les instances de sa sœur pour lui rapporter des enveloppes, des crayons et d'autre menu matériel de papeterie.

Moquerie où se trahissait, vingt ans après les accords du Latran, la profonde méfiance que continuait à nourrir le Frioul catholique et papal à l'égard de l'État italien. Dans mon enfance, don Paolo, curé de Casarsa, était la seule autorité, tant religieuse que civile, reconnue des villageois. En la personne du roi Victor-Emmanuel III, ils dénonçaient le petit-fils de l'homme qui avait ravi à

Pie IX sa capitale. Don Paolo mariait les jeunes époux, à qui la loi ne faisait pas obligation de se présenter à l'hôtel de ville ; le plus souvent, ils évitaient cette compromission avec les usurpateurs. Le nom des nouveau-nés comme celui des défunts était couché sur les cahiers de la paroisse, de préférence aux registres de la mairie. J'ai grandi dans cette atmosphère polémique, où l'attachement aux croyances religieuses ne signifiait pas collusion avec le pouvoir ni défense des privilèges, mais au contraire résistance contre l'État centralisateur et sauvegarde d'une minorité menacée. Est-ce un hasard, par exemple, si le clergé frioulan maintenait partout où il le pouvait l'usage du dialecte ? Le personnel des bureaux et une partie des maîtres d'école employaient l'italien ; aux prêtres revenaient le risque et l'honneur de s'opposer à la diffusion d'une langue qui nous paraissait l'émanation d'une volonté étrangère, un peu comme aujourd'hui l'anglais est nécessaire pour obtenir un emploi. Cette question de la langue m'a causé bien des soucis et jeté dans une contradiction insoluble dès que j'ai commencé à militer avec les communistes. Comment moi, homme de gauche, pouvais-je contester à mes amis l'importance d'un idiome national comme instrument de progrès et de culture démocratiques ? Quelle idée, me disaient-ils, de chercher tes alliés philologiques parmi les porteurs de soutane !

Jeune garçon, d'un seul amour et d'un seul élan j'ai cru dans l'Église et dans les Évangiles ; ce qui ne se fût pas produit, sans doute, si avait pesé à la maison un climat bigot et cafard. Je ne voyais autour de moi que vives et jolies femmes, et d'abord maman, dont l'esprit frondeur était aux antipodes de la piété geignarde qui a oppressé ton enfance au collège de San Gregorio. Maman abritait dans son cœur une religion naturelle : la soie des épis de maïs qu'elle ébarbait dans l'appentis, le grincement de la pompe à eau qu'elle actionnait sous la fenêtre de la cuisine, le pas lourd des bœufs dans la rue, les rayons du soleil sur la toile cirée, les éclaboussures de l'ondée aux carreaux, tout lui parlait le langage du ciel. Le dimanche, elle nous emmenait à la messe écouter le sermon frioulan de don Paolo : nul dans le village n'eût manqué à ce rendez-vous, dont la portée politique comptait autant que le but chrétien. La girouette en forme de coq dressée à la cime du campanile ne proclamait pas plus haut les libertés de notre coin de terre que l'homélie du pasteur prononcée dans le patois local de ses ouailles.

Un seul aspect nous rebutait, maman et moi, dans le catholicisme : le culte rendu à Dieu. Comment aurions-nous pu admettre dans les royaumes éternels un Maître fait à l'image de celui qui sévissait en despote à la maison ? Tout souverain nous paraissait un

33

tyran, d'après l'exemple que nous avions quotidiennement sous les yeux. Aussi maman m'inculqua-t-elle une religion revue et corrigée, où aucun Sceptre ne nous imposait sa splendeur ni Père sa domination.

Jeune mariée, elle avait fait le voyage de Ravenne. Ses belles-sœurs, raides et pâles dans leurs robes de deuil inchangées, l'emmenèrent visiter les basiliques et les tombeaux de l'ancienne métropole de l'empire d'Orient. Elle pénétra sous les nefs mystérieuses où le jour filtré par des carreaux d'albâtre allume entre les colonnes de marbre cipolin un feu d'artifice de couleurs sur les petits cubes de mosaïque. Elle resta muette devant Théodora, la magnificence de ses parures l'étourdit. Elle s'agenouilla auprès du sarcophage de Galla Placidia dans son mausolée bleu, rendit une action de grâces devant la patène d'or soulevée par Maximien, but avec les colombes aux jaillissantes fontaines de la vie — mais toujours, du fond de la voûte qui surplombait le chœur, elle sentait fixé sur elle le regard grand ouvert, immobile et pétrifiant d'un Christ Pantocrator déployant la pompe de sa hiératique majesté. Prise de frissons elle s'enfuyait et ressortait à l'air libre. Le baptistère des Ariens l'effraya : une violente crise de toux et d'éternuements la tint pliée en deux sur un banc devant le parvis, au grand étonnement de ses parentes, qui ne pouvaient pas comme elle associer au Dieu flamboyant entrevu sur le mur de l'abside l'image d'un mari autocratique déjà exécré.

Le Christ qu'elle rapporta de son voyage de noces ne fut pas le Juge implacable siégeant sur un trône parmi une cour de paons ocellés, ni le Seigneur des foudres auréolé d'or et de pierreries, mais le Jésus de Nazareth, aussi pauvre et abandonné de tous le jour de sa mort qu'obscure avait été sa naissance sur la paille d'une étable. Sans se rendre compte que la théologie byzantine lui avait fait horreur seulement parce que Ravenne était la ville de Carlo Alberto, elle élimina de sa religion intime tout ce qui pouvait lui rappeler les droits que possédait sur elle un homme se réclamant de son titre d'époux, de son grade d'officier ; et, ne gardant de son éducation catholique que ce qui nourrissait son instinct maternel, oubliant le Yahvé de Moïse comme un accessoire inutile perdu au milieu des nuées, elle restreignit son culte au nouveau-né sans défense de Bethléem, au fugitif d'Égypte, à l'isolé du désert, au délaissé de Gethsémani, au prisonnier des Juifs, au crucifié du Golgotha, à celui qui endura peur et soif dans son agonie. Jusqu'au jour, qui ne tarda pas à venir, où elle eut elle-même un fils et put reverser les trésors de sa sollicitude sur une créature inerme : comme toutes les mères italiennes il est vrai, mais, dans son cas, avec le surcroît de ferveur et d'attachement conféré par le don prophétique. Je fus ce fils, qu'elle identifia inconsciemment avec le Christ, se réservant le rôle de la Vierge Marie.

Qui dira l'influence du modèle évangélique sur ma laïque destinée ? Je n'ai eu besoin d'attendre ni les grands procès de Rome, ni les infamies dont les pharisiens m'ont abreuvé, ni ma mort ignoble dans un endroit plus désolé que le Calvaire, pour tenir, le premier dans mon siècle, cet emploi de victime sacrée. Maman me l'avait réservé dès ma plus tendre enfance. Confiante dans son instinct divinatoire, elle n'eut garde de me l'ôter pendant la période heureuse de ma jeunesse. Jusqu'aux premiers scandales qui vérifièrent ses craintes, ce ne furent entre nous que murmures complices, soupirs étouffés, caresses de mutuel réconfort, préparation secrète à l'épreuve. Jamais fils ne fut plus choyé, plus consolé d'avoir été jeté dans le monde. Quand personne ne m'accusait encore, elle épongeait sur ma face imberbe la sueur invisible des futures persécutions.

A qui mon droit d'aînesse coûta le plus cher, il faudrait le demander à Guido. Tout de suite, le pauvre, il se sentit moins aimé que je ne l'étais, objet de moins de soins et d'attentions. « Un costaud, mon second fils ! » Cette exclamation, répétée rituellement devant les voisines, le contraignit à se fortifier par des jeux virils et à s'aguerrir pour de bon, lui que la nature n'avait pas fait plus robuste que moi. Ma mère ne le gratifiait de cette opinion laudative que pour garder à ma personne jugée arbitrairement plus frêle l'exclusivité de sa compassion.

Mon frère essaya bien d'attirer à lui un peu de cette vapeur charismatique dont il voyait mon front nimbé. Un jour que je me disputais avec des garçons du village sur la grève desséchée du fleuve, il prit ma défense avec tant d'ardeur que toute leur agressivité se reporta sur mon champion. Ils ramassèrent des galets pour les lui jeter à la figure : peu s'en fallut qu'il ne fût lapidé. Il s'en tira avec une fracture de l'épine nasale, des ecchymoses au visage, les habits en pièces. Ma mère se précipita pour le soigner, envoya chercher le médecin, nettoya ses blessures, raccommoda ses vêtements. Mais cet épisode n'attacha autour de sa tête aucune auréole de martyr ; le tabernacle du cœur maternel ne s'ouvrit pas devant lui. Que savons-nous des frères du Christ ? Ils durent pourtant souffrir à leur tour, connaître l'agonie, endurer la mort : l'histoire n'a pas daigné lever leur incognito. Mon frère qui avait failli subir le sort de saint Étienne resta, comme l'honnête diacre de Jérusalem, un comparse dans les milices célestes. Il devint un sportif, un chasseur, toujours de bonne humeur et gai ; soumis, par délicatesse, au rôle subalterne que mon monopole lui laissait ; cachant à ma mère ses soucis et ses plaies intérieures, puisqu'une différence de nature l'obligeait à figer sur ses lèvres le sourire permanent du « bon garçon » condamné à l'insignifiance.

Sa courte vie se termina sur un acte héroïque par lequel il me précéda de trente ans dans la mort. Comment il courut au-devant du sacrifice avec la certitude de sa fin imminente, peut-être même impatient de se faire tuer, je te le raconterai le moment venu. Rien ne m'ôtera la pensée que le désir de servir la patrie ne fut pas le motif dominant dans son âme ; et qu'il chercha obscurément l'immolation pour prouver à sa mère quel cœur, insoupçonné de tous, battait dans sa poitrine. Mais la place de l'Agneau était prise. Il fut pleuré, lavé, cousu dans son linceul et enseveli comme un simple mortel. Ses mânes encore aujourd'hui doivent errer sous la terre, en quête d'une reconnaissance qui lui sera éternellement refusée.

Moi, une seule goutte répandue de mon sang suffisait à mettre sens dessus dessous la maisonnée. De quelle année dois-je dater cet après-midi pluvieux où je rentrai penaud, traînant ma bicyclette à la main après une chute qui m'avait emporté le genou ? Mes tantes furent mobilisées. L'une se hâta vers la pharmacie, l'autre mit de l'eau à bouillir tandis que la troisième sortait de l'armoire un torchon propre pour essuyer la cuvette. J'étais couché, immobile en travers de mon lit. Maman, assise sur un escabeau à mon chevet, tamponnait mon front de compresses tièdes. Je commençais à somnoler, engourdi moins par la douleur que par ce bruissement de robes et de soupirs féminins, lorsqu'une de mes tantes, celle de la papeterie, qui avait rapporté de Pordenone un lot d'images pieuses pour les missels, s'écria, en tirant de la boîte un chromo de la Crucifixion, et en nous regardant nous tenir par les mains : « C'est la Mater Dolorosa ! » Exclamation ironique, qui peint le caractère des femmes de ma famille. Enrichetta, la seule mariée des trois sœurs de ma mère, élevait elle-même de jeunes enfants, mes cousins. Le visage de maman s'empourpra. Elle lâcha ma main, se dressa sur ses pieds, renvoya mes tantes, pansa elle-même mon genou, avec des gestes secs et précis d'infirmière.

La remarque malicieuse de sa sœur venait de la ramener sur terre. L'humour nous a heureusement empêchés, ma mère un peu et moi tout à fait, de nous prendre au sérieux, même quand des circonstances bien plus graves et tragiques qu'une rotule meurtrie à la suite d'une chute de vélo nous eurent transformés en authentiques personnages de *Pietà*. Mes tantes, qui s'étaient retirées de ma chambre en pouffant derrière leur main en éventail, ne tarderaient pas à reparaître, métamorphosées en Saintes Femmes, fidèles suivantes de mon chemin de croix. Trente-trois stations : tel serait le nombre de mes procès. Égal à celui des années du Christ. Dès mon enfance de gamin turbulent, les acteurs de la Passion se trouvaient en place autour de moi. Ma vie pourrait s'écrire comme une imitation de Jésus. Mais le bon sens campagnard de mes ancêtres frioulans me protégera contre l'infatuation mystique. Le père jésuite qui courut dans les rues de Rome après mon assassinat en éclaboussant les murs de l'insulte *Pig Pig Pig* barbouillée en lettres rouges, serait trop heureux de crier à l'imposteur ou au fou. Et je me mettrais moi-même à rire, en repensant au chromo de ma tante et à son persiflage affectueux.

5

Le fleuve non loin duquel mon frère écopa une raclée entaille verticalement le Frioul : d'où peut-être son nom de Tagliamento. Bonaparte gagna ici une bataille, le 16 mars 1797, sur les Autrichiens, l'ennemi héréditaire de Custozza et de Caporetto. Mon père datait cette victoire du 5 mars, pour la faire coïncider avec le jour de ma naissance. Il considérait Bonaparte comme un général italien, de même qu'il revendiquait pour la couronne de Victor-Emmanuel Nice, la Corse, un peu d'Alpes Juliennes et quelques pics de Carinthie.

Casarsa se trouve du côté de Pordenone, à un ou deux kilomètres dans les terres. On ne pouvait pas construire plus près du bord les maisons. Imagine-toi un lit d'une largeur démesurée, empli de galets et de sable gris, à découvert onze mois sur douze ; un bras central, étroit et profond ; une infinité de bras secondaires, séparés par des bancs de gravier, des halliers touffus, des boqueteaux de chênes verts. Ni berge ni digue ne marque la limite du fleuve. Tu arrives par des chemins défoncés qui se perdent au milieu de la caillasse. Jamais de voitures, très peu de promeneurs. Nous apercevions au loin à travers les feuillages les piliers et le tablier en fer de l'immense pont routier qui relie les deux rives. Avec mes cousins, avec Roberto, avec d'autres garçons du village, je restais des après-midi entiers à explorer notre royaume. Ramper sous les troncs d'arbres abandonnés par les crues, plonger dans l'eau froide qu'il fallait battre vigoureusement de nos bras peu experts à la nage, sécher en nous roulant sur le sable ensoleillé, dormir au couvert des saules, prendre à l'abordage une île inconnue ; quelques bagarres, en outre, mais d'un style trop désordonné pour autoriser la moindre comparaison avec le génie stratégique de Napoléon, malgré le coup de pouce paternel à l'Histoire : aucun de ces passe-temps, ni même celui qu'il me reste à mentionner, ne valait pour moi l'attente des premières ombres du soir, quand les notes de l'angélus égrenées par la cloche de l'église venaient mourir au-dessus de ma tête dans l'air assombri. Qu'éprouvais-je alors ? Deux religions se partageaient mon cœur. L'une, je l'avais laissée derrière moi à Casarsa ; elle se rappelait à mon souvenir par ce tintement mélancolique porté sur les ondes vespérales ; elle me parlait le langage mélodieux des vertus et des devoirs chrétiens. (Si tu me pardonnes ces notions et ces tournures désuètes, les mêmes que j'étudiais dans mes livres scolaires, en particulier dans les extraits du plus fameux des romans écrits pour les classes, intitulé justement *Cuore,* recueil de préceptes édifiants.)

Religion de femmes (je rangeais don Paolo parmi les femmes), réservée aux femmes, localisée en des lieux féminins : la maison, l'église, la fontaine. Je prononçais mentalement « la fontaine » et jamais « le lavoir », tant la bourdonnante activité des lingères me semblait incompatible avec un nom masculin. Autre foyer des mœurs familiales était pour moi l'étable, où les fillettes se rendaient chaque soir à l'heure de la traite. Je m'entendais bien avec Aurelia, dont les tresses noires nouées au bout par un ruban rouge dansaient entre les épaules à chacun de ses mouvements. Elle m'appelait sous ma chambre (qui donnait du côté des champs de maïs et de betteraves) pour m'emmener avec elle à la ferme. Je prenais un des seaux vides, et nous remontions la rue du village en poussant devant nous un caillou : comme au jeu de la marelle. Les ménagères sur le pas de leur porte s'essuyaient les mains à leur tablier. Les gibelottes de lapin qui mijotaient sur les fourneaux à bois, les beignets d'aubergines mis à frire dans les poêles, les compotes d'airelles fumant dans les bassines, exhalaient dans l'air mauve un bouquet d'odeurs alléchantes. Avec autant de componction que l'oliban de la messe, j'aspirais jusqu'au fond des narines cet encens domestique.

Chaque dimanche, une longue procession de pénitentes se dirigeait vers la sacristie où don Paolo assis dans l'obscurité du confessionnal tendait l'oreille à l'énumération de leurs péchés. Maman passait avant mes tantes ; leur marmonnage succédait à son chuchotis. Toutes les églises de la région bruissaient, à la même heure, du même murmure. D'un clocher à l'autre, la Vénétie communiait dans la foi. Le concile de Trente n'avait pas tenu en vain ses assises à moins de cent kilomètres de Pordenone : la Contre-Réforme continuait à imprégner nos campagnes. Piété enjouée et souriante de ma mère et de ses sœurs : mais piété quand même. Robe noire et bras couverts pour l'office, prière avant chaque repas, maigre le vendredi. Les curés gardaient toute leur emprise dans ces anciennes possessions de Marie-Thérèse : d'autant plus respectés et obéis que le patriotisme local reconnaissait en eux ses champions. Un tel climat aurait dû m'étouffer. Il n'en fut rien. Ce Frioul clérical et dévot n'avait pas réussi à supplanter un Frioul archaïque, plus reculé que les grandes invasions barbares elles-mêmes, le Frioul des Vénètes, païen, débridé, nu, sensuel, net de scrupules comme de pudeur. Paradis agreste antérieur à la chute, et dont nous, les jeunes garçons du Tagliamento, répercutions dans nos hardiesses fluviales la solaire immoralité.

J'ai conservé une photographie de cette époque : nous voici, neuf ou dix perches dégingandées, moi seul court et trapu, avachis sur la grève, en caleçon de bain (pour certains, simple chiffon entre les jambes). Chacun défendait jalousement le secret de sa virilité naissante, l'unique honte (plutôt impatience et rage que honte) consistant à se savoir impubère auprès de camarades plus mûrs. A quel âge ai-je fait pour la première fois l'amour ? En quelle occasion ? Avec qui ? Questions rituelles dans tous les romans d'initiation, et qui inspirent des pages et des pages à l'auteur. Questions absurdes pour moi. Saurais-je répondre si on me demandait de me souvenir de mon premier ciel bleu, de ma première tarte aux pommes ? Je faisais l'amour sans avoir conscience de « faire l'amour » : encore moins, il va sans dire, d'être un marginal de l'amour, de m'aventurer dans une forêt ténébreuse hérissée d'obstacles et de dangers. Je faisais l'amour par goût, par appétit, aussi naturellement que je me mettais à table quand j'avais faim. Il n'y eut pour moi ni angoisse ni émerveillement de la première fois ni choc ni date à marquer d'une croix au chevet de mon lit. Seule la culpabilité qui oppresse la descendance de Moïse transforme en événement mémorable la découverte du plaisir avec un ami. Culpabilité dont je fus exempt, grâce au réservoir de saine et robuste gaieté (le fameux « substrat indo-européen » ?) resté intact à Casarsa sous le revêtement catholique. Mes racines poussaient dans ce premier sol, dans cet humus païen d'où je m'élançais vigoureux, innocent et droit comme une tige.

Un camarade répondait-il à mon sourire, je m'éclipsais avec lui derrière un bosquet ou dans l'épaisseur d'un taillis. Crainte d'être jugés par trop maladroits et novices. Pas de quoi nous vanter en effet de la possession incomplète à laquelle nous bornait la provisoire débilité de nos moyens. Il valait mieux nous débrouiller à l'écart. Mais nous « cacher » par réprobation de nos actes, il n'en fut jamais question entre nous. Le soir, assis à la table de famille, je n'avais pas l'impression de « mentir » en taisant pendant le repas certains de nos jeux poméridiens ; de même que je pouvais recevoir en toute sérénité dans mon lit le baiser nocturne de maman, sans que le sentiment d'une « faute » commise entre les saules du fleuve m'obligeât à fuir son regard.

Le meilleur moment de ma journée, comme je te l'ai dit, précédait de peu le retour au village. Je m'étendais, les sens repus, délicieusement sur le sable tiède, jusqu'à ce que l'angélus me donnât le signal du départ. Avec quelle volupté, accrue par la mélancolie du soir, ne goûtais-je pas alors cet accord harmonieux de mes deux mondes ! Là-bas les foyers recueillis autour de l'église, la fumée des âtres, le murmure des oraisons familières (pour parler toujours comme Edmondo De Amicis) ; ici les gestes crus, la peau nue, l'odeur de sel et de musc sur le corps, la sensation physique du bonheur. Les notes transparentes tombées du campanile apportaient la bénédiction de Casarsa sur nos équipées buissonnières : le moyen de douter que tout ne fût beau et bon dans l'univers, quand descendait avec le crépuscule sur mes membres engourdis le message cristallin du ciel ?

Cet éclectisme ingénu a été le luxe de mon adolescence. Peut-être augmentait ma béatitude le pressentiment que j'aurais bientôt à prendre parti. Quelques saisons encore, et je serais placé devant l'impossible choix : ou rester soumis à la religion de ma lignée maternelle mais manquer à ma propre nature ; ou montrer le courage d'être moi-même mais avec la mauvaise conscience du renégat. Quel homme élevé dans la foi catholique et sorti de ses illusions juvéniles a pu échapper à ce dilemme ? Le rêve de concilier la morale de l'Église et mes besoins personnels s'est écroulé avec les autres chimères de l'enfance. J'ai choisi sans hésiter ma voie, mais l'homme libre que j'aurais voulu être, que tant de sots me glorifient d'avoir été, a toujours porté les entraves de son éducation chrétienne. Impossible de parcourir le monde, vêtu de la tunique légère des Grecs, quand on a été jusqu'à l'âge de vingt ans assidu à la messe du dimanche. J'ai tissé dans mes poèmes autant de louanges à Christ qu'un contemporain de Giotto : si un disciple de Gramsci reste attaché de la sorte à Jésus, t'étonneras-tu que ta mère, presque analphabète, accroche côte à côte au-dessus de son fourneau un portrait de Staline et le tableau de la Madone ? Nul film ne m'a tenu plus à cœur que celui sur l'Évangile. Dans ma vie privée, j'ai eu beau jeter le masque et paraître intrépide, je sentais battre dans ma poitrine le cœur de Judas.

Pendant les quelque trente ans de mon séjour romain, ai-je manqué un seul jour de soupirer après le Frioul perdu ? Miraculeux éden, qui accueillait le hêtre de Virgile dans la flore du Paradis. Couché de tout mon long sur la grève, j'étais fils de la Terre sans cesser d'appartenir à la souche d'Adam. Une joie pure de remords,

41

jamais par la suite il ne m'a été permis d'y goûter ; en vain ai-je cherché à retrouver l'innocence de mes premières émotions ; la musique qui parvenait à mes oreilles n'était plus le chalumeau de Tityre ni le psaltérion des anges. Le bourdon de Saint-Pierre a succédé aux cloches de mon village ; il m'a rejeté au ban de la chrétienté et de la nation ; il a faussé toutes mes conduites. J'ai dû braver les interdictions religieuses avec l'arrogance du félon, obéir aux impulsions de ma chair avec la fébrilité du parjure, défendre ma cause avec le sectarisme du militant, moi qui étais né pour la douceur et pour la paix.

(Vois ce qui se passe aujourd'hui. L'éducation chrétienne ne pèse plus sur les jeunes. Freud a remplacé Jésus. « Victoire ! » crient les imbéciles, sans se rendre compte que rien n'a changé. Un psychanalyste m'aurait dit : « Amuse-toi avec tes camarades, c'est de ton âge. Jusqu'à seize ans, dix-sept ans, tout ce que tu pourras faire ne tirera guère à conséquence. Profite à fond de la permission qui t'est donnée. Car ensuite, bien entendu... » Ensuite il faudra devenir *un homme*. Dépasser ce stade puéril pour te développer et t'épanouir en adulte. Une étape est une étape ! Quiconque s'y attardera plus que le temps légitime sera coupable d'immaturité ; et jugé comme tel par le tribunal qui répartit les tâches et les responsabilités sociales. Je me demande, Gennariello, ce que ta génération a gagné, en prenant ses leçons de Vienne au lieu de se prosterner vers Nazareth. Coupables, toujours coupables ! Comme nous il y a trente ans, à votre tour vous voilà en faute, même si la faute ne s'appelle plus péché, mais déviation, régression, fixation à une phase transitoire. Cesse donc de justifier ton abominable projet de mariage, en me soutenant que tu agis indépendamment des prêtres. Tu ne te laisses pas influencer par don Michele ? Soit. A d'autres pressions tu cèdes, mille fois plus insidieuses et perfides, parce que la théorie des « phases » est dans l'air, que tu l'absorbes en regardant la signora Prontosoccorso te vanter à la télévision son agence de publicité conjugale, en feuilletant chez ton barbier les pages médicales des magazines, en glissant un œil sur l'éditorial du *Mattino* consacré aux « problèmes » de la jeunesse, pendant que tu vides au comptoir la dernière goutte de ton *cappuccino* écumeux. Sans compter les discours de ton frère communiste, celui qui est contremaître chez Alfa Romeo.)

Les filles ne venaient point avec nous au Tagliamento. Coutume tacite, qui se transforma en règle absolue après le malheur qui faillit se produire. La petite Aurelia voulut nous accompagner. « Tu sais nager ? » lui demanda Roberto. Elle répondit par un haussement d'épaules, je marchai sur Roberto en serrant les poings. Il se sauva hors de ma portée et ramassa quelques cailloux. La dispute ayant tourné court, nous arrivâmes au bord du fleuve sans autre incident. Aurelia portait une robe de cretonne à fleurs, qu'elle déposa sur les galets, pliée soigneusement. Un maillot d'une seule pièce tenu aux épaules par des pattes moulait ses deux jeunes seins à peine éclos sur son buste encore droit comme un corps de garçon. Elle leva les bras pour rajuster son chignon. Je me souviens d'avoir été choqué par l'abondance des poils, beaucoup plus sombres que ses cheveux, tout noirs, dont les touffes collées par la sueur remplissaient le creux de ses aisselles.

Roberto et les autres, dans l'eau jusqu'à la taille, nous faisaient signe de les rejoindre. Aurelia se dorait les jambes et fermait les yeux en prenant le soleil sur sa figure. « Peut-être ne sait-elle pas nager en effet », me dis-je, furieux de n'être pas avec mes camarades et de perdre le meilleur moment de la journée. Si je me levais maintenant, j'aurais l'air du gamin dont on se débarrasse en l'envoyant jouer. Ma fierté m'ordonnait de rester assis auprès d'Aurelia. « Tu ne m'avais pas dit qu'il y avait tant de mouches ! » s'exclama-t-elle en se dressant tout à coup sur ses pieds. Je la pris par la main, nous remontâmes d'une centaine de pas la rive, jusqu'à un endroit plus escarpé. « Faisons la course », dis-je à Aurelia. Roberto, qui pataugeait près du bord, serait épaté de nous voir plonger en eau profonde.

Présumait-elle de ses capacités ? Fut-elle victime d'un malaise ? A mi-parcours, je tournai la tête en arrière, pour regarder de combien je l'avais distancée. Elle se débattait dans un remous, coula, refit surface avec peine, presque suffoquée. Le courant l'entraîna. Quand j'eus gagné l'autre berge, elle avait disparu au milieu d'un tourbillon. Le ruban rouge d'une de ses nattes flotta comme un bouchon puis sombra aussi. Mes camarades accouraient déjà le long du fleuve en poussant des cris à mon intention. Je me jetai dans le courant, saisis Aurelia par les cheveux et la ramenai sur la plage. Juste à temps : évanouie, les yeux clos, froide et immobile dans mes bras, elle avait l'air plus qu'à moitié de l'autre côté de la vie.

Nous l'étendîmes sur le sable. Les uns lui ouvraient les mâchoires, d'autres remuaient ses bras et ses jambes. Moi, sans forces, assis derrière elle sur la pierre où ils avaient posé sa tête, je me contentais de lui caresser les cheveux. Qu'elle me paraissait belle ! Pourquoi ne la laissaient-ils pas tranquille ? Pâle et fantomatique comme une fleur de lotus, c'est ainsi que je la préférais. Pendant un instant, je la crus morte. Je me mis à trembler nerveusement, non de chagrin (bien qu'Aurelia fût de toutes mes compagnes la plus à mon goût) mais agité par une sorte d'exaltation incohérente qui, traduite en mots (si j'avais pu formuler en moi-même mes pensées), aurait donné cette suite d'exclamations absurdes : « Tu es morte et je t'aime ! Jamais tu ne m'as plu autant que maintenant ! Reste morte comme ça pour que je t'aime à jamais ! »

Elle cracha beaucoup d'eau et en fut quitte pour la peur. Mais moi, je n'étais plus le même. Sans cesse occupait mon esprit la noyée du Tagliamento. La nuit j'ouvrais ma fenêtre et je criais son nom à la campagne endormie. Seul me répondait le silence de la clarté lunaire épandue sur les jardins potagers, les champs de betteraves. Ou l'aboiement lointain d'un chien en écho à mes soupirs. J'étais amoureux, amoureux fou comme on peut l'être à quatorze ans, de celle avec qui jusqu'alors ne m'unissaient que des liens de bonne camaraderie. Mais cet amour ne correspondait pas du tout à ce que je lisais dans les romans : au lieu de me pousser vers Aurelia, il m'incitait à fuir sa présence. Moi qui ne dédaignais pas auparavant de l'accompagner jusqu'à la ferme et de me faire voir à côté d'elle dans la rue, bien qu'il ne s'agît que de traire les vaches et de l'aider à rapporter les seaux, je m'abstins désormais de répondre à son appel quand elle s'arrêtait sous ma fenêtre pour le signal convenu. Loin d'être tombée en disgrâce, comme elle le crut sans doute, elle était montée au pinacle. La fillette vivace aux tresses toujours agitées ne m'intéressait plus, depuis que j'avais découvert son double inanimé. Je la trouvais trop active, trop sanguine, trop vivante : trop femme. L'autre Aurelia, l'Aurelia blanche et funèbre étendue comme une reine de mausolée, enflammait seule mon imagination. En gisante elle m'avait conquis ; en gisante je voulais continuer à la chérir : transfigurée, faite de toute autre substance que de chair.

Fût-elle morte pour de bon, l'avertissement n'aurait pu être plus net. Qu'a-t-elle été pour moi, sinon l'occasion d'entrevoir pour la première fois mon destin ? « Renonce aux femmes, adorateur de statues féminines ! » Tel était le secret déposé sur ses lèvres closes, pendant que je tordais ses nattes ruisselantes. Tant que cet été dura, j'ai pleuré le soir dans ma chambre. Pourquoi ces larmes versées en prenant la lune à témoin ? Pas une fois, au lieu de m'exalter à la fenêtre et de mêler mes plaintes aux souffles de la nuit, je n'eus l'idée de m'échapper de la maison pour rejoindre Aurelia dans le village. Involontairement, la pauvrette, elle m'apprenait à distinguer mes vrais buts. Je n'ai pu aimer que son visage d'outre-tombe, que son corps de marbre. Plus tard, les seules femmes auxquelles je m'attacherais seraient des actrices célèbres, des divas mises hors de ma portée par leur gloire. La conscience de l'obstacle qui m'empêchait de les atteindre fut mon lien le plus fort avec elles. Sa beauté intemporelle de défunte m'avait enchaîné à Aurelia. Je fermais les yeux à tout moment pour revoir le tableau de la noyade, la scène au bord du fleuve transformée, dans mes fantasmes obituaires, en cérémonie d'enterrement. « Adieu ! » lui criais-je, comme si je la veillais, non plus évanouie sur la grève, mais allongée dans son cercueil. « Adieu pour toujours ! » Je sanglotais de plus belle, sans me douter que je mettais au tombeau, à la place d'Aurelia, une partie de moi-même.

6

1936 : retour à Bologne, jusqu'à 1943. De quatorze à vingt et un ans : l'époque décisive. Fin de mes études secondaires au lycée Galvani : du nom de l'illustre médecin et physicien de Bologne, dont le patronage ravissait mon père. En son fils, qu'il ne voyait pas d'un bon œil porté aux études littéraires, il aurait voulu développer le goût des sciences exactes. La culture, pour lui, devait être « positive ». Et puis, fréquenter un établissement que signalait au-dessus de la porte l'inscription en lettres dorées « Luigi Galvani », paraissait à l'officier de carrière une invitation permanente à « l'énergie ». Il avait entendu parler de la fameuse expérience sur la grenouille : un jour que le savant approchait son scalpel des nerfs cruraux internes d'une rainette fraîchement tuée, une violente contraction secoua la bestiole. « Galvanisez-vous, galvanisez-vous ! » répétait le capitaine à ses deux garçons. Jeu de mots qui résumait ses convictions politiques aussi bien que ses préférences en matière d'instruction. En bon fasciste, il ne dissociait pas le travail de l'esprit d'une certaine activité musculaire. La culture ne devait pas seulement être « positive », mais encore « excitante », « élastique », « tonique ». Il en vint même — et ce fut la seule preuve d'affection qu'il me donna jamais — à m'appeler, lorsqu'il me trouvait le soir penché sur mes livres scolaires, « grenouille », « petite grenouille », sobriquet dont il attendait un effet stimulant, comme si chaque fois que je piochais une de mes leçons le batracien historique de Bologne allait communiquer à mon corps studieusement incliné vers les caractères d'imprimerie quelques volts salutaires d'électricité animale.

Pour canaliser dans la bonne voie mes goûts littéraires, il eut l'idée de m'inscrire à un concours fondé par un grand éditeur de Milan. Valentino Bompiani ne tarderait pas à publier des écrivains tels que Moravia et Vittorini. Pour le moment — et tu comprendras par cet exemple à quel point l'idéologie fasciste, dans les années 30, imprégnait les esprits les plus indociles — il organisait le concours des « livres d'acier » pour un roman « destiné aux jeunes garçons, écrit par un jeune garçon de dix à seize ans ». « Vous connaissez certainement la magnifique collection des *Livres d'acier* : livres modernes, séduisants, *métalliques* pour la jeunesse. » (Ce « métalliques » en souvenir, je suppose, mais impropre, de la grenouille de Galvani.) Suivait (je te recopie la réclame telle qu'elle apparut dans un des almanachs littéraires imprimés annuellement par Bompiani) la liste de ces douze ouvrages faits non de papier mais de métal (et quelle déception de constater que cette matière réputée incorruptible n'en a sauvé aucun de l'oubli). « Nous voulons ajouter à la série un treizième livre écrit par un jeune garçon lui-même. Pensez quelle satisfaction ce sera pour vous de voir votre œuvre dans toutes les vitrines et de gagner, à votre âge, un pourcentage de droits d'auteur comme une grande personne ! »

Cet appât financier ne dut pas être du goût du capitaine, qui comptait sur la gêne pécuniaire de sa famille pour renforcer sa tutelle insuffisamment garantie par l'uniforme et le prestige militaires. Mais ce qu'il lut à la page suivante l'enchanta. L'éditeur lançait un vibrant « appel aux parents ». « La jeunesse d'aujourd'hui, réaliste, efficace, diffère beaucoup de celle qui apporta il y a trente ans le succès à des romans d'aventures d'écrivains devenus très célèbres. Même les livres qui ont semblé longtemps, dans leur genre, des chefs-d'œuvre d'habileté romanesque et de prévision scientifique sont passés au rang de simples curiosités historiques, à présent que les sous-marins sillonnent toutes les mers et que les aéroplanes vrombissent dans tous les cieux. Sommes-nous encore à l'époque où un roman doit stimuler votre fils à s'enfuir de chez lui pour soustraire au bûcher la fille du maharadjah de Lahore ? »

Certes, je commençais à me détacher de Jules Verne et d'Eugenio Salgari (tout en trouvant un peu fort, quand même, que Lucio d'Ambra, un des douze auteurs de romans « métalliques », eût remplacé, dans son ouvrage puissamment moderne et dynamisant pour la jeunesse, intitulé *Mes trois mousquetaires*, Athos, Porthos Aramis et d'Artagnan par... quatre chiens : toujours en hommage, sans doute, à l' « électricité animale ») ; et je n'avais pas la moindre envie, après avoir réellement sauvé de la noyade ma petite camarade de Casarsa, de voler au secours imaginaire d'une princesse indienne. Mais les promesses mirobolantes de l'almanach Bompiani ne pouvaient guère séduire celui qui venait de découvrir, tout seul, en furetant chez les bouquinistes, *Macbeth* et Dickens et

Gogol et Dostoïevski ; des livres d'autant plus éloignés de l'idéal sous-marinier et aéronautique et du vitalisme élémentaire proposés à nos jeunes ambitions, que je les achetais sous la galerie au nom magique qui borde la piazza Maggiore de Bologne puis longe le flanc gauche de la basilique San Petronio.

On appelle « Portiques de la Mort » ces colonnades parce que l'édifice qu'elles soutiennent, converti aujourd'hui en musée et en bureaux, abritait autrefois l'hôpital. J'ignorais cette origine ; je prenais au sens littéral ce caprice toponymique. Spectraux messagers de l'au-delà, malgré leur corpulence qui faisait honneur à la cuisine bolonaise, me paraissaient les marchands installés derrière leurs tréteaux. Je ne me disais pas : « Allons acheter un livre » mais : « Qu'est-ce que Thanatos a de neuf à m'offrir ? » Lire, m'identifier aux personnages de romans et de théâtre, ce fut pour moi tourner le dos à cette « vie » prônée bruyamment par les fascistes, entrer dans une mythologie funèbre à laquelle m'invitaient mes stations presque quotidiennes devant les étalages de la Mort.

Pendant que le général Badoglio plantait le drapeau italien sur les rives du Bahr el-Azrah et du Djouba, les fleuves qui m'entraînaient dans leurs méandres se dénommaient Cocyte, Léthé, Phlégéthon, Styx. Que m'importaient les victoires tapageuses d'Éthiopie, lorsque dans le silence de ma chambre, loin des vociférations de la radio, j'ouvrais le nouveau livre arraché à l'avare Charon des arcades contre une obole à grand-peine rassemblée en retournant le fond de mes poches ? Ni l'éloquence de mon père ni les offres de Valentino Bompiani ne purent m'inciter à tremper ma plume dans le sang rouge, roboratif et vraiment viril des héros. Je n'ajoutai pas à la pile des « romans d'acier » un treizième chef-d'œuvre inoxydable. Eussé-je tenté de m'illustrer dans la littérature canine, je n'aurais pas donné la parole aux quatre mousquetaires de Lucio d'Ambra mais au Cerbère à trois têtes qui garde les portes du Tartare. Ensuite, quand ce fut à mon tour d'écrire et de publier, je sus que j'entamais ma descente aux sombres royaumes de Pluton.

Devinettes, plaisanteries, petits jeux littéraires, enquêtes facétieuses auprès de célébrités, remplissaient les pages intercalaires de l'almanach Bompiani. Je me rappelle qu'à la question : « Que feriez-vous si vous étiez invisible ? » un écrivain d'avant-garde avait répondu : « Je me rendrais chez D'Annunzio et je lui glisserais à l'oreille : Repens-toi. » Fine ironie et persiflage à double sens qui constituait en même temps, paraît-il, un acte de courage : tout dépendait de la manière dont on compléterait la phrase laissée en suspens. Tandis que la majorité des lecteurs (surtout des lectrices), encore subjugués par la lyre de l'aède borgne, diraient : « d'avoir

séduit tant de femmes, brûlé tant de victimes sur l'autel des Muses »
(et l'émerveillement élogieux serait entrelacé au blâme de principe),
le petit nombre des vrais connaisseurs comprendraient : « Repens-
toi d'écrire de si mauvais vers », et les plus hardis politiquement :
« d'être l'ami de Mussolini. » Tels étaient les subterfuges qui
restaient à l'opposition pour faire entendre une voix étouffée par les
tracasseries policières.

Bologne fut le théâtre d'un événement, mémorable dans les
annales du fascisme, auquel je me trouvai mêlé par le rôle ambigu
qu'y joua mon père. Arturo Toscanini, la figure la plus illustre du
monde artistique italien, incarnait dans sa personne fougueuse,
irascible et chevelue, la résistance au Duce. A part quelques
intellectuels comme lui et une poignée de communistes, le pays tout
entier se traînait à plat ventre. Monarchie, parlement, sénat ne
survivaient plus qu'à titre d'institutions décoratives. Strict contrôle
exerçait le Parti sur les banques, les industries, les syndicats. La
dernière forteresse libérale, le *Corriere della Sera,* avait capitulé
après le départ d'Albertini. Seuls jouissaient d'une sorte de privilège
extra-territorial les bâtiments de la Scala. Tant que la direction en
resta à Toscanini, le portrait du dictateur, pendu aux murs de toutes
les écoles et de tous les édifices publics, n'entra jamais à l'intérieur
du grand théâtre milanais. Pendant ce temps, Pietro Mascagni,
thuriféraire officiel du régime pour se consoler du fiasco subi par
toutes ses œuvres depuis *Cavalleria rusticana,* écrivait le *Chant des
corporations* et l'*Hymne au travail.* Ottorino Respighi (une autre
gloire de Bologne !), le premier compositeur italien depuis la mort
de Puccini, encensait les collines, les fontaines et les pins de Rome
dans des poèmes symphoniques qui étaient des hommages directs au
tyran.

Toscanini arriva à Bologne un dimanche de mai. Il descendit à
l'hôtel Brun, vieux palace aimé de la reine Marguerite et fréquenté
par de désuets gentilshommes qui y résidaient en permanence, dans
leurs propres meubles qu'ils avaient apportés avec eux ; détruit
ensuite par les bombardements. Le maestro devait diriger le soir
même au théâtre municipal un concert à la mémoire de Giuseppe
Martucci, longtemps directeur du conservatoire. Par pure coïncidence, ce dimanche était aussi le jour de l'inauguration de la Foire
de Mai : importante dans notre ville, et dédiée aux produits du
cochon (mortadelle de Bologne, pied de porc farci de Modène,
saucisson cuit d'Imola). Le *Carlino* annonça dans sa première
édition claironnée par des adolescents en chemise brune qu'au gala
musical du soir, fixé pour neuf heures et demie, assisteraient le
concitoyen Leandro Arpinati, sous-secrétaire à l'Intérieur, et,

suprême sujet d'orgueil pour les mélomanes, le gendre de Mussolini en personne, Galeazzo Ciano. L'auteur de l'article se garda bien d'insinuer que ces puissants hiérarques accouraient dans la capitale de l'Émilie plus en vue des ripailles charcutières au programme du festin dressé sous les tentes de la foire, qu'alléchés par le concerto pour violon et orchestre en *si* bémol du modeste disparu. En courtisan avisé, le journaliste lançait pour finir un appel (« galvanisant », eût dit mon père) à tous les fascistes locaux : que l'accueil réservé à Leurs Excellences soit digne de la patrie d'Albani, d'Algardi, des Bibiena, des Carrache, du Dominiquin, de Serlio (il n'osa dire : de la mortadelle ; l'ordre alphabétique atteste qu'il venait de rafraîchir ses connaissances dans les pages roses du dictionnaire). « Toutes nos bannières flotteront, des banderoles nerveuses aux labarums carrés. »

Hélas, pour la pleine réussite de cette fête vexillaire, il eût fallu que les vents daignassent envoyer quelque souffle ; mais ni la tramontane qui descend des Apennins, ni le favonius qui, né de l'Adriatique, se faufile par la vallée du Pô ne crut bon de se manifester. Une lourde chaleur de printemps pesait déjà sur la ville. Aucune ondulation n'agitait les oriflammes qui pendaient inertes le long des mâts. La seule rafale fut produite par mon père qui rentra à la maison sur le coup de midi dans un état de violente excitation. Les portes claquèrent, il s'enferma dans sa chambre sans nous dire un mot. Nous le vîmes réapparaître, en grand uniforme, congestionné et furibond.

« Vengeance, vengeance ! » marmonnait-il.

Il but un verre de liqueur à l'œuf et nous expliqua la cause de cette subite effervescence. Le professeur Lipparini, humaniste réputé, auteur de manuels scolaires et maire de Bologne, s'était rendu à l'hôtel Brun pour apporter la bienvenue au maestro et le prier de conduire l'hymne fasciste *Giovinezza* au moment où les deux hiérarques feraient leur entrée dans le théâtre. « Vous êtes fou, répliqua Toscanini. Les rois eux-mêmes, qui ont souvent assisté à mes concerts, n'ont jamais émis de telles prétentions. Je ne dirige, moi, que de la musique sérieuse. » A la suite d'un affront aussi énorme, ajouta mon père, le préfet Guadagni avait convoqué tous les chefs de la police et de l'armée. Ne fallait-il pas redouter une émeute ? Nous devions donc déjeuner sans lui ; son devoir l'appelait à la préfecture ; l'ordre public était troublé.

Le reste de la journée se passa en négociations fiévreuses. Les deux Excellences n'arriveraient qu'à sept heures, par le train spécial de Rome. Elles gagneraient directement la colline de San Luca, pour être gavées de porcines bombances, avant d'ouvrir leurs pavillons auditifs aux festivités concertantes. Toscanini, bonhomme, conseilla de recourir à l'orphéon municipal, qui pourrait jouer l'hymne fasciste en plein air, sur les marches du théâtre. Cette suggestion conciliante fut prise pour une raillerie supplémentaire (ce qu'elle était peut-être). Le secrétaire fédéral Ghinelli, fou de rage et de peur, demanda ce qu'on attendait pour manier le gourdin sur le crâne de ce ramolli. Enfin, le banquet commença. Quand neuf heures sonnèrent, et que les convives après un coup d'œil à leur montre-bracelet (sauf Ciano qui portait l'oignon) mettaient les bouchées doubles pour ne pas perdre une once de la hure à la Jacopo (du nom d'un cuisinier médiéval des comtes Pepoli), il fallut bien avertir le sous-secrétaire à l'Intérieur et le ministre de la Presse et de la Propagande qu'ils essuieraient au théâtre un camouflet sans précédent.

Le gendre de Mussolini éclata de rire. « A Dieu ne plaise ! s'exclama-t-il d'une voix épaissie par les libations de pétillant lambrusco. Nous voilà délivrés d'une corvée ! » Comment s'étonner que les œuvres d'un artiste aussi provincial que le défunt Martucci n'aient pas réussi à exciter la curiosité d'une oreille déjà si peu musicale ? Il faut rappeler cependant que l'exploit de ce compositeur trop discret et son principal titre à être commémoré aujourd'hui était d'avoir dirigé à Bologne la première exécution italienne de *Tristan*. Même sourde aux charmes d'Euterpe, Son Excellence aurait dû savoir quelle délectation toute spéciale procuraient au grand Ami et Modèle transalpin du beau-père les harmonies du nain de Bayreuth. Tandis qu'Arpinati faisait signe au préfet de redescendre sans eux en ville et de ne plus les embêter avec les lunes d'un vieux maboul, Ciano, ravi d'avoir trouvé un prétexte pour se décommander, relâcha sa ceinture d'un cran et se fit servir une nouvelle portion de galantine. Le sous-secrétaire, assis à sa droite, eut l'attention délicate de saisir lui-même la pince en bois pour plonger dans le bocal aux cornichons et déposer sur l'assiette de son auguste voisin une biscornue et turgide cucurbitacée.

Mais en bas, dans la pesante chaleur citadine, la bonne humeur s'était gâtée. Tous ces préparatifs, tout ce branle-bas pour rien ! Ghinelli, furieux de la désinvolture des ministres, cherchait un exutoire pour sa colère. Les jeunes squadristes, exclus du festin, avaient expédié en quatrième vitesse leurs quotidiens *cappelletti* banalement assaisonnés à la bolonaise. Enhardis par le secrétaire fédéral, ils se réunirent devant l'entrée du théâtre. L'antique fierté municipale qui avait dressé leurs aïeux contre Rome parlait une dernière fois par leurs bouches écumantes. Se laisseraient-ils traiter comme les dindons de la farce ? Mon père se joignit à eux. Outré par la réponse de Ciano, il ne se pardonnait pas d'avoir sauté son déjeuner pour se précipiter à la rescousse de l'honneur fasciste que ses paladins naturels sacrifiaient sans vergogne à leur goinfrerie.

Toscanini arriva dans son auto. A peine eut-il mis pied à terre qu'il se vit entouré d'une petite foule menaçante.

— Êtes-vous disposé à jouer *Giovinezza* ?

— Non, répondit une nouvelle fois le maestro.

On commença à le presser, à le pousser ; un coup de poing l'atteignit dans le dos ; son feutre roula au sol, des pieds rageurs disloquèrent le chapeau. Ce qui causa le scandale et l'indignation dans la presse internationale fut une gifle qui le frappa en pleine joue. Un témoin jura qu'il avait vu le capitaine P... lever la main. D'autres, au contraire, félicitèrent les militaires présents d'avoir cherché à calmer les esprits. Un officier à trois galons (seule précision que je pus recueillir) évita le pire en aidant Toscanini à remonter en voiture. Le gros des manifestants, Ghinelli en tête, se dirigea en cortège jusqu'à l'hôtel. Le secrétaire fédéral conseilla au maestro de quitter sur-le-champ Bologne, les pouvoirs publics ne pouvant plus répondre de sa sécurité. Toscanini, sous une escorte de carabiniers, partit dans la nuit pour Milan. A quelque temps de là, abandonnant son théâtre et sa patrie, il émigra en Amérique.

Cet épisode ne nuisit en rien au prestige de la foire, qui rouvrit ses stands chaque année. Toscanini, il va sans dire, puisa dans l'affaire des cochons un supplément de gloire. Si Ciano et Arpinati échappèrent à l'indigestion, l'histoire ne le raconte pas. Unique victime certaine de l'excellence des charcuteries émiliennes : le pauvre Martucci, qui ne fut pas joué ce soir-là, ni jamais plus commémoré en aucune autre occasion ultérieure.

7

Grand pontife et grand bouffon de notre avant-guerre : Achille Starace, le secrétaire du Parti national fasciste. Il prescrivait aux hommes de rentrer le ventre et de sortir la poitrine, aux femmes, machines à progéniture, de grossir des seins et des hanches. Après la prise de l'Éthiopie, nous dûmes crier : « Vive le Duce fondateur de l'Empire ! » La presse reçut des instructions détaillées. Ne pas écrire : « Ils se sont réconciliés avec une poignée de main » mais : « en se saluant à la romaine ». Ni : « Le maire a posé la première pierre » mais : « a asséné le premier coup de pic », le verbe « poser » ne signalant pas une action assez vigoureuse. Éviter d'annoncer qu'un hiérarque s'est « installé » dans une nouvelle fonction : il serait du plus fâcheux effet qu'un chef donne l'impression qu'il commence par s'asseoir. Le jour des grandes fêtes « lictoriales », défense aux enseignes qui se dirigent de tous les points de la ville vers le stade de porter leur fanion plié sous le bras ou enveloppé dans du papier journal. Ordre aux dignitaires de défiler au pas de course, et d'inaugurer la cérémonie par quelque exploit gymnastique, comme le saut à pieds joints par-dessus une baïonnette, ou le plongeon dans l'anneau de feu.

Le maréchal de l'air Italo Balbo possédait un donjon entouré d'eau qu'il prêtait pour vingt-quatre heures aux « atlantiques » (les aviateurs vainqueurs de l'océan). Chacun de ces héros avait le droit de relever le pont-levis et de s'isoler pendant un jour et une nuit avec la femme de son choix, dans la tour pourvue du ravitaillement et du matériel de cuisine nécessaire.

Roberto Longhi, l'incomparable historien et critique d'art, que j'eus la chance d'avoir pour professeur à l'université, nous apprenait à identifier le fascisme, non seulement dans les brimades ou les cocasseries spectaculaires, mais là où aucun de nous n'aurait songé à

53

le reconnaître. Enseignement d'autant plus précieux que, à la même époque, électrisés par le slogan : « Offrez votre or à la patrie », les hommes venaient remettre leurs épingles de cravate, les femmes leurs boucles d'oreilles, les couples leurs alliances. Benedetto Croce lui-même, le sage, la conscience de l'Italie, le prince des libertés, sortit de son palais napolitain pour apporter sa médaille de sénateur.

Longhi — chapeau rabattu sur l'œil, nez aquilin, foulard de soie d'où émergeait un cou frileux, verbe vif et moqueur qui en glaçait plus d'un — nous entraînait, quitte à prendre quelque licence avec les horaires, hors des vieux bâtiments de via Zamboni. Nous passions au pied des deux tours de l'Asinelli et de la Garisenda et, par la petite rue des Bijoutiers, restée intacte depuis le Moyen Age (de préférence à la via Rizzoli, autrement dit le Corso, avenue des banques et des magasins de luxe), nous arrivions sur la piazza Maggiore. Là, adossés au palais du Podestà, arrêt pédagogique devant San Petronio dont la haute et imposante façade s'élève à l'autre bout de l'esplanade. Mon ami Enrico, qui portait déjà la moustache, flirtait avec la bouquetière de la loggia. Ce n'est pas moi qui aurais perdu une seule parole du professeur.

Le fascisme ? Une constante de l'histoire italienne, affirmait-il en phrases sèches et coupantes. Se garder de le confondre avec le régime de Mussolini. Bologne, antifasciste avant la lettre dans sa lutte pluriséculaire contre l'impérialisme romain. L'ambition des papes contrecarrée par la résistance municipale. Commune jalouse de son autonomie, Église avide d'expansion. Les effets de cette guerre, nous les avions sous les yeux.

— Dès le XIIe siècle, aux convoitises du Saint-Siège qui ordonne la construction d'une cathédrale dédiée à saint Pierre, les citoyens répliquent par le projet de cette basilique : consacrée à saint Petronio, premier évêque émilien, notre patron. Elle doit, d'après les plans, couvrir une surface plus étendue que Saint-Pierre de Rome elle-même. Nef de proportions gigantesques, la plus haute d'Europe. Mais dans ses autres parties, tu as raison, Pier Paolo, monument inachevé. Au XVIe siècle, après deux cents ans d'indépendance municipale, les cardinaux légats ramènent la ville sous l'autorité du Vatican. Pour empêcher les maçons de terminer la basilique, ils font bâtir le long du chantier un palais, d'un seul étage, démesurément étiré : en sorte qu'il devient impossible de construire les bras latéraux. Concluez de vous-mêmes, et dites-moi si cet édifice vanté par les imbéciles ne se dresse pas plutôt devant vous, avec sa nef dépourvue de transept, comme le témoin de notre défaite.

Ainsi parlait notre mentor. En termes pour moi d'autant plus suggestifs que le palais responsable d'un tel échec reposait sur les Portiques de la Mort. Enrico, insensible au trouble qu'éveillait dans mon esprit cette association inattendue entre le commerce des livres et le despotisme pontifical, frisant d'une main sa moustache pendant que de l'autre il fourrageait dans les primevères, persuadait la jeune fille de pousser sa carriole derrière notre petit groupe qui remontait le long des arcades jusqu'au chevet de San Petronio. Ou plutôt jusqu'à l'absence de chevet, puisque, dernier volet de son argumentation, Roberto Longhi nous montrait comment l'abside elle aussi était restée en plan. De la piazza Galvani où nous faisions halte, sous la statue de l'omniprésent physicien, on voyait un mur droit fermer à pic l'édifice mutilé. Mathias profitait de cette pause pour gagner en deux bonds la toute proche librairie Cappelli dont il fouillait méticuleusement les rayons. Par la suite, il capta si bien les sympathies du premier commis, un certain Otello Masetti, que celui-ci s'entremit auprès d'un vieux libraire de la piazza San Domenico pour le décider à publier nos premiers recueils de vers.

Nous étions quatre poètes en effet, à nous réunir chaque jour et à déambuler sans fin sous les colonnades, parfois jusqu'à l'aube où nous croisions le garçon laitier en train de mettre ses bouteilles dans les seaux qui pendaient à une corde depuis les fenêtres : Enrico, que son engouement pour la petite fleuriste de la piazza Maggiore inclinait en ce moment aux métaphores botaniques, comme plus tard, entiché de la fille d'une mercière, il festonnerait ses compositions à la manière de broderies et de dentelles, avant de devenir, sous l'influence d'une passion plus mûre, le digne successeur de Pascoli ; Mathias, que tu as vu s'engouffrer entre les étagères poussiéreuses à la recherche de livres rares et de documents propres à nourrir de leur carduccienne provende sa muse résolument érudite ; enfin Daniel et moi, les seuls qui nous destinions aux beaux-arts (Daniel s'exerçait même à la peinture) et que Roberto Longhi trouvait prêts à écouter ses dernières improvisations quand le reste de la classe s'était égaillé.

Il nous désignait, au hasard de nos promenades, ce qu'il appelait avec son humour corrosif les différentes victoires des aigles romaines : les riches devantures du Corso, par exemple, qui s'étaient substituées vers la fin du siècle dernier aux auvents de bois et aux tréteaux démontables des artisans. La bourgeoisie du Risorgimento avait mis fin à la communauté du portique. Éventrement du centre moyenâgeux, percement d'avenues rectilignes, prolifération de bâtiments officiels, érection de statues dans les squares, lourdes façades aux balcons pansus (un ornement, celui-là, incompatible avec la civilisation de l'arcade : le balcon n'étant qu'une dédaigneuse concession à la rue, de la part de propriétaires décidés à se calfeutrer chez eux sous la protection de leurs serrures), corniches, rosaces et moulures prodiguées avec un mauvais goût prétentieux : voilà le legs de la période umbertienne et la conséquence directe du régime centralisateur, bien avant le ciment armé, les arcs de triomphe, les stades, les caisses d'épargne, les bureaux de poste et les instituts agricoles de Mussolini.

« Vous entendez ? » nous demanda soudain Longhi en pointant l'index vers une fenêtre ouverte d'où nous parvenait la voix nette et placide d'une radio. J'échangeai un coup d'œil étonné avec Daniel. Non point la tonitruante éloquence de la place de Venise descendait sur nous par ce calme après-midi de printemps : mais la studieuse gravité d'un speaker des programmes culturels. Sobrement, sans emphase, il célébrait, en ce jour anniversaire de sa mort, la mémoire de Pirandello. Le professeur n'avait-il pas tout lieu d'être satisfait ? Pourquoi enfonçait-il son chapeau d'un geste rageur comme pour se boucher les oreilles ?

« Singeries ! Contrefaçons ! s'exclama-t-il à plusieurs reprises, sans répondre à nos regards surpris. La vraie peste ! » Par bribes, il nous dévoila sa pensée. Les tailleurs italiens seraient-ils unanimes à ne plus confectionner que des chemises brunes, ils ne réussiraient pas à couvrir l'Italie d'une chape uniforme comme le monotone débit de cette voix diffusée depuis les studios de Monte Mario sur les bords du Tibre. Plût au ciel que Bologne n'eût jamais donné le jour à Guglielmo Marconi ! Il avait fourni à Rome le moyen irrésistible de nous imposer des modèles factices d'unité nationale. Là où quatre-vingts ans d'école obligatoire, de service militaire, d'élections législatives et d'égalité fiscale avaient échoué, une émission de quelques minutes, sur n'importe quel sujet, parvenait à fondre ensemble les auditeurs, qu'ils l'écoutassent du haut des falaises de Portopalo en Sicile ou attablés autour d'un pot de bière dans un chalet des Dolomites. Une génération ou deux, et ils auraient oublié leur langue, leurs coutumes, leurs caractères originaux, pour adopter cet idiome bureaucratique et crétinisant, ces opinions toutes faites, ces clichés insipides.

« Hier, ils ont exalté les fresques du toscan Giotto à l'Arena de Padoue », ajouta le professeur. Nous comprîmes alors pourquoi il montrait tant d'acrimonie, lui dont le langage n'était certes pas quelque périphérique vernaculaire (tu as noté le subjonctif impar-fait, digne de la Crusca dans sa haute pompe vieillotte), mais l'italien le plus précis et le plus châtié — guère différent, en somme, de celui utilisé par l'anonyme encenseur du prix Nobel d'Agrigente. Depuis des années Longhi s'efforçait de revaloriser la peinture bolonaise du XIVᵉ siècle (« brutale, impulsive, populaire ») occultée par la critique d'art officielle. Laquelle, attentive aux seules écoles de Toscane, s'inclinait inconsciemment devant la supériorité politique que Florence (la Rome d'alors) avait acquise au détriment des villes d'Émilie.

Toujours la lutte du pouvoir central contre les foyers locaux d'expression. Craindre que les seuls peintres admis désormais à faire partie de la culture soient les quelques élus dont on parlerait à la radio, n'était-ce pas témoigner un don prophétique ? Moi qui avais des raisons personnelles (rappelle-toi que j'écrivais mes premiers vers en dialecte) de résister à l'hégémonie linguistique de la capitale, aurais-je plus tard dénoncé avec la virulence que tu sais le pouvoir destructeur des médias, sans la caution lointaine de mon ancien professeur ? « Miracle ! » s'écrièrent les pontifes de la démocratie italienne quand la télévision réalisa pacifiquement d'un bout à l'autre de la péninsule cette unité morale et intellectuelle que ni le sang versé pendant les batailles du Risorgimento ni l'héroïsme des combattants de la Résistance n'avaient pu cimenter. Nul autre que moi, alors, ne s'est levé pour vitupérer la dégradation de la vie provinciale, l'abrutissement des esprits, l'agglutination des familles autour de leur poste, le ralentissement ou l'arrêt pur et simple de l'activité nocturne dans les petites villes et les villages dont les rues désormais se vidèrent avec le crépuscule.

La culture se répandit, gagna des couches de la société fermées jusque-là à tout ce qui était livres, musique ou beaux-arts. Mais avec les conséquences prévues par Longhi. Giotto, Cimabue, Duccio (que du reste il adorait et nous apprit à aimer) ont remplacé dans le calendrier des postes les cascades et les mammifères suisses. Quant à Vitale da Bologna, à Simone dei Crocefissi, à Lippo di Dalmasio, ils resteront à jamais obscurs, victimes de l'effacement historique de Bologne. En vain, au musée municipal, le saint Georges de Vitale plante-t-il une lance fougueuse dans la gueule du dragon terrassé : le seul exploit qui l'arracherait aux cimaises d'une pinacothèque sans visiteurs pour le suspendre au-dessus de la cheminée des salons serait le quart d'heure de gloire procuré par le petit écran.

Daniel eut à rédiger un mémoire sur les matériaux bolonais de construction employés à la grande époque. Occasion pour nous, d'abord déconcertés par cette besogne, de mieux pénétrer le génie de notre ville. J'accompagnais mon ami dans son enquête ; c'est pendant nos promenades que j'ai développé mes réflexions sur les avantages du portique et de l'architecture communautaire. Autre sujet d'émerveillement, le fait que ni le marbre noble ni la pierre de taille bourgeoise n'avaient prévalu chez nous. Mais des éléments plus modestes, plus simples, plus touchants. La brique, d'abord, omniprésente, même aux façades des églises. Maisons, palais, portiques, murs d'enceinte, portes monumentales, édifices civils et religieux : partout de la brique, pauvre, familière, amicale. Concurrencée seulement par d'étranges spécialités de la vallée du Reno. En tenue légère pour résister à la chaleur d'un après-midi de juin, nous allâmes visiter, dans les collines des environs, les fameuses « calanques », sortes de carrières naturelles fournissant des concrétions pierreuses aussi ductiles que de la terre glaise. Le sélénite, blond-roux, qui orne le soubassement de la Garisenda (celle des deux tours qui penche) ; et l'arénaire, poreux, tendre comme du beurre au sortir de la carrière, facile à sculpter, nacarat comme de la chair de saumon.

Peut-être mon esprit retint-il dans tous leurs détails ces précisions géologiques pour ne pas avoir à remarquer comment sur la poitrine de Daniel, penché torse nu au milieu des folles herbes pour ramasser des échantillons, le soleil dorait un jeune et blond duvet, couleur miel, imprévisible d'après sa chevelure noire de fils de Sicilien. Quelle force me contraignit à détourner les yeux ? Où s'était enfuie l'innocence, la spontanéité de mes étés frioulans ? Pour la première fois ce jour-là je m'aperçus que j'avais changé ; moi ou le monde autour de nous. Les rives du Tagliamento appartenaient à un univers disparu. Machinalement, je renfonçai dans ma ceinture le polo que je m'apprêtais à ôter. Crainte de me trahir ? Peur de moi-même ? D'où me venait cette gêne subite, jamais éprouvée auparavant, en si net contraste avec le naturel de mes expériences à Casarsa ? Trop heureux de cacher mon embarras derrière mon zèle pour la minéralogie, je me remis de plus belle à inventorier les capricieux baroquismes de l'écorce terrestre, à côté de Daniel qui ne se rendit compte de rien. Au reste, habitué à m'entendre plaisanter sur les femmes avec mes camarades, comme c'est la coutume à cet âge, eût-il retenu le moindre soupçon contre moi ?

Notre prochaine tâche fut le relevé des couleurs. Argile cuite, grès, sélénite, arénaire : toute la ville fondue dans les tons roses, rouges, ocre, beiges, ignés. Teintes chaudes, plébéiennement chaudes, qui distinguent Bologne des cités moins rustiques. Couleurs et douceur charnelles, presque plus minérales. Inconnues, ou presque, les séductions aristocratiques du froid et du blanc. Sauf cette église, près de mon ancien lycée, pour laquelle on estima insuffisante, à ce qu'il semble, l'habituelle façade brute, mattons nus et chaux apparente. Quatre puissants troncs de colonnes, en marbre, coupés à un mètre du sol, attestent la tentative, qui échoua, pour recouvrir d'un manteau romain cette maçonnerie sans prétention. Pis encore : à San Petronio même, le symbole de l'autonomie et de la fierté municipales, la façade a reçu un début de parements de marbres blancs et roses. Roses aussi, oui : un compromis, dont il n'y aurait pas lieu de se vanter, si on avait conduit jusqu'au bout cette servile imitation de Rome. Le travail fut très tôt suspendu, le dernier mot restant à la brique, à l'humble matériau rouge, à la chaude intimité du cuit, du cuit au four campagnard des potiers, des artisans. Du moins avons-nous jugé, Daniel et moi, fiasco pontifical cette interruption précoce, en buvant une bouteille de Sangiovese à la victoire des libertés populaires.

Mais plus tard, me diras-tu ? Qu'en a-t-il été de ma destinée ? J'ai placé au début de mon récit l'éloge nostalgique de Bologne et vanté une manière de vivre supplantée dans le reste de l'Italie par les modèles romains. Cette élégie est-elle fondée ? Au lieu de me lamenter sur la double défaite du portique et de la brique, ne devrais-je pas commencer par faire mon mea-culpa ? A quels titres ai-je le droit de me plaindre que la pierre de taille ait eu raison du sélénite et de l'arénaire, que l'individualisme bourgeois ait remisé parmi les souvenirs historiques la civilisation de l'arcade ? Que suis-je devenu moi-même, sinon un petit-bourgeois ; et même un grand bourgeois, par l'argent ? Et n'ai-je pas fini par m'installer à Rome ?

Qui plus est, dans cette coquette maison de via Eufrate, une *palazzina* bien protégée par son jardin : rejoignant ainsi la civilisation de la villa close. J'ai invectivé contre Pie XII dans un poème qui m'apporta la célébrité et à Valentino Bompiani (devenu un grand éditeur depuis qu'il avait renoncé aux romans « métalliques ») coûta la suppression de sa revue. Mais un poème écrit presque à l'ombre de Saint-Pierre, dont la coupole m'encombrait l'horizon. Tu me demanderas également ce qui m'a poussé à choisir non pas une banlieue de misère comme celles que j'ai assignées à mes personnages, mais le quartier de l'E.U.R., cossu faubourg résidentiel. Pour le bâtir dans le style impérial, Mussolini fit ouvrir de nouvelles carrières dans les montagnes de Carrare. Même le marbre a reçu ma caution.

Cher Gennariello, le temps n'est pas encore venu de m'expliquer. Tu apprendras au moment voulu les raisons de mon choix, et comment j'ai découvert ma méprise, et regretté amèrement que ma barque, au lieu de me déposer à Ostie, ne m'ait pas emporté plus loin dans le Sud, jusqu'à Pouzzoles ou jusqu'à Cumes. Mais déjà tu peux deviner pourquoi je restais si peu chez moi, à Rome, pourquoi je supportais si mal d'être confiné entre les quatre murs de mon domicile. Chaque soir il fallait que je sorte, que j'aille me perdre dans la foule qui remplit à toute heure la place et les jardins devant Stazione Termini. Me l'a-t-on assez reproché ! Sans comprendre que le plaisir de la chasse n'était que secondaire pour moi. Là, descendus du train qui les acheminait de Calabre et de Sicile à la recherche d'un emploi dans la capitale, ou venus de banlieue à la poursuite d'une distraction, chômeurs, émigrés, soldats, prostitués, jeunes sans famille et sans occupation attendaient jusqu'à l'aube. Adossés aux troncs d'arbres entre les fontaines, se détachant de l'ombre pour demander une cigarette aux passants. Communauté de *ragazzi,* de frères, qui me rachetait du crime d'avoir quitté la ville et trahi l'idéal de ma jeunesse : moi l'écrivain arrivé, le cinéaste enrichi, dont les journaux reproduisaient la photo et fixaient les traits avec la même précision accusatrice qu'un document d'état civil. J'étais devenu « quelqu'un », pourvu d'un salon pour « recevoir » mes visiteurs, lesquels se faisaient annoncer en criant leur nom dans l'interphone. Seul moyen qui me restât : profiter de l'obscurité pour m'enfuir, et, troquant la chemise de Pierre contre le T-shirt de Paul, l'appartement privé contre les lieux publics, filer le plus loin possible de ma maison, gagner les parages de la gare, rôder, frôler, accrocher, multiplier au hasard de la nuit les amitiés de rencontre. Sitôt nouées, sitôt tranchées. Redevenu anonyme, sans visage ni personnalité définis, c'est alors que je me mettais à revivre.

8

Amédée de Savoie, duc d'Aoste, vice-roi d'Éthiopie, tenait tête à l'invasion britannique. Double attaque, en provenance de l'Érythrée au nord et de la Somalie à l'est. Mon père partit avec les troupes dépêchées en renfort. Chassée d'Addis-Abeba par l'amiral Cunningham, l'armée italienne se retrancha sur le plateau d'Amba Alaghi. Le 21 mai, le duc capitula, après avoir envoyé ce télégramme à Mussolini : « La guerre n'est pas finie ; dans ces terres arrosées par le sang italien, nous reviendrons bientôt. » Il mourut quelques mois plus tard, en captivité, à Nairobi. Mon père, avec les autres prisonniers, resta interné au Kenya jusqu'à la fin des hostilités. Quatre années derrière les barbelés, pour le rejeton déchu du patricien de Ravenne, qui était revenu vainqueur de la première guerre, et ne rapporta de la seconde que des amibes, le paludisme et une aversion incurable contre le genre humain.

Je venais d'avoir dix-neuf ans quand il s'embarqua pour l'Afrique. Trop tard. Trop tard pour qu'il n'eût pas déjà déposé en moi, à mon insu, la Loi, l'Interdit. Je m'arrêtais court au milieu d'occupations jusque-là familières, victime de mystérieux blocages. Par exemple, au lieu de me réjouir d'aller le jeudi à la piscine avec mes amis, je trouvais des prétextes pour me décommander. Le régime fasciste avait doté Bologne d'un établissement olympique. Bassin en plein air, amphithéâtre de gradins où nous étendions nos serviettes pour nous sécher. De cet observatoire, je suivais les évolutions des plongeurs. Jusqu'à une date récente, j'aurais pu rester un après-midi entier à regarder leurs ébats. Mon œil errait à la surface de l'eau et s'amusait à compléter, d'après une épaule nue, le corps immergé du nageur. Les douches, collectives, nous donnaient l'occasion de nous savonner mutuellement l'échine au milieu de grands éclats de rire. Mon divertissement préféré consistait à choisir dans la salle d'eau une place à côté de tel ou tel camarade connu pour ses aventures féminines (mieux encore s'il proclamait, en bon fasciste, son mépris des « pédés ») et à provoquer en lui, bien visible sous son costume exigu, un trouble qui ne semblait pas lui déplaire. C'était moi, à présent, qui me défiais de ces jeux, et que la promiscuité des baigneurs mettait mal à l'aise.

Les matchs de football m'accaparaient comme avant ; mais pour une raison nouvelle. Naguère, je ne demandais rien d'autre à ces parties du dimanche que le bonheur de courir, de suer et de me battre avec de jeunes hommes court vêtus sur une pelouse ensoleillée. Depuis cette mutation intérieure, personne n'eût deviné dans quel but je me rendais au stade. Autant que la sensualité latente qui unit les garçons d'une équipe, m'attirait le risque d'être fauché par un adversaire et de rentrer blessé à la maison. Plus grandissait en moi la mauvaise conscience, plus devenaient brutales mes actions sur le terrain. On ne vit jamais avant-centre foncer plus intrépide dans la défense, ni gardien de but aussi prompt à plonger entre les jambes de l'attaquant. Que cherchais-je par ces défis continus, sinon un mauvais coup qui aurait été la punition, non seulement de ma témérité excessive, mais de cette faute obscure dont l'ombre s'allongeait sur ma vie ? Ce soulagement ne me fut pas accordé. Sitôt le match fini, je m'esquivais, le paquet de mes vêtements de ville sous le bras, sans passer sous les douches ni retourner dans les vestiaires.

« Puritain et sportif » : telle est la réputation, justifiée, que je m'acquis. Mon passe-temps favori désormais : les courses solitaires en montagne. Simple coïncidence ? Dix jours après la capitulation d'Amba Alaghi, je pris le train de bon matin jusqu'à Pieve di Cadore, dans les Dolomites. Tout seul, emmitouflé dans des lainages, l'alpenstock conquérant dans mon poing ganté, j'entrepris l'ascension de la Forcella Grande : trois heures et demie de marche, d'après ce qu'on m'avait dit. Il ne m'en fallut que deux. Le fracas de mes chaussures cloutées contre les pierres se répercutait le long des ravins au milieu du silence et des neiges éternelles. L'air pur, le sentiment d'accomplir une prouesse, le spectacle grandiose des éboulis et des moraines à perte de vue sur le flanc des glaciers, me gonflaient les poumons d'une mâle et joyeuse assurance. Un aigle au-dessus de ma tête planait sur ses ailes déployées. Mais quand j'eus atteint le sommet, décidé à goûter par un long repos la récompense de mon exploit, je dus me relever d'un bond et commencer en courant ma descente. Les yeux menaçants de l'Esprit des cimes plantés dans mon dos m'ordonnaient de déguerpir. « Que ta présence impure ne souille pas cette solitude jusqu'ici inviolée ! »

Même effroi, jadis, un jour que mon père était venu en permission à Casarsa. Parti me baigner sans témoins dans les eaux vertes du Tagliamento, je nageais tranquillement entre les rives désertes. Il me sembla tout à coup que la féroce et muette divinité des abîmes me saisissait par les pieds pour m'entraîner au fond du fleuve. J'étais jugé et condamné pour un crime dont j'ignorais le nom.

A qui désormais ne devrais-je pas rendre des comptes, si même le soleil à l'aplomb de la montagne me fixait comme un œil grand ouvert ? Il resta cloué sur ma nuque tant que je n'eus pas dévalé le versant. Les pics étincelants faisaient cercle autour de moi. L'astre dont j'avais ressenti le matin la chaleur bienfaisante dardait ses rayons meurtriers dans l'azur sans nuages. Pas un arbre, dans toute l'étendue glaciaire, pour m'abriter. Le rapace tournoyait sans répit. Il me fallut, en arrivant au village, avaler de suite trois punchs à l'orange pour recouvrer mon calme et rire de mes angoisses.

J'eus des filles pour amies. Beaucoup de filles à la fois. Nerina, une dactylo, exhibait en dépit de son prénom charbonneux une abondante chevelure blonde. Je la transportais à bicyclette sur mon cadre, et nous remontions les allées du parc Margherita. La guerre avait vidé le zoo de tout animal exotique. Seuls restaient derrière les barreaux deux ou trois volatiles de basse-cour, misérables dans la cage trop grande de l'autruche ou du zébu. Nerina me demandait de la raccompagner chez elle, à l'autre bout de la ville. Souvent un étudiant dont elle avait tapé le mémoire la reconnaissait et la hélait. Je mettais pied à terre, elle sautait sur le trottoir et faisait quelques pas avec l'inconnu qui m'adressait un clin d'œil admiratif avant de prendre congé. Il ne savait pas que j'allais déposer ma passagère un peu plus loin devant sa porte. Elle grimperait quatre à quatre l'escalier pour ne pas être en retard au dîner de famille.

Mes camarades de faculté, je les emmenais de préférence dans l'îlot du lac artificiel creusé à l'entrée du parc. Nous buvions une limonade à la terrasse du chalet, au milieu des allées et venues des promeneurs. Impossible d'avoir un tête-à-tête suivi, dans le cliquetis des verres déposés sur le marbre par des *camerieri* de quinze ans aux gestes brusques, sans compter le vacarme des enfants qui jetaient des miettes aux canards. La plupart du temps, aucune des différentes Giulia, Beppina, Astrid ou Flora que j'invitais ne venait seule avec moi. Enrico, Mathias, Daniel se joignaient à nous avec leurs amies du jour.

Je ne crois pas mentir en disant que, pour eux aussi, le moment le

63

plus agréable de ces haltes lacustres suivait le départ de leurs compagnes, lorsque celles-ci, rappelées à la maison par leurs tâches domestiques, nous laissaient commenter entre nous leurs charmes apparents et discuter sans fin sur leurs appas cachés. Combien de fois, chez les jeunes gens de mon âge, même chez Enrico, le plus entreprenant de notre petite société, j'ai pu constater que le plaisir de parler des femmes en leur absence se substituait à l'effort nécessaire pour les conquérir! Énergiques en mots, paresseux en action. Ils se décernaient à bon compte une patente de don juans. Me serais-je permis, parce que je préparais un diplôme sur Caravage (abandonné en cours de route), de me faire passer pour un peintre ?

Avant de rentrer, chacun chez soi, nous mettre au lit ivres d'une débauche tout orale de comparaisons sur les dents, les yeux, les hanches et les merveilles invisibles de nos belles, il nous arrivait aussi de rêver au projet d'une revue qui publierait nos poèmes. Je me rappelle le soir où un gamin hors d'haleine se jeta de bicyclette pour vendre aux derniers consommateurs l'édition spéciale du *Carlino*. Il criait à tue-tête : « L'Axe a déclaré la guerre à Moscou ! Les forces allemandes et finlandaises ont envahi le territoire bolchevique ! » Nouvelle qui me frappa surtout par la mention de la petite république scandinave. Les magazines de l'année précédente avaient popularisé la résistance du maréchal Mannerheim et l'héroïsme de ses soldats glissant comme des elfes sur leurs skis. Ils prenaient à revers les tanks russes dont les carcasses calcinées fumaient dans un désert de neige.

De toutes mes amies d'alors, Giovanna B. m'a laissé le souvenir le plus tendre. D'une famille de grands éditeurs juifs, c'est elle qui me mit au courant des lois raciales et m'apprit à haïr l'antisémitisme. Bien que sans commune mesure avec la persécution en Allemagne (les israélites italiens ne furent jamais menacés physiquement ni, je crois, aucun camp d'extermination installé dans la péninsule), la politique de Mussolini aboutit à une série odieuse de tracasseries administratives et d'interdictions légales.

Je reprochais souvent à Giovanna la villa de ses parents et leur train de vie somptueux, non sans mauvaise foi, puisque son appartenance à un milieu si différent du mien constituait pour moi la meilleure garantie que nos rapports se borneraient à une camaraderie anodine. Elle m'aborda un jour, taciturne et renfrognée.

— Tu me fais la gueule ?

— Ne dis pas de bêtises, Pier Paolo ! A mon club de tennis, ce matin, on m'a déclaré qu'aucun court n'était libre.

— C'est tout ?

— Et qu'aucun court ne serait jamais plus libre pour moi! Tu comprends : je ne pourrai plus jamais jouer. Jamais plus!

— Sport bourgeois, ma chère, répondis-je en haussant les épaules. Voudras-tu toute ta vie obéir aux coutumes sociales de ta caste?

Elle me laissa m'enferrer, puis reprit tranquillement :

— Je n'ai pas pu jouer parce qu'on m'a retiré ma carte, et on m'a retiré ma carte parce que je suis juive.

Application des nouvelles lois : stades, piscines, théâtres et cinémas, chemins de fer, musées, bureaux de poste et même les hôpitaux défendus à la postérité d'Abraham. Je rougis jusqu'aux oreilles, bredouillai des excuses. Elle ne me tint pas rigueur de mon impair, satisfaite de m'avoir donné une double leçon. La fortune de ses parents, beau grief à sortir contre ma meilleure amie!

Nous nous promenions à pied, empruntant de petites rues désertes. L'interdiction de fréquenter les lieux publics s'étendait jusqu'aux tramways. Quant à moi, je ne me souciais pas de transporter sur mon cadre une camarade avec qui j'aimais bien parler d'Arthur Rimbaud et d'Umberto Saba, mais dont les lunettes à gros verres, les cheveux coupés court sur la nuque, la poitrine plate et la bouche qu'elle dédaignait de peindre ne seraient pas une réclame pour ma réputation de séducteur. Elle me demanda si je n'avais pas une bicyclette pour raccourcir le long chemin jusqu'au parc Margherita. J'eus la vilenie de lui répondre par la négative, peu désireux de m'exposer aux rires des copains s'ils me voyaient faire le fier avec une myope.

— Tu ne sais donc pas que je suis trop pauvre? lui dis-je pour l'offenser.

Je la méjugeais sans doute, en la trouvant plutôt laide que jolie. L'intelligence supérieure de Giovanna eût suffi à me la rendre cent fois plus attrayante que les poupées aux cheveux longs avec qui je m'asseyais à la terrasse du lac, si mon vrai but avait été de me plaire avec la fille que je sortais.

Ensemble nous avons découvert et Freud et Gide et Schopenhauer et Lautréamont, pour nous dédommager de l'obligation ennuyeuse de lire et de commenter les classiques italiens. A l'université, dont elle était exclue, je pris le dégoût, qu'elle partagea, de la culture officielle réduite par ordres supérieurs au patrimoine national. Que nos auteurs, de Pétrarque à D'Annunzio, soient le plus souvent pompeux, scolaires, coupés de la vie, calqués sur les modèles latins, je le pense encore, bien que les nécessités de la lutte antifasciste nous aient entraînés alors à quelques excès, comme la condamnation d'un Boccace ou la sous-estimation d'un

Cellini, d'un Michel-Ange. Nous mettions tous les deux dans nos polémiques littéraires un acharnement décuplé par des motivations personnelles. Pour elle, le sang juif, qui la rejetait au ban de la société italienne, dont elle put juger plus sévèrement les défauts. Pour moi, le sentiment d'être à part de mes camarades. Mon sens critique, aiguisé contre toute institution, englobait dans la même méfiance les hommes d'État et les écrivains célèbres. Cette solidarité de marginaux cimenta notre entente : à l'insu de Giovanna, puisque je me suis toujours gardé de lui apprendre la vérité sur son ami.

Nous bavardions dans l'arrière-salle d'une laiterie ornée de lacs autrichiens ou sur la moleskine usée d'une banquette de café. A la différence des autres filles, elle buvait sa limonade sans laisser de marque rouge sur le verre. Conversations empreintes de douceur et de simplicité, toutes les conditions étant remplies — écart social de nos familles, sex-appeal presque nul de Giovanna — pour que je me sente à mon aise. Dépourvue de la moindre coquetterie, elle ne songeait pas à plaire, me dispensant à mon tour des manèges insipides du flirt. Cependant, il faut croire que même une étudiante avec qui on discute de l'acte gratuit de Lafcadio et du vautour de Léonard peut se montrer jalouse d'une simple dactylo qu'on emmène au zoo voir des poules dans la cage abandonnée du lama. Notre amitié, placée sous l'auspice des grands poètes et des profonds philosophes, déclina à partir du jour où elle me surprit sur le Corso, en train de parader à bicyclette avec la blonde Nerina entre mes genoux.

9

Dans ma fringale de compagnies féminines, bien malin qui eût discerné le vrai motif. Désir inconscient de me rassurer par la preuve de mes aptitudes viriles ? Ruse pour donner le change ? Sincère espoir de « normalisation » ? Peur des conséquences si je me montrais sous mon vrai jour ? Quoi qu'il en soit, il faut dire que l'époque servait admirablement mes desseins. Aujourd'hui, avec le changement dans les mœurs, j'aurais été mis sans tarder en demeure de fournir d'autres preuves que la récitation par cœur des derniers vers d'amour de Paul Eluard arrivés en fraude de Paris.

Les lèvres quittées
le mot est allé
à l'aventure

murmurais-je à Giovanna qui arrondissait les siennes autour d'une paille pour faire durer plus longtemps son quart de San Pellegrino.

A peu de frais, et sans courir le risque d'une aventure qui eût tourné à ma confusion, j'obtenais mes brevets de galanterie. Rarement une fille recevait chez elle un garçon, et jamais hors des heures de la journée où les parents pouvaient exercer leur surveillance. Une barrière rigoureuse séparait les deux sexes. Défense de s'échanger d'autres signes de tendresse qu'une poignée de main, un baiser sur la joue. Giovanna, élevée dans une famille où la cérémonie des fiançailles conservait son antique importance, ne m'eût pas permis de l'embrasser. Sans doute avait-elle deviné qu'avec moi peu fréquents seraient les assauts. Les femmes qui m'ont aimé plus tard, et qui savaient pourquoi je ne pouvais pas les payer de retour, m'ont chéri précisément parce que je ne les fatiguais pas. Enfin, un homme dont l'amitié désintéressée n'allait pas se changer d'une minute à l'autre, comme le code d'honneur le prescrit à tout jeune ou moins jeune Italien, en pressante cour importune !

Reste qu'à vingt ans, seul avec mon secret, j'avais toujours à craindre qu'une de mes compagnes, lasse de notre commerce littéraire, ne prétendît à d'autres hommages. Aucun danger de ce genre avec les actrices de cinéma. De la fenêtre de notre appartement, au 50 de la populaire via Nosadella, je pouvais presque lire, en me penchant de côté, les affiches collées sur le mur d'en face à la porte du Rex, petite salle bon marché qui présentait tous les trois jours un programme nouveau.

Derrière les trois lettres de ce nom pompeux se distinguaient encore, grattées sur le crépi mais incomplètement effacées, les majuscules penchées de l'ancienne appellation, plus conforme à la modestie du local : Moulin Rouge, en français. Substitution décidée, quelques années avant la guerre, sur une nouvelle lubie d'Achille Starace. Le secrétaire du Parti dressa lui-même la liste des noms étrangers à proscrire. Interdiction d'écrire dans les journaux « panorama », « cachemir », « flash », « pardon », « s'il vous plaît ». Les magasins « Standard » furent rebaptisés « Standa ». L'opération s'étendit aux noms de lieux (Courmayeur changé en Cormaiore, Saint-Vincent dans la vallée d'Aoste en San Vincenzo) et aux noms de personnes : la populaire actrice Wanda Osiris, qui avait parié sur le charme égyptien pour donner un piquant exotique à l'audace de ses poses, fut rétrogradée latinement en Vanda Osiride. Si mes amis se faisaient appeler Mathias (au lieu de Mattia) et Daniel (au lieu de Daniele), c'était en connaissance de cause : ultime fronde permise à des jeunes gens dont les cigarettes « London » arrivèrent un beau jour dans les bureaux de tabac italianisées en « Firenze ».

Jusqu'à la fin des années 30, les stars de Hollywood (« étoiles » pour la presse) dominaient en souveraines. A Lillian Gish, qui éveillait chez le spectateur la sadique délectation de voir persécuter et martyriser une douce et innocente victime, succéda Mary Pickford, exemple à la fois moderne (puisqu'il préfigure l'émancipation féminine) et antique (on y retrouve le mythe du Petit Chaperon Rouge) de jeune fille au grand cœur qui lutte et vient à bout de l'adversité. Avec Enrico, Daniel et Mathias, nous discutions sans fin pour savoir quel type de femme devait avoir nos préférences. Question bien plus importante à nos yeux (la prudence me conseillait de faire entendre aussi mon opinion) que de nous demander, contraints à cet exercice scolaire par les vétilleuses manies de notre enseignant d'italien au lycée Galvani, combien d'années au juste s'étendent entre les deux rencontres de Dante et de Béatrice. Et que nous importa plus tard, via Zamboni, le cours universitaire du professeur Tirabosco sur Pétrarque, que nous importèrent la beauté, la chevelure semblable à l'or et le sourire angélique de Laure, quand nous attendions avec impatience l'heure de rejoindre, dans l'obscurité du Rex ponctuée par le bout ardent de dizaines de cigarettes, l'une ou l'autre des deux nouvelles divas pour lesquelles Mathias et Enrico faillirent en venir aux mains, Marlène Dietrich et Greta Garbo ?

Se séparer en deux clans dont chacun pourfend et dénigre les convictions de l'adversaire a toujours stimulé la vie provinciale italienne. Au Moyen Age, il fallait être ou guelfe ou gibelin. A Florence, tu devais choisir entre les Noirs et les Blancs, comme à Vérone entre les Montaigus et les Capulets. De nos jours, les Mercutio se feraient tuer pour le football, la bicyclette ou l'opéra. La rivalité entre Bartali et Coppi sema la zizanie dans les familles. Des fanatiques de la Callas poussèrent dans un canal de Venise des partisans de la Tebaldi. Le monopole conquis auprès des milieux populaires (un des nombreux méfaits de la Fiat) par les petites 500 et 600 a tari dans les villages cette source d'animation qui égayait les rues lorsque le lambrettiste vantait la supériorité de son engin sur la vespa déséquilibrée, affirmait-il, par son moteur latéral, injure qu'on lui faisait rentrer dans la gorge à force de tapageurs arguments mécaniques.

Mathias et Daniel prirent feu pour Garbo, Enrico pour Dietrich La dispute éclata lors de la visite de Garbo en Italie, en février 1938. Elle voyageait avec le chef d'orchestre Leopold Stokovski. Au lieu de s'arrêter à Naples (mais quel touriste, alors, ne commettait pas ce délit ?), ils louèrent à Ravello la villa Cimbrone, à quelques pas du palais où Wagner, soixante ans plus tôt, avait séjourné pour écrire *Parsifal.* « *Parsifal,* dont Hitler fait ses délices à Bayreuth ! » s'écria Enrico. Pour me rallier à son camp, il prit Giovanna à témoin du mauvais goût de la Suédoise : n'avait-elle pas déclaré aux journalistes que « le jardin de Klingsor », avec son parterre de roses, embaumait comme le Walhalla, même si les filles-fleurs y manquaient ? Ces mêmes journalistes contre l'indiscrétion desquels trois bergers « allemands » et deux carabiniers montaient nuit et jour la garde à la porte de sa résidence.

Mathias, en retour, citait une foule de traits sympathiques. Son bagage, d'abord, fait d'une seule petite valise cabossée, d'où sortirent en tout et pour tout, d'après le rapport de la femme de chambre, un pyjama, un maillot de bain, une paire d'espadrilles bleues, plusieurs paires de lunettes noires et deux douzaines de pots de confiture. Autre détail intrigant : le soir, avant de remonter dans sa chambre, elle raflait le sel et l'huile de la salle à manger. Daniel découpa une photo prise au téléobjectif dans la plaine de Paestum : assise sur un escabeau de ferme, la diva trayait une bufflonne. Simplicité et modestie de cette fille de paysans scaniens. Elle, un modèle pour Leni Riefenstahl? Elle, traîner dans son sillage des relents d'érotisme nazi? Regardez plutôt l'autre, nous dit-il (avec une injustice patente pour l'astre de la Paramount émigré de Berlin) : bas de soie noirs, manteau de cuir et fume-cigarette, un attirail complet de goule germanique.

Jarretelles de l'une, chapeau mousquetaire de l'autre : mon choix ne dépendit pas de leurs garde-robes. J'optai pour Marlène, à cause d'Enrico. Non par calcul, mais par instinct. Je me disais, fort obscurément sans doute et pas aussi sèchement que je l'écris ici : « Copier les goûts de celui dont les aventures défraient la chronique estudiantine, consolidera la réputation que tu essayes d'acquérir en te faisant voir avec Nerina. » Mathias se destinait au métier d'antiquaire, Daniel à la peinture. Enrico, plus bourgeoisement, à la médecine : nuances que je comprenais au vol, tourmenté comme j'étais par la peur d'éveiller les soupçons. Je devinais aussi que me poser en enragé des jambes de l'Ange bleu me fournirait un certificat de virilité plus probant que si j'avouais ma préférence pour la voix rauque, le menton impérieux, les gestes de garçon de la reine Christine. N'embrassait-elle pas sur la bouche sa jeune dame de compagnie ?

Encore que les rôles ne fussent pas distribués entre les deux rivales de manière aussi nette. Garbo retrouvait toutes les grâces de son sexe sous le capuchon d'Anna Karénine, le cabriolet de Marie Waleska, la charlotte de Marguerite Gautier. Dietrich au contraire se présentait de plus en plus souvent travestie : admirer cette Vénus androgyne, en smoking et haut-de-forme, juchée sur des tabourets de bar, commençait à devenir compromettant. Amazones et lesbiennes, le cinéma les tolérait, depuis que Louise Brooks, dans la *Loulou* de Pabst, avait dansé joue contre joue avec Alice Roberts. Exemples toujours féminins d'homosexualité, mais j'aurais craint de me trahir en donnant à de tels films une approbation trop chaleureuse. Katharine Hepburn m'enchanta dans la première partie de *Sylvia Scarlett*. Mon sourire se figea quand elle eut coupé ses cheveux, endossé un costume d'homme à gilet et fermé sa chemise par un nœud papillon.

Notre manie de débattre à tort et à travers sur tout et sur n'importe quoi ne nous empêchait pas de subir comme un envoûtement la poésie des images. Nos discussions s'arrêtaient au seuil du

Rex et ne reprenaient que sur le trottoir. A l'intérieur, je ne pensais plus à rien, ni à la politique, ni à l'Allemagne, ni à me montrer prudent. Pour augmenter la magie, nous évitions de regarder l'affiche collée à la porte. Dans l'ombre de la petite salle surchauffée, où la fumée des cigarettes montait vers l'écran comme un encens religieux, nous guettions d'un cœur trépidant le début de la séance. Il fallait attendre que le lion de la Metro-Goldwyn-Mayer eût fini de rugir, ou l'athlète de la Rank donné son dernier coup de maillet sur le gong, pour découvrir le nom de celle qui serait ce soir-là notre idole. Garbo ou Dietrich, Hepburn ou Havilland, Myriam Hopkins ou Carole Lombard, Dorothy Lamour ou Bette Davis, Jean Arthur ou Jean Harlow, Norma Shearer ou Joan Crawford : créatures fatales et irréelles, dont la séduction ne me paraissait nullement un produit confectionné en studio, grâce aux truquages des maquilleurs et des éclairagistes, mais le rayonnement même du mystère et de la beauté. Tout l'éloignement que m'inspiraient les femmes de chair et de sang se muait en adoration éperdue dès que, transformées en actrices, elles bougeaient dans un monde insaisissable et glorieux. Je serais demeuré la nuit entière rivé à mon fauteuil, dans la contemplation de ces visages auréolés de lumière, dont le principal atout pour me plaire était d'appartenir à une planète mythique, définitivement hors de ma portée.

La guerre et la volonté fasciste d'autarcie culturelle ayant coupé la route de l'Amérique, nous dûmes nous contenter de vedettes italiennes. Merle Oberon dans *les Hauts de Hurlevent,* Joan Fontaine dans *Rebecca* furent les dernières étrangères à paraître sur l'écran du Rex. Isa Miranda, Alida Valli, Maria Denis, Vera Carmi prirent leur place et s'efforcèrent de leur ressembler, dans des films copiés sur ceux d'Hollywood. Comme nous les trouvions moins belles ! Ce fut une chance pour notre génération que de pouvoir exercer notre sens critique sur des stars intérimaires. Quand elles enlevaient leur feutre à large bord, nous nous amusions à parier sur la marque du décolorant qui mettait dans les tire-bouchons de leur permanente des reflets suspects. Une chance, mais aussi un désenchantement. Pour moi, indépendamment de la déperdition esthétique, je ne voyais plus ces films avec le bonheur complet d'autrefois, maintenant que leurs héroïnes n'étaient plus séparées de Bologne par un océan et que j'aurais pu les croiser dans la rue en sortant du cinéma.

En 1942, coup de tonnerre avec *Ossessione.* Un inconnu nommé Luchino Visconti bouleversait nos habitudes mentales. Nous réussîmes à voir le film deux jours de suite, il fut saisi le troisième. Un prêtre, qu'escortaient les autorités municipales et le comité de défense des familles, sortit de la cure en grande pompe pour venir asperger d'eau bénite l'écran souillé. Pense donc ! Cette aventure sordide entre un chômeur, une ancienne prostituée et un tenancier de gargote, jetait le déshonneur sur la patrie de Dante et de Raphaël. Chaque image prêtait à scandale. Plus aucun déguisement de la misère, plus aucun voile de bienséance, comme au temps où pour suivre son légionnaire dans le désert marocain, Marlène descendait d'une Rolls sur des talons aiguilles. Ici, une Balilla de série culbutée dans le Pô par les amants adultères servait de cercueil au mari encombrant. Hymne à la trivialité quotidienne, *Ossessione* montrait pour la première fois l'Italie miteuse des garages, des chambres d'hôtel à quatre sous, des wagons de troisième classe aux banquettes de bois, des pompes à essence, des concours de bel canto le samedi soir sur une estrade de fortune. Clara Calamai, jusqu'à présent vedette de films mondains, amoureuse pendue au téléphone blanc de sa chambre dont les villas de Beverly Hills fournissaient le modèle, lavait maintenant, en souquenille, les verres de vagabonds et d'ivrognes, tandis que par la fenêtre aux carreaux sales la pluie tombait sur les rives boueuses du delta.

Cette dérision de l'Italie impériale, nous ne pouvions qu'y applaudir. Mais le prix était lourd à payer. Visconti exigeait de nous une attitude active, polémique. Finies l'incantation des ténèbres et les délices de l'engourdissement. Nul d'entre nous n'osa regretter les colonnes de marbre, les peaux de panthère et les bosquets d'hortensias de la cinématographie officielle. Le document social au lieu du conte de fées, les engelures aux doigts plutôt que les bagues de Buccellati, l'eau de Javel à la place du flacon d'Arpège, voilà qui portait un rude coup à la rhétorique fasciste. Notre enthousiasme se tempéra néanmoins d'une amère déception : de la petite salle de via Nosadella n'émanait plus aucun mystère. Temple déconsacré, le Rex se mettait à ressembler à la cordonnerie voisine, à la laiterie où je déposais une lire sur le comptoir en échange d'une brioche. Je suppose que les premiers fidèles à entendre la messe en italien après Vatican II reçurent un choc analogue : avec le latin et l'énigme de mots étrangers et incompréhensibles, s'évanouissaient les sortilèges qui les attiraient à l'église. Gain en raison, perte en magie.

Moins de vingt ans après, j'aurais fait mon premier film. Qui a profité plus que moi de la leçon de Visconti ? N'ai-je pas révélé au monde la lèpre des banlieues romaines ? L'Italie triomphaliste du boom économique, n'en ai-je pas dénoncé l'envers misérable ? Les affamés, les exploités ont trouvé en moi leur cinéaste. Films de combat contre films d'évasion, on sait de quel côté je me suis rangé. Aussi n'ai-je point de honte à t'avouer ma première réaction en sortant d'*Ossessione* : un profond malaise, fait de répugnance et d'inquiétude, à l'idée que les femmes que j'aimais sur l'écran comme des créatures lointaines et fantastiques allaient descendre de leur olympe (car je comprenais que Visconti avait donné le branle à un mouvement irréversible) et demander à trinquer avec moi comme Clara Calamai avec ses clients. Cette proximité presque charnelle de l'actrice — le coup d'État du nouveau cinéma selon mes amis — me paraissait une agression dirigée personnellement contre moi. Voir l'héroïne s'endormir devant un plat de nouilles au soir d'un dimanche éreintant satisfaisait peut-être mon sens civique. Aux stupides vapeurs de benjoin qui nimbaient le visage hiératique de Claudette Colbert dans la *Cléopâtre* de Cecil B. De Mille, succédaient les saines exhalaisons culinaires d'une fumante sauce Buitoni. N'empêche que le cri de ralliement de mes camarades : « Des femmes, plus d'idoles ! » me causait un déplaisir souverain.

10

« Oh ! Il n'y a rien à en dire ! Si mes géraniums poussaient aussi bien ! » Maman, qui avait apporté de Casarsa un bac de ses fleurs préférées et réussissait mal à les protéger contre les rigueurs d'un hiver exceptionnel où l'eau gela dans les tuyaux, ne trouvait pas d'autres détails à fournir quand on l'interrogeait sur son second fils. « Guido ? Une force de la nature ! » Elle répétait ce cliché avec l'aveuglement des mères qui n'ont de place dans leur cœur que pour un seul de leurs enfants : moi, en l'occurrence, à qui elle réservait le droit exclusif d'être en peine et de réclamer sa tendresse.

Obligé à une bonne humeur perpétuelle, mon frère acceptait sans se plaindre le rôle subalterne du cadet toujours frais et dispos. Manquait-il une tranche de jambon ? De lui-même, il dévalait les trois étages et courait à la charcuterie. Une de nos tantes repartait-elle pour Casarsa après une visite à Bologne ? Il se chargeait docilement de ses valises qu'il portait à pied jusqu'à la gare. En seconde, il lisait encore les romans de piraterie qui paraissaient deux fois par mois dans le feuilleton de Mondadori : sauf à s'initier en secret aux poèmes de Rimbaud et de Lorca. Je surpris ses curiosités clandestines en découvrant sous son traversin les *Illuminations* et mon propre exemplaire du *Romancero gitan* dérobé sur mon bureau.

Bien découplé, robuste, hâlé en toute saison par le stade, Guido me laissait de bonne grâce le monopole de l'affection maternelle. Plusieurs indices ne suffirent pas à nous mettre en garde.

La jalousie qui le tourmentait se manifesta pour la première fois par deux clous fichés dans les deux pneus de ma bicyclette. J'avais annoncé à table que j'allais me promener avec Nerina. Un cagibi sous l'escalier servait de garage aux vélos. Pendant que je cherchais mes gants — une paire de moufles en similicuir fourrées de lapin —

je vis Guido s'emparer ostensiblement du marteau dans la boîte à outils et ouvrir la porte palière. Il descendit, remonta, s'enferma dans sa chambre, silencieux et impénétrable. Cinq minutes après, quand je fis irruption chez lui, j'aperçus d'abord le marteau, qui trônait sur la commode.

— Pourquoi tu as fait ça ? lui criai-je, sûr d'après sa mine butée non moins que par la preuve matérielle du délit que je tenais devant moi le coupable.

Il se contenta de se planter au milieu de la pièce et d'attendre son châtiment. Direct à l'épaule, crochet au menton. Excité par son inertie, je pris mon élan et lui rentrai dedans d'un coup de tête dans l'estomac. Il chancela, fit un pas en arrière, je me jetai sur lui pour le ceinturer et l'expédier au sol, mais finalement sa soumission me désarma. D'une dernière bourrade, je l'envoyai rouler sur son lit, puis je m'assis à côté de lui.

— Idiot ! Si ma bécane te fait envie, tu n'as qu'à me l'emprunter de temps en temps. Ce sera plus malin que de la mettre à plat !

Il secoua la tête. Énervé par son mutisme, j'allais me fâcher à nouveau, quand un soupçon me traversa l'esprit.

— Suis-je bête ! m'exclamai-je en me penchant vers lui et en essayant de le prendre dans mes bras. J'ai tout compris ! C'est... à cause de Nerina, n'est-ce pas ? J'aurais dû m'en douter !

Ni mes promesses de lui céder ma place auprès de la dactylo ni l'offre de plaider sa cause au cas où elle l'eût dédaigné comme trop jeune, ne réussirent à l'amadouer. Il fuyait mon regard et fixait le plafond d'un air morne.

— Eh bien, dis-je à bout d'arguments, pour te montrer que je ne t'en veux pas, va réparer ta connerie, et je te jure que je ne dirai rien à maman.

— Oh, j' m'en fous qu'elle le sache, balbutia-t-il en se soulevant sur le coude.

— Qu'elle sache quoi ? demandai-je interdit, sans me douter une seconde qu'en m'abstenant de le dénoncer à notre mère je réduisais à néant sa tentative d'échapper à l'image conventionnelle du bon garçon serviable mais incolore.

Il me regarda d'un œil hagard puis se laissa retomber sur l'oreiller où il enfouit son visage et fondit en larmes.

J'ai continué à me méprendre, même quand il nous déclara, à quelque temps de l'affaire des clous, que son ami Ermes Parini avait bien de la chance de partir pour le front ukrainien. Nous finissions à peine de sucer les arêtes d'une carpe au goût vaseux.

— Tais-toi, malheureux ! dit ma mère. Tu ne sais donc pas que l'hiver est si épouvantable en Russie qu'on est obligé de dormir dans le ventre des chevaux morts pour ne pas mourir de froid ?

— N'écoute pas ces contes de bonnes femmes, Guiduccio ! (Tels étaient les brocards, sans méchanceté, de mise autour de la table de famille.) La vérité, c'est qu'un Italien qui choisit de se battre aux côtés des Allemands se conduit en valet de Mussolini.

— Ermes est mon ami. Je ne te permettrai pas..., bredouilla-t-il, plus par esprit de camaraderie que pour contester mon jugement.

Il semblait à bout de nerfs. Pour ne pas le heurter de front, je me contentai de tambouriner sur la toile cirée, curieux de savoir comment un admirateur de Lorca justifierait la guerre impérialiste des amis de Franco. Il nous dévisagea tour à tour, avant de me répondre.

— Tu te trompes si tu crois qu'il a démérité. Vous ignorez le motif qui le décide à partir.

— Ce doit être un bien noble dévouement ! Monter dans un wagon plein de traîtres et de renégats ! m'écriai-je, scandalisé d'entendre mon frère, à qui ni moi ni sa mère ne ménagions les leçons d'antifascisme, parler avec éloge d'un engagé volontaire.

— Il veut purifier la patrie par sa mort, murmura Guido en baissant la tête.

Stupéfait, j'échangeai un regard avec maman, qui me fit signe de me modérer. Il reprit, les yeux rivés sur son pot de yaourt, d'une voix où le défi solennel frémissait d'une timidité enfantine :

— Ermes ne reviendra pas. Jamais. Il s'est enrôlé par esprit de sacrifice. Il mourra en Russie. Il veut mourir. Il part pour mourir. Il me l'a dit. Sa mort nous sauvera tous. C'est comme Œil-de-feu désobéissant au général et quittant sans être vu le camp pour faire sauter la citadelle.

Cette comparaison avec le roman de Salgari nous parut si naïve, que nous éclatâmes ensemble de rire, peut-être aussi pour nous libérer d'une impression pénible.

— Dépêchez-vous d'avaler votre pomme, nous sommes restés trop longtemps à table, dit ma mère, qui m'a transmis son horreur de traîner après les repas autour des assiettes sales.

Guido, qui d'habitude mordait son fruit à pleines dents, se mit à l'éplucher avec une précision maniaque. Les pelures découpées en spirales tombaient intactes du couteau. Il se forçait au calme mais ses mains le trahissaient. Rien ne m'ôtera le remords d'avoir accueilli sa tremblante confidence par cette stupide hilarité. Valait-il la peine de discuter chaque jour avec Giovanna de la *Psychopathologie de la vie quotidienne* et du *Souvenir d'enfance de Léonard de Vinci* achetés sous les Portiques de la Mort ? Au lieu de critiquer l'ingénuité politique de mon frère, j'aurais mieux fait de me demander quel but (sans doute inconnu de lui-même) poursuivait un garçon de seize ans, jusqu'alors posé et facile, en manifestant tout à coup des traits de caractère incongrus. D'abord un acte de vandalisme domestique puis, second symptôme bien plus patent, ces rêves de marches expiatoires dans les plaines glacées de Kharkov, ces fantasmes d'immolation et de martyre par moins quarante.

Les différentes clés qu'il essaya pour ouvrir les portes du cœur maternel se brisèrent entre ses doigts. Aucun de ses appels au secours ne fut même entendu. Apprenti voyou ou candidat à l'héroïsme, on ne le prenait pas au sérieux. Il demeurait « ce mignon, cet adorable Guiduccio », envers qui maman se croyait quitte lorsqu'elle avait glissé quelques centimes dans sa poche pour qu'il s'achète des cachous au bureau de tabac. Une soif ardente d'être aimé et reconnu à sa juste valeur le dévorait sous nos yeux : nous persistâmes, par commodité personnelle, à lui supposer l'âme sereine et la robuste santé du boy-scout.

De crainte que son emballement pour le départ d'Ermes ne le conduisît tout droit au nazisme, anxieux de le soustraire aux influences du lycée, j'emmenais le plus souvent possible mon frère avec moi. Le professeur Longhi m'avait confié un travail de recherche sur le « passage du roman au gothique » dans les monuments de Bologne. Guido, à l'intérieur des églises, prenait plus d'intérêt à dévisager les collégiennes en prière ou à lorgner sous leurs cornettes les jeunes sœurs, qu'à lever avec moi les yeux vers la voûte. J'aimais particulièrement les quatre églises romanes encastrées l'une dans l'autre qui forment le complexe de Santo Stefano : toutes basses, roses, modestes, recueillies, groupées autour d'un cloître à colonnes de brique. Rien que des lignes courbes, des frises en arceau, des voussures arrondies. Atmosphère rassurante, qui m'emplissait le cœur de quiétude.

— Regarde, Guido. La petite chapelle du Calvaire que voici est elle-même bâtie sur un plan circulaire. Tu te trouves au centre d'un rond, tu as au-dessus de ta tête une coupole hémisphérique, et partout autour de toi un jaillissement de colonnes roses reliées par des arcs en plein cintre. C'est le plus ancien sanctuaire de Bologne, et le modèle des édifices ultérieurs, tant civils que religieux. Promène-toi dans la ville : tu t'apercevras avec quel soin les architectes ont évité tout ce qui blesse la vue, lignes brisées, pans coupés, arêtes, coudes. L'arcade en demi-cercle a toujours eu leur prédilection. Aucun angle droit, du moins jusqu'au fascisme qui a copié bêtement les péristyles carrés des temples grecs.

— C'est vrai, disait-il, heureux de m'apporter sa contribution personnelle. Le stade est construit sur des arcades en demi-cercle. Et la piscine aussi, maintenant que j'y pense !

Mais il étouffait un bâillement et n'était pas plus tôt ressorti au grand air qu'il s'étirait avec vigueur pour se dédommager du quart d'heure qu'avait duré notre visite. Il prétendait que l'odeur de l'encens l'écœurait. Sur le chemin du retour, il s'amusait à shooter dans les boîtes vides, malgré les admonitions de maman qui le suppliait de ménager ses chaussures. Eût-il montré de meilleures aptitudes pour l'histoire de l'art, que je n'aurais pu l'associer plus longtemps à mes recherches : car les découvertes auxquelles je fus amené m'entraînèrent bien au-delà des préoccupations stylistiques.

A Santo Stefano et dans les autres églises romanes, je me sentais en confiance. Ces voûtes basses, arrondies, familières, enveloppent et protègent comme le bras consolateur d'une mère serrant son enfant sur son sein. Une impression absolument contraire à celle que j'éprouvais dans la pénombre menaçante des hautes et sévères nefs gothiques. Je voulus savoir pourquoi le plein cintre, tellement mieux adapté à l'homme et à son besoin de sécurité, avait cédé la place aux nouvelles formes. Non sans étonnement, j'appris le rôle des luttes sociales dans le passage d'un style à l'autre. Le gothique pénétra au XIIIᵉ siècle à Bologne sous l'influence des ordres mendiants récemment fondés, dominicains et franciscains. Des moines sans argent, sans bagages, en sandales et en bure, fils de paysans et d'artisans. Ils combattaient le clergé séculier, les prélats, les évêques, issus de la noblesse. Ces hauts personnages, défendant leurs privilèges, défendaient aussi la tradition en architecture, c'est-à-dire le style roman.

Que faire ? Quel parti prendre ? De quel côté te serais-tu engagé ? Tu ne pouvais pas avoir en même temps le cœur à gauche et le goût tourné vers le passé. Tu devais donc militer pour le gothique. Combien de dupes font ainsi les révolutions ! On sacrifie à la discipline nécessaire du progrès l'ordre sacré des fantasmes. Première occasion pour moi, bien avant mes démêlés avec les communistes, de méditer sur l'ironie de l'Histoire, qui retire d'une main ce qu'elle donne de l'autre, et ne se montre jamais assez généreuse pour faire ton bonheur complet.

Le style gothique étira les piliers des églises, souleva les charpentes à une hauteur vertigineuse, épaissit le mystère dans les bas-côtés, créa ces immenses espaces qui engendrent l'angoisse et la culpabilité. A l'arc en plein cintre, à la voûte dite en berceau, métaphore et réminiscence du berceau de l'enfance, succéda l'ogive, qu'on appelle aussi, et justement, arc brisé. Brisée l'intimité avec la mère, saccagé le bonheur de ne faire qu'un en deux. Le fils, arraché brutalement à son rêve de communion intégrale, délogé de son nid, expulsé dans le monde, dut quitter la caverne et se frotter les yeux. Il entrevit, dans la pénombre majestueuse des voûtes surexhaussées, le visage caché et terrible du Père. Qu'est-ce que l'ogive, en effet, sinon le sourcil dressé du Père ? A San Petronio, tu trembles malgré toi, tu n'es pas accueilli, mais jugé. La nef monumentale t'écrase de toute sa splendeur ténébreuse. Tu n'es plus, sous cet auguste vaisseau, qu'un infiniment petit en attente du châtiment. La loi, la menace, la crainte étaient entrées désormais dans nos vies. Les tendres mains maternelles abandonnaient la religion catholique au pouvoir inflexible du Père.

« Nos vies », ai-je écrit. Ce retour du Christ à Yahvé, peut-être n'entraîna-t-il d'aussi dramatiques conséquences que pour une minorité : la nôtre, Gennariello. Je ne parle pas seulement de moi et de mes frères dans le passé, en disant : la nôtre. Je parle aussi de toi, qui te récries en ce moment même, prêt, j'en mettrais ma main au feu, à interrompre ta lecture et à courir chez don Michele pour fixer la date de ton mariage. Nie tant que tu voudras l'évidence, la force de mon amour réussira à chasser le mensonge de ton cœur. Je t'amènerai un jour ou l'autre à reconnaître ta vérité. Il serait plus habile, évidemment, de te masquer les horreurs de la répression au cours des siècles, puis de te présenter la tolérance comme universellement acquise aujourd'hui. De telles lâchetés, je ne me ferai jamais le complice, même pour désarmer ta résistance qui me désespère. Je tiens à te vaincre, non à te leurrer. Voudrais-tu que je te juge trop poltron pour supporter la vue des dangers qui t'attendent ? Reste avec Giuseppina, si tu n'as souci que de ton repos ! Autant m'enflamme l'espoir qu'arrivé au bout de mon récit tu m'annonces ta reddition (mais trop tardive, alors, et vaine, Gennariello !), autant j'exige que tu me choisisses en connaissance de cause, et non point attiré par des séductions trompeuses.

Sache, pour commencer, le prix de larmes et de sang que nous a coûté au Moyen Age la défaite de l'aristocratie par les forces populaires. En fouillant dans les bibliothèques pour mon mémoire, j'ai déniché certains documents qui précisent à quelle époque et dans quelles circonstances nous avons rencontré nos premiers bourreaux. Tu admettras que ni le professeur Longhi ni mon frère Guido ne pouvaient être mis dans la confidence, pas plus qu'aucune autre personne de mon entourage.

La victoire de l'ogive et de l'arc-boutant, comme sept siècles plus tard celle de la faucille et du marteau, signa bel et bien notre condamnation. Nous avions embrassé une cause dont les vainqueurs nous traînèrent devant leur tribunal. Du Xᵉ au XIIIᵉ siècle, pendant l'ère du roman, aucune trace de procès contre nous. Saint Paul n'avait pas encore relayé saint Jean. Le voile de Véronique bâillonnait les colères de Moïse. Les lois répressives? Établies autrefois par Théodose, le premier empereur chrétien, nulle part on ne les appliquait en Occident. La peine de feu, promulguée à nouveau dans les Novelles de Justinien puis dans les capitulaires de Charlemagne, ne coûta pas une seule allumette à la Justice. On dit que Hugues Capet, se rendant à l'église et apercevant sous le porche deux hommes soumis à leur désir plus qu'à Dieu, les couvrit de son royal manteau. A genoux devant l'autel, il pria plus longtemps que de coutume, peut-être pour demander au Seigneur leur pardon, assurément pour leur laisser le temps de filer avant l'arrivée des sbires.

La persécution commença vers la fin du XIIIᵉ siècle, avec l'apostolat des dominicains et l'établissement de l'Inquisition. Sous quels funestes auspices je me trouve être né! Figure-toi que Bologne fut la ville préférée de Dominique de Gusman. Le fanatique espagnol s'y arrêta pour de longs séjours, réunit à Saint-Nicolas-des-Vignes les deux premiers chapitres de l'ordre et jeta les bases d'un couvent non loin de la rue où j'ai grandi. C'est à Bologne qu'il contracta la fièvre et mourut. Enseveli d'abord dans le sol même de Saint-Nicolas, sous une simple dalle comme il l'avait souhaité, pour être foulé par les sandales de ses frères, son corps reçut plus tard une sépulture solennelle dans un mausolée tout en marbre, quand on eut reconstruit, sur les lieux de l'ancienne église devenue trop petite pour l'afflux des pèlerins, une nouvelle basilique, dédiée cette fois à son nom et consacrée par le pape en personne. Le crâne prit place dans un reliquaire d'argent aux ciselures non indignes de la châsse de ton saint Janvier. De tous les coins de la chrétienté on accourut, le culte de son tombeau et de ses reliques attirait un nombre toujours plus grand de dévots.

Le moine avait laissé le souvenir inoubliable de sa charité et de sa pauvreté, mais aussi de son intransigeance. Ses disciples se rappelaient que lorsqu'il passait une nuit en prière dans le chœur, le bruit de ses gémissements et de ses pleurs traversait les murs et parvenait jusqu'aux cellules où ils dormaient. Ils poursuivirent son œuvre, fidèles à ses consignes. Ils répandirent dans toute l'Europe l'intolérance et la dictature. *Domini canes* : chiens de Dieu. De la police céleste les plus féroces argousins. Bien que d'origine très modeste, je te le rappelle. Leurs pères tapaient sur l'enclume dans les forges de campagne ou poussaient la charrue sur le flanc des collines. Ces fils du peuple, cher Gennariello, nous citèrent les premiers en justice, nous envoyèrent les premiers au bûcher. Les anathèmes du Pentateuque, qu'on avait crus noyés sous les parfums de Marie-Madeleine, nous frappèrent à nouveau, comme si l'évangile n'avait jamais été prêché. Notre différence fut assimilée à une hérésie, notre amour à un crime. Le fenouil qu'on jetait sur les bûches pour aromatiser le supplice m'est resté collé à la peau : *finocchio*. C'est sous ce nom que je me suis fait insulter tant de fois dans la presse ou aux premières de mes films. *Finocchio*, l'injure classique pour me traîner dans la boue. Ceux qui l'utilisent aujourd'hui savent-ils que cette métaphore potagère remonte à l'époque où on attisait le feu sous nos pieds avec de vrais légumes choisis pour leur combustion odorante ? La Mère romane nous souriait entre la fumée et les flammes, mais le Père gothique veillait au réapprovisionnement des fagots.

11

Après ces réflexions, dont je me gardais bien de lui faire part, j'avais plaisir à voir mon frère se retourner sur toutes les filles dans la rue, non par vaine bravade latine, mais par propension vers l'autre sexe déjà nettement affirmée. J'envisageais, dès cette époque, ma destinée comme un voyage clandestin au milieu des embûches tendues par mes ennemis ; aussi me réjouissais-je (ignorant ses souffrances de fils et de frère) que Guido, à l'abri de la malédiction suspendue sur ma tête, pût commencer la chasse au bonheur dans les meilleures conditions de succès.

Pour ma mère également, je me félicitais qu'il s'engageât dans une voie si différente de la mienne. Mes entreprises féminines ne passaient pas inaperçues à la maison. Deux phases distinctes marquèrent les réactions de maman. D'abord la jalousie. Ni scènes ni larmes, assurément. Bien trop fine pour laisser voir sa désapprobation, elle se défendait de m'importuner par la moindre demande. Mais si Nerina, par exemple, me raccompagnait jusqu'à mon seuil, il me suffisait de glisser un coup d'œil vers la fenêtre du troisième étage pour apercevoir par la fente du vitrage une figure immobile appuyée contre le carreau.

Ressortais-je après le dîner, maman attendait mon retour. L'heure tardive, contraire à son habitude campagnarde de se mettre au lit sitôt la dernière fourchette essuyée, ne la décourageait pas. Je la trouvais assise à la table de la cuisine, droite et sévère, en train de raccommoder mon linge. Elle m'attirait à elle et m'embrassait plus longuement que les autres soirs. J'aurais été bien naïf de penser qu'elle me signifiait par ce baiser mon pardon. Une exclamation qu'elle laissa échapper m'apprit son vrai but. Elle cherchait à déceler, d'après le parfum resté imprégné sur ma joue, quelle rivale lui avait volé son fils cette nuit-là. Sans les connaître autrement que par cette intuition cosmétique (et s'efforçant, j'imagine, de faire un rapprochement avec leurs visages fugitivement entrevus par la fenêtre), elle considérait toutes les femmes qui me plaisaient comme ses ennemies personnelles. Le parc Margherita, où elle savait que je donnais mes rendez-vous, lui inspirait une répugnance invincible : là se tramaient les complots féminins qui aboutiraient à sa dépossession.

Bientôt, cependant, par la variété des noms qu'elle m'entendait prononcer, par le nombre des devinettes soumises à son odorat, par la subtilité de son instinct maternel, elle découvrit le sort éphémère de toutes mes conquêtes. Flora succédait à Giuliana, Astrid à Silvana : un carrousel ininterrompu. Elle seule qui m'avait mis au monde, allaité, bercé, soigné pendant ma coqueluche, veillé lors de ma pneumonie, elle seule restait dans ma vie à une place fixe et sacrée, madone et reine sur son trône de lumière, aussi nécessaire à son fils que la poignée de pâtes qu'elle jetait pour lui dans l'eau bouillante quand elle entendait son pas dans l'escalier.

Elle se mit donc à considérer toutes mes camarades comme des victimes brûlées en son honneur ; et, bien loin d'en éprouver du mécontentement, elle souhaita qu'aucune fille de Bologne n'échappât à l'immolation. Plus elles seraient nombreuses à être choisies puis abandonnées par moi, plus sa propre souveraineté apparaîtrait éclatante. Si une de mes tantes, avec son gros bon sens frioulan, lui faisait observer qu'on me voyait souvent avec cette Nerina, maman feignait de froncer le sourcil et de prendre un air préoccupé ; mais derrière sa main, distraite un moment du ravaudage en cours, elle dissimulait un sourire de satisfaction : sûre comme elle était (et elle ne se trompait pas) que je n'usais de la dactylo que comme un ornement supplémentaire pour ma bicyclette.

Elle s'estima définitivement hors de danger quand prirent fin mes sorties avec Giovanna. Rivale plus dangereuse que les autres, celle-ci ! La maîtresse d'école, quoique fort instruite et lectrice insatiable de romans, ne se sentait pas de taille à lutter avec la fille d'un grand éditeur milanais. Sa disgrâce (ma mère, impression erronée pour une fois, m'attribua l'initiative de la rupture) fut saluée avec un soupir de soulagement. Sans compter la fierté de se dire que le sacrifice d'une B. sur l'autel élevé par son fils à sa gloire constituait un tribut particulièrement prestigieux.

Seulement, autant mon mariage lui aurait semblé une perfidie et une trahison, autant elle aurait mal supporté de vieillir sans descendance. Refusant de voir que j'avais grandi, mais sachant qu'un jour je finirais bien par m'éloigner et elle par me perdre, son seul recours était de s'imaginer grand-mère, en train d'emmailloter et de dorloter le nouveau-né. Avec un bébé entre ses bras, elle recommencerait l'aventure merveilleuse de naguère, quand je dépendais entièrement de ses soins.

Comment concilier le désir jaloux de me tenir à l'écart des femmes, et le besoin de reverser sa tendresse sur une nouvelle progéniture ? La providence avait résolu cette contradiction, en lui donnant deux garçons, dont l'un, échappant aux ruses féminines, resterait éternellement à ses pieds, tandis que l'autre, moins précieux comme fils mais indispensable comme reproducteur, fournirait les petits-enfants. Voilà pourquoi je n'avais garde de convertir Guido à mes goûts, soucieux au contraire de lui épargner toute tentation qui pût le détourner d'un avenir conjugal si nécessaire au bonheur de maman.

Or mon frère, rentrant d'un bref voyage à Florence, me raconta une histoire suffisamment éloquente, où sa candeur n'avait pas vu malice. Place de la Seigneurie, il mangeait un sandwich, adossé au socle du gigantesque *David*. Un homme à qui d'après ses tempes encore bien garnies et sa silhouette à peine empâtée on pouvait donner la trentaine, trapu, musclé, vêtu d'une salopette et d'un tricot à col roulé, descendit de bicyclette et vint s'abriter à son tour contre la statue. « T'as pas une cigarette ? » demanda-t-il sans préambule à mon frère, d'un ton que celui-ci trouva fort incivil. « Je ne fume pas. » Le quémandeur lui jeta un regard courroucé, enfourcha son engin et s'éloigna vers le pont.

Un peu plus tard, dans l'après-midi, comme Guido se reposait sur un banc dans un square, l'homme se montra à nouveau. Il prit place à l'autre bout du banc, sortit de sa poche et alluma un gros cigare dont il tira d'épaisses bouffées malodorantes (la maudite fumée des *toscani*), sans faire attention que le vent les rabattait vers son voisin qui se mit à tousser et à couvrir sa bouche de sa main. Indigné d'un tel sans-gêne, Guido, malgré la fatigue de ses déambulations depuis l'aube, s'apprêtait à se lever en quête d'un autre refuge, quand il s'entendit rudement apostropher.

— Eh petit ! T'es pas très bavard ! Pourquoi tu te rapproches pas pour causer un peu ?

Marquant une pause dans son récit, Guido m'avoua que ces mots avaient éveillé en lui le soupçon qu'une « tantouse » (comme il disait) lui faisait des avances. Mais l'aspect « viril » de son interlocuteur le détrompa aussitôt. « Les pédés sont efféminés, élégants, polis », me confia-t-il ingénument, et l'inconnu, dans son bleu de travail maculé de cambouis, crachait par terre entre deux bouffées. Mon frère se dit également qu'un « salaud » animé de mauvaises intentions voudrait d'abord se montrer agréable. Cette réflexion (plus judicieuse que la précédente, quoique n'offrant pas une garantie meilleure à un esprit moins naïf) acheva de le rassurer. Il se rapprocha d'un demi-mètre sur le banc. Deux jeunes filles vinrent à passer dans le square. L'homme les regarda s'éloigner, poussa du coude mon frère et lui dit qu'il voyait bien à sa mine et à sa façon de prononcer les « c » qu'il ne parlait pas à un « p'tit gars de Florence ». Néanmoins, enchaîna-t-il en indiquant du menton les deux promeneuses, il espérait qu'une « occasion » s'était déjà présentée au jeune et sympathique visiteur.

Guido, dans sa simplicité, se contenta de secouer la tête. L'autre, alors, reprenant ses manières brusques du début, lui affirma que tout homme digne de ce nom qui débarquait à Florence devait se procurer une femme le soir même de son arrivée.

— Tu l'as pas encore dégotée, j' parie ?

Il toisait son voisin d'un regard inexplicablement hostile.

— Je suis encore bien jeune, dit mon frère, furieux contre lui-même parce qu'il avait l'air de s'excuser devant ce butor, qui continuait à empuantir avec son cigare le transparent ciel florentin.

Cherchant une revanche, il s'enhardit à le railler, sûr qu'il allait recueillir l'aveu de misères et d'échecs. (Car seuls les ratés de l'amour, croyait-il, entreprennent ainsi le premier venu dans les lieux publics.)

— Mais vous, sans aucun doute, quelque belle vous attend à la maison ?

— Qu'est-ce que tu crois ? s'écria le fumeur de *toscani* en se dressant d'un bond, comme si un serpent l'avait mordu. Tu t' figures que j'ai besoin d'un morveux comme toi pour savoir comment je dois me conduire ? Je m' marie dans un mois, apprends-le, avant de m' poser des questions aussi connes. J'étais sorti justement pour faire publier les bans.

Sur ce, il s'éloigna d'un pas furibond. Le « morveux » resta pantois sur son siège, se demandant quelle faute il avait pu commettre, médusé par ce mélange inouï de familiarité, de rudesse, de morgue agressive et de bougeotte.

« Un dingue », fis-je à Guido. Pour rien au monde je n'aurais révélé à mon frère qu'avec ses dix-sept ans et sa jolie frimousse bronzée par le soleil du stade il avait troublé cet homme, contraint dans son désarroi de réagir par une ostentation comique de ses projets conjugaux. Comique, oui, à l'instar de tous les épisodes de cette farce. L'éternelle farce en trois actes : tu me plais, je te repousse, je te hais parce que tu m'as plu. Attirance, refoulement et mépris. Mais une farce qui peut tourner à la tragédie, si pour se punir de sa « faiblesse », venger son « honneur » et retrouver l'image qu'il se fait de lui-même, celui qui est monté volontairement dans ta voiture et t'a suivi de plein gré entre les baraquements de l'Idroscalo te défonce les côtes avec un pieu arraché à la palissade.

Au nom de tous les Italiens dont j'avais dénoncé la virilité comme une mascarade, il était fatal qu'un justicier sorti du peuple (Pelosi ou un autre, peu importe son nom), investi d'une mission pour ainsi dire rituelle, rétablît par le meurtre du provocateur le sentiment de leur identité. L'exorcisme du mariage, qui sauva le dragueur de mon frère en ce lointain après-midi de Florence, manquait à mon assassin : obligé, pour cette raison même, à tuer.

En 1942, j'aurais haussé les épaules si on m'avait prédit que ma sécurité physique serait un jour en danger. Pour souhaiter à Guido une vie différente de la mienne, il me suffisait de faire le compte de mes prudences, de mes lâchetés. J'ai profané la Poésie elle-même, en publiant, dans mon premier recueil, des vers d'une excessive circonspection. Le 14 juillet, nous célébrâmes, Enrico, Mathias, Daniel et moi, par de grandes ripailles de jambon et de lambrusco, la sortie simultanée de nos quatre plaquettes à la « Librairie ancienne Mario Landi », piazza San Domenico 5. *Poèmes*, s'intitulait mon opuscule : quatorze pièces contenues dans une brochure de quarante-huit pages tirée à trois cents exemplaires, plus soixante-quinze hors commerce pour la presse. Un de ces hors-commerce échoua sur la table de Gianfranco Contini. Le plus illustre critique littéraire italien eut la bonté de m'envoyer une carte postale avec la promesse d'un compte rendu.

Ce succès me grandit auprès de mes camarades, sans effacer en moi la honte de mes petites forfaitures. Au lieu de louer franchement la beauté des jeunes garçons, j'avais recouru à toutes sortes de périphrases : David et Jésus passaient en dansant dans mes vers élégiaques, où le pressentiment de la mort servait d'alibi aux pâmoisons de Narcisse. Rustiques solitudes, chastes tintements de cloches et litanies plaintives pour le dimanche des Rameaux. Vers écrits en frioulan, circonstance qui ajouta quelque éclat à ma chétive couronne de poète, bien que la volonté politique de m'opposer à la langue officielle comptât beaucoup moins dans ma vocation dialectale, comme tu sais, que mes démêlés avec mon père et le désir de lier ma destinée d'artiste à l'idiome maternel. Au bas de chaque page, en petits caractères penchés, je donnais la traduction italienne : reléguant ainsi l'orgueilleuse Rome dans les sous-sols de la typographie et de la culture, et jetant comme des trophées au pied du trône où siégeait maman la casquette, les galons et les autres insignes militaires du vaincu d'Amba Alaghi.

Mais qui aurait soupçonné, parmi mes jeunes lecteurs, à quel pleutre allait leur admiration? Comment imaginer que j'écrivais déjà des vers scandaleux, en ayant soin de les laisser au fond de mon tiroir, d'où ils ne seraient tirés pour être livrés au public que vingt ans après?

> *Accomplir, répéter jusqu'au sang*
> *l'acte le plus doux de la vie.*

Un article sur Sandro Penna révéla le fond de ma couardise. Sandro Penna, vagabond impénitent, amoureux téméraire d'apprentis en salopette, de recrues en permission, de fils de concierges, de rôdeurs imberbes : il s'en faisait gloire, dans de courts poèmes où sonne haut l'allégresse d'un cœur libre.

> *Je l'ai trouvé mon petit ange*
> *à un louche parterre.*

> *Long est le trajet en autobus.*
> *Un fruste*
> *garçon boulanger accorde par instants*
> *et puis refuse un peu de sa tendre grâce.*

> *Dans la fraîche pissotière de la gare*
> *je suis descendu de la colline en feu.*

Preuve, ces vers publiés à la barbe des censeurs, qu'avec un peu d'audace on les rendait myopes. Ni frissons clandestins ni provocation tapageuse : le pur bonheur de vivre en harmonie avec soi-même et sans se cacher de personne. Légèreté, lumière et douceur franciscaines. Tranquille hardiesse du juste. Je me fendis d'un commentaire geignard. « Indiscutable noblesse poétique, dont l'amoralité ne dépose pas contre elle, si un poids de souffrances humaines cachées leste ces vers aériens. » Qu'avais-je besoin de justifier par un sentiment chrétien de remords celui qui a ressuscité la solaire innocence des dieux grecs?

Honte à moi, Gennariello, pour avoir osé présenter sous les traits dolents d'un coupable l'homme à qui la religion de Moïse et de saint Paul était la plus étrangère. Même si, écœuré de vivre la tête dans un sac, j'ai brandi un jour l'étendard de la révolte, tu ne dois pas m'estimer à plus haut prix que ma valeur. Qui se révolte, sinon l'esclave ? Les seigneurs, n'ayant pas à prouver leur race, ne brandissent jamais d'étendard. De seigneur, un seul a illuminé notre siècle : lui, Sandro Penna, qui avait grandi à Pérouse entre les collines de l'Ombrie, qui ouvrait sa maison-casbah de Rome aux chats et aux voyous, et que la mort, il y a peu de temps, vint visiter dans son sommeil. Soixante et onze ans, vingt-quatre mois d'arriérés de loyer, trois cartons d'invendus de ses poèmes en tas sur son tapis, cinquante bouteilles de lait vides dans la huche de sa cuisine, et, au mur de sa chambre, le portrait de la Malibran en Chérubin.

Faute d'avoir réussi, Enrico, Mathias, Daniel et moi (pourquoi dois-je nommer toujours Enrico en premier ?) à fonder la revue projetée dans l'îlot du parc Margherita, mon article parut dans *le Tamis,* mensuel littéraire de la Jeunesse Italienne du Licteur. Une publication fasciste, que nous espérions noyauter en y parlant d'écrivains et de peintres antipathiques au régime : Baudelaire, Giorgio Morandi, dont les bouteilles nous plaisaient non seulement parce qu'il les peignait à Bologne, mais parce que l'humble verrerie de ses natures mortes dégonflait la grandiloquence de l'art officiel. Au crible du *Tamis* passèrent quelques-uns de mes poèmes d'inspiration mystique. Telle cette exhortation de l'Archange à l'Ermite : « O Saint ! Celui qui n'a pas péché n'est pas innocent. Sors de la grotte ! Traverse le sombre désert ! Supporte la douce beauté du mal ! » Toujours ce dégoûtant langage de la faute et de la chute.

En novembre 1942, mon frère m'accompagna à la gare : je partais pour Weimar, comme membre de la délégation italienne au congrès des écrivains européens. Pourquoi me rendre à l'invitation des nazis ? Elio Vittorini, le jeune et prestigieux auteur de *Conversation en Sicile,* porte-drapeau de l'antifascisme littéraire, faisait partie du voyage. Guido n'osa pas me contredire. Quand il agita la main vers le convoi qui s'ébranlait, je lus dans ses yeux l'expression attristée d'un reproche. Scène qui m'a hanté longtemps, et dont le souvenir à coup sûr traversa l'esprit de mon frère lorsque, moins de deux ans plus tard, c'est lui qui monta dans un train : non pour aller bavarder avec des intellectuels berlinois mandatés par Goebbels, mais pour rejoindre les patriotes frioulans dans le maquis. Il me laissait sur le quai de la gare, à Casarsa où nous nous étions réfugiés avec maman.

Revenu d'Allemagne, je publiai dans *le Tamis,* aux mailles décidément trop lâches pour m'empêcher de me déshonorer, un article à la louange du congrès. Malgré le but avoué de propagande politique, écrivais-je, la jeunesse européenne a échangé des vues fécondes sur l'avenir littéraire de l'Occident, etc. Mensonges de la plus belle encre mussolinienne, étalée avec la plume d'oie nationaliste. Cette fois Guido, que j'avais élevé dans la haine du fascisme et à qui je citais le professeur Longhi comme un modèle d'intransigeance, fut trop loyal pour me cacher sa désapprobation. Il déposa sur mon lit, soulignées de traits rouges qui me frappèrent en pleine joue comme une gifle, les phrases accusatrices : « Si on suppose définitif l'actuel silence de la France, à qui doit revenir l'hégémonie culturelle en Europe, sinon à nous ?... L'optimisme nous incite à noter que la culture italienne dépasse les autres... Nous pouvons espérer être les seuls, dans un proche avenir, à avoir entre nos mains la culture, c'est-à-dire la spiritualité européenne ; ce qui serait très important, également du point de vue politique. »

Sornettes prétentieuses, auxquelles il est impossible que j'aie cru pour de bon. L'armée allemande assiégeait Moscou, les Japonais attaquaient par traîtrise à Pearl Harbor. Mécontent contre moi-même depuis que je n'osais plus aller à la piscine ni regarder nu Daniel sous la douche, il fallait que je me déconsidère jusqu'au bout. Oui, si je me suis abaissé à ces fanfaronnades, c'est par obscure envie de me perdre dans l'estime de mon frère, de mes camarades, de tous ceux dont le mépris me ferait mal. Seul pouvait commettre (mais ce n'est pas une excuse) un acte public de servilité aussi impudent un jeune homme cherchant à se punir d'être un lâche dans sa vie privée.

Mes instants de détente et de bonheur : lorsque, en sortant de chez mon libraire-éditeur Mario Landi, de l'autre côté de la place, dans la basilique à lui dédiée, je m'approchais du tombeau de saint Dominique, où j'avais découvert, à droite et à gauche de l'autel, sur les marches du mausolée, deux anges en marbre. Parfaite symétrie des postures (un genou en terre, ils soutiennent de l'autre un lourd candélabre), des vêtements (une ample robe à plis les enveloppe jusqu'aux pieds) et des ailes. Là s'arrête la ressemblance. Celui de gauche respire — tant pis pour le cliché — une « céleste douceur » : cheveux longs et soyeux, doigts de harpiste, paupières mi-closes, délicatesse de femme, attitude recueillie. Il porte son candélabre avec respect et mystère. C'est l'ange classique, à la beauté idéale, l'androgyne que Visconti, s'il avait pu le faire descendre de son socle, aurait envoyé sur la plage de Venise jouer les tentateurs devant les clients de l'hôtel des Bains.

Je restais de longues minutes à le dévorer des yeux, pour l'édification des bonnes sœurs du couvent, qui passaient et repassaient derrière l'autel sous prétexte de vérifier les cierges. Auraient-elles lu dans le fond de mon cœur, elles n'y auraient pas trouvé matière à scandale. Saint Dominique en personne m'eût approuvé, moi qui, avec trente-quatre ans d'avance sur la fameuse Déclaration de Paul VI, transférais sur une image de pierre mes passions non vécues. Qui sait si le premier persécuteur de notre race n'avait pas envoyé à dessein ce messager sur ma route, pour m'apprendre à préserver mes « tendances » de toute « réalisation » coupable ? Oui au penchant, non à l'activité, comme a réaffirmé Jean-Paul II devant les évêques américains. Compenser la chasteté de mes hivers à Bologne par l'amour d'une statue ne me brouillait pas avec ma conscience.

Agenouillé devant ce pur séraphin, ainsi me livrais-je aux délices équivoques de la sublimation, pendant que les religieuses me frôlaient de leurs robes blanches avec des hochements de tête attendris. Heureusement, pour bousculer la stratégie céleste et les plans de salut de mon âme, s'offrait à ma vue, de l'autre côté de l'autel, le second visiteur ailé. Au lieu de m'exhorter, celui-ci, aux paradis imaginaires de l'angélisme résigné, il m'administrait comme un stimulant sa vitalité batailleuse et avide.

L'étrange modèle, contraire à toute la tradition des peintres et des sculpteurs, que Michel-Ange avait choisi ! Quelque apprenti aperçu dans un faubourg populaire, pendant qu'il ferrait un cheval, le sabot coincé entre ses cuisses, ou le commis d'une auberge déchargeant des tonneaux devant le soupirail de la cave. Cheveux courts, boucles drues, torse trapu, dos râblé, encolure d'athlète, joues pleines, regard fixe dirigé droit devant lui : plus semblable à un fruste manœuvre qu'à un chérubin éthéré, qu'attend-il pour bondir en avant et jeter par terre son candélabre qu'il ne tient que pour la forme ? C'est à toi qu'il me fait penser, maintenant que je l'évoque à nouveau : oui, à toi sur le bord du terrain de football, quand tu renvoies le ballon sorti en touche et que tu te prépares, les couturiers tendus, à t'élancer dans la mêlée. Musclé et fonceur, sans le moindre air efféminé. (Ce qui ne veut pas dire, Gennariello, destiné obligatoirement au mariage !)

Pour moi, dès cette époque, mon genre, nettement mon genre, de préférence à l'autre. Une tentation bien plus violente que devant les jeunes gens au sexe ambigu. Et qui me forcerait bientôt à changer d'existence et à m'afficher au grand jour, mon instinct me le disait. Le goût d'un certain type physique m'a sauvé, non mon courage. Amateur d'éphèbes et de jouvenceaux, j'aurais peut-être gardé toute ma vie la tendance à rêver, à faire le mystique, à soupirer après quelque frêle adolescent comme le berger de Virgile après son Alexis.

Au contraire, quand j'avais bien regardé l'ange de droite, je ressortais de la basilique plus affamé qu'un loup. Devant ce gaillard

pétulant, comment ne pas sentir le ridicule d'une adoration platoni-
que ? Je courais jusqu'à la place Galvani et sautais dans le 11 qui me
transportait à la gare. L'occasion attendue finissait toujours par se
trouver, dans l'édifice de porcelaine auquel son terme cru donné par
le poète Sandro Penna convenait assurément mieux que l'euphémisme fabriqué avec le nom d'un empereur romain.

Telle fut l'origine de mes quelques aventures bolonaises ; rares,
furtives et bâclées ; soigneusement cachées aussi bien à mes
camarades qu'à ma mère et à mon frère. Je n'en tirais ni véritable
plaisir ni fierté excessive ; mais du moins la conviction rassurante
que je n'étais pas un poltron complet.

12

Nous ne revînmes pas à Bologne après les fêtes de Pâques. Maman nous garda avec elle à Casarsa, où elle pensait que nous serions à l'abri des bombardements. Longues vacances, dont nous profitâmes, mon cousin Rico (le fils de ma tante Enrichetta), Cesare Bortotto, un ami émigré de Bologne, mon frère et moi, pour explorer la campagne, rendre visite aux paysans dans leurs fermes, recueillir au coin de leur âtre les traditions orales du Frioul, enrichir notre connaissance de leur dialecte et apprendre les finesses d'un peuple indifférent aux destinées de Rome.

Le soir du 25 juillet, le maréchal des carabiniers nous surprit en train d'écrire : VIVE LA LIBERTÉ sur le mur de l'église. Rico (quatorze ans) laissa tomber le pot de peinture et s'enfuit dans les champs. Bortotto, devenu tout pâle, restait figé sur place. Je tenais le pinceau à la main, prêt à déguerpir. Guido s'avança crânement vers le sous-officier. Celui-ci leva à peine le sourcil pour marquer sa surprise en le reconnaissant. Débonnaire, il se contenta de lui tirer l'oreille. Nous n'avions pu nous procurer que de la peinture noire, de la rouge eût fêté avec plus d'éclat la chute de Mussolini.

Une autre image, avec le pot de peinture renversé par terre, me reste de l'été 43 : un pré nocturne le long d'une voie ferrée, des vers luisants qui étincellent en nombre infini au milieu des ténèbres. Je me trouvais à Pise depuis le 1er septembre, appelé par le service militaire. Le lendemain de l'armistice, les Allemands envahirent la caserne et nous embarquèrent dans un train en direction du Brenner. Il était déjà nuit quand le convoi se mit en route, fait de vieux wagons de troisième classe en bois, dont nos gardiens avaient fermé à clef les compartiments. Une sentinelle à chaque bout du wagon surveillait les portières.

Le train, à tout moment, s'arrêtait en rase campagne. Mon voisin, un méridional, portait au cou un médaillon avec le portrait de sa mère. Il tint également à me montrer, gravé sur l'autre face, l'éléphant de Catane qui soutient un obélisque sur son dos. Comment réussit-il à baisser la fenêtre sans donner l'alerte aux gardiens ? « Tiens-toi prêt », me glissa-t-il de but en blanc à l'oreille. Nous faisions halte le long d'un pré bordé au fond par des pins parasols. Nos camarades, dans le compartiment, somnolaient à la lueur des veilleuses, fantômes bleutés emportés vers l'inconnu. Pour lutter contre le sommeil, je m'obligeais à compter les lucioles devant moi : tâche impossible, car elles s'éteignaient et se rallumaient irrégulièrement, comme des étoiles dans le ciel. Il y en avait une qui me paraissait plus grosse que les autres. Je m'usais les yeux à vouloir la fixer.

« Vite », me chuchota le Sicilien, auquel je n'avais nullement demandé de m'associer à son évasion. Je le vis porter à ses lèvres le médaillon, déposer un baiser sur l'effigie maternelle, esquisser un signe de croix, enjamber lestement la portière et se laisser couler dans le fossé rempli d'eau qui longeait la voie. Je le suivis aussi vite que je pus, et me jetai derrière lui à plat ventre dans le fossé. Le train, déjà, se remettait en marche. Nous dûmes enfoncer la tête dans l'eau, de peur d'être aperçus par les sentinelles debout sur les marchepieds.

Quand j'eus relevé la tête, ma première sensation ne fut pas de froid dans mes vêtements trempés, ni de bonheur d'avoir échappé à la déportation, mais d'émerveillement devant le ballet clignotant des lucioles. A hauteur de mon nez, elles échangeaient dans l'air transparent de la nuit leurs signaux mystérieux. Les brins d'herbe, caressés par le vent marin, se couchaient et se relevaient sous cette parure d'escarboucles. Mon camarade, qui avait ôté sa veste et son pantalon pour les essorer, achevait de se revêtir. J'étais encore en extase devant cette danse lumineuse qui couvrait la prairie d'un glauque scintillement.

« Tu n'es pas blessé ? me demanda-t-il en s'accroupissant près de moi pour renouer les lacets de ses brodequins. Tirons-nous, car si un autre train s'amène... » Nous courûmes jusqu'à la lisière du bois. Les grands pins balançaient au-dessus de nos têtes les branches touffues de leurs cimes.

Il me dit que j'allais prendre la crève si je gardais mes habits sur le dos. « Fous-toi à poil. » Sa voix brève, peu aimable, contrastait avec ses attentions. « Enlève ça aussi. » Je faillis lui demander pourquoi il me voulait du bien, mais une autre question, idiote, m'échappa.

— Dis, l'éléphant de Catane, il te sert à quoi ?

Je m'étais arrêté de tordre mon slip pour indiquer du doigt son médaillon.

— C'est un vœu, prononça-t-il d'un air farouche.

Comme si ces mots lui coûtaient un grand effort, il ajouta avec un soupir :

— Je m'appelle Taddeo.

— Un joli nom, fis-je.

Une lueur fugitive éclaira son visage sombre. Puis, si rapidement que je me rendis à peine compte de ce qui m'arrivait, il vint à moi et m'embrassa sur la bouche, avant de tourner les talons et de s'enfoncer sous les arbres, à toute vitesse sur ses jambes courtes de Sicilien.

Sans me rhabiller, tout nu comme j'étais, je m'assis au pied d'un pin. Je me souviens d'avoir passé plusieurs fois ma main sur ma bouche et regardé ensuite mes doigts pour y lire le sens de ce geste que j'hésitais même à qualifier de baiser. « Taddeo, répétais-je à mi-voix, perplexe, Taddeo. » J'essayais de me rappeler sa figure : front étroit, sourcils touffus, menton en galoche. « Bah ! me dis-je, c'est vrai que je ne suis jamais descendu plus au sud que Florence, et que j'ignore tout des usages dans le Midi. Turiddu mord bien l'oreille de *compare* Alfio pour lui annoncer qu'ils se battront au couteau. »

La différence de latitude influe-t-elle aussi sur l'ardeur des lucioles ? Jamais dans le Frioul je n'en avais vu autant ni briller d'un tel éclat. Je serais resté indéfiniment sous le charme, oublieux des heures qui fuyaient. Un train, en route vers le nord, passa à deux cents mètres avec un sifflement plaintif. Semblable à celui dont m'avait sauvé Taddeo, il me rappela à la conscience du danger. Aucune lumière n'éclairait les wagons, qui emportaient les soldats endormis. Sans les vers luisants qui m'avaient tenu en éveil, Taddeo se serait échappé tout seul. Telle fut ma dernière pensée pour le Sicilien, que je n'ai jamais revu.

Si ce que je suppose aujourd'hui, d'après son geste furtif et incomplet, est vrai, alors j'espère qu'entre son épouse que lui aura choisie sa mère et l'éléphant devant la cathédrale qui lui remémore son vœu, il ne se dit pas avec tristesse et rancœur qu'il aurait mieux fait, le soir de son évasion avec le jeune inconnu, d'arracher de son cou et de jeter le médaillon dans l'herbe.

Je parcourus presque cent kilomètres à pied avant d'oser monter dans un train, à Florence, sur une autre ligne. Casarsa m'accueillit en héros. Seul Guido me dit, sur un ton aussi ambigu que les mots : « Je te félicite d'avoir réussi à *t'enfuir.* » J'appris que pendant mon absence il avait risqué plusieurs fois sa vie pour voler des armes aux

Allemands dans le camp militaire de Casarsa. Renato, un de ses amis, avait perdu une main et un œil.

La mort de deux sentinelles, tuées par des partisans, déclencha le premier ratissage. Les hommes parvinrent à se sauver dans les champs, Rico et moi à grimper dans le clocher de l'église. Nous avons passé deux jours et deux nuits dans notre perchoir. J'avais emporté une serviette de cuir avec tous mes manuscrits et le dernier volume d'une histoire de la littérature. Les avions américains piquaient sur la gare et mitraillaient les convois militaires. Le pont sur le Tagliamento fut bombardé : pendant quelques minutes le clocher oscilla. Rico regardait par les meurtrières le va-et-vient des soldats allemands sur la place. J'aurais aimé éprouver la griserie du danger ou me laisser enivrer par la sensation de ma solitude au milieu des grands bouleversements historiques. Mes deux seules préoccupations furent : 1° Aurons-nous assez de pain jusqu'à ce que le départ des Allemands nous permette de redescendre ? 2° Pirandello et Svevo, que j'admire, n'ont connu la gloire que passé cinquante ans. D'Annunzio, cet histrion, était célèbre à vingt ans. Or, j'aime la gloire et, à cinquante ans, serai-je encore en vie ?

J'ai peut-être manqué une grande occasion pendant ces quarante-huit heures d'isolement. A quatre-vingts pieds au-dessus du sol, comme Fabrice dans le campanile de l'abbé Blanès, je n'ai pas connu le contentement céleste d'être détaché du monde.

Guido était resté à la maison, avec les femmes. Des Italiens en uniforme noir se présentèrent pour l'arrêter. Il eut le temps de glisser quelques mots à maman. A l'instant où il montait dans le camion des fascistes, notre grand-mère s'agenouilla devant leur chef pour le prier d'épargner un garçon de dix-huit ans. Ils la forcèrent à rentrer dans la maison, un revolver appuyé sur son dos voûté. Les sbires s'obstinaient à fouiller partout, en débitant des galanteries à maman qui pleurait dans sa chambre. Ils ne s'en allèrent qu'après qu'elle eut tiré d'un vieux tiroir pour la leur montrer une photographie du capitaine prise au Kenya en compagnie du duc d'Aoste. Guido, avant d'être emmené, fit un nouveau signe aux femmes. Sous le plancher de sa chambre, elles trouvèrent des grenades, des fusils et des munitions volés au dépôt du camp. J'ignorais jusqu'à l'existence de cette cachette. Maman et mes tantes employèrent une journée à transporter hors de la maison les armes qu'elles jetèrent dans une fosse à purin.

Guido rentra au bout de trois jours. On l'avait interrogé et battu. Grand-mère ne se leva plus de son lit. Elle mit trois semaines à mourir. Giulia Zacco, veuve Colussi, en sa soixante-dix-huitième année. J'ai fait un croquis de son masque. Maman avait fixé un bandage, pour empêcher la mâchoire de tomber.

Les Américains continuaient à bombarder le pont et le nœud ferroviaire de Casarsa. Se rendre à Udine par le train devenait trop dangereux : les parents n'envoyaient plus leurs enfants au lycée. J'ouvris une sorte de cours privé, pour mes cousins et leurs amis. Giovanna B., réfugiée dans un village voisin, vint enseigner le latin et le grec. Une jeune violoniste slovène, expatriée dans le Frioul, se joignit à nous. Nos élèves composaient eux-mêmes des poèmes, qu'ils allaient chanter par petits groupes dans les campagnes, et Wilma Kalz, sur son violon, les accompagnait. La rédaction d'un almanach en frioulan occupait une grande partie des heures de classe. Les meilleurs poèmes étaient imprimés, ainsi que la chronique des principaux événements locaux. Pour éviter de nous disperser pendant les vacances, je fondai l' « Academiuta », qui fut le prolongement amical de nos exercices scolaires. Tous les dimanches, nous nous réunissions, soit chez moi, soit dans la ferme d'un de mes élèves ou anciens élèves. Chacun lisait en public ses compositions en vers ou en prose, Wilma jouait la chaconne de Jean-Sébastien Bach, au milieu du silence étonné de ses rustiques admirateurs. Puis nous discutions de poésie et de langage, convaincus de faire revivre dans nos œuvres en dialecte la grande tradition populaire. Ce petit cénacle n'aurait pu paraître trop naïvement `exalté qu'à celui qui se serait bouché les oreilles pour ne pas entendre l'explosion des bombes autour de la gare.

Dans notre salle à manger, transformée en classe pour les cours, trônaient les meubles pansus à décoration florale, vernis de noir, que mon père avait commandés au menuisier militaire de sa dernière garnison. Le bonheur parfait des heures données à l'école et des réunions de l'Academiuta n'était troublé dans mon cœur que par l'arrivée mensuelle d'une carte postale de Nairobi.

Texte de plus en plus indigent, signature de plus en plus énorme. Les premières cartes montraient la reine Victoria sur son trône, peinte le jour de son couronnement. Le roi George V, Lord Balfour, Kitchener, le portrait de Kipling par Burne-Jones prirent la suite. Puis, soit que le stock des têtes glorieuses mises à la disposition des prisonniers par l'armée anglaise fût épuisé, soit que le captif voulût nous impressionner par un langage symbolique plus approprié à sa condition, il confia ses « Tout va bien » tantôt à un crocodile vautré dans les boues du lac Rodolphe, tantôt à quelque autre représentant de la faune du Kenya. Tel ce vautour déplumé, image éloquente de la paternité déchue.

« Voilà mes compagnons de servitude, voilà mon lot quotidien ! »

96

semblait-il déclarer. Quand nous arriva, imprimé en couleurs criardes, le chromo d'un sorcier nègre affairé autour de son tamtam, un pagne de plumes d'autruche ceignant ses reins d'ébène, nous n'eûmes garde d'attribuer au capitaine une soudaine curiosité d'ethnologue. Ce n'est pas lui, certes, qui se serait plongé dans les livres à couverture violette qui commençaient à paraître chez l'éditeur Einaudi de Turin sous la direction de Pavese, et où je puiserais bientôt, avec l'aide de Frazer, de Malinowski, de Frobenius, de quoi nourrir mon attirance pour le tiers monde, avec un goût particulier pour l'Afrique. D'autant plus imbu de la supériorité de la race blanche qu'il se targuait d'un titre de noblesse incertain, mon père ne nous avait adressé le tam-tam et les plumes que par dérision.

Maman tressaillait en recevant au début de chaque mois le nouveau message. Après la guerre, dans quel état lui reviendrait son mari? Les dimensions du paraphe attestaient la persistance de l'ancienne morgue. Mais le choix d'un chimpanzé comme ambassadeur indiquait le degré d'amertume et de mépris de soi où était tombé le descendant galonné des Dall'Onda.

Plus que les autres, me frappa l'image d'un explorateur renversé entre les pattes d'un tigre. On ne voyait de son corps que la tête et les épaules. Le reste disparaissait sous le ventre du fauve, qui avait dévoré un bras arraché au buste et s'apprêtait à planter ses crocs dans l'autre. Le jeune aventurier, nullement évanoui ni effrayé de ce qui lui arrivait, bien qu'il fût pleinement conscient de son sort, gisait non pas dans la position de quelqu'un qui se raidit contre une mort affreuse, mais avec la grâce docile d'une victime offerte de plein gré à son bourreau. Le tigre avait déchiré la chemise : ce qu'on apercevait de la peau nue du jeune homme montrait une chair vigoureuse et bronzée.

Maman, comme d'habitude, jeta la carte postale dans le panier à papier après un coup d'œil rapide sur les trois mots rituels griffonnés au verso. Pour une fois, mû par un désir soudain, j'étais décidé à sauver celle-ci des ordures. Mais au lieu de demander simplement à la garder, j'attendis que maman fût sortie de la pièce pour m'en emparer comme un voleur et l'emporter dans ma chambre sans être vu de personne. Clouée par une punaise à la tête de mon lit, elle devint mon fétiche : avant de m'endormir, j'adressais une sorte de prière au tigre pour qu'il vînt me saisir entre ses pattes et faire de mon corps son festin. Dans la confusion qui précède le sommeil, je m'imaginais au milieu d'une forêt tropicale, me sauvant à toutes jambes devant le fauve. Moins pour échapper à ses griffes que pour aiguiser, en la retardant par cette fuite, les délices de la reddition.

Comme l'explorateur, je finissais par me jeter sur le sol et par m'abandonner complètement. Oh ! me faire happer par les crocs, dépecer entre les mâchoires et engloutir dans les profondeurs buccales du monstre au beau pelage rayé !

J'ai gardé cette carte dans ma chambre jusqu'à mon départ de Casarsa. Prétendre que mon père, expéditeur du message, ne tenait aucun rôle dans mes fantasmes suivis chaque soir de leur complément sexuel, serait la marque d'une mauvaise foi insigne. N'était-ce pas lui qui présidait, de sa lointaine Afrique, à mes imaginations nocturnes ? Lui qui versait, dans mon sang, ce mélange indissoluble d'avidité gourmande et de soumission coupable ? Sous ses auspices, enfin, que m'étaient dispensés, dans une seule image de violence et de bonheur confondus, la volupté et son châtiment ?

13

Wilma Kalz m'apprit à aimer la musique, et comment l'aimer. Elle me fit entendre à la radio plusieurs des symphonies de Beethoven. Jusqu'alors je n'appréciais dans l'orchestre que la description de sentiments humains ou l'évocation de paysages. Rien ne me paraissait plus beau que *les Saisons* de Vivaldi : réussir à suggérer par les pizzicati des violons une pluie fine et persistante d'hiver ! A traduire par d'énergiques unissons les éclairs et le tonnerre d'un orage de printemps ! Wilma souriait à mes enthousiasmes, puis, de sa voix douce et tranquille, avec une pointe charmante d'accent étranger, elle me fournissait des raisons *musicales* d'admirer le génie du Vénitien, m'invitant, par exemple, à reconnaître pour secondaires les effets d'harmonie imitative, alors que je devais porter mon attention sur le choix des tonalités : *mi* majeur, rond et lumineux, pour le printemps ; *sol* mineur, inquiet et mélancolique, pour l'été ; *fa* majeur, rustiquement adapté aux scènes de chasse automnales ; *fa* mineur, désolé à souhait pour l'hiver. Ou sur la manière d'utiliser les instruments : avais-je remarqué comment la suppression des violoncelles et des contrebasses, dans le mouvement lent du *Printemps,* rendait la transparence d'une matinée d'avril ? Ou avec quelle malice l'emploi de sourdines dans l'adagio de *l'Automne* évoquait le sommeil des vendangeurs après leurs copieuses libations ?

Ces subtilités m'avaient complètement échappé, il va sans dire. J'étais de ceux qui hochent la tête avec un air d'initiés lorsque, dans la *Sixième Symphonie* de Beethoven, ils reconnaissent au passage tantôt le murmure du ruisseau, tantôt le chant du coucou et de la caille, tantôt la danse des paysans, tantôt le fracas de l'orage. Mettre des images sous les notes est une des méprises les plus communes chez le mélomane débutant. Je rougissais d'autant plus de cette

bévue, que Roberto Longhi nous avait enseigné à regarder correctement la peinture. Ce n'est pas le sujet qui fait le prix d'un tableau,
mais la combinaison des lignes et des couleurs. De même, insistait
mon amie, la grande musique n'existe que par l'assemblage des
sons. Pourquoi chercher des états d'âme dans ce qui relève
uniquement du rythme et de l'harmonie ? Pourquoi vouloir que
l'allégro corresponde à un élan de joie, le mouvement lent à une
brume de tristesse ? Associe-t-on automatiquement telle couleur à
tel sentiment, le rouge à une impulsion de colère, le bleu à un désir
de recueillement, le vert à une nostalgie de campagne ?
   Wilma me citait comme modèle de construction sonore dégagée
de tout sens la *Septième Symphonie* de Beethoven. Mais, lorsque je
la priais de me dire pourquoi, au lieu du piano plus propice, me
semblait-il, aux recherches abstraites, elle avait choisi un instrument
qui, selon moi, qu'on le voulût ou non, agissait directement sur les
fibres du cœur et inclinait à un spleen fiévreux, elle restait un
moment interdite, puis reprenait sa démonstration de plus belle. La
musique, qu'on la produise à l'orchestre, au piano ou au violon,
qu'on la baptise nocturne, caprice, berceuse, barcarolle, n'exprime
rien d'autre qu'elle-même, me répétait la jeune fille, avec une
sombre obstination que ne nécessitaient certainement pas mes
timides objections suivies de hochements de tête dociles. Elle
fronçait les sourcils et regardait par terre comme si elle concentrait
toutes ses forces pour venir à bout d'un dernier argument. N'importe qui à ma place aurait compris dans quelle sorte de lutte elle se
débattait. Ses morceaux préférés opposaient à ses paroles un vivant
démenti. Elle me jouait *Rêve d'amour* dans une transcription pour
violon : romance trop suavement suggestive, me disait-elle ensuite ;
« du mauvais Liszt » ; et moi, au lieu de me rendre compte qu'elle
ne soutenait ce point de vue que par fierté et pour cacher ses propres
sentiments, j'abondais dans son sens.
   Étranges souvenirs, que ces longues veillées estivales. Après avoir
congédié nos élèves, j'emmenais mon amie dans le grenier que
j'avais loué à Versuta, hameau proche de Casarsa. Je tirais deux
chaises de paille sur le balcon. Devant nous, la plaine assombrie
s'étendait jusqu'aux buissons qui découpaient leurs silhouettes
noires le long du Tagliamento. Les champs de maïs ondulaient sous
la brise, et le ruban clair d'un canal reflétant les derniers rayons du
soleil se détachait couleur d'argent entre une double haie de
peupliers élancés. De l'autre côté, vers l'ouest, la lumière du
couchant brodait d'un liséré pourpre les nuages vagabonds en
provenance de la mer. Les enfants de la ferme voisine rentraient à
bicyclette par le chemin défoncé, un bidon de lait en équilibre sur

leur guidon. Nous entendions grincer la pompe de la cour, les poules auxquelles on venait prendre leurs œufs agitaient bruyamment leurs plumes et protestaient en caquetant, puis tout rentrait dans le silence. Elle sortait son violon de l'étui et me jouait les airs les plus tendres et les plus cajoleurs de son répertoire, tout en m'expliquant entre chaque morceau la valeur des notes écrites sur la portée. Blanches, rondes, croches, quarts de ton, doubles dièses, triolets, arpèges... Fiction à laquelle je me hâtais de souscrire, par peur d'avoir à répondre aux regards passionnés que, profitant des ténèbres, elle fixait sur moi, tandis que son archet montait et descendait sur les cordes.

Pour ne pas être en reste, j'affirmais à Wilma que la littérature aussi doit être appréciée comme un effort vers la beauté pure, indépendamment du contenu moral. Avec une mauvaise foi (ou une ingénuité) non dissemblable de la sienne, je lui dis que nul roman ne me paraissait mieux composé ni mieux écrit que l'*Immoraliste* de Gide. Je venais de découvrir ce livre, dont le vrai sujet, habilement déguisé, n'est pas évident à tous les lecteurs, et peut-être ne l'était pas à moi-même. L'histoire de Michel exerçait sur moi une indéfinissable attraction, que j'attribuais à la seule magie du style, mais le fait que j'aie choisi entre tous les volumes de ma bibliothè-que pour le prêter à la jeune fille celui-là et pas un autre tendrait à prouver que j'attendais inconsciemment de mon geste l'issue d'une situation qui devenait chaque jour plus embarrassante pour nous deux. En tout cas, voulu ou non, le message arriva à destination. Wilma comprit que je me servais des aventures du jeune Français en Afrique du Nord pour me décharger d'un secret impossible à lui confier de vive voix.

Elle me rendit le livre avec un sourire triste, en m'assurant qu'elle avait deviné depuis longtemps à mon sujet. A présent, ajouta-t-elle, que je lui avais ôté ses dernières illusions, je ne devais pas croire que je pouvais compter moins sur elle. Au contraire, elle me remerciait de ma franchise, qui me rendait encore plus cher à ses yeux. Le tout fut dit à voix basse et rapide, sans me laisser le temps ni d'acquiescer ni de protester. Wilma, en parlant, caressait son violon avec une douceur maternelle. Lorsqu'elle eut fini, elle empoigna le manche et joua face à la lune qui montait au-dessus des champs un arrange-ment du mouvement lent de la sonate *les Adieux* de Beethoven.

Aucune autre amie ne s'est montrée aussi délicate, aussi géné-reuse, aussi fraternelle. S'imposant au prix d'un rude effort sur elle-même de fréquenter l'Academiuta après mon demi-aveu, elle me suivait avec mes élèves quand je les emmenais dans une cour de ferme ou sur la place d'un village réciter leurs poèmes devant le cercle ébahi des paysans. La *vilota,* composée de quatre vers brefs, se danse en plaçant les poings sur les hanches et en sautant alternativement d'un pied sur l'autre. Du moins avais-je inventé ce pas, pour mettre en valeur l'agilité et la grâce des écoliers. Au seuil de la puberté, ils montraient dans leurs gestes cette harmonie instinctive qui disparaît avec l'adolescence. J'apportais dans mes poches de menus cadeaux pour récompenser les meilleurs dan-seurs : bonbons à la saccharine, une fronde, des élastiques de diverses couleurs. Tant qu'ils n'avaient pas de poil au menton, je puis dire que ces attentions étaient parfaitement désintéressées. Tout au plus me demandais-je, en les regardant sauter et se trémousser sur l'aire, imités parfois par les bambins du fermier, lequel saurait un jour m'attacher par un lien qui outrepasserait la curiosité pédagogique.

L'un d'entre eux, tout de suite, me ravit par son talent de garder son corps droit et sa tête immobile au milieu des bonds les plus vifs. Sa lèvre bien dessinée commençait à se couvrir d'un duvet blond. Il s'appelait d'un nom jamais entendu dans nos parages et qui aurait suffi à me séduire. Une seule syllabe, élancée et fine, dont la note claire giclait comme le fût d'une jeune plante : Svenn. Mais, me défiant de moi-même et redoutant les conséquences d'une amitié amoureuse avec un garçon de treize ans, je redoublais de précau-tions avec lui, au point de le défavoriser par un traitement injuste. Un autre de ses camarades recevait toujours le présent promis au vainqueur du concours. Svenn me jetait entre ses longs cils un regard déçu, puis secouait ses boucles dorées. Il passait à ses épaules les bretelles de son cartable et s'éloignait en sifflotant, sans attendre que j'aie donné le signal de la dispersion. C'est alors que Wilma, pour ranimer notre petite compagnie à laquelle, malgré moi, je participais avec moins d'entrain depuis le départ de mon favori, saisissait son violon et nous entraînait tous dans une ronde endiablée.

Elle feignait d'être gaie à mes côtés, bien que ce fût pour elle une torture que de comparer la gentillesse distraite que j'observais à son égard, avec les faveurs sans nombre dont je gratifiais mes élèves. Mais ne crois pas qu'elle agissait ainsi mue par quelque obscur désir de souffrir (le fameux masochisme féminin, comme s'empresserait d'ânonner le premier psychiatre consulté). Après le soir des *Adieux* de Beethoven, elle cessa de monter dans mon grenier de Versuta. Nous prenions congé au milieu des champs : elle retournait dans son hameau, je me dirigeais vers mes livres. Inutile de lui demander *Rêve d'amour* une autre fois. Elle voulait bien partager mes tâches à l'école ; mais venir tournoyer sous ma lampe et s'immoler comme un papillon, non, elle ne s'abaisserait pas à ce rôle.

Tout en regrettant qu'elle ne jouât plus pour moi seul un de ces tendres adagios dont le soupir se confondait (en dépit de nos opinions catégoriques sur l'impersonnalité de l'art) avec le trouble et l'émotion de nos âmes, j'approuvais Wilma d'avoir mis fin à nos séances. Pourquoi ne renonçait-elle pas complètement à me voir ? Marceline se croyait-elle assez forte pour me préserver des Moktir ?

Je tombai des nues lorsqu'elle me donna ses raisons.

— Tu as vingt-trois ans et tu n'as pas encore de fiancée. Prends garde aux bruits qui commencent à courir. Faisons croire aux gens que c'est moi ta fiancée. Laisse-moi te servir d'écran.

Eussé-je été capable de m'attacher à une femme, quelle autre plus que Wilma eût mérité mon amour ? Quand elle me fit cette proposition, je dus détourner la tête pour lui cacher mes larmes. C'était l'heure de quiétude vespérale, où les cloches des églises sonnent dans l'air pur. Nous longions un chemin creux entre deux haies d'acacias. Jamais mensonge ne fut inspiré par esprit de sacrifice plus touchant. J'aurais voulu saisir, pour la couvrir de baisers, la main de la jeune fille. Wilma (elle me taquinait souvent sur mon côté fleur bleue) coupa court aux attendrissements réciproques. Elle se glissa entre deux arbres et sauta dans le champ de betteraves, en me criant qu'elle prenait par un raccourci et que nous nous reverrions le lendemain.

Son offre m'avait si violemment bouleversé, que l'énormité de la nouvelle apprise de sa bouche mit du temps à gagner mon cerveau : malgré tous mes efforts de prudence, mon célibat me rendait donc suspect. On se demandait s'il ne fallait pas appeler d'un autre nom ma conduite. Frioul, ô mon paradis ! Le vent de la médisance et de la persécution soufflait pour la première fois sur ma face.

Quelques mois après, la guerre ayant pris fin, Wilma nous quitta pour rentrer dans son pays. Elle me tendit la joue sur le quai de la gare, ainsi qu'aux dizaines d'enfants venus la saluer. Sa tête paraissait plus ronde et une volonté plus mûre se peignait sur son visage maintenant que, au lieu de porter ses cheveux dénoués sur ses épaules, comme pendant son séjour à Casarsa, elle les avait rassemblés, selon la coutume slovène, en une natte circulaire posée au sommet du crâne. Son buste menu et fragile s'encadra dans la portière du wagon. Je n'avais pas jusqu'ici remarqué à quel point la dissymétrie créée par la pratique de son art avait déformé ses épaules. Elle surprit mon regard et se retira en hâte dans son compartiment.

Depuis, il m'est impossible d'entendre une note de violon sans associer la musique de cet instrument à nos vagabondages champêtres et en particulier à cette soirée de printemps où je fus averti que je n'étais plus à l'abri des soupçons.

On dit que le violon resta longtemps méprisé. Jusqu'à la fin du Moyen Age on le jugeait bruyant, aigre et tout juste bon à faire danser dans les tavernes. Gagne-pain des ménestrels et des saltimbanques. Sans les tziganes ni les juifs, peut-être ne serait-il jamais venu à l'honneur. Facile à accorder et à transporter, les peuples proscrits l'adoptèrent. Instrument de la diaspora et de l'errance, il clame dans ses longues phrases aux sinuosités élégiaques l'éternelle plainte des fugitifs et des exilés.

Par quel hasard ce fidèle compagnon des juifs m'a-t-il initié au monde des sons? Par quel instinct suis-je resté insensible à la musique avant d'entendre son appel plus souvent blessé que joyeux? Ni le piano aux ressources plus variées mais qui suppose aisance et stabilité, ni l'orgue dont le tonnerre semble descendre du ciel en faisant trembler les églises ne m'ont d'abord charmé. J'écoutais avec délices maman vocaliser sur de vieux airs frioulans, mais je n'aurais jamais pensé qu'une autre voix humaine, qui ne fût pas sa voix à elle, pût un jour me toucher. Genre grossier et caricatural me paraissait l'opéra. Le violon, au contraire, me conquit d'emblée, moi que mon destin devait associer, sous tant de rapports, à celui des enfants d'Israël.

Me laisser séduire par son chant, n'était-ce pas prêter l'oreille à l'antique rumeur des pogroms, quand les rescapés de la race maudite s'enfuyaient dans la nuit en portant sur leur dos l'unique bien qu'ils avaient sauvé du pillage? Le violon serait leur ressource et leur consolation, comme il fut pour moi au cours de mes épreuves le souvenir roboratif des journées heureuses passées avec Wilma.

14

Guido, depuis longtemps, avait décidé de rejoindre les partisans dans la montagne. Il partit, un matin de mai 1944. Je voulais le convaincre de rester caché avec moi dans mon grenier de Versuta. Quiconque eût remarqué de quelle manière il triturait dans la poche de son pantalon la crosse du revolver soustrait à la fouille, et tourmentait de son autre main la mèche de cheveux noirs qui lui tombait sur le front comme l'accroche-cœur d'un premier communiant, se serait dit que la haine de la dictature, l'amour de la patrie et autres sentiments généreux, même déduction faite de l'emphase naturelle à ses dix-huit ans nourris d'auteurs scolaires, servaient de façade à des motifs plus personnels. Le désir impatient de se conduire en homme et d'effacer l'impression causée par cette frisette puérile comptait sans doute beaucoup ; mais moins que l'espoir de conquérir, au prix du sang, une faveur poursuivie en vain depuis sa naissance : occuper dans le cœur de maman une place sinon égale à la mienne, du moins plus importante que la mince lisière où elle le reléguait. Je n'écarte même pas le soupçon qu'il pensait déjà à la mort comme au seul moyen de se procurer sa part légitime d'affection. Oh ! en termes confus et obscurs, bien entendu, non sous la forme brutale que j'emploie. Guido n'essaya pas une seule fois de me persuader de partir avec lui : négligence invraisemblable, si on pense qu'aucune recrue n'aurait dû paraître de trop à l'émule d'Oberdan et de Pisacane ; oubli tout à fait naturel au contraire, dès qu'on attribue au cadet jaloux le besoin de se ménager un terrain de revanche où l'aîné, cette fois victorieusement distancé, ne pourra lui disputer ni la gloire des combats ni l'auréole du sacrifice.

J'étais la seule personne en mesure de rétablir la vérité sur les airs bravaches de mon frère, mais aussi le dernier à pouvoir utiliser cette connaissance pour le faire renoncer à son entreprise. Le mystère dont il fallait entourer son départ hâta notre séparation. Il demanda à l'employé de la gare de Casarsa, assez fort pour être entendu par le personnel et par les voyageurs présents, un billet pour Bologne. Après quoi, décidé à monter en cachette dans le train de Spilimberg, vers le nord, il m'entraîna derrière le petit bâtiment de la station. Un terrain vague, jonché de papiers sales et de gravats, servit de décor à nos adieux. Eût-il été encore temps de le retenir ? Il entonna soudain, de sa voix claire de ténor, le duo que don Carlo chante avec Posa dans le cloître de San Giusto.

> *Dieu, qui voulus dans notre âme*
> *Infuser l'amour et l'espoir,*
> *Daigne enflammer dans nos cœurs*
> *Le désir de vivre en hommes libres.*

J'hésitai un instant : ni Dieu ni la musique d'opéra ni les vers de mirliton du livret ne me semblaient le meilleur moyen de prendre congé d'un être cher. Mais le moyen de ne pas répondre à son brûlant appel ? D'autant plus que le rôle du marquis convenait à mon timbre barytonant.

> *Jurons de vivre ensemble*
> *Et ensemble de mourir...*

me surpris-je à murmurer. Puis, à l'unisson, sans plus freiner ma voix :

> *Soit sur terre soit au ciel*
> *Nous réunira ta miséricorde.*

Le duo entier y passa, avec les serments d'amitié, l'engagement de combattre l'oppresseur, le dédain de notre terrestre sort, et ainsi de suite : toutes choses que nous pouvions prendre à notre compte sans aucune tricherie, mais qui en cachaient d'autres, bien plus importantes pour l'avenir individuel des deux chanteurs improvisés.

Notre exhibition musicale prit fin brusquement. L'omnibus de Spilimberg, que Guido surveillait du coin de l'œil, s'ébranlait en cahotant sur les rails. Il courut vers la gare, contourna l'édifice, rejoignit le ballast près du passage à niveau et sauta dans le wagon de queue sans se faire remarquer. Verdi avait fourni une élégante solution rhétorique à la plus délicate des questions qui peuvent surgir entre deux frères.

La rhétorique poursuivit Guido après son départ de Casarsa. A-t-elle lâché un seul instant sa destinée posthume ? Tant pis si je m'apprête à dire sur ces neuf mois de guérilla des vérités pénibles. Il s'était engagé dans la brigade Osoppo, sous le nom d'Ermes, qu'avait porté, tu te souviens, son ami Parini disparu dans les steppes russes. Un monarchiste, Bolla, commandait la brigade. Brigade! Un grand mot pour désigner les douze ou quinze hommes qui, pour tromper l'ennemi, feignaient d'être dix fois plus nombreux, à force de déplacements continuels et de marches harassantes sur les montagnes de la Carnie.

Maman alla le trouver en septembre. Moral au zénith, santé de fer. Les partisans, solidement organisés, menaient la vie dure aux Allemands. J'ai gardé une lettre d'octobre, signée « Amalia », où il raconte, en termes codés, sa vie au féminin : en prévision de la neige qui tomberait sous peu et pour lui permettre de faire bonne figure aux sports d'hiver, nous devions lui expédier au plus vite un équipement complet, gants, souliers à crampons, sous-vêtements de laine, sans compter le passe-montagne et les lunettes de soleil.

Le Feldmarschall Kesselring, à la tête de fantassins allemands, de miliciens fascistes et de déserteurs russes, déclencha l'offensive en novembre. Mon frère et un de ses amis, Gino, résistèrent pendant une nuit entière à un détachement de cosaques. La brigade Osoppo, politiquement modérée (la plupart de ses hommes appartenaient au parti d'Action, où s'inscrivit Guido), opérait à une vingtaine de kilomètres au nord d'Udine. La brigade Garibaldi, formée de communistes, tenait le secteur voisin. Les deux unités, harcelées par l'ennemi très supérieur en nombre et beaucoup mieux armé, signèrent un pacte d'alliance puis se réunirent, sous un commandement unique, dans la division Garibaldi-Osoppo.

Parcouraient également le haut Frioul, venues de l'autre côté de la frontière, des bandes envoyées par Tito pour semer la propagande de Belgrade et émettre des prétentions territoriales sur cette province limitrophe. Le maréchal proposa à la division Garibaldi-Osoppo de se laisser absorber dans l'armée slovène. Le commandant de la division, Sasso, un communiste, hésitait. Bolla, commandant en second, repoussa l'offre avec violence. Quand les Allemands reprirent l'attaque, vers la fin de l'année, les soldats de Tito n'eurent garde de se porter au secours des patriotes italiens, dont beaucoup furent tués ou capturés. A l'intérieur même de la division, les communistes ne cessaient de faire pression sur leurs camarades pour qu'ils ôtent du revers de leurs blousons la cocarde tricolore. Pression! un euphémisme diplomatique, si tu penses qu'un commissaire pointa un jour son pistolet sur le front de Guido. Ni lui ni ses amis n'écoutèrent ce chantage. Ils affirmaient hautement qu'ils se battaient pour le drapeau italien, non pour l'étoile rouge. Les convictions monarchistes de Bolla (loyal et courageux, il n'en faisait pas mystère) fournirent un prétexte pour l'accuser de trahison, ainsi que tous ceux qui refusaient de vendre à notre ennemi Tito une portion du territoire national.

La neige tombait à gros flocons sur les hauts plateaux de Porzus. Bolla, avec son état-major, s'était réfugié dans une cabane en rondins abandonnée par un forestier. De haute taille, maigre, les cheveux poivre et sel coupés en brosse, une ride verticale creusée entre les yeux par le froncement des sourcils, il tirait sans arrêt sur une courte pipe à couvercle d'argent. Toute sa nervosité, il la passait dans ce geste, inoffensive manie qui le laissait calme et dispos pour donner les ordres, distribuer les tâches, étudier les rapports, trancher les litiges, d'une voix toujours mesurée. Économe de paroles, ne se prononçant qu'après avoir mûrement réfléchi, sévère avec lui-même avant de l'être pour les autres, il pouvait compter sur le dévouement absolu de ses hommes. L'aimer et lui obéir partait d'une seule impulsion. Plût au ciel qu'il eût exercé son autorité avec moins d'agrément : Guido serait peut-être encore en vie. Mon frère, inconsciemment en quête du « bon » capitaine pour le substituer à l'image paternelle, s'attacha corps et âme à ce chef, et abdiqua pour lui être fidèle son propre instinct de conservation.

Ce soir-là, avant de bourrer sa pipe, Bolla demanda si les sentinelles étaient bien à leur poste. Un tic, insolite chez lui, contractait sa joue. Lorsqu'il eut commencé à fumer, assis derrière une petite table pliante couverte de plans et de cartes, son visage reprit sa tranquillité ordinaire. Aucun de ceux qui s'affairaient dans la cabane ne put se douter qu'il avait pressenti un péril différent de leurs dangers quotidiens. Une douzaine de partisans faisaient cercle devant le chaudron qui pendait dans la cheminée au-dessus d'un feu crépitant de branches de sapin. Par cette nuit de neige et de ténèbres, nul risque que la fumée fût aperçue du dehors. Cependant, mon frère avait émis l'opinion qu'il fallait demander l'autorisation du commandant avant d'allumer le feu. Ses camarades, alléchés par l'odeur du court-bouillon préparé pour les truites qu'ils avaient pêchées dans les ruisseaux de la cluse, s'étaient mis à le blaguer sur ses craintes. Boudeur, il se retira à l'écart, s'occupant à fourbir avec un chiffon le canon de son fusil, pendant que les autres s'apprêtaient à retirer du seau pour les jeter tout vifs dans l'eau bouillante les poissons aux écailles arc-en-ciel. C'est ainsi que Guido fut le premier à bondir sur ses pieds et à pointer son arme en direction de la porte, dès qu'on entendit sous les arbres un bruit d'altercation avec des voix inconnues.

Bolla leva la tête de ses papiers. Sans ôter la pipe de sa bouche, il fit signe à mon frère d'aller voir. La porte au même moment s'ouvrit avec fracas. Cinq ou six hommes qu'ils reconnurent immédiatement comme des volontaires de la brigade Garibaldi entrèrent en protestant d'une voix retentissante que ce n'était pas là une manière de recevoir des amis. Celui qui paraissait leur chef tendit au commandant Bolla une lettre de son supérieur, le commandant Sasso. Les autres, non contents de pointer devant eux leur mitraillette, inspectaient en tout sens la cabane, le doigt replié sur la détente. Ils décrochèrent les panneaux de bois plein qui occultaient les deux fenêtres aux deux extrémités de la pièce, ouvrirent les carreaux et se penchèrent à l'extérieur, sans qu'on pût savoir s'ils cherchaient à évaluer la hauteur des collines derrière la maison ou à transmettre quelque signal à d'éventuels compagnons restés dehors sous la futaie. Sans-gêne insolent et légèreté blâmable : les fenêtres, auxquelles ils ne remirent pas les volets, découpaient sur la clairière nocturne des carrés de lumière dont la neige accentuait la blancheur, même si les lampes à pétrole et les bougies de suif ne diffusaient pas une clarté aussi brillante que n'eussent fait des ampoules électriques.

Mais, sauf Guido blême de rage et le commandant Bolla, à qui son flegme fut ce jour-là fatal, les garçons devant le feu ne montrèrent d'autre inquiétude que la crainte d'avoir à partager le plat de truites avec les nouveaux venus, dont l'arrogance pourrait bien être disposée à ne leur laisser que les arêtes.

Le commandant, ayant pris connaissance de la lettre, écrivit un billet qu'il confia à Guido, avec quelques recommandations à voix basse. Mon frère choisit deux de ses amis, Gino (celui des cosaques) et Cesare (parce qu'il était de Bologne), et sortit avec eux dans la nuit, le billet plié en quatre dans sa poche, entre la gourde de *grappa* et le couteau à cran d'arrêt.

Nul ne peut dire comment les choses se passèrent ensuite entre les quatre murs de rondins. Sans doute l'eau dans le chaudron n'eut-elle pas le temps de bouillir ni les truites de quitter leur seau, car les trois messagers ne s'étaient pas éloignés d'un kilomètre vers la crête, quand ils entendirent un crépitement d'armes à feu en provenance de la cabane, ainsi que des hurlements aussitôt étouffés. Guido et Gino voulaient retourner sur leurs pas. Cesare hésitait, lorsqu'ils virent arriver tout sanglant un blessé qui leur cria de se tirer en vitesse : tous les autres étaient morts, Bolla avait été tué le premier. Guido, suivi de Gino, se précipita, dans le fol espoir d'arriver à temps pour porter secours à son chef. Cloué sur place, Cesare s'attendait, d'une seconde à l'autre, au fracas de nouvelles détonations. Les tueurs, maintenant maîtres du lieu, se contentèrent de capturer les deux amis et de leur lier les mains. Sans juger bon d'enterrer leurs victimes, ils les entassèrent dans la cabane à laquelle ils mirent le feu. Puis le commando, s'éloignant en hâte avec les deux prisonniers, changea de secteur.

Guido et Gino auraient eu la vie sauve, s'ils avaient accepté de passer dans les rangs titistes, abjurant la cause pour laquelle ils s'étaient engagés. Pendant trois jours on leur plaça le marché en main : ou rejoindre les vrais « patriotes », ou connaître le sort réservé aux « traîtres ». Mon frère, de ses deux mains entravées, tâtait sur sa poitrine la pipe de son ancien commandant, qu'un des geôliers, pris de compassion, avait sur sa demande retirée de la bouche du cadavre et glissée dans la poche intérieure de son blouson. Sa loyauté politique venait-elle à défaillir, ou l'instinct de conservation à lui souffler un accommodement, le contact de cet objet qui avait servi de fétiche au chef tant admiré rappelait à son esprit les glorieux Thermopyles. Montrerait-il moins de cœur que Léonidas ?

Ils parcoururent les hauts plateaux, cherchant de grange en grange un refuge contre la neige, le froid, les ténèbres et la peur, dans cette solitude montagneuse traversée seulement par le vol des corbeaux, et par le vrombissement lointain des moteurs quand un convoi de blindés allemands passait en dessous dans la vallée.

Le quatrième jour, il fut décidé de procéder au jugement des deux récalcitrants. Une planche posée sur une paire de tréteaux fournit la table du tribunal. On poussa devant ce simulacre de cour martiale les deux amis ligotés. Ils durent décliner leur nom et leur état civil, mise en scène dont on s'était passé pour Bolla mais qui accréditerait, en cas d'enquête ultérieure, le mensonge d'un procès intenté en bonne et due forme pour « intelligences avec l'ennemi ». Le verdict, aussi inique que l'accusation, tomba au bout de cinq minutes. Pas l'ombre de la plus légère trace d'accent étranger n'adoucit pour Guido l'imposture d'une telle sentence : c'étaient bel et bien des Italiens qui envoyaient deux de leurs frères au poteau. Le président parlait avec l'accent de Pordenone, un des assesseurs s'exprimait dans le dialecte de San Daniele du Frioul, l'autre arborait à son revers l'insigne du club de football de Trévise.

Une partie des hommes s'égaillèrent dans les fermes voisines à la recherche de bêches et de pelles nécessaires au creusement de la fosse. Guido profita du désordre pour fausser compagnie à ses gardiens. Il réussit à rejoindre le couvert des arbres sans être vu et à libérer ses poignets de la corde. On ne fut pas long à se jeter sur ses traces mais, faute de distinguer leur cible dans l'épaisseur de la forêt, ils tiraient au hasard entre les troncs. Le malheureux serait peut-être parvenu à se mettre à l'abri, si une balle, entrée dans son épaule, ne lui avait brisé l'omoplate. Il eut encore la force de courir jusqu'au seuil d'une maison de garde-chasse où il tomba évanoui aux pieds d'une jeune et forte paysanne enceinte de huit mois. Libera Piani — c'est d'elle que je tiens ces ultimes détails — releva mon frère, le porta dans ses bras jusqu'à son lit, appliqua sur la fracture une compresse d'eau chaude et le ravigota d'une tasse de café assaisonné de *grappa* à soixante degrés distillée par son mari. Puis elle se planta devant sa porte, entre les jambages de sapin teintés au brou de noix, et attendit de pied ferme les deux poursuivants qui débouchaient haletants de la futaie. Son ventre s'étalait dans cet encadrement rustique avec une telle majesté, qu'ils perdirent contenance et se mirent à balbutier devant elle qu'ils venaient chercher un de leurs camarades blessé pour le conduire à l'hôpital. Elle acquiesça, à condition qu'ils prendraient sa propre bicyclette sur laquelle un des deux jeunes gens conduirait Guido à la ville, tandis qu'elle garderait l'autre en otage jusqu'au retour de son camarade. Le tout fut débité si tranquillement et avec une autorité si naturelle que le pouvoir semblait résider dans les mains désarmées de cette femme bien plus que dans le poing belliqueux des deux partisans. Ils acceptèrent ses instructions comme des ordres, avec la docilité de moutons. Guido, qui était revenu à lui et qui reconnut dans le garçon en train de regonfler le pneu de la bicyclette celui qui avait récupéré à sa demande la pipe du commandant, se laissa installer tant bien que mal sur le cadre de l'engin. La paysanne, debout sur le seuil de sa maison, veilla à ce que le jeune homme prît bien la direction de la vallée, par l'unique piste qui s'enfonçait entre les sapins.

La fatalité voulut que l'équipage tombât aux mains d'une autre patrouille lancée à la poursuite du fugitif. L'esprit sectaire de haine et de vengeance étouffa toute velléité de compassion. Guido, remis sur ses jambes et contraint par la force à marcher, fut ramené, fiévreux et hagard, dans la cour de ferme d'où il s'était enfui. On le fit descendre dans la fosse toute prête, à côté du cadavre de Gino déjà saupoudré de neige fraîche. Allongé sur le dos, j'aime à penser qu'il regarda droit dans les prunelles ses bourreaux, sans même fermer les yeux quand la balle qui le tua en plein front sortit fumante du revolver.

Cesare n'étant réapparu à Casarsa qu'au bout de plusieurs mois, nous restâmes longtemps sans nouvelles de Guido. Ni la Libération ni l'armistice ne nous rendirent mon frère. Maman put se faire peu à peu à l'idée que sa place à table demeurerait vide pour toujours, et son rond de serviette inutilisé. Sur le lit de fer étroit de sa chambre, recouvert d'un couvre-pieds à nid d'abeilles blanc, elle ne vint plus qu'à de rares intervalles s'asseoir devant les photos jaunies de Gary Cooper et de John Wayne. Si Guido avait compté en mourant sur l'horreur de son agonie et sur l'atrocité de son destin pour ravir dans le cœur maternel la place où j'étais seul à trôner, il fut spolié de sa dernière espérance par l'impossibilité de nous faire connaître son sacrifice avant que le temps et l'habitude n'eussent émoussé le choc des événements.

Enveloppé dans une bannière tricolore, le cercueil entra en gare de Casarsa sur la plate-forme d'un wagon découvert. Les tambours voilés de crêpe battirent une marche funèbre, maman s'avança au premier rang des autorités. On porta la bière à la maison, on l'ouvrit devant elle, elle reconnut son fils et cousit le corps, selon une coutume locale, dans le drap qui avait servi le jour de l'accouchement. Chez nous, on pratique une fente dans le matelas des mourants, afin que l'âme prenne plus librement son essor vers le ciel. Maman laissa décousu un coin du linceul, comme dédommagement pour celui qui avait trépassé loin de son lit. Mais, au cimetière, appuyée contre ma poitrine et serrée dans mes bras, pendant qu'elle pleurait de toutes ses larmes devant la tombe où mes tantes jetaient des fleurs, c'était encore à moi que s'adressaient ces sanglots, moi avec qui, profitant de cette occasion, elle scellait à nouveau la communion amoureuse relâchée par mes lectures et mes travaux solitaires, par mes promenades avec Wilma, par mes activités hors de la maison. Désormais, Mère et Enfant, nous restions seuls à nous comprendre, à nous chérir et à nous aider, comme Marie et le Christ dont le couple indestructible et la dévotion réciproque illuminent l'Évangile. Elle n'oublia pas son second fils mais le relégua, mortel, parmi les morts. L'ombre inconsolée de Guido erre encore sous la terre. Il tend son visage sanglant, stupéfait que son héroïsme soit demeuré inutile, et que j'aie su garder, en me tenant planqué dans mon grenier de Versuta, ce qu'il n'a pas réussi à obtenir par une spectaculaire immolation.

Tu voudras savoir, j'imagine, comment j'ai réagi à la mort de mon frère. Dans mon souvenir je distingue, à côté de la douleur et de l'abattement causés par la disparition de mon compagnon d'enfance et de mon meilleur ami, le remords de l'avoir laissé partir seul. Ma conscience me reprochait ma lâcheté et mon égoïsme. Quoique personne ne songeât à me blâmer pour ma conduite, c'est un fait que la fine fleur de la jeunesse frioulane s'était engagée dans la Résistance et avait couru d'énormes risques pendant les mois les plus froids et les plus terribles de l'hiver : risques qui avaient abouti, pour les meilleurs d'entre eux, à la déportation, à la torture, à la mort. En outre, du sort de Guido, je pouvais me sentir directement responsable, puisque ses leçons d'antifascisme, il ne les avait reçues de nul autre que de moi. Qui lui avait appris à rougir d'un père capitaine dans l'armée coloniale de Mussolini ? Qui lui avait mis dans la tête qu'aucun prix ne serait excessif pour racheter le crime de son ami Ermes Parini engagé volontaire sur le front russe ? Disciple trop confiant, il avait droit maintenant à une réparation. Choyer maman deux fois plus, écrire mes livres tels qu'il les eût aimés, prendre une part plus active dans la vie politique, en un mot tâcher à m'occuper d'une manière non indigne de sa mémoire, ces actes de piété nécessaires ne suffisaient encore pas. Restait le paiement de certaine dette plus précise dont je serais obligé, un jour proche ou lointain, de m'acquitter envers ses mânes.

Voilà, dans mon opinion, l'origine de ce que j'appelle non pas mon penchant suicidaire (j'aime trop la vie pour tomber dans ce lieu commun qui sert de hochet esthétique aux ratés) mais ma non-résistance à la mort. Je marche, je vais de l'avant, poussé par mon avidité à jouir de toute chose. Mais il y a derrière moi un spectre familier qui se tient en silence. Sans avoir besoin de me signaler qu'il est là, ce pâle fantôme ne me quitte pas des yeux. Je sais que si je me retourne je le suivrai et descendrai avec lui dans les sombres royaumes où il m'attend. Ce sentiment m'a accompagné tout au long de mon existence. Bien des gestes qui ont paru inexplicables à mon entourage, bien des habitudes et des goûts que mes amis ont qualifiés d'absurdes, ne leur auraient pas semblé tels s'ils s'étaient avisés que le simple fait d'être au monde peut être ressenti comme un péché par celui qu'un frère bien-aimé a précédé dans la fosse.

Autre sujet de honte et de culpabilité pour moi : à la gare, puis au cimetière, les orateurs présentèrent la mort de Guido comme un épisode de l'insurrection des patriotes italiens contre les oppresseurs fascistes et nazis. Chaque fois ensuite qu'on commémora les martyrs de Porzus, ce fut pour vitupérer la barbarie hitlérienne, même après que les nouvelles apportées par Cesare et les vérifications qui en corroborèrent l'exactitude eurent démontré le mensonge de la version officielle. Mais en 1945, comme je vais te le raconter bientôt, il était impossible de dénoncer ouvertement la duplicité des communistes pendant la Résistance : à présent, dans les luttes politiques qui secouaient le Frioul et opposaient aux grands propriétaires l'armée prolétarienne des manœuvres et des journaliers, les communistes, à la pointe du combat, portaient les espoirs du peuple. Affaiblir leur autorité par la révélation des infamies perpétrées sur l'ordre de Tito n'eût abouti qu'à faciliter la victoire de la Démocratie chrétienne qui soutenait le parti des agrariens.

Conscient de l'enjeu de la bataille, j'ai quitté le parti d'Action, où je m'étais d'abord inscrit par fidélité à la mémoire de Guido, et j'ai rejoint la seule force capable de dresser avec succès contre le monopole des riches la révolte anarchique des campagnes. Combien de fois, néanmoins, n'ai-je pas rongé mon frein, en entendant sur les places publiques ou dans les meetings électoraux ceux qui avaient assassiné mon frère vanter impudemment ses mérites. Fallait-il que le crime dont ils s'étaient souillés tournât publiquement à leur gloire ? Et qu'après les avoir combattus de son vivant, cadavre il leur servît de bannière ?

Le soir des funérailles, les familles de Casarsa et les parents de mes élèves, jusqu'à dix kilomètres à la ronde, envoyèrent à ma mère, selon notre rituel en matière de condoléances, les plus jeunes de leurs fils apporter en présent un panier d'œufs et un sac de farine. Les Égyptiens plaçaient dans les cercueils des nourritures et des boissons, pour faciliter à leurs morts le voyage d'outre-tombe. Il est probable que cette coutume, ayant fait le tour de la Méditerranée, remonta jusqu'au fond de l'Adriatique : dès les temps anciens elle arriva dans le Frioul, où le bon sens et la parcimonie des cultivateurs de maïs, moins poétiques que les riverains du Nil, l'ont adaptée et affadie, en sorte que les victuailles offertes à l'occasion d'un décès ne soient pas gaspillées en vain.

J'eus la surprise de voir apparaître Svenn, celui des petits paysans que j'avais distingué pendant les exercices de poésie et de danse. Aurais-je pu l'oublier, avec son nom sans exemple chez nous, dont la syllabe unique et solaire fuse d'un seul jet ? Beau et hardi comme alors, portant avec le même chic sa tête bouclée de jeune pâtre, il tint à me remettre en mains propres le cadeau de sa famille, ce qui lui permit de me fixer dans les yeux. Regard silencieux et fier, où je lus le reproche des injustices commises à son égard toutes les fois où le prix du concours lui avait échappé ; mais aussi un attachement passionné et absolu, dont il était prêt à me fournir autant de preuves qu'il me plairait. Je tressaillis et baissai les paupières, tout en emportant dans ma mémoire chaque trait de ce visage blond où le premier hâle du printemps répandait une lumière dorée.

Dieu sait pourtant si j'avais le cœur lourd, et si j'eusse repoussé avec indignation toute idée de libertinage. A preuve le dégoût profond, nullement feint, qui me saisit pendant que je montais l'escalier avec le panier de Svenn sous le bras, en me souvenant que Marcel Proust, un romancier français que je n'aimais déjà pas beaucoup, décrit une scène sacrilège où un personnage de vieille tante, le baron de Charlus, demande le nom et l'adresse d'un enfant de chœur pendant l'enterrement de sa femme.

15

Mon père rentra du Kenya au mois d'août. Nous n'attendions pas sans effroi son retour, persuadés qu'il nous reviendrait d'une humeur intraitable, après quatre ans de captivité, l'écroulement du fascisme, la fin ignominieuse de Mussolini, la faillite de ses propres ambitions militaires et la ruine de son avenir. Mais, soit usure de son organisme, soit excès de déboires et d'humiliations, soit que l'ultime sujet d'orgueil pour l'officier déchu, les dispositions sportives de son fils cadet à qui il avait communiqué le goût des armes à feu et de la chasse, dût être remisé après la mort de Guido, toujours est-il que le capitaine, loin de faire la réapparition fracassante dont nous tremblions par avance, s'assit humblement dans un coin de la cuisine et demanda un verre de vin rouge.

Nous crûmes qu'une fois revigoré il nous assommerait de ses jérémiades et de ses récriminations. C'était compter sans la profondeur de son amertume, l'abîme de son dégoût. Au dernier étage de la maison se trouvait une mansarde inhabitée qui servait de fourre-tout pour les meubles au rancart. Il décida de se retirer dans ce galetas poussiéreux, pendant la nuit et la plupart des heures de la journée. Il se jetait tout habillé sur un lit de sangles rapporté d'une ancienne garnison, ne descendant que pour les repas. Il ne reparla plus jamais de son quatrième galon manquant, ne songea pas une seule fois à reprendre son droit conjugal, abandonna toute prétention à tenir les rênes du gouvernement domestique. Réduit à l'ombre de lui-même, nous l'entendions traîner ses savates sur le palier d'en haut et marmonner des mots sans suite. Par instinct militaire, il s'était installé sur une position élevée d'où il pouvait surveiller nos allées et venues ; par dérision, il avait choisi ce dépotoir de chaises bancales et d'objets inutilisables, symboles de sa carrière en miettes et de ses espérances au rebut.

Je déposais chaque soir devant sa porte une fiasque de pinot, qu'il buvait tout seul entre les trophées de ses campagnes suspendus aux poutres. Deux litres quotidiens de vin rouge à quatorze degrés. A table, il mâchonnait sans rien dire avec les chicots rescapés de la carie le bœuf bouilli dont quelque filament restait accroché à sa moustache. Te souviens-tu de l'époque où il me couchait sur la table de la cuisine pour verser dans mes yeux le collyre ? L'effort de me maintenir immobile retroussait alors ses dents sur ses lèvres, et l'incisive couronnée d'or brillait sur le devant de sa mâchoire. Il n'avait plus à me montrer, maintenant, que sa bouche dévastée. Ses yeux injectés de sang coulaient en permanence sous l'effet de l'alcool ou à force de retourner les mêmes pensées fixes. Avec le temps, cette tyrannie silencieuse et larmoyante nous parut plus pénible à subir que les fanfaronnades et les hurlements d'autrefois. Mais, au début, la sénilité précoce du chef de famille, au lieu des vantardises et des violences redoutées, nous tomba dessus comme une faveur merveilleuse. Nous pûmes nous abandonner librement à la félicité de cet après-guerre frioulan. Compte tenu des plaies récentes et des deuils, ce fut pour tous une période de détente et de bonheur, et pour moi en particulier la saison édénique de ma vie.

Quoique absolument chaste pendant de nombreux mois, ce qui ne va pas manquer de te surprendre, toi que je presse de m'accorder une marque plus tangible de l'affection que tu dis me porter. J'enseignais aux enfants des écoles publiques dans les villages autour de Casarsa. Le samedi soir, les copains venaient me chercher : les copains, oui, je ne trouve pas de meilleur mot pour désigner ceux à qui ne m'attachait que le lien vague, insouciant et joyeux des randonnées à vélo, des bals populaires et des beuveries nocturnes. Il y avait Nuto, le plus hardi avec les filles, crépu comme un Africain, luisant de sueur et de brillantine, aux boucles noires comme le charbon. Il plantait sur son guidon une branche d'aubépine dont il gardait un rameau entre ses dents pour danser. Personne ne savait comme lui se nouer autour du cou un foulard de soie, ou coller sur la fesse de son blue-jean une étoile de shérif en papier découpée dans un magazine américain. A quelque bal qu'il se rendît, les jeunes garçons préposés à la surveillance des bicyclettes se précipitaient pour prendre la sienne et la remiser en lieu sûr, tandis qu'il se dirigeait vers la piste, attirant tous les regards par son entrée tapageuse. Un autre, Manlio, aux cheveux châtains ondulés, ne quittait jamais son accordéon, exubérant virtuose, indispensable boute-en-train de toutes les fêtes de la province. Elmiro, le troisième, empruntait à ses oncles fermiers une charrette attelée d'un cheval pie, sur laquelle il amenait ses cousines, dans un grand vacarme de cris et de chansons. Délicat de santé, toujours un mouchoir à la main pour étouffer une quinte de toux, il divisait par une raie soigneuse sa belle chevelure blonde dont une mèche retombait sur son front, au-dessus de deux yeux aigus et clairs comme l'acier.

Les relations avec l'autre sexe se bornaient à des flirts bénins et sans conséquence, destinés surtout à montrer aux garçons de la rive gauche du Tagliamento que ceux de Pordenone n'étaient pas en peine de conquêtes. Des filles, vite mises de côté, la rivalité passait, mille fois plus stimulante, au vin et à la musique. Les bouteilles s'entassaient sur les tables de bois dressées sous la tonnelle, tandis que Manlio, en sueur et fourbu, tirait de son instrument un dernier paso doble endiablé. Son concurrent de Faedis ou de Codroïpo, à bout de forces, criait grâce et s'avouait vaincu, les doigts raidis par les crampes. Puis, tous les quatre, nous nous esquivions dans la nuit pour nous raccompagner mutuellement l'un chez l'autre. Un léger signe de main vers la pergola portait notre adieu désinvolte aux demoiselles restées muettes sur un banc.

Commençaient alors les heures les plus riches et les plus belles de la fête, bien que je sois incapable aujourd'hui de t'expliquer notre ravissement. Pédaler en silence le long des chemins poudreux, tendre l'oreille à l'appel de la chouette, humer la brise chargée de senteurs potagères, ramasser dans l'ornière un hérisson hypnotisé par la lumière de nos phares et le rouler dans une chemise, chasser un renard des abords d'un poulailler, nous n'avions sans doute pas d'occupations plus excitantes, mais elles suffisaient à nous dilater le cœur qu'elles emplissaient d'un bonheur infini. Elmiro avait renvoyé la charrette et confié les guides à un de ses jeunes cousins. L'un de nous trois le prenait à tour de rôle sur son cadre. Nuto profita de l'occasion pour le peloter ostensiblement, planter de petits baisers dans son cou puis un gros et sonore sur sa bouche. Nous nous mîmes tous à rire de bon cœur. Le geste de notre camarade ne comportait aucune arrière-pensée équivoque, et prouvait seulement que l'entreprenant moricaud avait trop de vif-argent dans les veines pour résister à la curiosité de goûter la peau blanche et les lèvres pâles du blondin. De même, aucune gêne n'arrêtait mes amis lorsque, par une nuit de lune éclatante, l'envie nous prenait de nous baigner tout nus dans le Tagliamento, pour le plaisir de nous montrer nos corps. Il nous arrivait aussi de faire halte sur le coup de minuit au milieu du pont, afin de pisser ensemble dans le fleuve et de comparer la longueur de nos sexes. Je poussais malicieusement à ce jeu où, en quelque état que nous décidions de nous présenter, je me faisais fort de remporter l'avantage, à la grande déconfiture du don Juan de la bande, le fougueux Nuto.

Telle était l'Italie jusqu'en 1950. Sur les routes encore étroites et encore bordées de platanes, on rencontrait plus de bicyclettes que d'autos ; dans les prés, les lucioles que n'avaient pas exterminées les poudres insecticides égayaient les ténèbres de leurs ballets lumineux ; les fromages de brebis s'affinaient dans l'humidité odorante des caves, au lieu de durcir dans le compartiment *cheese* des frigidaires. Les jeunes mâles s'abandonnaient à une attraction mutuelle dont ils n'avaient pas conscience et qui ne les isolait pas de la communauté. Je pouvais être « moi-même » sans être « différent » ; sans même éprouver le besoin de brusquer par un élan de franchise la sensualité diffuse qui nous enveloppait plus doucement que des caresses. Je savais que je n'aurais eu qu'à tendre la main pour ajouter un supplément à mon bonheur : geste rendu inutile par l'absence d'inhibitions entre nous. Sans craintes pour l'avenir, j'étais sans exigences pour le présent. Un moment unique dans ma vie. Nous marchions dans la rue enlacés par la taille. Les bonnes gens sur leur seuil hochaient la tête sans malice en voyant deux garçons unis par un signe physique d'affection.

La tuberculose aussi faisait partie de cette Italie disparue. Elmiro partit pour un sanatorium où, envoyé trop tard, il mourrait, victime de la confiance qu'on avait en ce temps-là dans la médecine naturelle, l'air vif de la campagne, les décoctions de robinier et le dévouement des mères, tantes, sœurs et cousines pour guérir toutes les maladies.

Chaque fin d'après-midi ramenait à Casarsa les scènes paisibles et familières d'une vie domestique partagée entre les travaux des champs et les préparatifs de la cuisine, selon le rythme des heures et la cadence des saisons. Les paysans rentraient au village sur les chars à foin tirés par une couple de bœufs roux. A la vasque alimentée par une pompe les enfants conduisaient les vaches s'abreuver. Une fillette renouait le ruban de ses tresses avant de porter le lait à la fruitière. Elle me rappelait l'Aurelia de mon enfance, aujourd'hui mariée à Udine et bourgeoise épaissie. La place devant l'église s'animait peu à peu, dans la bonne odeur de polenta qui s'échappait par les portes, tandis que les lumières apparaissaient aux croisées et que don Paolo, sa soutane relevée sur ses sabots de frêne blond, sortait du presbytère pour allumer les cierges de chaque côté de l'autel avant l'office du soir.

Nous nous réunissions le plus souvent chez les parents de Manlio, dans la ferme des Campesis, la plus grande et la plus riche du canton. Je n'imagine pas autrement l'ordre patriarcal des premiers siècles. Dans la cour, les gerbes de roseaux mis à sécher contre les pilastres de l'auvent voisinaient avec la provision de fagots et de bûches pour l'hiver. Un vestibule, où les femmes accrochaient leurs chapeaux de paille à des patères de bambou, ouvrait sur une enfilade de pièces blanchies à la truelle. Les plus jeunes des enfants, couchés deux par deux sur la barbe de maïs des rustiques matelas, comptaient au plafond avant de s'endormir les éclaboussures de chaux sur les poutres. Du linge trempait dans des bassines aussi volumineuses que des tonneaux. On arrivait à une vaste cuisine qui servait de salle à manger. De l'âtre montait une dernière lueur qui arrachait un reflet fauve au flanc rebondi des casseroles. Le grand-père, assis au bout d'une longue table, commençait à somnoler sur sa pipe. Les femmes s'affairaient à enlever les reliefs du repas, non sans mettre de côté dans un panier les morceaux encore mangeables, ainsi que des fruits et une bouteille de lait, pour les bonnes sœurs de l'orphelinat à qui un usage immémorial destinait cette offrande quotidienne.

La veillée continuait dans l'étable. Les femmes y transportaient leur ouvrage de couture et s'asseyaient en cercle sous le papier huilé antimouches accroché à l'ampoule, pendant que les bêtes rumi-naient debout dans leurs stalles ou écrasaient de leurs flancs ubéreux la paille crissante. Plutôt que d'entendre les hommes restés dans la cuisine se lamenter sur les progrès du communisme et la mauvaise éducation de la jeunesse, nous préférions rejoindre les femmes et discuter avec elles sur les problèmes de l'Italie. Elles montraient un esprit ouvert et curieux, quoique en présence des maris et des frères nulle parole ne sortît de leur bouche, la seule initiative qui leur fût reconnue étant de contribuer au ravitaillement de la pieuse institu-tion voisine.

Dans l'étable elles bavardaient librement. Nuto se plaignit un soir avec âpreté de sa condition d'ouvrier agricole, soumis au despotisme et à l'avarice des grands propriétaires. Mères et tantes Campesis, loin de se formaliser de cette attaque qui les visait directement, montrèrent de l'indulgence pour la sortie du jeune homme, où elles virent, non sans raison, un sympathique témoignage de sa vitalité bien plus qu'un acte précis d'accusation.

Un oncle de Manlio, qui s'ennuyait dans la cuisine mais aurait jugé incompatible avec sa dignité de siéger sur un escabeau entre les pensionnaires d'une vacherie, nous attendait dans la cour pour nous tendre sa gourde de *grappa,* en cachette des femmes.

Que du sang impétueux bouillonnât dans nos veines, et non, par contagion de nos veillées, le lait de placides mammifères, certains événements nous donnèrent l'occasion de le prouver. Un soir d'octobre, bien qu'il plût à torrents, une animation insolite régnait dans les locaux de l'Enal à San Giovanni. Le secrétaire de la section discutait avec un dirigeant de la Federterra venu exprès de Pordenone. Elmiro, qui m'avait demandé de rester avec lui, préparait sur un coin de table un manifeste, tandis que ses jeunes cousins tiraient de l'armoire bancale un drapeau rouge qu'ils déroulèrent au milieu des vivats. Les canettes de bière circulaient de main en main. De temps à autre, excité par la chaleur de l'ambiance ou par le but de l'expédition fixée au lendemain, quelque ancien partisan entonnait une des chansons de la Résistance. L'assemblée achevait en chœur le couplet. A la même heure, la même scène se répétait à Rosa avec Manlio, à Ligugnana avec Nuto.

Quelques lumières filtraient encore à minuit derrière les volets de la permanence ; deux ou trois attardés s'échangeaient des bourrades d'ivrognes sur le seuil ; une rafale de sirocco, secouant les dernières gouttes de pluie, fit claquer la bannière qui arborait au-dessus de la porte la faucille et le marteau du Parti.

Le jour suivant, dès potron-minet, de longues files de charrettes et de bicyclettes convergeaient de tous les villages vers le bourg de Gruaro. Sur la grande place devant l'église, on aurait dit, tant elle se montrait compacte, la foule du pèlerinage de la Madone, à cette différence près qu'un insigne rouge ornait les boutonnières, et qu'au lieu de vêtements du dimanche les tenues les plus variées habillaient les manifestants : salopettes de jardiniers, rustiques sarraus, blouses de bergers, anciens uniformes de partisans, bérets de police camouflés, calots de l'armée américaine, bottes prises aux Allemands. Nuto se distinguait à l'attention générale par son foulard cramoisi noué à la mousquetaire. Dans le ciel transparent lavé par la pluie de la nuit précédente, les montagnes de la Carnie découpaient leurs profils déchiquetés. Les conducteurs des autobus, qui venaient de déposer devant la poste la clientèle d'Udine, de Pordenone ou de villes plus lointaines, se demandaient l'un à l'autre, en avalant un café sous les portiques, le but de ce tumultueux attroupement. Puis, comme ni la police ni les carabiniers ne montraient leur nez, ils haussèrent les épaules et remontèrent dans leurs véhicules.

Au bout d'une allée d'ifs s'élevait la villa Pignatti, entourée d'un grand jardin et précédée d'une cour en gravier. C'est là qu'une partie de la foule se dirigea, pour exiger du propriétaire l'application de la loi récente sur l'embauche des chômeurs. Pignatti, caché derrière un volet, nous attendait avec un fusil. Devant le nombre, il accepta de recevoir une délégation. Elmiro entra avec trois camarades et fut introduit dans une pièce sombre, humide et solennelle, dallée de marbre et tapissée jusqu'au plafond de lourdes étagères en chêne. Les volumes, sous leurs reliures dorées, montaient la garde comme des sentinelles. Derrière un bureau Cavour luisant de cire fraîche, siégeait Pignatti le père, vieillard raide et cassant. Dans son dos, son fils, campé sur une paire de bottes à éperons, tenait encore le fusil. Elmiro, intimidé par ce décor et par cet accueil, gardait les yeux baissés. Le fils Pignatti, goguenard, lui demanda s'il cherchait quelque chose par terre ou si les rebelles avaient également des prétentions à émettre sur son carrelage. Alors Elmiro, sous le fouet du sarcasme, entama une discussion serrée qui n'aurait peut-être pas tourné à son avantage, mais qui dura assez pour permettre à un dirigeant de la chambre du travail d'accourir : il prévenait les propriétaires qu'il ne répondait plus ni du respect de leur maison ni de leur propre sécurité s'ils s'obstinaient dans leur refus. Pignatti le père se retira de la pièce sans céder, mais le fils s'assit à sa place derrière le bureau et signa un contrat d'embauche pour cent cinquante ouvriers.

A San Giovanni, à Rosa, à Ligugnana, à Casarsa, dans tous les villages autour de Gruaro, le tapage continua tard dans la nuit. Des libations plus généreuses que de coutume prolongèrent l'euphorie de la victoire. A vrai dire, même quand la situation avait paru le plus tendue, la bonne humeur ne s'était pas relâchée. Pendant qu'Elmiro négociait sous la menace d'une arme à feu, les rires, les plaisanteries, les chansons résonnaient sur les pavés de la bourgade. Épisode de la lutte des classes, ou partie de campagne plus corsée ? On était allé défier dans leur villa le père et le fils Pignatti, au lieu de se contenter de rivaliser autour d'un bocal de vin avec les garçons de l'autre rive, voilà le sentiment que chacun emporta chez soi, en regrettant que de telles journées ne pussent pas revenir comme les bals du samedi.

A peu de temps de là, quand le bruit se répandit qu'on allait attaquer le château des comtes Spittalbergo, toute la jeunesse du Frioul voulut se joindre à l'assaut. Les Spittalbergo, d'origine autrichienne, avaient italianisé leur nom et reconstruit leur château dans le goût gothique de 1930 : à la sortie de Bagnarola, une bâtisse fameuse dans toute la région, avec ses minuscules fenêtres en forme de meurtrières et ses tours octogonales à créneaux. Dans l'esprit des comtes elle devait évoquer, par son aspect hautain et guerrier, quelque forteresse médiévale. A moi elle rappela, aussi tarabiscotée et comique, la demeure en carton-pâte du comte de Luna que j'avais sifflée lors d'une représentation provinciale du *Trouvère* au petit opéra d'Udine.

Nuto, au premier rang devant la grille, se mit à donner des coups dans la serrure avec une barre de fer, pendant que ses camarades bombardaient la maison de cailloux qu'ils jetaient par-dessus le mur d'enceinte. Une tête d'homme apparut à une meurtrière. Il nous demanda en hurlant ce que nous voulions. A notre réponse (« parler, négocier »), il referma rageusement le volet puis nous le vîmes ouvrir la porte en ogive et se dresser en haut du perron, un fusil à double canon dans la main. « Écoutons un peu ce que vous avez à nous dire, cria-t-il. Qu'un seul s'avance pour venir me parler. » Cette fois, je ne pensai plus à une scène d'opéra, mais à une séquence de film de Far West, quand le bandit cerné dans son ranch tient tête à la meute des cow-boys. Hirsute, sans veste, les jambes serrées dans des molletières de cuir, l'homme au fusil devait être l'intendant du château, que ses maîtres terrés dans les pièces du fond et prêts à fuir par le parc avaient envoyé en reconnaissance.

— Un seul à la fois, hurla-t-il de nouveau, ou je tire.

Une vieille servante sortit derrière son dos et vint en boitant ouvrir la grille. Manlio profita de ce que Nuto cherchait à se débarrasser de la barre de fer pour bondir à sa place et entrer avec l'homme qui referma la porte sur eux.

Il reparut au bout d'une demi-heure, montrant ses mains vides et secouant la tête d'un air découragé. « Rien à faire, ils refusent. » On décida d'enfoncer la porte et d'occuper le château. Nuto s'élança le premier. A peine eut-il posé un pied sur le gazon de la pelouse, que par trois fenêtres simultanément se montrèrent trois canons de fusils. Nuto, que ses camarades essayaient de retenir, continua seul à s'avancer, une détonation partit. La balle siffla à un mètre au-dessus de sa tête. Les assaillants refluèrent en désordre et coururent chercher un abri derrière le mur. Ils commençaient à délibérer sur la tactique à suivre quand un cri, jailli du centre du bourg, se répandit comme une traînée de poudre jusqu'à l'esplanade où le gros des manifestants se pressait devant le château. « La police ! » Trois ou quatre camions chargés d'agents roulaient au pas derrière une auto blindée. La colonne s'arrêta à l'entrée de l'esplanade, les hommes sautèrent à bas des camions, le doigt sur la détente du Sten, dans un nuage de poussière soulevé par leurs chaussures à clous.

Chacun serra le poing, qui sur le bâton, qui sur la bêche ou la pioche qu'il avait apportée. Nuto reprit la barre de fer à son voisin. Le capitaine, debout sur l'auto blindée qui avançait tout doucement, nous donna l'ordre de nous disperser. Le véhicule n'était plus qu'à quelques mètres, et continuait à rouler. Nous nous écartâmes à droite et à gauche. Il fendit la foule, qui se referma sur son passage et barra le chemin aux agents qui suivaient. Les policiers nous menacèrent en agitant leurs gourdins. Nous répondîmes par une levée de poings, de fourches et de houes. Mais — comment dire ? — rien de ce qu'on appelle communément antipathie ne nous dressait les uns contre les autres. Sous leurs uniformes, on reconnaissait leur origine paysanne. Nous ne pouvions pas haïr ces robustes garçons à l'accent familier, nés comme nous de familles pauvres, et plus miséreuses encore que les nôtres, puisqu'ils s'étaient arrachés à la terre trop ingrate pour se reconvertir dans ce sale métier.

L'ardeur à s'échanger des coups peut avoir d'autres motifs que la haine. Quelques secondes suffirent pour faire un champ de bataille. Nous luttions corps à corps et roulions sur le sol en serrant dans nos bras un adversaire qui ne pouvait compter que sur la force de ses muscles. Ni les cris ni les insultes ne manquèrent. Nous nous encouragions mutuellement par des plaisanteries et des bouts de refrains lancés à tue-tête. Le sang coula : du sang frais et léger d'égratignures bénignes, qui nous excitait à nous battre de plus belle. Les plus âgés furent les premiers à s'enfuir. Poursuivis par les agents qui brandissaient derrière eux leur matraque, ils ne réussirent pas tous à se sauver ; un blessé grave, le seul de la journée, resta sur le terrain. Les jeunes ne voulaient pas reculer d'un pouce, jusqu'au moment où arrivèrent en renfort des camions de l'armée. Les soldats empoignaient nos camarades et les chargeaient sur leurs véhicules. Débandade et sauve-qui-peut général. Des gamins qui pouvaient avoir seize ans décanillaient avec la même allégresse bondissante que deux ou trois ans plus tôt, lorsque, encore en culottes courtes, le patron d'un vignoble les surprenait à voler du raisin.

Le crépuscule tomba sur l'esplanade vide, d'où les camions emportèrent une vingtaine de prisonniers malchanceux. Au même moment, les cloches du rosaire lancèrent leur carillon, d'autant plus net et pur que tout était silencieux dans le village, et les habitants barricadés dans leurs maisons. On distinguait au loin, dans l'intervalle entre deux battements, les cloches des bourgades voisines. A Ligugnana, à San Floreano, à Borgo Braïda, partout dans la plaine du haut des campaniles descendait l'appel à la prière. Plus loin encore, à Codroïpo, à San Vito, les cloches sonnaient aussi, plus faiblement à nos oreilles qui avaient l'impression de recueillir, échappé du fond des âges, le soupir des générations passées. Le tintement des siècles flottait sur les champs, aussi mélancolique et impalpable que la brume du soir. Je m'étais réfugié, avec Manlio, Elmiro et Nuto, dans une grange à foin. Nous sortîmes par les rues fraîches et sombres. Quelques femmes, en rasant les murs, se hâtaient vers l'église où celles qui les avaient précédées entamaient déjà, agenouillées devant l'autel, l'action de grâces vespérale.

Le devoir de servir la propagande de mon parti m'obligerait à souligner la simultanéité de la victoire policière et de l'office religieux : collusion manifeste entre le pouvoir politique et l'autorité cléricale. Seul un bureaucrate élevé à une école abstraite aurait le courage de soutenir une telle opinion. La vieille finesse paysanne sait, de tout temps, qu'il faut aux jeunes hommes de la terre, si paisibles d'aspect, gens d'habitudes et de scrupules, accordés au rythme des saisons, un exutoire périodique à la violence de leur sang : danser jusqu'à exténuation, boire jusqu'à effondrement, quelque bonne rixe à la sortie du bal et, si ces exorcismes ne sont pas suffisants, descendre en bataille rangée pour un simulacre de combat militaire. Les manifestants de Bagnarola croyaient peut-être, parce qu'ils arboraient une étoile rouge à leur boutonnière, militer pour l'avancement du communisme international ; de même que leurs adversaires — serfs de la glèbe eux aussi bien plutôt que de la Démocratie chrétienne, malgré la substitution du casque et du treillis à la blouse et au sarrau — s'imaginaient défendre les institutions de la République. En réalité, ni Togliatti ni De Gasperi ne présidèrent à l'affrontement. Dans les deux camps, on obéissait sans le savoir à des lois cachées datant de plus de vingt siècles. Il entre dans les desseins de la nature que les mâles les plus vigoureux par l'âge ou la constitution en viennent de temps à autre aux mains et répandent un peu de leur sang, comme il convient à ses plans que les femmes se rendent à l'église, joignent les mains devant la Madone et chantent des hymnes en son honneur. Bagarres, coups, horions et blessures d'un côté ; de l'autre murmure des prières et unisson des cantiques : tout, dans cette journée historique de l'assaut contre la seigneurie locale, se révélait conforme à l'antique sagesse de la terre.

J'allais dire : « à l'ordre éternel des choses », sans ma répugnance à utiliser une formule qui a toujours servi à justifier l'immobilisme et la domination des pauvres par les riches. Pourtant, je serais fondé à employer de tels mots : ne m'étais-je pas engagé à fond, et peut-on m'accuser de m'être tenu au-dessus de la mêlée, moi qui prendrais bientôt ma carte du Parti par haine de l'égoïsme et de la dureté des propriétaires ? Malgré tous les abus commis sous prétexte que les étoiles occupent une place fixe dans le firmament et que l'univers obéit à des lois immuables, ferme reste ma conviction qu'on ne comprend rien aux grandes démonstrations politiques de l'après-guerre, si on ne les relie pas aux autres cérémonies de la liturgie rurale, fêtes de baptême et de mariage, pèlerinages au sanctuaire de San Daniele du Frioul, foire aux bestiaux, nuit de la Saint-Jean, cortèges de carnaval. L'Italie d'alors, imagine-la sous les traits de la Grande Mère aux multiples mamelles des anciens cultes orientaux, l'Artémis noire d'Éphèse que nous avons vue au musée de Naples. Embrassant tous ses fils dans une communauté sans frontières ni discriminations ; fermant les yeux sur leurs écarts de conduite ; religieuse au sens étymologique du terme ; tendre, chaleureuse, paysanne, sensuelle, policière déjà, mais pas plus qu'il ne fallait pour mater l'insubordination des jeunes hommes, lesquels ne tiraient ni de Marx ni de Gramsci l'énergie nécessaire à un coup de main sur les châteaux.

Dans l'étable des Campesis, on commenta l'échec de Bagnarola. Les femmes louèrent la modération des agents. Nuto se récria en citant l'exemple de X..., relevé avec une fracture du crâne. « Une bavure, dit la plus vieille de la tribu, rien qu'une bavure. C'est comme quand ton père te flanquait une taloche à te faire pisser le sang du nez. La force publique doit rester la force publique », conclut-elle en ajustant ses lunettes pour compter les mailles de son tricot. Cette sentence mystérieuse sembla recueillir l'assentiment général, car on n'entendit plus dans l'étable que le sourd froissement de la mastication bovine et le bourdonnement des mouches au-dessus du tas de fumier. La mère et les tantes de Manlio, qui avaient relevé la tête pour écouter la réponse de l'aïeule, piquèrent à nouveau le nez sur leur ouvrage de couture. Nuto s'agita un peu sur son tabouret puis, pour montrer sa bonne volonté, cala entre ses genoux une pelote et guida le dévidage de la laine, comme s'il reconnaissait, dans la soumission exempte de servilité de ces femmes, le pendant nécessaire à son instinct de rébellion.

16

La chapelle de Versuta, construction romane du Trecento, s'élève au milieu d'un pré d'herbes folles. En regardant attentivement le mur intérieur du transept, je découvris des traces de fresques. Un ami peintre m'apprit à frotter avec un oignon la couche de plâtre, de manière à faire apparaître ce qui reste des figures. Au bout d'un après-midi de travail, nous dégageâmes une tête de saint, que le voisinage de l'abbaye de Sesto al Reghena nous permit d'attribuer à cet élève anonyme de Giotto qui avait décoré l'église du monastère.

J'ai beaucoup dessiné et beaucoup peint, à cette époque. Paysages, portraits de femmes, d'enfants, autoportraits. Je me suis peint deux fois avec une fleur dans la bouche. Ni les couleurs à l'huile ni les détrempes ne me plaisaient. Chose curieuse à avouer de la part de quelqu'un qui n'avait aucune autorité en la matière, il me semblait que la peinture, de tous les arts, était celui qu'unissait à la nature le rapport le plus étroit. Aussi, préférant les colorants naturels aux produits du commerce, ai-je commencé à mélanger la pâte de mes tubes tantôt à du jus de fraises écrasées pour obtenir un rouge plus pulpeux, tantôt au suc de certaines herbes grasses qui me fournissaient la nuance de vert recherchée. Je me mis à collectionner les plantes, au grand amusement de cet ami peintre, Giuseppe Zigaïna, que j'allais trouver dans sa maison de Cervignano del Friuli. (En souvenir de cette époque et de cette amitié, j'ai invité plus tard Zigaïna à figurer dans mes films : sienne est la main qui, dans celui tourné à Milan, peint le tableau énigmatique.)

Il pouvait être deux ou trois heures de l'après-midi quand, par ce milieu torride d'une journée de juin, qui avait vidé les campagnes et poussé tout le monde, hommes et bêtes, dans le refuge ombreux d'une sieste, je mis pied à terre devant une ferme pour demander un verre d'eau. J'avais pédalé des kilomètres et des kilomètres à la recherche de nouveaux échantillons pour mon herbier, j'étais exténué. Au milieu de la cour, assis sur une pierre près de la pompe, un garçon jeune, presque nu, se faisait sécher au soleil. Il tenait encore à la main l'extrémité d'un tuyau fixé au robinet par un fil de fer. Je ne voyais que son dos, hâlé et luisant : chair innervée de lumière, jeu de muscles déjà bien sculptés sous la peau brunie.

Un chapeau de paille à très large bord recouvrait sa tête. Il avait abandonné à côté de lui, par terre, un bouquet de coquelicots fraîchement cueillis. Pour le moment, comme absorbé dans une profonde contemplation, il paraissait regarder fixement entre ses jambes. Je m'approchai sans bruit. La maison somnolait derrière les volets clos. Le chien, couché dans sa niche, souleva à peine le museau puis se rendormit pour s'éviter la fatigue d'aboyer. Aucun souffle ne tempérait la canicule. Les draps blancs, mis à sécher sur des fils de fer, pendaient raides en travers de la cour comme des écrans de cinéma.

Ce que j'avais pris pour un chapeau n'était que le bord d'un chapeau sans fond qui laissait à l'air libre une masse de cheveux blonds de même couleur que la paille. Le garçon entendit mon pas, se dressa d'un bond, se retourna. Nous échangeâmes un cri de stupeur et de plaisir. Je ne l'avais pas revu depuis l'enterrement de Guido, maintenant qu'il poursuivait ses études au lycée d'Udine. Il avait forci et embelli, mais c'était toujours le même Svenn, bien découplé, bien proportionné, imberbe, rayonnant, le torse et le ventre d'un enfant, sans un poil, mais vêtu d'une culotte si petite qu'elle laissait dépasser la touffe déjà drue d'une noire pilosité inguinale. Il intercepta mon regard, rougit, enfila son blue-jean, remonta d'un coup sec la fermeture éclair, boucla avec la même énergie sa ceinture et pour finir boutonna, sur sa poitrine encore mouillée, une chemisette à carreaux qui provenait, comme le pantalon et la ceinture, des surplus américains.

Puis il s'aperçut qu'il avait encore cet étrange couvre-chef sur sa tête, et le sang afflua de plus belle à ses joues. S'écriant que son père allait le gronder si « maman » découvrait avant leur réveil la disparition de sa précieuse *solane*, il s'élança vers la maison, sans prendre le temps de remettre ses sandales.

Ainsi, je venais de voir un des rarissimes spécimens de cette coiffure vénitienne utilisée autrefois par les contemporaines du Véronèse et du Titien lorsque, assises à leur balcon sans craindre pour leur visage abrité par le bord, elles exposaient leurs cheveux à l'éclat du soleil, qui les dorait de cette blondeur diaphane immortalisée par les peintres. Une coutume répandue autrefois dans l'aristocratie de la capitale se conservait intacte dans la partie la plus reculée et la plus rurale de la province. Si ma surprise fut grande de constater qu'une paysanne du xxᵉ siècle recourait aux mêmes artifices qu'une femme de doge ou de procurateur, cette preuve de coquetterie chez un garçon de seize ans me laissa rêveur. Svenn poussait-il l'imitation des modes de l'ancien temps jusqu'à imbiber une éponge de jus de coing et de suc de troène, pour s'humecter goutte à goutte les cheveux pendant les heures d'insolation ?

Je finissais de me rafraîchir à la pompe, lorsqu'il reparut, toutes ses boucles claires éparses autour de ses joues bronzées. Troublé plus que je n'aurais voulu l'être, je ramassai le bouquet de coquelicots pour me donner une contenance. Une idée que je crus ingénieuse me vint alors à l'esprit. Je savais, par expérience pédagogique, qu'un enfant qu'on amuse est un enfant conquis.

— Regarde ce que nous allons faire, lui dis-je en décrochant un drap du fil de fer où il séchait. N'aie pas peur pour ton père et ta mère, nous remettrons tout en place avant leur réveil. Allons, remue-toi un peu.

D'un air effaré il me vit étendre par terre, bien à plat sur le sol poussiéreux, le drap blanchi de frais. Je n'étais pas fâché de l'associer à cette infraction domestique qui transformait, à la barbe de ses parents, l'honnête fils de famille en complice d'un petit méfait.

Les fleurs de coquelicots, frottées entre mes paumes au-dessus du drap, exprimèrent un jus qui sécha en dix secondes. Je dis à Svenn de mouiller son doigt à la pompe, puis d'appuyer avec le bout sur l'étoffe et de tracer à l'endroit où les fleurs l'avaient imprégnée de leur suc n'importe quelle figure qui lui plairait. Il se prit immédiatement au jeu et dessina des étoiles fantastiques dont les branches ressemblaient à des tentacules. Là où son doigt passait, la toile se teintait d'un rouge très pâle, presque rose, mais resplendissant à cause de l'éclat donné par la lessive. Sur les bords du dessin, l'index de Svenn laissa un liséré d'un rouge intense, précieux, le vrai, le seul rouge ponceau. Ce résultat le fascinait. Il voulut recommencer sur une autre partie du drap, pressa lui-même les fleurs, remouilla son doigt et tenta de représenter un chameau. A part la bosse, on aurait eu du mal à le distinguer d'un chat ou d'un mouton. Svenn, désappointé cette fois, me demanda d'essayer à mon tour. Tandis que je m'exécutais de mon mieux, il glissa son bras autour de mon cou. Transporté d'enthousiasme à mesure que s'étalait sur la toile une sorte de douar africain, avec les tentes et les animaux, soudain il m'embrassa sur la joue. Il ajouta un ou deux détails à mon œuvre et nous continuâmes ainsi, mouillant à tour de rôle notre doigt, à l'enrichir de multiples variations, toujours dans les tons roses et rouges, mais avec d'innombrables nuances, selon que nous épaississions la poudre de pavot ou que nous l'employions plus diluée, et suivant la force de pression de l'index sur le drap.

Svenn battit des mains devant le tableau achevé. Il s'écria, radieux :

— Nous sommes donc des peintres !

Je crus qu'il allait m'embrasser à nouveau mais une ombre traversa son visage.

— Pourtant, laissa-t-il tomber tristement, ça, ce n'est pas de la peinture !

— Mais si, Svenn, c'est de la peinture, et toi, tu es un peintre !

Me doutant que cet accès de méfiance dans ses dons lui venait tout droit du lycée, où quelque professeur aux préjugés académiques enseignait à ses élèves que la peinture commence avec un chevalet et des pinceaux, je lui citai le cas d'un grand artiste du passé, qui fabriquait ses couleurs avec des matières végétales. (Pontormo, mais je lui tus le nom, convaincu que dans aucune classe au monde on ne mentionne la petite église de Santa Felicità : pour revoir la *Déposition,* je serais même prêt, imagine-toi, à remettre le pied dans cette sotte ville de Florence !) Personne depuis sa mort, ajoutai-je, n'avait retrouvé le secret de ses roses et de ses verts.

— Ce secret, tu ne voudrais pas m'aider à le découvrir ? Il suffirait de cueillir et de rapporter le plus grand nombre de fleurs possible de toutes les variétés.

— Oh si ! s'exclama-t-il, tout de suite si vous m'emmenez avec vous !

— Tu oublies, lui dis-je, qu'il nous reste une chose importante à faire.

Je ramassai le drap sur lequel, n'arrivant pas à détacher les yeux de notre œuvre commune, il voulait sans cesse retoucher un détail. Puis, avec la mine la plus résolue et la plus froide que je pus me donner, bien que mon cœur, depuis que j'avais reçu son baiser, bondît dans ma poitrine, je me dirigeai vers la pompe. Sans entendre ses cris, je fixai à nouveau au robinet le tuyau que j'avais décroché pour boire, et braquai le jet sur nos dessins qui ne tardèrent pas à disparaître. Toujours calme et en apparence indifférent, j'allai suspendre avec deux pinces à linge le drap redevenu aussi blanc qu'au sortir de la lessiveuse, non sans observer du coin de l'œil la déception et le chagrin de Svenn. J'avais marqué deux points, le premier en m'attachant le garçon par une occupation qui d'évidence le passionnait, le second en lui révélant, pour la première fois aussi manifestes, les inconvénients de l'obéissance filiale. Excellente leçon d'où il retiendrait, dans un angle obscur de sa mémoire, qu'il avait connu un vif plaisir, non seulement sans demander l'accord de son père, mais en se risquant à une action que celui-ci eût blâmée.

Les jours suivants et pendant le reste de l'été, nous nous livrâmes à une foule de nouvelles expériences, utilisant pour support de nos fresques le dos de granges isolées ou les murs extérieurs d'églises suffisamment écartées du village. C'était à qui de nous deux trouverait des plantes rares ou inventerait des mixtures inédites. Rendez-vous quotidien devant un vieux pommier, au tronc noueux et troué, situé à mi-distance de Casarsa et de la ferme de Svenn. Si un empêchement me retardait, il me laissait un message dans la cavité du tronc : « Soyez là demain », ou « Pourquoi pas le lion et l'agneau ? » Parmi plusieurs fables en projet, Svenn me soumit le moyenâgeux conte allemand du joueur de flûte de Hamelin. La procession des rats, attirés hors de la ville par les sons mélodieux de l'instrument, semblait encore dans nos moyens. Mais comment rendre le cortège des enfants que le musicien, outré de l'ingratitude des bourgeois, entraîne à leur tour derrière lui et perd à sa suite dans les profondeurs de la forêt ?

J'apportai un jour une fronde, cadeau de réparation pour les injustices subies autrefois. Il saisit l'allusion car, le lendemain, je découvris dans l'arbre un billet, avec ces mots calligraphiés sur le papier quadrillé d'une page arrachée à son cahier d'école : « Pourquoi étiez-vous alors si méchant ? » J'avais à peine fini de lire, ému aux larmes par cette confidence, qu'il me sauta dessus par-derrière et plaqua ses mains sur mes yeux. Il s'était caché pour me faire la surprise et, dès lors, il nous arriva à tour de rôle de nous dissimuler non loin du pommier afin de guetter la déception du retardataire et de bondir ensuite à son cou. Svenn s'arrangeait pour me faire rouler par terre avec lui ; bref corps à corps dans l'herbe ; un baiser sur ma joue, rituel signal, m'indiquait le moment de me relever.

En route à travers champs, nous emplissions nos musettes de toutes les espèces de feuilles et de fleurs. Fidèle à ma politique de petites transgressions, j'encourageais Svenn à sauter par-dessus les barrières des jardins privés et à voler dans les parterres, pendant l'heure de la sieste, les plus beaux exemplaires des fleurs de culture. Opération qui présentait le double avantage de compléter notre provision de plantes sauvages, et de perfectionner son entraînement au clandestin, à l'illicite. La blancheur du narcisse, le violet de la jacinthe, le jaune de l'anémone, l'orange du dahlia, l'incarnat de la rose, la pourpre de l'œillet l'enivraient de leurs mille diaprures et le plongeaient dans l'extase, tandis que, plus prosaïquement, j'écrasais entre mes doigts la baie noire du genièvre ou la tige résineuse du pistachier.

Celui qui allait devenir dans quelques années un bon peintre (à qui seuls la modestie et le refus de se transférer à Rome ont interdit un destin national) fit ses écoles non pas dans les ateliers, avec des godets et des pinceaux, ni en achetant ses couleurs à un marchand, mais en les choisissant lui-même dans l'immense et magique palette que lui offrait la nature. Insensible aux parfums, à peine se rendait-il compte que les roses embaumaient. Les buissons printaniers de l'odorant seringa pouvaient exhaler leur fragrance de chaque côté du chemin, il ne songeait qu'à se demander si cette qualité de blanc se marierait avec le mauve de la pensée, le gorge-de-pigeon du cyclamen.

Il devenait mon maître. A mes trouvailles sophistiquées (par exemple : mélanger du vinaigre de vin à plus ou moins de chaux pour obtenir une gamme de rouges soutenus, utiliser de la cire de bougie encore chaude) il préférait les teintes directement extraites de ses fleurs. Devant le mur à décorer, point ne lui était besoin de crayon ni de plume pour esquisser les figures. Il pressait tout bonnement le suc de ses plus beaux échantillons à même la surface qu'il voulait orner, promenait avec précaution le doigt dans cette mixture chatoyante, et le lion et l'agneau, les rats et les enfants de la fresque, sans le support de traits ni de dessin, venaient au jour comme spontanément.

J'étais émerveillé de la rapidité des progrès accomplis par Svenn, mais plus heureux encore lorsque, découragé soudain par la maladresse d'un profil ou le défaut d'une perspective, il venait appuyer sa tête contre ma poitrine, en me demandant un câlin qui se bornait, par prudence mais aussi par égard pour son âge, à une caresse sur sa nuque. Mélange de pédagogie buissonnière et de sensualité chaste, je vivais le premier amour de ma vie. Une seule fois je pris l'initiative de serrer Svenn dans mes bras et de l'embrasser sur la joue, quand il eut peint, avec son procédé aussi simple que charmant, une très jolie tête d'ange sur le pilier d'une chapelle en ruine.

Depuis longtemps je voulais l'emmener dans mon grenier de Versuta, pour l'associer de plus près à mes travaux littéraires. Il s'étonna de voir mon bureau placé non pas devant la lucarne qui donnait sur les champs, mais contre un mur aveugle. Bien ingrat le métier d'écrivain, lui dis-je, à côté de celui de peintre : nécessité de se concentrer, de se couper du monde (la fenêtre et le « panorama » étant mortels pour l'écriture), de s'isoler de son prochain, alors que les grands fresquistes du passé œuvraient en équipe, souvent devant un groupe fourni d'admirateurs, et se distrayaient par toutes sortes de plaisanteries joyeuses échangées d'une planche à l'autre de l'échafaudage, la fiasque de vin, la miche et la fourme se trouvant en permanence à portée de leur main.

Au lieu de prêter l'oreille à mes doléances, il s'amusait à passer en revue les instruments de mon métier éparpillés sur ma table, certains inconnus de lui : porte-plume de plusieurs dimensions, crayons à bille alors dans leur nouveauté, une gomme bicolore à double usage, un grattoir pour les fautes de frappe, un coupe-papier, deux rouleaux de scotch dont l'un transparent, une agrafeuse. Moi, une seule pièce de cet attirail m'a jamais semblé un peu drôle, mais je ne l'ai possédée que bien des années après, à Rome : une lame de rasoir montée sur un manche, utile à découper la page de dédicace avant de vendre au fripier pour cent lires les livres que m'envoient en service de presse mes collègues du milieu littéraire.

Les gestes de celui qui s'installe devant sa feuille de papier ou sa machine à écrire m'ont toujours paru très pauvres, en regard du cérémonial qui accompagne chaque phase d'un travail manuel. Je ne développais pas cette comparaison seulement pour flatter Svenn et pour l'encourager dans sa vocation. Tel était bien le fond de ma pensée. Manipuler des matières, se mesurer en artisan avec une difficulté concrète à vaincre, voilà des plaisirs qui échappent au tâcheron de la littérature. Mon jeune visiteur ne me suivait pas du tout dans mon raisonnement. J'avais beau lui expliquer que rester assis sur ma chaise et remplir la page de signes abstraits, égaux, monotones, me donnait un sens profond d'insatisfaction et d'ennui, il trouvait une beauté mystérieuse à tous ces hiéroglyphes alignés sur la feuille et se fâcha presque, après avoir écouté la lecture d'un de mes poèmes, que je ne fusse pas plus content de jouer et de jongler avec les mots.

— « Mon corps de boue et d'ivoire », répétait-il avec ravissement. Il récita une espèce de litanie que j'avais écrite (mais le comprit-il ?) à la gloire des amours enfantines :

> *Rapides flamboiements*
> *de cheveux... Cruelles*
> *négligences de regards...*

— Tenez, ajouta-t-il, en prenant un porte-plume sur mon bureau et en me le mettant dans la main, je veux qu'un de ces jours vous me fassiez un poème, pour moi seul ! Comme ça vous ne serez plus si malheureux de vous asseoir sur votre chaise, puisque je serai là dans vos pensées.

Ma « vocation », encore incertaine, de poète date sans nul doute de cette heure-là. J'aurais presque pleuré de joie et de surprise, à ce reproche tourné si affectueusement. Quelle délicatesse pour m'apprendre qu'il avait conscience d'être aimé ! Quelle invitation pleine de tact à lui faire ma cour ! Ce porte-plume, en ébonite noire, avec une étoile blanche à six branches sur le capuchon, de marque « Mont Blanc », fabriqué en Allemagne, est resté mon fétiche. Je ne m'en suis jamais séparé, même pendant mes premiers voyages en avion, lorsqu'il perdait de l'encre dans ma poche. Si j'ai choisi en définitive la carrière d'écrivain, si le bandeau du peintre n'a ceint mon front qu'une seule fois, quand j'ai incarné le personnage de Giotto dans mon film napolitain, c'est à cause de ces paroles de Svenn et de la plume « Mont Blanc ». Dois-je regretter qu'il n'ait pas enserré pour de bon mes cheveux ? Artiste peintre professionnel, j'aurais continué à chercher les fleurs sur le revers des talus. Mes œuvres, faites de matières putrescibles, se seraient modifiées au gré de leur vie organique, victimes de corrosions imprévues qui auraient peut-être fini par les détruire. Sort mille fois plus enviable que celui réservé à mes livres, dont le contenu intact emmagasiné dans les bibliothèques n'alimentera plus dans cinquante ans que la pédante rumination des universitaires. Mais j'aurais été infidèle au souvenir le plus tendre et le plus émouvant de ma jeunesse.

Aujourd'hui c'est toi, Gennariello, qui me rends confiance dans la valeur de mon travail. Oui, quand j'en ai assez d'entendre les compliments hypocrites de mes confrères, quand je constate que mes succès ne sont bons qu'à m'attirer soit la jalousie de mes rivaux dépités soit les flatteries de candidats à un des prix littéraires où je dispose d'une voix, quand aucune parole sincère d'ami ne m'apporte un jugement nuancé, quand je me demande si mes livres ont plus de titres à retenir l'attention que ceux dont je me débarrasse chaque mois sur la charrette du brocanteur, il me suffit de t'imaginer sur la terrasse de tes parents, entre les pots de basilic et les gousses d'ail suspendues à la tonnelle. Tu ne continuerais pas à me lire si mes mots n'étaient aussi vivants pour toi que le rayon de soleil posé sur le bras de ton père assoupi, que les plants de menthe arrosés par ta mère avec la dame-jeanne qu'elle vient de remplir à l'évier de la cuisine. Rude et saine concurrence, que de lutter contre le bourdonnement des mouches au-dessus des assiettes, la stridulation de la cigale invisible et le chant des oiseaux dans l'azur !

17

Vers le milieu du mois d'août, comme la chaleur devenait écrasante, je demandai à Svenn s'il ne voudrait pas venir se baigner dans le fleuve. Pourquoi n'y avais-je pas pensé plus tôt ? Mais est-il vrai que je n'y avais pas pensé plus tôt ? Que craignais-je donc, en emmenant celui que j'appelais au-dedans de moi *amato,* sur les lieux où « faire l'amour » entre garçons était l'acte le plus naturel du monde ? De « rabaisser » le sentiment que m'inspirait Svenn, par un contact « impur » ? Ou, au contraire, si je me bornais à nager avec lui et à prendre le soleil sur la grève, de me conduire en timide et en niais, sans la liberté dont j'aurais usé avec n'importe quel autre jeune du village ? Trente ans après, ces questions se pressent à mon esprit et le tourmentent, dans la mesure où toute mon aventure avec Svenn n'a peut-être pas été cette idylle grecque, cette ingénue oaristys qu'il m'a semblé sur le moment, mais une escarmouche, champêtre et provinciale, dans la guerre deux fois millénaire engagée par l'âme contre le corps, depuis que la religion du Christ a remplacé les cultes païens. N'ai-je aimé que Sébastien, croyant chérir Alexis ?

Svenn éluda ma proposition sous divers prétextes. Il n'osait pas m'avouer la raison de sa gêne : ce petit caleçon trop court et surtout démodé dans lequel je l'avais surpris en train de se doucher près de la pompe.

Sans le prévenir, je partis de bon matin pour Pordenone, à la recherche d'un vrai « slip » comme on disait dans les magazines, maintenant que le fascisme avait emporté dans sa chute l'interdiction d'introduire des mots étrangers. Et puisque le fin du fin, pour lui, semblait être de s'habiller à l'américaine, je me rendis tout droit dans une boutique de surplus de l'armée victorieuse. L'objet convoité se présenta bientôt à ma vue : ni trop exigu pour ne pas effaroucher sa pudeur, ni montant trop haut pour ne pas décevoir sa coquetterie. Rouge vif, coupé dans une étoffe brillante qui prenait à la lumière des reflets argentés. Des zébrures vertes l'ornaient sur les deux hanches. Avec une telle parure, d'un luxe inconnu dans notre pauvre Frioul, Svenn pourrait se croire transporté, de la berge caillouteuse du Tagliamento, sur quelque plage chic de Californie. La jalousie ferait pâlir ses camarades émerveillés. Mais ce qui me décida à l'emplette, d'un prix élevé pour ma bourse d'instituteur, fut un Mickey Mouse, jaune et bleu, imprimé bien en vue sur le devant à l'endroit du sexe : enjolivure irrésistible, propre à parachever la métamorphose de l'article de série en accessoire hollywoodien.

A mille lieues de prévoir les conséquences de mon achat, je fis emballer le maillot dans un papier à ramages agrémenté d'une faveur rose ; et j'allai, le cœur battant, déposer le paquet dans le tronc du pommier, en dehors de nos heures de rendez-vous.

Svenn me sauta au cou. « Quelles chouettes couleurs ! » Il voulut à toute force que nous allions le jour même nous baigner. C'est lui qui choisit l'endroit : un coude abrité du fleuve, éloigné du lieu où les gamins de Casarsa avaient l'habitude de se retrouver. Un saule pleureur ombrageait de ses longues branches flexibles une langue de sable qui formait une sorte de presqu'île entre un des bras du Tagliamento et l'eau dormante d'une anse envahie par des herbes flottantes. Décor et tranquillité romantiques, à ceci près qu'on avait les oreilles percées par le vacarme des marteaux-pilons et des bulldozers qui s'activaient sans répit sur le chantier du pont en reconstruction. Mais, pour ma sécurité, impossible de rêver asile plus solitaire. Personne ne pouvait nous surprendre. Svenn me regarda dans les yeux pour voir si j'étais satisfait. Je répondis par un sourire, en m'allongeant sur le sable.

Il se laissa tomber à côté de moi, et demeura étendu sur le dos, bras et jambes écartés. Je me soulevai sur le coude pour le contempler à mon aise. Le slip américain chatoyait dans le clair-obscur changeant de notre abri. Quant à la souris de Walt Disney, elle soulignait avec humour ce qu'aucun cache-sexe, fût-il dessiné par un moine du mont Cassin, ne parviendrait à dissimuler. Le creux de l'os iliaque, détail anatomique pour lequel j'éprouve une infinie tendresse, restait bien à découvert de chaque côté du ventre plat. Un souffle égal et paisible soulevait à intervalles réguliers sa poitrine aussi lisse que sa joue. Rien, à la vue de ce corps où le mouvement des feuilles remuées par la brise déplaçait les taches de soleil, ne permettait de penser qu'une émotion particulière agitât mon petit compagnon.

Il avait fermé les yeux, ce qui m'enhardit à me pencher de plus près au-dessus de son visage. Rêvais-je ? Il me sembla qu'il écartait les lèvres, en même temps qu'une lueur fugitive passait entre ses paupières. J'approchai encore ma bouche. Cette fois, je fus certain de le voir me tendre la sienne, bien que d'une manière presque imperceptible. Alors, je déposai sur ses lèvres un baiser, d'abord timide, ensuite plus appuyé. S'il est sûr que nos langues se rencontrèrent et se palpèrent pendant quelques secondes, je ne pourrais pas jurer d'avoir pris seul l'initiative. Comme je me redressais sur le coude pour reprendre haleine, il profita de cet instant pour se dégager et s'asseoir sur le sable, mais sans hâte, et sans donner l'impression de vouloir se mettre en sûreté. Simplement, lorsque je fis mine d'allonger la main, il se leva sur ses pieds, secoua le sable accroché dans les plis de son maillot, et descendit tranquillement dans le fleuve. Le tout avec un air si naturel et si serein, que j'aurais pu croire qu'il dormait pendant que je m'approchais de sa bouche, alors que j'étais bien sûr de n'avoir pas pressé des lèvres inertes.

Je n'allais pas me plaindre d'être resté sur un seul baiser pour notre séance inaugurale, quand déjà pareil résultat me paraissait inespéré et merveilleux. Je comptais sur les jours suivants pour arriver calmement à une possession plus complète. Il me suffisait de passer ma langue entre mes lèvres pour goûter de nouveau, intacte, la fraîcheur de son premier don. Cependant, le lendemain, au lieu de se diriger vers le lieu ombragé de notre retraite, il prit le chemin de la baignade commune, là où j'avais sauvé Aurelia de la noyade et où de nombreux garçons, de la génération qui suivait la mienne, se livraient à toutes sortes de jeux aquatiques. Je ne connaissais que de vue, pour les croiser souvent dans le village, les nouveaux jeunes de Casarsa. Mes camarades d'autrefois ne venaient plus au Tagliamento. Je n'avais pas à craindre qu'une allusion à notre passé me mît dans l'embarras devant Svenn. Une telle garantie ne me consolait pas de la perte de notre cachette sous le saule. Malgré moi m'échappèrent une moue de reproche et un regard boudeur, auxquels il répondit par un de ses sourires les plus éclatants.

— A quoi bon m'avoir offert ce joli cadeau si je ne peux le montrer à personne ? semblait dire ce sourire, ignorant de la terrible humiliation que le Mickey Mouse jaune et bleu était sur le point de procurer à son trop fier possesseur.

Les garçons remarquèrent aussitôt la nouveauté vestimentaire soumise à leur approbation. Les uns montraient du doigt l'étoffe moirée et brillante avec des grimaces et des contorsions admiratives, les autres ricanaient ou tournaient le dos, mais pour cacher leur dépit de n'avoir autour des reins qu'un lainage informe, tricoté par des mères plus soucieuses d'utilité pratique que de haute couture balnéaire. Content de moi et plein d'espoir pour l'avenir, je me dis que si l'offre du slip m'avait valu un baiser, la sensation qu'il causait maintenant m'apporterait sous peu des faveurs plus substantielles.

Sous prétexte d'examiner le dessin, un de la bande s'approcha tout près du maillot, tendit la main et prit entre deux doigts le sexe qu'il pinça affectueusement, sans que Svenn, si réservé et ombrageux avec moi, esquissât le moindre geste de défense ou de recul. J'aurais eu mauvaise grâce à montrer de la jalousie, moi qui avais fait mon éducation sur ces mêmes bords du Tagliamento, et pour qui la spontanéité des garçons justifiait le mythe d'un Frioul archaïque, miraculeusement préservé de la contagion du péché et de la honte. Mais je ne pus m'empêcher d'éprouver un élancement au cœur, puis de pousser un soupir de soulagement, quand tout le monde, passé le moment de surprise et d'excitation, retourna à ses affaires, sans plus s'occuper de Svenn.

En apparence du moins : car il me fallut peu de temps pour m'apercevoir qu'ils ne cessaient de lorgner de son côté, et de chuchoter entre eux comme s'ils ourdissaient quelque intrigue. Svenn glissa la fronde dans son slip, traversa à la nage le bras du fleuve et se mit à marcher de long en large sur la grève pour se sécher. La bande fit semblant de s'éparpiller, les uns plongèrent dans le courant, les autres s'éloignèrent à travers les buissons. Ils se retrouvèrent bientôt au complet sur l'autre rive, un par un, réunis là comme par hasard, et feignant, qui de se pencher au bord de l'eau pour guetter les poissons, qui de se tailler une baguette dans la tige d'un coudrier, qui de construire un château fort avec des galets et du sable. Svenn, pendant ce temps, un pied sur une souche, la fronde tendue entre ses deux mains, épiait un merle au sifflet pointu caché dans l'épaisseur d'une yeuse. Moins de vingt mètres me séparaient de lui, de l'autre côté du fleuve. J'assistais, impuissant, au manège qui se tramait dans son dos. L'avertir par un cri ? Agacé de se sentir surveillé, il eût haussé les épaules, en me faisant signe de ne pas déranger l'oiseau. Je restai donc sans parler, sans bouger, anxieux de ce qui allait suivre, me repentant de ce cadeau étourdi.

(Mais la cause du drame fut-elle bien dans mon cadeau, si arrogamment ramenard que parût à ses camarades le petit costume lustré et pimpant ? Les auteurs d'un tel outrage, comment être certain qu'ils voulurent seulement se venger du slip américain ? A leurs yeux j'étais, avec mes vingt-cinq ans, un adulte, une grande personne, une sorte de « monsieur » — maître d'école par surcroît. Peut-être, ce qu'ils considéraient comme naturel entre garçons de leur âge, se promettaient-ils d'y renoncer complètement, une fois devenus « sérieux » et « responsables », c'est-à-dire décidés à se marier et à effacer toute trace de leur intimité juvénile ; la considérant, justement, comme « juvénile » : peccadille sans conséquence, à condition d'être remisée au seuil de l'âge mûr. Sinon, chose honteuse, blâmable et méprisable : ce qu'elle était chez moi, dans leur opinion. Si cette hypothèse a quelque chance d'être juste, il faudrait admettre qu'ils me croyaient bien plus avancé dans mes affaires avec Svenn que je ne l'étais en réalité. Je devrais surtout reconnaître, aveu cruel pour mon mythe frioulan, qu'au lieu d'appartenir à une terre archaïque et païenne, immunisée contre le virus judéo-chrétien, ils charriaient dans leurs veines le sang de l'Italien moyen, petit-bourgeois et catholique, que son mariage « rachète » de ses fredaines de jeunesse. Svenn, j'en ai peur, paya à ma place une faute imaginaire. Son châtiment, dérivé tout droit du code des délits et des peines établi par Dante dans l'Enfer, fut dans leur esprit un talion.)

Tandis qu'il continuait à scruter le feuillage et à tendre sa fronde vers le merle invisible, ils se rapprochèrent à pas de loup dans son dos. Soudain, poussant un cri de guerre (expression vengeresse de la mâle indignation du Latin), ils se ruèrent ensemble, le saisirent aux épaules et aux bras, l'immobilisèrent, arrachèrent son slip et mirent ses fesses à nu. Alors commença une cérémonie solennelle et bouffonne : tour à tour ils vinrent s'incliner devant son derrière en gonflant les joues et en produisant avec leurs bouches des bruits obscènes. Svenn, braillant et vociférant, se débattait en vain contre ses agresseurs qui se tenaient obstinément dans son dos et, indifférents à la partie antérieure de son anatomie, ne s'intéressaient qu'à son cul, dont ils désignaient du doigt la blancheur avec un redoublement de quolibets et de sarcasmes. Enfin, ils se prosternèrent jusqu'au sol, dans la posture des Indiens quand ils adorent leur totem ; mais au lieu de baiser la poussière humblement, ils crachaient par terre en signe de dérision. Ce fut le moment où le prisonnier réussit à se dégager ; et moi, que la stupeur avait cloué sur place de l'autre côté du fleuve, je fus encore plus estomaqué par la péripétie suivante.

J'aurais parié que Svenn, à peine libre, remonterait son maillot et s'enfuirait en courant. Pas du tout : il se retourna, entièrement nu comme il était, vers les garçons, se couvrit les fesses avec les mains (quoique ce geste, après sa volte-face, fût devenu inutile) et leur montra, bien en vue, ce que j'aurais juré qu'il tînt par-dessus tout à leur cacher. Chacun put admirer son sexe, brun, fourni, charnu, à peine soulevé par un début d'érection et couronné d'une touffe de crins noirs abondante. Aussitôt un grand silence succéda au chambard. Ils reculèrent de quelques pas, convaincus, me sembla-t-il, moins par les proportions et la pilosité déjà avantageuses pour un adolescent, que par cette manière tranquille et sûre d'exhiber sa virilité. Leur hystérie fit place à une timidité respectueuse, comme s'ils avaient reconnu dans le geste de leur victime la preuve de leur propre erreur. L'un d'eux essaya bien de se lancer dans de nouvelles plaisanteries : ses camarades lui ordonnèrent sèchement de se taire, et bientôt tous disparurent au petit bonheur dans les buissons.

Trente ans plus tard, sur la plage d'Ostie, que ne me suis-je rappelé le langage symbolique des garçons du Tagliamento ! Mon assassin n'aurait pas eu besoin de me tuer, si je m'étais contenté de le traiter en homme. Svenn, resté seul sur la grève, se baissa et remonta son slip ; mais sans hâte, après s'être assuré par un coup d'œil que j'avais noté chaque détail de la scène et que je savais désormais à quoi m'en tenir sur son compte.

Il ramassa la fronde et reprit son affût au pied de l'arbre. En sorte que lorsqu'il eut définitivement raté l'oiseau, nous trouvâmes ample matière à discussion dans les mœurs des volatiles, la saison des pontes et l'art des nids. Mais j'aurais eu tort de le supposer le moins du monde embarrassé devant moi, après ce qui avait eu lieu : au contraire, il manifesta dans sa conduite quelque chose de plus franc, de plus décidé. Le soir, au moment de me saluer, il m'embrassa sur les deux joues et m'effleura les lèvres au passage ; puis s'éloigna, sautillant et dansant. « Ciao ! » Un dernier moulinet avec sa fronde. J'espérais que cette expérience lui suggérerait de retourner sous le saule de notre première baignade et de notre premier (et toujours unique) baiser, mais il me déclara le lendemain que nous perdions notre temps à traînasser au soleil. Il préférait peindre et rechercher de nouvelles fleurs pour sa palette. De mon côté, si je n'avais pas oublié, ne devais-je pas me mettre en quête de mots et d'images pour le poème promis ?

18

Ce poème, je l'écrivis d'une traite. Au cours d'un furibond *raptus,* pendant les heures nocturnes d'une veille inspirée. De toutes mes compositions en vers, je t'assure que c'est une des meilleures, bien que je l'aie gardée inédite, ne voulant pas qu'elle tombe sous les yeux d'un autre que son dédicataire.

La fable allemande qui plaisait tant à Svenn raconte comment les bourgeois d'une cité hanséatique engagèrent à leur service un joueur de flûte pour les débarrasser des milliers de rats qui infestaient les caves et les rues, montaient à l'assaut des maisons et souillaient jusqu'à la sainte église de Dieu. Le musicien porta son instrument à ses lèvres et en tira des sons si persuasifs, que les pestifères animaux accoururent pour le suivre. Le plus gros et le plus vorace, qui avait élu domicile dans le tabernacle du Seigneur, ne put résister à cet appel mélodieux. Il rejoignit au grand trot la troupe gambadante de ses compagnons subjugués. Tel Orphée auquel les arbres de la montagne emboîtaient le pas, l'auteur d'accords si suaves aurait pu entraîner derrière lui les pierres et les toits de la ville. Les rats disparurent pour toujours au fond d'une forêt plus épaisse et plus noire qu'une galerie de mine souterraine. Mais quand il revint réclamer son salaire, les bourgeois se moquèrent de ses prétentions et ne consentirent à lui remettre qu'une part infime de la somme stipulée.

— Ha ! Ha ! disaient-ils en ricanant. Depuis quand est-ce qu'il faut payer pour du vent soufflé par des trous ?

Il sourit, s'inclina, emboucha à nouveau sa flûte et joua un autre air fort différent du premier. A l'instant, les gamins qui suçaient leur plume derrière leur pupitre en essayant de retenir le théorème de Pythagore se levèrent d'un bond, repoussèrent leur chaise et se précipitèrent hors des maisons. Les fillettes qui apprenaient dans les cuisines avec leurs mères la recette des ragoûts, oublièrent de s'essuyer les mains au torchon pour être plus vite dans la rue. L'ensorceleur les attendait au pied du beffroi. Il se dirigea vers les remparts, franchit la porte dont le pont-levis s'abaissa tout seul sur son passage et s'éloigna dans la campagne, escorté de la population enfantine au complet. Les parents eurent beau organiser des battues et fouiller les ravins, ils retournèrent bredouilles de la forêt qui avait englouti leurs rejetons.

Or il me semblait, à moi, que dans cette belle et mystérieuse légende certains éléments appartenaient à la version originale, mais que, au cours des temps, on avait dénaturé l'apologue jusqu'à le présenter comme une histoire de représailles et de châtiment. Je sentais sous les mots, en contradiction avec le pesant moralisme de la conclusion, une atmosphère ludique et légère. En particulier, je n'arrivais pas à admettre que cette flûte magique n'eût servi qu'à punir des adultes, et que le seul mobile du musicien pour séduire les enfants eût été la vengeance contre l'ingratitude de leurs pères. Comme ils sautillaient et gambillaient avec allégresse aux sons enchanteurs de l'instrument ! Comme ils paraissaient heureux d'avoir abandonné leurs familles pour dérouler à travers la campagne leur cortège espiègle et fringant ! Et lui-même, quel pétillement de lumière dans ses yeux rieurs ! Comme on était sûr, en le voyant danser à la tête de l'euphorique procession, qu'aucun sentiment mesquin de revanche n'avait inspiré son initiative, mais le pur bonheur d'une mission à remplir !

J'entrepris donc de récrire de fond en comble la fable, qui devint sous ma plume le panégyrique d'une découverte et d'un affranchissement, au lieu de se borner à un règlement de comptes pécuniaire.

Mon joueur de flûte commence par être épouvanté de cette innombrable multitude de rongeurs : à tant de milliers de mandibules en activité correspondent tant de sacs de farine accumulés sous les poutres des toits, tant de fromages serrés à l'intérieur des garde-manger, tant de caisses de biscuits bouclées à double tour dans les bahuts. De quoi effrayer en effet une âme d'artiste exclusivement soucieuse de produire de beaux sons en accord avec l'ordre musical de l'univers, et qui, sans être capable de calculs arithmétiques précis, devine fort bien, d'après l'énorme entassement de provisions emmagasinées par les bourgeois, le fond de leur caractère.

Comment lui, pauvre jeune homme armé seulement de sa flûte, pourrait-il rétablir à Hameln la simplicité primitive, la frugalité, l'insouciance du lendemain ? « Regardez les oiseaux dans le ciel ; ils ne sèment ni ne moissonnent ni ne recueillent en des greniers. Observez les lis des champs, comme ils poussent : ils ne peinent ni

141

ne filent. » L'épargne, la peur de manquer, la satisfaction des pères ayant sué toute leur vie pour se mettre à l'abri du besoin, la prudence des mères secouant à leur ceinture les clés tintinnabulantes des armoires et des resserres, la discipline familiale redoublée par la férule des écoles, ce tableau se présente à l'esprit affligé de mon héros. Où resterait quelque innocence sinon dans le cœur des enfants? A condition que la chasse aux brevets scolaires, l'apprentissage des responsabilités, la préparation aux tâches adultes et tout cet asservissement déguisé sous le nom d'amour paternel n'absorbe pas leurs meilleures années.

S'il décide de les emmener loin de la ville, c'est pour les initier sans tarder à la vraie vie.

> *Résonne, ô flûte, joue ton air de danse!*
> *Les bonds agiles de sa mélodie*
> *ignorent l'alignement réglementaire des portées!*

Mon poème déclarait la guerre à toutes les entraves qui oppressent les moins de vingt ans. Je célébrais l'aventure du corps et les rites de la puberté. J'invitais les garçons et les filles à jouir tout de suite de leur jeunesse et de leur beauté. Ils devaient se rejoindre et s'unir en plein air, jamais dans un lit, symbole de la routine conjugale et de la sensualité à heures fixes. Qu'ils préfèrent les rustiques libations de semence à la prison casanière de l'alcôve! Qu'ils sautent les murs des geôles domestiques et s'élancent derrière le joueur de flûte vers l'horizon illimité des joies et des passions printanières!

> *Doux est l'avril de vos membres,*
> *tendres oiseaux échappés du nid.*
> *Entendez-vous les larmes de vos mères?*
> *Les voilà qui pleurent au-dessus de vos lits vides!*

Peut-être quelque démagogie gâtait-elle ce lyrisme vernal : je n'avais pas encore compris que toutes les places, tous les métiers reviendraient aux riches s'il n'y avait plus ni concours ni diplômes. La tirade contre les servitudes de la vie urbaine me parut bien un peu rhétorique, mais elle ne pouvait que plaire à Svenn, forcé de se rendre à Udine pour suivre les cours de son lycée, et par conséquent enclin à confondre l'ennui du travail scolaire et la grisaille du paysage citadin. De même, la louange de la nature, quoique non dépourvue d'emphase et de convention, flatterait à coup sûr l'amoureux des plantes et des fleurs. Dans le cas où il serait encore attaché à ses parents, il ne s'offusquerait pas de l'attaque dirigée contre les pères et les mères, les philistins de mon poème étant nommément désignés comme des bourgeois, habitants du *Burg*. Elevé dans une ferme, par de petits exploitants dont les maigres revenus suffisaient tout juste à leur subsistance, il pourrait penser que ma virulence contre les familles en général ne visait pas la sienne ; moyen de mettre d'accord respect filial et goût de la liberté. Entraîné déjà aux expériences illicites par les larcins de fleurs dans les jardins privés, il hésiterait moins à se joindre au cortège des enfants de Hameln et à franchir avec moi les portes de l'interdit.

Bref, relisant mon œuvre, je fus si content d'avoir déployé tant d'inconsciente habileté dans mon entreprise de séduction, que je ne pus m'empêcher de conclure par une note plus hardie :

*Je vous raconterai avec le son de ma flûte
de mes débordantes nudités la magique violence.*

Tant pis, me dis-je, en songeant qu'une invitation trop pressante risquait de le braquer contre moi. Je ne pouvais quand même pas attendre indéfiniment une autre occasion, maintenant que l'appât des baignades m'était retiré. Il lut mes vers, les relut, plia en quatre la feuille et la fourra dans sa poche, avec un air de contentement manifeste. Mais comment me cacher que le plaisir d'avoir inspiré une page littéraire écrite exprès pour lui comptait bien plus à ses yeux que le contenu du poème et l'effort d'interprétation de la légende ?

Pour tout commentaire, il observa qu'avec des Kelvinator, aux portes hermétiques, les fromages se seraient trouvés hors de portée des rats. Les bourgeois de Hameln auraient donc diminué le salaire promis au joueur de flûte, en proportion du préjudice moins grand causé à leurs réserves.

Bizarre alliance d'absurdité anachronique et de précision comptable, cette remarque me laissa pantois. Je commençais à me décourager et à prononcer en moi-même la parole fatidique : « Renonce ! » Tantôt je reprenais espoir, quand Svenn, perché sur le cadre de ma bicyclette, lâchait le guidon pour me serrer dans ses bras, tantôt je me sentais le plus misérable des hommes, lorsque, ayant mis pied à terre dans un endroit écarté et désert, je le voyais s'élancer à la recherche de nouvelles fleurs, sans paraître se douter que la solitude et la fraîcheur du lieu auraient convenu à d'autres délassements que l'herborisation.

Il voulut retoucher la fresque du joueur de flûte d'après les indications de mon poème, mais la seule correction importante qu'il apporta sur le mur de la chapelle où serpentait le cortège des enfants fut de transformer le jeune musicien en vieillard, par l'ajout d'une barbe grise. Il frotta des vesses-de-loup et obtint une poudre de la couleur désirée qu'il dilua dans l'eau de pluie d'un rocher. Fantaisie innocente ou cruauté réfléchie ? En tout cas, ma tentative d'utiliser l'ancienne fable allemande comme message personnel d'amour avait raté, si l'âge, l'expérience et l'autorité semblaient à Svenn les qualités nécessaires pour guider et initier la jeunesse, plutôt que la gaieté malicieuse et l'attrait sensuel.

J'en étais là de mes réflexions, et contemplais son œuvre d'un air triste et abattu, lorsque je sentis son petit corps se glisser contre le mien, et sa tête se poser sur ma poitrine.

— Est-ce que vous m'aimez toujours ? murmura-t-il sans lever les yeux.

Assis sur l'herbe au pied d'un hêtre, je l'entourais de mes bras.

— Svenn ! dis-je dans un souffle, en lui caressant la nuque.

— Alors, embrassez-moi.

Il renversa la tête et me tendit ses lèvres. Au moment où nos bouches allaient se toucher, des larmes jaillirent soudain de ses paupières.

— Svenn ! m'écriai-je en reculant, pourquoi pleures-tu ?

Il se dégagea de mon étreinte et s'agenouilla dans l'herbe, le visage contre terre, le corps secoué de sanglots. J'essayais de le prendre par les épaules pour le redresser, il tremblait de tous ses membres et hoquetait sans parvenir à dominer ses convulsions. A genoux à côté de lui, je lui chuchotai à l'oreille :

— N'aie pas peur, Svenn. Si tu veux, nous nous aimerons seulement comme frère et sœur. D'accord ?

Il sécha ses larmes. Un sourire creusa deux fossettes angéliques aux coins de sa bouche. Blottis contre le tronc de l'arbre, nous restâmes longtemps enlacés. Je le berçais entre mes jambes comme un petit enfant, me contentant de remettre en ordre les boucles de sa chevelure et de nettoyer les traces de pleurs sur ses joues contractées par un dernier spasme.

Il finit par s'endormir. Celui qui n'a pas veillé sur le sommeil de son bien-aimé ne sait pas quelle félicité lui échappe. Jamais je n'aurais cru éprouver une joie aussi paisible et aussi pure dans un cœur tourmenté par l'impatience de la possession. L'effort de retenir mon souffle, de garder immobile ma jambe démangée par les fourmis, suffisait à me remplir de bonheur. La lumière dorée épandue sur la campagne, le charme élégiaque de cette chapelle désaffectée, les trilles des hirondelles virevoltant entre les bouleaux, peut-être le moment de faiblesse et d'indulgence sentimentale qui suit une crise, élevèrent de ma poitrine un cantique d'action de grâces au Dieu invisible caché dans la nature. Il ne manquait que le son des cloches pour me replonger dans l'atmosphère mystique de mon enfance, mais les Allemands avaient emporté le bronze pour le fondre. De ce jour data un nouveau code entre nous. Si Svenn effaçait la barbe et rendait au joueur de flûte son aspect juvénile, je pouvais être sûr qu'il viendrait me rejoindre sous le hêtre pour se faire caresser, dorloter. Un rapide effleurement de nos lèvres m'apportait l'espoir que le message inclus dans mon poème arriverait bientôt à destination : tels les jeunes garçons de la légende par le musicien, Svenn se laisserait guider par moi vers les mystères de la forêt inconnue. Parfois un baiser moins involontaire scellait un après-midi de travail intense et fécond. Je devais prendre garde à ne pas brusquer sa volonté. Si mes doigts tentaient de défaire un des boutons de sa chemisette pour chercher un passage vers la peau nue, il se remettait debout et retournait à sa fresque, son premier soin étant de rajouter la barbe. Il apportait toujours avec lui dans un seau une réserve de vesses-de-loup. L'épée couchée dans le mitan de leur lit ne fut pas un obstacle plus infranchissable pour Tristan et Iseut qu'entre Svenn et moi cette provision de poudre grise posée à l'écart sur l'herbe près du rocher creux où stagnait de l'eau de pluie.

19

L'été entamait son déclin. La plus belle saison de l'année allait-elle finir sans m'accorder l'apaisement que les teintes plus nuancées et la température plus clémente de septembre apportaient aux fleurs dans les jardins, aux ceps dans les vignes, aux bestiaux dans les étables, aux oiseaux sur les branches, aux pierres dans les champs, à toute la nature sauf à moi ?

Le cinéma en plein air de Codroïpo mit au programme du samedi soir *Gilda*, film précédé d'une réputation fracassante. L'Amérique lançait une nouvelle reine, dont l'effigie avait orné la bombe atomique larguée sur Bikini. On disait qu'une expédition était partie dans la cordillère des Andes, pour enterrer dans la montagne une copie du chef-d'œuvre.

Svenn dut me prier deux fois pour que je me décide à l'emmener sur mon vélo. Certes, l'adoration que m'inspiraient les grandes actrices de Hollywood, depuis que j'avais découvert à Bologne avec mes camarades de lycée les beautés légendaires de Marlène Dietrich et de Greta Garbo, de Norma Shearer et de Joan Crawford, ne cherchait qu'à se reporter sur de nouvelles stars. Tu te souviens que leur principal atout pour me plaire était de ressembler aussi peu que possible à des femmes de chair et de sang. Je leur demandais de se mouvoir dans une sphère mythique sans contact avec le monde où je vivais. Raison pour quoi je n'aimais aucune des vedettes du néo-réalisme, qui accaparaient alors les écrans italiens. Elles avaient le tort de porter la jupe grise de l'employée de la poste à Casarsa, les cheveux tirebouchonnés de la marchande de fromages de Pordenone.

Ni Lea Padovani dans *Le soleil se lèvera encore* ni Carla del Poggio dans *le Bandit* ne pouvaient me séduire, avec leur exubérance plébéienne et leur vitalité tapageuse, pas plus que les cuisses nues de

Silvana Mangano dans *Riz amer* ou les seins explosifs de Silvana Pampanini dans *Beautés à bicyclette*. Allais-je au cinéma pour subir les assauts de la pétulance féminine que je fuyais dans la réalité ? *Rome ville ouverte* fut pour moi un grand choc ; je reconnaissais que le septième art avait trouvé en Rossellini un chef de file ; mais je me demandais plein d'angoisse si toutes les actrices crèveraient désormais l'écran avec l'impétuosité physiologique de la sublime Anna Magnani.

Seuls les films de Vittorio De Sica, où il n'y avait pas de femmes, me rendaient pleinement heureux : *Sciuscià* et *le Voleur de bicyclette*, surtout ce dernier, dont le héros aux joues creuses et aux pommettes saillantes, brun, maigre, volontaire, présentait, selon Nuto, une certaine ressemblance avec mes propres traits. J'aimais cette Rome périphérique et miteuse qu'il traverse le soir pour rentrer dans son immeuble inachevé en béton ; les bords mélancoliques de ce fleuve, ces talus d'herbe sale, ces monceaux abandonnés de gravats, ces chantiers de maisons prolétaires ; tout ce décor auquel, sans me douter qu'il deviendrait dans quelques années le cadre de ma vie, je trouvais plus de vraie poésie qu'à la place Navone ou au Colisée de mes livres d'art. Au reste, qui sait si le souvenir de ce film ne m'a pas influencé dans le choix des quartiers que j'ai habités au début de mon séjour à Rome ?

Pour revenir à *Gilda,* j'aurais volontiers emmené Svenn à Codroïpo, d'autant plus que j'avais admiré le portrait de la nouvelle star dans le placard énorme que le colleur d'affiches du *Voleur de bicyclette* déploie sur les murs de la capitale, juste avant qu'on lui pique son vélo. Elle s'étale dans toute la splendeur d'un décolleté vaporeux, irréelle et magique comme les plus grandes divas d'avant-guerre. Pour moi, la Femme idéale. Idéale parce que hors d'atteinte. Inaccessible et reléguée sur un Olympe de beauté et de luxe où les mortels peuvent l'adorer en silence, sans craindre de la voir descendre vers eux.

Nuto, avec sa rudesse habituelle, me traita d'imbécile. Ne comprenais-je donc pas la valeur polémique d'une telle affiche ? Pourquoi un metteur en scène de gauche comme De Sica l'avait-il introduite dans son film, sinon pour dénoncer le nouvel opium du peuple ? Croyais-je que les familles sous-alimentées et mal vêtues entassées dans les logements populaires ne ressentaient pas comme une insulte à leur misère le sourire Colgate, les lèvres peintes et les paupières maquillées de cette poupée de soie et de dentelle ?

— Une version laïque de la Madone, renchérit Manlio, inscrit lui aussi depuis peu au P.C.

Je me disais bien que mes amis raisonnaient juste, du point de vue strictement politique. Le disque mis en vente pour accompagner le lancement de *Gilda* contenait les battements de cœur de l'héroïne enregistrés au stéthoscope ; quelque chose d'analogue, en effet, pour le fétichisme et l'idolâtrie, aux larmes que les nonnes et les dévotes du couvent de l'Immaculée-Conception à Benevento juraient avoir vu verser à la statue de la Sainte Vierge dressée au-dessus de l'autel ; miracle qui faisait alors grand bruit en Italie.

Cependant, mon hésitation à contenter Svenn partait d'une autre cause.

Je savais que les spectateurs de mon âge qui rempliraient le parterre viendraient avec des dispositions différentes et dans un tout autre état d'esprit que le mien. Frustrés dans leur vie érotique par la séparation rigoureuse des sexes, ils demandaient aux actrices de remplacer leurs fiancées intouchables, et d'offrir à leurs sens enflammés un plaisir de rechange. Contrairement à moi, ils croyaient à la présence charnelle de la star sur l'écran, et ils avaient besoin d'y croire pour s'attacher à elle. Plus l'illusion était grande, plus vite elle devenait leur idole. Le vocabulaire avait d'ailleurs changé : on ne disait plus une star mais une pin-up. Celle qu'on accroche à son mur et qu'on garde à portée de main avait succédé à l'étoile perdue dans le firmament. Une séance de cinéma ressemblait le moins possible à une fête d'art. Les fauteuils tremblaient aux passages les plus hardis et, du début à la fin, régnait une liberté si grossière que les mères et les sœurs, par un tacite accord, restaient à la maison, abandonnant la salle au public masculin.

Outre ma répugnance à mettre sous les yeux pudiques de Svenn ce trivial défoulement, j'appréhendais la rencontre de Nuto et des autres amis de la bande, que j'avais presque lâchés depuis que j'étais amoureux. Ils pourraient me reprocher mes absences aux dernières fêtes de village et me poser des questions embarrassantes au sujet de mon petit compagnon. Le premier visage que j'aperçus près de la caisse, au milieu de la foule qui trépignait d'impatience, fut la face congestionnée du moricaud. Bien loin de paraître endormi par le nouvel « opium du peuple », il se démenait comme un beau diable et faisait rire ses camarades par une bordée de paillardises. Un peu gêné de me voir, lui que ses tirades contre les capitalistes américains n'avaient pas empêché d'accourir, il souleva sa casquette sur ses cheveux luisants de gomina.

Quant à Manlio, il était en train de jouer sur son accordéon devant l'affiche aux couleurs fanées un tango langoureux, hommage qu'aucune Madone dans sa niche n'avait jamais reçu, ni en terre frioulane ni dans le reste de l'Italie. Le blond Elmiro lui-même, malgré son air pâle et dolent, s'époumonait en facéties douteuses qui lui arrachaient de féroces quintes de toux. Grâce à la bousculade, je pus éviter la bande et m'installer avec Svenn au dernier rang, près de la palissade en roseaux qui servait d'enceinte.

A peine le générique terminé, les ondes tièdes de la nuit retentirent d'exclamations provocantes et de lazzi obscènes lancés aux acteurs comme si, au lieu d'être une suite mécanique de photogrammes imprimés à Hollywood, expédiés dans une boîte de ce côté-ci de l'océan et invariables pour l'éternité, du vrai sang battait dans leurs veines.

« Gare à toi que tu vas faire péter tes boutons ! » cria du premier rang une voix puissante qui souleva un tonnerre de rires, au moment où Glenn Ford, les yeux mi-clos, la bouche tendue, se penchait sur l'héroïne avec une mine si gourmande qu'on pouvait craindre, en effet, une conséquence désastreuse pour le devant du pantalon de son costume rayé. George Macready, le mari, stimulait leur verve railleuse, d'abord en tant que mari, mille fois moins sympathique que l'amant (dernière liberté qu'ils s'accordaient avant de quitter eux-mêmes le célibat et de devenir intransigeants sur leur « honneur »), puis à cause de son regard triste et vigilant occupé sans cesse à épier son rival.

— Combien tu en tires ce soir ?
— Tu veux que je te prête les miennes ?
— C'est pas le moment de les avoir à zéro !

Svenn, que je regardais à la dérobée, restait sur la défensive, ce qui me dispensa de me joindre au tapage. Nuto se tailla un triomphe en taquinant l'actrice sur ses lèvres humides entrebâillées par un sourire.

— Attention ! Il va te la fourrer dans la bouche ! s'écria-t-il, dressé sur son siège pour recevoir, point de mire de tous ses copains, leurs acclamations déchaînées.

Mais lorsque, vêtue d'une jupe étroite à fleurs exotiques et d'un boléro assorti qui laissait à nu une bande de peau sous les seins, elle se mit à chanter *Amado mio,* une ballade qu'elle accompagnait d'un pas de danse en écartant les bras, le vacarme cessa comme par enchantement. Peut-être trouverais-tu aujourd'hui que cette femme n'était même pas belle, avec son regard de myope et ses prunelles divergentes, sa permanente sophistiquée à peine sortie des mains du coiffeur, sa voix sirupeuse et inexpressive (nous ne savions pas qu'elle était doublée). Il fallait justement ce mélange de fondu romantique et d'élégance de bazar, de mystère et de stupidité, pour tenir sous le charme un parterre de mâles brutaux et frustes. A leurs oreilles (comme à celles des G.I.'s. qui plébiscitèrent le film en rentrant du front), la chanson, arrangement commercial tiré du folklore américano-latin par un professionnel de la Columbia, parut le comble de la mode et du chic. Ajoute au tableau la suggestion de la douceur nocturne et du firmament étoilé, et tu comprendras le muet émerveillement qui accueillit la fausse voix de l'ex-Margherita Cansino, métamorphosée à force de truquages en Rita Hayworth. Svenn s'empara de mon bras et le passa autour de son cou, comme s'il voulait m'associer de plus près à la stupeur médusée qui le clouait sur sa chaise.

La seconde chanson, la plus fameuse — commencée dans un murmure et terminée dans un paroxysme — nous transporta à l'intérieur d'un cabaret de Santa Monica. Il s'extasia devant le décor miroitant qu'il qualifia de « select », selon cet affreux mot débarqué des États-Unis et adopté par la jeunesse italienne en même temps que « slip », « flipper » et « chewing-gum ». Champagne sur les tables des clients, orchestre « swing » en nœuds papillons, piste ronde laquée sous un pinceau de lumière. Un fourreau de taffetas noir emprisonne, jusqu'à la naissance des seins, le corps mince et flexible de Gilda. Des gants, noirs aussi, d'une longueur jamais vue, gainent ses bras bien au-dessus des coudes. Le haut de la poitrine et les épaules émergent dans une blancheur éclatante. Seule au milieu de la piste, sous le projecteur qui laisse les tables dans l'ombre, elle se met à chanter *Put the Blame on Mame, Boys,* et aussitôt, en accord avec le dandinement presque imperceptible qu'elle imprime à ses hanches, un frisson agite le public. Chacun devine qu'il va assister à un événement insolite et merveilleux. Nul, en vérité, ne fut déçu en voyant qu'au lieu du déshabillage banal des films américains (le « strip-tease » pourtant si couru), elle commençait à ôter un de ses gants, avec une lenteur frémissante, une nonchalance méticuleuse. Ce fut le moment que Svenn choisit pour rapprocher sa tête et la nicher dans le creux de mon épaule. Le gant descendait peu à peu, le bras semblable à une liane blanche se déroulait dans la lumière. On eût dit qu'il se mouvait pour son propre compte, indépendamment du sourire stéréotypé de la chanteuse et de sa voix monocorde.

— Le film repasse demain soir à Pordenone, retournons le voir, vous voulez bien ? me demanda Svenn quand je l'eus déposé dans la cour de sa ferme, après une course silencieuse à travers la campagne endormie.

« Amado mio », fredonnais-je en pédalant sur le chemin du retour. A mesure que la magie de l'image s'éloignait, je distinguais mieux les grands traits de l'histoire qui venait de nous être contée. Scénario inepte, d'après la critique. Un richard qui recueille un vagabond et l'embauche dans son cabaret ; la jolie mine de ce vagabond (Glenn Ford à la face de bébé goulu) et la beauté détonante de l'épouse ; le coup de foudre réciproque : quoi de plus mièvre, en effet, de plus convenu, de plus bête que ce ménage à trois ? Seulement, me disais-je en donnant un coup de guidon pour éviter un crapaud, il faudrait observer que le mari nous est présenté au début du film comme n'aimant pas d'un amour bien vif sa femme (épousée à titre de vedette pour son établissement) ni peut-être les femmes en général ; que les deux hommes ont une drôle de façon de se regarder dans les yeux toutes les fois qu'ils s'allument l'un à l'autre une cigarette ; que leur rivalité auprès de Gilda semble les exciter plus que Gilda elle-même ; et qu'enfin ils se portent un intérêt mutuel plus soutenu qu'on ne l'attendrait d'un employé et de son patron.

Le public des jeunes gens de Codroïpo aurait poussé les hauts cris en m'entendant spéculer de la sorte, et juré leurs grands dieux que leur enthousiasme pour le film démentait catégoriquement mes insinuations : sans se douter, dans leur logique ignare, que la Columbia Pictures n'eût jamais financé un projet plus hardi, et qu'eux-mêmes, soumis à une censure inconsciente, se seraient refusés à applaudir une œuvre qui traitât sans déguisement le sujet tabou.

Comme Svenn s'était montré tendre pendant la projection ! Avec quel abandon il avait appuyé sa tête contre ma poitrine ! Et demain soir, à Pordenone ? Qu'attendre, qu'espérer de cette nouvelle séance ? Plus tard, à Rome, j'ai vu, chez le couple de mes amis Francesco et Sergio, les murs tapissés de haut en bas de photographies d'actrices américaines ; un portrait géant de Marilyn Monroe décorait la paroi au-dessus de leur lit. A l'Opéra, des salles composées aux trois quarts d'admirateurs de Proust et de Jean Genet se pâmaient devant la Callas. Des jeunes garçons ont découvert leur amour réciproque en écoutant *Casta diva* sur leur électrophone, et bien des unions que ne bénira aucun prêtre se sont scellées pendant les adieux de Violetta à Alfredo. Pourquoi la star de cinéma et la diva de *bel canto* exercent-elles une si puissante fascination sur ceux qui restent indifférents aux femmes quand le prestige de l'écran ou de la scène ne les auréole pas ? Tandis que je rangeais mon vélo sous l'escalier et que je montais sans bruit les marches pour ne pas réveiller maman, j'étais loin de me douter que Rita Hayworth m'offrirait la médiation demandée en vain à la peinture et à la poésie, et que Svenn, sourd à l'appel de mon joueur de flûte, succomberait au chant de la sirène aux gants noirs.

On projetait le film, à Pordenone, dans une salle fermée. Plus d'étoiles sur nos têtes ; plus de murmure éolien à travers la palissade de roseaux. Une odeur de tabac et de sueur. Le public s'était massé aux premiers rangs, dans l'illusion de pouvoir toucher le taffetas noir de la robe. Svenn voulut rester dans le fond, comme la veille à Codroïpo. Dès la première chanson, il se blottit contre moi. Comme la veille, les plaisanteries obscènes du début firent place à un silence extatique. « *Amado mio* », bramait la voix doucereuse. Svenn, tel un jeune animal, tremblait sur mon épaule. Au moment où Gilda fit tomber le premier gant, il me dit dans un souffle :

— Maintenant, si vous voulez.

Ce « maintenant » résonne encore à mes oreilles, trente ans après, comme le plus beau chant d'amour que j'aie jamais entendu. Nos gestes furent simples, sans hâte et harmonieux. A peine s'il poussa un soupir. Le deuxième gant tournoya mollement jusqu'au sol, les blancs bras se balancèrent comme des lianes indolentes agitées de délicates ondulations. Mais quand je voulus à mon tour recevoir ma part de bonheur, il se redressa sèchement sur son siège et fit mine de suivre avec attention ce qui se passait sur l'écran.

« Patience, me dis-je, respecte sa volonté. Ta précipitation l'a choqué. Tu avais l'air de réclamer ton salaire ! »

Plus mécontent contre moi-même que fâché de ses atermoiements, j'espérais qu'il me quitterait sur une nouvelle promesse de revoir le film. A la ferme, on veillait encore ; de la lumière filtrait par les persiennes ; couché devant sa niche, le chien rongeait un os ; une voix de femme au premier étage chantait une berceuse ; un homme qui coupait du bois sous l'auvent jeta sa hache entre les bûches et traversa la cour en traînant ses sabots. Svenn me tendit la main, près de la pompe, là même où je l'avais surpris le premier jour.

— Je dois vous annoncer... commença-t-il en bafouillant.

— Quoi, Svenn ? m'écriai-je, la gorge serrée par l'angoisse.

Il se ressaisit, rejeta en arrière ses boucles, me fixa avec un air de défi et me déclara tout d'une traite qu'il partait le lendemain pour Padoue, où son père l'envoyait comme pensionnaire d'un institut agricole.

20

Suffoqué, incapable d'un geste, planté au milieu de la cour, je regardais fixement la porte par où venait de disparaître Svenn. La voix au premier étage s'était tue. Mère et fils s'amusaient-ils à m'épier par les fentes des persiennes ? J'enfourchai ma bicyclette et pédalai avec rage dans la nuit sans lune. En passant devant le pommier au pied duquel nous nous étions si souvent donné rendez-vous, je dus m'arrêter, les jambes flageolantes, et m'asseoir sous les branches tordues.

Le vieil arbre ne cacherait plus nos secrets dans son tronc noueux. Le couteau à douze lames que j'avais commandé à Pordenone rouillerait sur ma table entre l'agrafeuse, le stylo-bille et le presse-papiers.

Quand j'eus pleuré amèrement, je séchai mes larmes, serrai les mâchoires et pris deux résolutions dont l'absurdité te montrera l'étendue de mon désarroi.

D'abord : ne plus jamais m'attacher à un éphèbe. Repousser la séduction du gracile, du joli, du délicat. « Tout cela n'est-il pas de ta faute ? me dis-je. Le genre angélique ne te va pas. Rappelle-toi, à Bologne : tu serais demeuré une abominable honteuse si tu avais continué à sublimer devant le chérubin de Nicolo Dell'Arca. Michel-Ange t'a sauvé, alors. Tu ferais mieux d'aller rôder près des terrains de football, le dimanche après-midi. Il te faut un sportif, un dur, un cogneur, pas un artiste peintre. » Ici, nouvelle crise de larmes, à l'idée que les pluies d'automne ne seraient pas longues à effacer, sur le mur de « notre » chapelle, le joueur de flûte et son cortège d'enfants.

« Ensuite, jamais plus de blonds. » Cette résolution, encore plus étrange que la première, m'a conduit du Frioul à Rome, de Rome à Naples, de Naples aux pays du tiers monde. Sous ce pommier, j'ai

153

fixé mon itinéraire : des blonds du Nord aux bruns et aux noirs du Sud.

Non seulement ce que j'appelais (bien à tort) la trahison de Svenn, mais aussi l'exemple que mettaient sous mes yeux les amis de la bande a orienté ma destinée géographique. Elmiro, le blond aux prunelles bleues comme deux lames d'acier, consommait une quantité formidable de mouchoirs de papier (autre nouveauté importée d'Amérique) pour étouffer ses quintes de toux. Bientôt il partirait pour un sanatorium des Dolomites, d'où il ne reviendrait plus. A Nuto, au contraire, le noiraud aux boucles luisantes, appartenaient toutes les initiatives, tous les bonheurs : il tombait les filles, on le trouvait au premier rang des luttes agraires et des émeutes contre le chômage, les deux pointes du foulard rouge noué sur sa pomme d'Adam claquaient comme les langues d'une bannière. Le soir, aux bals de campagne, les jeunes garçons se précipitaient pour prendre sa bicyclette Oscar Egg à quatre vitesses et la remiser en lieu sûr.

Une bizarre équation se forma dans ma tête : j'associais blondeur à défaite, cheveux noirs à réussite. « S'il n'avait pas été blond, tu aurais mis plus d'énergie à le conquérir », me disais-je, persuadé que la peau claire et les boucles dorées de Svenn expliquaient la fin abrupte de notre aventure. Je ressentais une cuisante humiliation de mon insuccès : me voulant de la race des vainqueurs, non de celle des vaincus. Héritage inconscient de vingt ans d'éducation fasciste ? L'échec, mot qui commençait à devenir magique auprès des nouvelles vagues d'écrivains, en Italie comme en Europe, n'avait aucun prestige à mes yeux. Très peu pour moi le romantisme crépusculaire du ratage et de la faillite. Je préférais de loin Nuto, qui aurait pu être un héros Bompiani des « Livres d'acier » de mon enfance, à Elmiro, le pâle fiancé de la mort. Ce soir, plus que jamais, j'étais décidé à ne pas me laisser abattre. Dans ma logique baroque, je jurai de ne plus m'attacher qu'à des peaux sombres pour satisfaire ma gourmandise de la vie.

« Plus jamais de blonds. » Mais à peine ces paroles sacrilèges prononcées, je fondis une nouvelle fois en pleurs. « Quoi ? hoquetais-je entre deux sanglots tandis que je tenais embrassé le tronc du vieux pommier, tu oses comparer avec le halo de lumière qui flotte autour de *sa* figure adorée la brillantine qui graisse les cheveux corvins de Nuto ? »

L'activité politique me sauva de la dépression nerveuse. Le rouge de la honte me monta aux joues, lorsque je compris que le départ de Svenn pour Padoue était déjà fixé le jour où il avait lu mon poème.

« Qu'a-t-il dû penser de toi ? Ta double diatribe contre les

154

familles et contre les études tombait particulièrement mal. Pendant que tu lui faisais lire ces inepties, son père prenait la seule mesure susceptible de lui assurer un avenir convenable. Il l'inscrivait pensionnaire dans un institut agricole, pour qu'il obtienne ses diplômes d'ingénieur. Unique moyen pour lui de promotion économique, oui ou non ? Tu t'es vraiment conduit comme une tante : qui profite de sa supériorité financière pour s'attacher un jeune d'une famille pauvre. Tu croyais peut-être que le don d'une fronde et d'un slip suffirait à racheter l'injustice de son sort ? Et qu'en lui payant un billet de cinéma et une glace à la sortie du film, tu en serais quitte avec ta conscience ? Eh bien non ! Svenn, sache-le une bonne fois, est ravi que l'État, vitupéré par toi, mette à la disposition des fils de paysans certaines institutions scolaires, qualifiées dans ton poème de geôles d'enfants, qui leur permettent de se passer de la charité intéressée des types de ton acabit. Il a comparé les deux systèmes d'ascension sociale : celui qui lui donne démocratiquement ses chances, garanties par la sévérité impartiale des jurys, et celui qui l'assimile, ose dire le contraire, à... à... »

Ici, redoublement de pleurs, en pensant que Svenn avait pu se méprendre sur mon amour. C'était la première fois que je me traitais de tante. « Maudite l'homosexualité, m'écriai-je, s'il est vrai qu'au premier revers nous sommes prêts à nous dénigrer, à nous avilir. Manquons-nous de foi à ce point ? Un peu plus, tu profanais un souvenir sacré, en t'accablant sous des accusations sans fondement. Tu n'en as pas le droit. Tu n'as pas le droit de salir ce que tu as vécu avec Svenn et qui restera, quoi qu'il arrive, la meilleure part de ta vie. »

Puis, plus bas, la joue contre le tronc de notre arbre, comme si au lieu d'une écorce rugueuse c'était lui que je serrais dans mes bras : « Svenn ! Svenn ! n'est-ce pas que tu m'as aimé ? »

Ballotté ainsi entre doutes, remords, serments pour l'avenir, honte de ma conduite passée, apitoiement sur ma misère présente, une seule certitude me restait : le devoir de combattre l'inégalité sociale dans le Frioul. La pauvreté de ses parents, contraints de le placer à Padoue, m'avait enlevé Svenn. Il eût suffi de redistribuer plus justement les terres, limoneuses et fertiles entre les Alpes et la mer. Je vis dans le cas de cette famille une consigne impérative pour dépasser le romantisme anarchique des émeutes paysannes et contribuer par un engagement plus mûr à la lutte révolutionnaire.

Le lundi, départ de Svenn pour Padoue. Le jeudi, je pris ma carte du parti communiste. Où m'inscrire ? Certes pas à Casarsa même. Dans le cimetière du village, à la sortie vers Valvasone, reposait depuis deux ans le corps de mon frère Guido, tué par des staliniens.

A Casarsa, en outre, la Démocratie chrétienne disposait de la majorité absolue. Décidé comme j'étais, depuis ma halte sous le pommier, à ne pas lier mon sort à des causes perdues d'avance, j'optai pour la section de San Giovanni où, aux élections de 1946, le Parti avait récolté sept cents voix, contre quatre cent vingt à l'Écu croisé. Je me gardai d'informer maman de mon geste. Elle put ignorer longtemps que je m'étais allié aux assassins de son fils. Tu vois que mes débuts de militant furent accompagnés d'arrière-pensées troubles. Ambiguïté des choix politiques : on croit s'engager sous l'étendard de la « raison » et des idées générales, alors qu'on cherche une issue à des conflits privés.

Pour ce qui est du zèle, je n'ai rien à me reprocher. Pendant deux ans, on m'a vu à la pointe du combat. Collaboration aux journaux de la province, *La Libertà* d'Udine, quotidien, *Lotta e Lavoro*, hebdomadaire local du Parti. Organisation de meetings, discours à des comices électoraux, réunions de cellule, lectures de poèmes dans des usines, présentation à Udine d'une exposition de tableaux néo-réalistes de mon ami Giuseppe Zigaïna. En 1948, membre de la délégation provinciale d'Udine au congrès des Partisans de la Paix à Paris. (Mon étonnement, dans la capitale française, de voir le pain, chez nous soigneusement emballé par le boulanger, traîner sans protection dans la main des ménagères, qui le posent n'importe où en faisant le reste de leurs courses, sur l'étal plus ou moins propre des bouchers, au milieu des cageots de légumes, près du tiroir-caisse avec les billets de banque souillés. Tous les Français sont-ils donc sales ? Et voleurs ? Soupçons que nous aurions pu retenir, après que Manlio se fut fait subtiliser son portefeuille dans le métro, Nuto carotter par son logeur qui inscrivit sur sa note les petits déjeuners qu'il avait pris dehors.) Après le désastre des élections du 18 avril, redoublement d'efforts pour remonter le moral des camarades. Fondation de la Fédération provinciale de Pordenone. Pie XII, en frappant d'excommunication les marxistes, avait porté un coup fatal au succès que nous étions en train de nous tailler auprès des masses paysannes. Profondément liées à la tradition catholique, soumises au magistère romain, elles retournèrent à leurs vieilles bêches et renoncèrent à la faucille.

Deux questions brûlantes agitaient le Frioul de l'après-guerre : l'autonomie et le dialecte. La Démocratie chrétienne appuyait les autonomistes, par désir de renforcer son pouvoir dans les milieux bourgeois cléricaux. Le Parti se montrait hostile aux autonomistes, pour la seule raison que ses adversaires les soutenaient. J'essayais, dans mes interventions publiques, de définir correctement le problème, indépendamment de la position des partis ; démontrant

156

que la défense de l'autonomie intéressait autant la gauche que la droite ; qu'il fallait tenir compte de l'annexionnisme yougoslave ; et dix autres beaux raisonnements qui établirent ma compétence parmi les intellectuels du Parti, tout en me rendant suspect auprès des dirigeants de la Fédération provinciale.

Plus subversives encore leur semblèrent mes thèses sur le dialecte. Les gauches italiennes, depuis l'illuminisme et le Risorgimento, prêchaient la nécessité d'une langue nationale unifiée ; un seul véhicule pour tous les habitants de la péninsule, facteur de progrès social et économique, moyen d'éliminer les superstitions populaires ; lesquelles trouvaient dans les publications cléricales rédigées en dialecte appui et encouragement. Pour combattre cette opinion, j'invoquais les travaux d'illustres linguistes et philologues, allant chercher une caution jusque chez les romantiques allemands de la fin du xvIIIe siècle. Je prétendais qu'un peuple ne prend conscience de sa valeur et de son identité qu'à travers une langue qui lui soit propre ; qu'en Italie surtout, pays où le pouvoir central s'est toujours montré prédateur (dernier exemple : le fascisme), la sauvegarde des intérêts des classes pauvres passe par la défense de leur idiome particulier.

A quoi bon t'ennuyer par le détail de nos polémiques, quand mon but est de te dévoiler les motivations personnelles sous-jacentes à mes arguments ?

Voici ce qu'il aurait fallu me dire pendant que, debout derrière la table recouverte d'un tapis rouge, je me démenais pour convaincre mon auditoire à coup d'idées que je croyais inspirées par la réflexion et le discernement. « Où est ton père en ce moment ? Que fait-il ? Tourne-t-il en rond dans sa mansarde en regardant sa collection de trophées militaires rendus dérisoires par l'effondrement de l'armée italienne ? A la combientième fiasque de pinot gris en est-il depuis le début de la semaine ? Ne hausse pas les épaules comme ça, en rétorquant que le nombre de litres ingurgités par ton père et le regard de mépris qu'il promène sur ses souvenirs de garnisons n'ont rien à voir avec l'autonomie du Frioul. S'ils n'avaient rien à voir, comme tu t'obstines à me répondre du haut de ta tribune, tu ne serais même pas ici, car tu n'aurais jamais rejoint les rangs du Parti. Est-ce la lecture de Marx qui t'a poussé à cette décision ? Allons donc ! Oserais-tu prétendre que tu t'es livré à une analyse objective de la condition des travailleurs dans le Frioul ? Sornettes indignes de toi, tu le sais bien. Tu avais besoin d'un père, et c'est un père que tu es venu chercher dans le Parti. Un père, c'est-à-dire une autorité, une discipline, une loi, toutes choses qui t'ont manqué, d'abord lors de la longue captivité du capitaine, puis après son retour, quand tu as découvert sa débilité incurable.

« Avoue que tu aurais préféré t'affronter à un homme fort et dominateur, au lieu de te glisser chaque soir jusqu'à son palier pour apporter sa provision de vin au géniteur déchu. Désemparé, tu as commencé par t'inscrire au parti d'Action : le parti de ton frère, le parti de la gauche libérale, celui qui avait été l'âme de la Résistance et qui t'aurait convenu, à toi, intellectuel libéral, si tu avais voulu servir la gauche par un engagement rationnel. Mais le parti d'Action, formé d'amateurs de la politique, n'avait ni structure ni organisation bien solides ; et comme tu cherchais obscurément à te remettre dans les conditions de dépendance et de sujétion de ta petite enfance, et à réparer la frustration de tes années de jeunesse, tu t'es tourné vers un parti plus fort et plus sévère, où la hiérarchie est rigide, où chaque membre doit une obéissance rigoureuse. Vers le parti, en somme, qui t'offre, comme un dédommagement tardif, l'équivalent le plus proche de l'autorité et de la loi d'un père. Sache que tu auras besoin toute ta vie de compenser le manque initial de l'autorité et de la loi d'un père par le besoin de te soumettre (quitte à te rebeller parfois, en fils impatient de s'affranchir) à l'autorité et à la loi d'un parti ; en l'occurrence le parti communiste, seul capable d'imposer un ordre et une discipline analogues à l'ordre et à la discipline paternels. »

Ainsi aurait parlé la voix de la vérité. Poursuivant l'analyse de ma conversion politique, elle eût ajouté : « Il n'est pas difficile de prédire que tes rapports avec le Parti seront toujours orageux. Le Parti sera ton père, tu seras donc amené à le combattre, comme tu aurais combattu ton père si, au lieu de s'enfermer dans son galetas et de ne descendre que deux fois par jour s'asseoir en silence à la table familiale, il était revenu de Nairobi avec la prétention de régenter la maison. Autant tu recherches un substitut du père parce que tu as besoin, comme tout le monde, de te situer par rapport à une loi, autant tu hais ce substitut, parce que, en face de lui, tu revis la guerre qui a divisé tes parents. Regarde-toi, en ce moment, en train de prêcher l'autonomie du Frioul et la nécessité de protéger le dialecte. Crois-tu vraiment que tu aies besoin de déranger les romantiques allemands et les linguistes de Princeton pour justifier tes choix ? Sois sincère et reconnais que le Frioul est le territoire de ta mère, le frioulan la langue des chansons que te chantait ta mère : est-ce un hasard si tu t'opposes aux thèses du parti communiste justement sur les points où il te demande de répudier ton héritage maternel ? Le capitaine portait *l'uniforme* de l'armée italienne, tu te bats pour la *diversité* des dialectes. Il criait ses ordres dans la langue officielle de la nation, tu dénonces le dommage causé à la langue entendue dans ton berceau. Il recevait ses directives de Rome, tu milites en faveur d'un gouvernement provincial, d'une assemblée locale. Dois-je poursuivre la démonstration ? Va, le Parti n'est rien d'autre pour toi que le suppléant, adoré et détesté, du père, et il ne sera rien d'autre tant que tu n'auras pas tiré au clair tes conflits familiaux, tant que tu rendras à Marx ce qui appartient à Freud. »

La voix ne se serait pas trompée non plus en m'expliquant que mes « idées » littéraires, telles que je les développais dans les pages culturelles des journaux du Parti, remontaient elles aussi à un fonds archaïque et irrationnel. Les dirigeants communistes, à cette époque, demandaient à l'écrivain de se transformer en propagandiste, et de mettre en scène dans ses livres des ouvriers et des paysans, de même que Guttuso peignait dans ses tableaux des mineurs de soufre et des pêcheurs siciliens. Anathème sur la littérature et sur l'art bourgeois. « Hemingway et Kafka, Joyce et Faulkner, Rimbaud et Lorca », il fallait, selon un éditorialiste très écouté de *L'Unità,* les rejeter comme « suspects et inaptes à satisfaire les aspirations des masses laborieuses ». Je répondis que tout art vivant, toute création digne de ce nom est en avance sur les masses ; que c'est montrer peu de respect pour le peuple que de l'endormir avec les poncifs du réalisme socialiste ; et que l'intellectuel doit rester libre dans le domaine de ses recherches artistiques, pourvu que sa loyauté politique soit hors de question.

« Certes, écrivais-je, nous déplorons qu'aucun Hemingway, aucun Kafka ne se soit manifesté dans le camp communiste. Mais, en attendant la confirmation de nos espérances sur Vittorini, sur Pratolini, sur Pavese, sur Calvino, sur d'autres jeunes Italiens ou Européens sérieusement pénétrés de marxisme, nous préférons un Kafka bourgeois, un Hemingway bourgeois à un Fadeev marxiste, à un Scholokov marxiste, à un Albert Maltz marxiste, à un Howard Fast marxiste. Mieux valent les châteaux absurdes élevés par l'imagination véritablement créatrice de Carlo Carrà dans le ciel métaphysique de Ferrare, que les Kremlins léchés et fidèles des peintres officiels soviétiques. C'est du haut de ces créneaux irréels découpés par les hantises du génie que sera tiré le coup de canon capable de changer la face du monde. Il ne partira jamais, soyons-en sûrs, ni des toiles servilement fignolées par des flatteurs anxieux de rester dans les bonnes grâces de Jdanov, ni des obusiers obsolètes de notre avant-garde romaine en réalité plus académique que le dictionnaire de la Crusca. »

Ce fougueux morceau d'éloquence déconcerta l'honnête secrétaire fédéral, qui s'empressa d'en référer à son collègue de Venise.

J'en désavouerais aujourd'hui les métaphores trop ronflantes, et les creuses « hantises du génie » ; mais tout le reste, je le garderais intact ; non sans savoir que je ne dois pas me faire un mérite d'une hérésie qui, loin d'exprimer une conviction mûrement pesée, n'était qu'un réflexe inconscient de solidarité fraternelle. Que m'importaient les polémiques autour de Picasso, Fougeron et Guttuso ? Hemingway et Faulkner, Joyce et Kafka, me serais-je dressé pour les défendre ? Je les aurais abandonnés à la prude réprobation du rédacteur de l'Unità. Mais qu'on mît Rimbaud et Lorca dans la charrette des condamnés, voilà qui m'avait poussé à la rébellion. Lorca et Rimbaud, tu te souviens ? dérobés par mon frère sur mon bureau et lus en cachette la nuit sous son oreiller. Le Romancero gitan et les Illuminations firent partie du viatique qu'il fourra dans son havresac avant de partir pour la montagne.

Ils avaient tué Guido dans son corps, ils ne le tueraient pas une seconde fois en esprit.

La petite place de San Giovanni vante une jolie loggia de style vénitien : deux arcs en ogive sur le devant, un autre de côté ; corniche à motifs floraux au-dessus des fenêtres gothiques ; banc de pierre sur le pourtour intérieur. Sous cette loggia, chacun des partis politiques affichait ses proclamations. Élu en 1949 secrétaire de la section de San Giovanni, j'eus l'idée de remplacer les feuilles imprimées du Parti par des textes de mon cru et recopiés de ma main. C'était l'époque de la guerre froide et de la signature du Pacte atlantique, du procès Mindstzenty et de la croisade anticommuniste. Je composais de courts poèmes ou des sortes d'apologues en dialecte, rappelant quelques vérités d'évangile aux rodomonts de l'Écu croisé. « Le regard de Dieu, plutôt que vers le cardinal primat de Hongrie, est dirigé vers les millions d'hommes qui souffrent de la faim et dont les journaux de piazza del Gesù ne parlent pas. »

Mes tracts autographes diffusaient aussi des nouvelles de caractère économique. J'ai signalé l'accord conclu à Moscou par le député La Malfa : importations de fer, de fonte, d'acier, de manganèse et de blé pour trois cent cinquante milliards de lires, exportations vers l'U.R.S.S. de machines et de tissus, travail assuré pour des milliers d'ouvriers de l'industrie textile et mécanique. « Une aubaine autrement avantageuse pour les travailleurs italiens que les dollars du plan Marshall ! » Je terminais par l'annonce que six cents quintaux de ce blé russe avaient été assignés aux moulins de la province de Pordenone.

Les peintres du Moyen Age représentaient sur les fresques des églises la tombée de la manne dans le désert : ainsi renouais-je avec l'antique tradition des messages muraux. Les étudiants de 1968, qui couvriraient à leur tour de graffiti et d'inscriptions les parois de leurs amphithéâtres, retrouveraient d'instinct la supériorité de la communication improvisée, poétique et sauvage sur la presse écrite, qu'elle provienne de gauche ou de droite ; avec cette différence que, comme bonne nouvelle, ils trompetteraient les fallacieuses promesses d'une impossible révolution, tandis que moi, je faisais le compte précis et revigorant des blonds fleuves de froment sur le point d'affluer du fond des plaines ukrainiennes dans le blutoir des meuniers frioulans.

Puis, d'un seul coup, le désespoir me reprenait. « Svenn ! Svenn ! » murmurais-je. Cette activité qui m'avait soutenu me semblait soudain dérisoire. Pour qui ces poèmes s'il ne les lirait pas ? J'alignais des mots pour oublier la seule syllabe dont la magie, trente ans après, fait encore trembler ma plume. Savais-je que j'avais perdu l'unique amour de ma vie ? Nous ne nous sommes plus revus. Devenu un bon peintre, il m'a demandé de lui rendre visite à Udine. J'ai éludé son invitation. Non, Svenn, nous nous retrouverons un jour dans le seul monde qui soit assez grand pour contenir notre amour, quand je serai las de t'avoir cherché en vain sur cette terre.

21

Valvasone : un village à cinq kilomètres au nord de Casarsa. Pendant deux ans j'y ai été professeur : mes deux dernières années de vie dans le Frioul. Je m'y rendais à bicyclette, par une route qui ondule entre champs de maïs, arpents de vigne et cultures de betteraves. Autant Casarsa manque de charme pour un étranger, autant il trouverait d'agrément à Valvasone. Au pied du château, le collège occupait une vétuste maison romane, en bordure de l'esplanade plantée d'un quinconce de châtaigniers centenaires. Le château n'est qu'une grosse bâtisse rustique, perchée sur une butte. Dans l'ancien parc, transformé en jardin public, on entre par un portail de pierre surmonté d'un blason effrité par le temps.

Jardin de proportions modestes — les seigneurs locaux n'avaient jamais dû être bien riches — mais dégageant une séduction infinie grâce à quelques vestiges mélancoliques : un reste de labyrinthe de buis, deux lions de pierre couchés dans l'herbe, dont l'un a perdu la queue et l'autre, avec le seul œil qui lui reste, fixe un regard éteint sur les candélabres dressés de l'araucaria solitaire. Végétation abondante et folle d'acacias touffus, de rosiers sauvages, de fleurs au gré des saisons. La municipalité, sur les reliquats du budget, payait un jardinier temporaire, dont l'unique fonction, à l'époque où je fréquentais les allées envahies par les ronces et par le chiendent, semblait être de ramasser avec un râteau les feuilles mortes des marronniers et des chênes, les pignes tombées des sapins. Il les poussait vers une sorte de décharge aménagée dans le fond du parc à l'intérieur d'un fourré.

J'enseignais le latin, l'italien, l'histoire et la géographie. Lectures d'auteurs modernes en italien, commentaires de journaux pour l'histoire et la géographie. C'est le latin qui me donnait le plus de peine : originaires de familles pauvres, mes élèves ne mangeaient pas chaque jour à leur faim. Recroquevillés dans leurs blousons trop légers de fibranne, ils se serraient contre le poêle en soufflant sur leurs doigts. A les voir se battre contre les ablatifs et les déponents, je me faisais l'effet d'une dame de la Croix-Rouge qui distribuerait des chapeaux hauts de forme à des nécessiteux.

Dès que le temps le permettait, nous quittions nos locaux décrépits pour nous rendre dans le parc du château. *Rosa rosae,* ils me récitaient leurs déclinaisons entre deux buissons de roses. Devant leur mine pathétiquement rebutée par la variété des suffixes grammaticaux, j'inventai un jour le monstre *Userum,* pour qu'ils s'amusent à retenir les terminaisons des adjectifs *us er um.* J'avais ce qu'on appelle la vocation pédagogique. Mes élèves s'attachaient à moi et s'instruisaient aussi rapidement que pouvaient le leur permettre l'absence de livres dans leurs foyers, l'indifférence ou le mépris de leurs parents pour les livres. L'école, telle qu'elle est organisée en Italie, profite seulement aux enfants qui trouvent un enseignement complémentaire chez eux, à la table de famille, en écoutant la conversation du père avocat, professeur ou médecin. Les grandes vacances, meublées de lectures et de voyages pour les fils de la bourgeoisie, étaient fatales à mes élèves qui revenaient l'esprit en friche après deux mois d'oisiveté.

Ce métier, l'aurais-je quitté de moi-même ? J'essayais de me montrer aussi impartial que possible, sans faiblir devant la beauté d'un visage ni favoriser l'adolescent dont le premier duvet orne la lèvre d'une ombre provocante. A peine si les quelques blonds auraient pu se plaindre d'une sévérité parfois injuste. Je leur faisais, malgré moi, payer la faute de me rappeler le garçon qui m'avait refusé l'accomplissement de notre amour.

D'amour il n'était pas question lorsque, après l'horaire, il m'arrivait de m'attarder avec un jeune dans les allées obscurcies de l'ancien parc et de me laisser entraîner vers cet endroit secret dans le fond où les feuilles mortes de la décharge, selon les recommandations du joueur de flûte, nous offraient un refuge naturel. Inutile de chercher qui prenait l'initiative d'une visite dans le taillis. Un échange de regards, de sourires, une cigarette fumée à deux sans parler : pacte conclu. Je n'aurais jamais songé à attirer contre son gré un de mes élèves, ni à en suivre un dont l'aspect déjà viril et la présence d'un début de barbe au menton ne m'eussent pas certifié la pleine responsabilité de son choix. Nul ne put se vanter d'être allé deux fois avec moi dans le fourré. Par fidélité à Svenn, je ne voulais m'attacher à personne. Je n'apportais aucun cadeau en appât.

Dans le dépotoir du jardinier, nous trouvions des feuilles mortes en décomposition, des pommes de pin pourrissantes, des papiers sales, des gravats apportés du mur d'enceinte en réfection, des mottes de chiendent, des capsules de Coca-Cola et des bouteilles vides provenant de la buvette du dimanche. Ce lit de détritus t'aurait paru inconfortable : à moi il causait une excitation particulière, telle que ni matelas ni paire de draps blancs ne m'en a procuré par la suite.

Comme un orage dans le ciel serein, la catastrophe me prit au dépourvu. Giorgio R..., dix-sept ans, grêlé, joufflu, crut que c'était un péché que de s'être couché pendant cinq minutes avec son professeur au milieu des ordures. Il se précipita à l'église, s'agenouilla dans le confessionnal et raconta tout au curé de Valvasone. Ce prêtre flaira l'occasion de discréditer un des jeunes dirigeants communistes de la province, dont les écrits muraux mettaient en difficulté la propagande démocrate-chrétienne dans l'affaire Mindszenty. Il me dénonça aux carabiniers, qui me citèrent devant le préteur de San Vito al Tagliamento, bien que les parents n'eussent pas porté plainte.

Rapport du brigadier des carabiniers de Cordovado, en date du 22 octobre 1949 :

> « Nous trouvant à Casarsa en service le 10 courant, vint à notre connaissance par un informateur que dans la fraction de Valvasone s'était vérifié un scandale. (Rien de tel, en vérité, l'informateur n'étant autre que le prêtre, qui fut le seul à savoir les faits et le seul à les divulguer.) Comme aucune plainte (et pour cause) ne parvenait au Poste, nous nous sommes rendus, à but informatif, le 14 courant dans la fraction de Valvasone, pour demander à des personnes impartiales et de bonne foi plus amples renseignements sur le scandale ou la suite de scandales avec des garçons du collège. Malgré notre invitation à se rendre au Poste, les parents des mineurs en cause ne se sont pas présentés. Le 21 courant nous sommes retournés dans le lieu-dit et nous avons demandé aux parents des mineurs s'ils entendaient porter plainte contre le professeur P.P.P. Les chefs de famille, après hésitation, nous ont fait comprendre qu'ils se réservaient le droit de porter plainte. Une mère, interrogée, nous a déclaré qu'elle devait consulter son mari. En conclusion, puisque la partie lésée s'est réservé le droit de porter plainte, et considérant que le scandale a éclaté devant tout le monde et soulevé l'indignation générale, nous avons pourvu à compiler le présent procès-verbal en trois exemplaires. »

Le préteur de San Vito al Tagliamento m'inculpa de corruption de mineurs et d'actes obscènes commis dans un lieu public.

Méprise ton ami, Gennariello : au lieu de profiter de l'occasion pour affirmer à voix haute que sa vie privée ne regardait personne, au lieu de dénoncer la grossièreté politique de cette manœuvre concertée entre la police et le clergé contre l'avis des familles peu désireuses, apparemment, de se séparer du professeur de leurs enfants, il s'est platement écrasé devant le magistrat. Je déclarai (paroles textuelles consignées dans le procès-verbal) avoir « tenté une expérience érotique de caractère et d'origine littéraire, inspirée par la lecture d'un roman homosexuel d'André Gide ». Où est le coq qui a chanté pour me faire rentrer dans la gorge cette vilenie ? Pour la première fois où ma condition de *diverso* se manifestait au grand jour, je me suis empressé de la renier. Attribuer les événements de Valvasone à une influence étrangère, à un épisodique dérapage intellectuel, c'était protester de la bonté foncière de ma nature, promettre de ne plus dévier.

Les journaux de droite se dépêchèrent de corner la nouvelle. « Grave accusation contre un maître d'école », titra le *Messaggero Veneto* du 26 octobre. « Professeur poursuivi pour immoralité », claironna le *Gazzettino* du même jour, en rapportant ma phrase sur Gide. Le chroniqueur oublia heureusement de reproduire ma citation en entier. « André Gide, qui a reçu le prix Nobel il y a deux ans », avais-je dit au préteur. La honte d'avoir été pêcher une circonstance atténuante dans les lauriers académiques d'un de mes écrivains préférés me brûle encore les joues. *L'Unità* attendit trois jours avant de publier dans son édition provinciale un entrefilet qui, sans mentionner mon nom, signalait le cas d'un enseignant coupable de « dégénération bourgeoise ». Simple mise en garde, qui ne tirait pas à conséquence : Gide, d'abord séduit par l'U.R.S.S., s'était rétracté publiquement. Tout rappel du traître dans la presse communiste entraînait un blâme pour ainsi dire rituel.

Le même soir, un camarade frappa à notre porte : ordre de me présenter le lendemain après-midi à la section. Je le retins en bas de l'escalier et lui fis signe de parler à voix basse. Ma mère, qui ne lisait pas les journaux de Venise, ne savait encore rien.

Comme toutes les autres fois où je me rendais à la cellule, je partis vêtu d'un chandail à col roulé et de mon blouson de similicuir. J'avais préparé dans ma tête un petit discours, où je me déclarais content, puisque l'occasion s'en présentait, de mettre sur le tapis un problème jusqu'alors soigneusement banni de nos discussions. Si la libération économique du prolétariat devait rester notre but principal, pourquoi ne pas compléter notre programme par l'émancipation sexuelle de l'individu ? La bourgeoisie avait assis son pouvoir non moins sur le contrôle des vies privées que sur l'exploitation capitaliste des masses laborieuses. Morale policière de la famille et structure carcérale de l'usine allaient de pair. Suivait un couplet sur l'origine judéo-chrétienne de la répression sexuelle en Occident : devions-nous, en plein XXᵉ siècle, nous, hommes du progrès et de l'avenir, obéir encore aux interdictions promulguées par Moïse ?

Cette apostrophe me parut d'un effet irrésistible : je me voyais déjà entouré par mes camarades, applaudi, porté en triomphe au milieu du petit local qui ressemblait, dans le sympathique désordre de ses tables et de ses chaises, à l'arrière-salle du bar des Amis, en face de la maison. Le préposé aux rafraîchissements ferait circuler les canettes de bière, et toute la cellule partirait d'un immense et fraternel éclat de rire, en envoyant au diable carabiniers, préteurs, marmotteurs de confessionnaux, folliculaires d'archevêché et autres tartufes de sacristie. Plein d'optimisme, je tournai le coin de la jolie loggia et me dirigeai vers l'entrée, si certain d'être bien accueilli que, en signe de confiance, j'éprouvai le besoin de descendre la fermeture éclair de mon blouson. La poitrine dégagée et le cœur bondissant, je franchis le seuil d'un pas alerte.

Ce que j'aperçus me figea le sang. Plus aucun désordre dans la pièce. On avait réuni trois des tables dans le fond pour constituer une sorte de tribunal derrière lequel siégeaient des envoyés de la fédération de Pordenone et de celle d'Udine, la plupart à peine connus de moi. Les autres tables, poussées contre les parois, servaient de sièges aux membres de la section. Je notai aussitôt que beaucoup manquaient à l'appel ; parmi eux, quelques-uns de mes amis les plus proches, comme Nuto et Manlio, retenus par leurs occupations professionnelles : ce qui m'amena à relever l'heure inaccoutumée de la convocation, d'habitude fixée le soir, après le dîner. Autre motif d'étonnement : la chemise blanche, la cravate et le veston portés par mes camarades, tenue insolite pour un jour de semaine. Ils affichaient un air grave et tiraient sur leurs mégots avec une application silencieuse. Je m'avançai jusqu'au milieu du cercle, sans être salué autrement que par de muets hochements de tête des dirigeants provinciaux. Mes copains ? Quelques sourires furtifs, vite réprimés derrière une mine de circonstance. Seule une avocate de Pordenone, Teresina Degan, l'unique femme présente, m'adressa un regard et un sourire de réconfort. Glacé par cet accueil, je refermai machinalement mon blouson, et fixai un coin du plancher, debout et isolé comme un accusé devant ses juges.

Celui qui semblait présider la séance s'éclaircit la voix et tapota nerveusement sur la table avant de prendre la parole. Il rappela les chefs d'inculpation notifiés par le préteur, me demanda si je reconnaissais les faits, déclara, sans attendre ma réponse, que ma conduite compromettait le Parti dans l'opinion des travailleurs et que le service du prolétariat était incompatible avec la pratique d'un vice bourgeois. Teresina Degan se pencha vers lui pour glisser quelques mots à son oreille. Il écarta sèchement l'objection et m'annonça que le Parti avait décidé de m'exclure. Il me priait donc de rendre séance tenante ma carte et de m'abstenir désormais de fréquenter leur local.

Personne dans l'assemblée n'éleva une parole en ma défense. Ils regardaient par terre ou suivaient au plafond les ronds de fumée de leurs cigarettes. La femme avocate se mordait les lèvres. Quant à moi, incapable de me rappeler un seul mot du discours que j'avais préparé, je fouillais mes poches à la poursuite de la carte que je finis par dénicher là où j'aurais dû la chercher d'abord, à sa place habituelle dans mon portefeuille. Je m'avançai d'un pas pour la déposer devant le président. Il s'apprêtait à la déchirer lorsque Teresina Degan s'en empara d'un geste brusque et en détacha la petite photographie d'identité avant de rendre à son voisin le rectangle de carton bleu. Le secrétaire fédéral, énervé par l'intervention de sa compagne, le réduisit en miettes, tandis qu'elle, avec un sourire d'une infinie bonté, me tendait par-dessus la table la photographie en me faisant signe de la remettre dans mon portefeuille.

Répétition générale de ce qui eut lieu peu après à la maison. Je ne sais comment l'entrefilet du *Gazzettino* tomba sous les yeux de mon père. Cris et hurlements sur le palier — c'était la première fois qu'on recommençait à l'entendre depuis son retour d'Afrique — : je déshonorais son nom ! à quoi servaient donc les prisons ? au temps de Mussolini les choses ne se seraient pas passées comme ça ! et autres aménités vociférées de sa voix retrouvée de capitaine.

Ayant rempli l'escalier de toutes sortes d'injures et de malédictions lancées contre son « merdeux de bâtard », il s'enferma dans sa mansarde et refusa de descendre à l'heure du dîner. Maman dut lui monter son repas sur un plateau qu'elle déposa devant sa porte. A moi elle ne dit rien de particulier mais, pour éviter que son silence ne parût une réprobation, elle multiplia dans les jours qui suivirent les petites gâteries, mitonnant mes plats préférés et venant, comme à l'époque où j'étais enfant, me border dans mon lit. Je voyais bien dans ses yeux, agrandis par l'amour et par la peine, qu'elle conservait sans tache la vision intérieure de son fils, de quelque faute que le monde pût m'accabler

Ainsi, tout au long de mon existence, les hommes ont-il cherché à lacérer mon image et à préparer mon élimination physique par de symboliques mises à mort ; et toujours quelque femme compatissante, comme dans l'Évangile, m'a tendu son sourire et son regard inaltérés, tel un miroir où je puisse reconnaître mes traits, ressaisir mon identité et reprendre confiance en moi-même. Je suis mort sous les roues de l'auto en sachant que mon visage, écrasé et défiguré dans la lutte avec mon assassin, resterait imprimé, comme sur un suaire indestructible, dans le cœur de ma mère et de mes tantes.

Exclu du Parti, vilipendé, honni, un autre sujet d'angoisse m'empêchait de dormir. Serais-je maintenu dans mon poste au collège ? Me chasserait-on aussi de l'enseignement ? Le congé de la Toussaint m'accorda trois jours de répit. Le 4 novembre, en tant que vice-président des établissements scolaires de Valvasone, je devais prononcer le discours commémoratif de l'armistice de 1918. De durs combats avaient ensanglanté le Frioul pendant les trois années de la guerre. Tout en rendant hommage à la bravoure et à l'endurance des soldats italiens (les grands-pères de certains de mes élèves avaient trouvé la mort sur le Carso), je mis en garde mon jeune auditoire contre la rhétorique de l'amour patriotique et contre les excès du nationalisme. Une phrase, que je n'avais pas prévue et que je rajoutai en passant, visait le projet municipal de reconstruire, sur une échelle plus grande et avec le concours des deniers de l'État, le monument aux morts de l'esplanade dynamité par les Allemands.

— Prenez garde (claire allusion aux renforts de police envoyés naguère pour mater le soulèvement des journaliers agricoles) que les gouvernements ont d'autant plus intérêt à célébrer les défunts qu'ils font peser sur les vivants une oppression plus injuste.

Ces quelques paroles furent jugées « déplacées » par le président, « inopportunes » par mes collègues communistes et « offensantes » par le reste du personnel enseignant, démocrate-chrétien, républicain ou libéral. Les murmures s'enflèrent jusqu'au blâme, quoique l'émoi demeurât confiné dans le territoire compris entre Casarsa et Valvasone. L'affaire n'eut aucune suite directe ni aucune influence sur la décision prise en haut lieu depuis plusieurs jours déjà et notifiée à l'intéressé, le soir du 6 novembre, par le concierge de l'Inspection provinciale : le professeur P.P.P., « en instance de procès » (lequel se conclut un an plus tard par un non-lieu), était suspendu de ses cours et révoqué sans traitement.

Punition catastrophique du point de vue financier et atroce moralement. Ma seule consolation fut de penser que ma famille, mes amis, ceux de mes collègues auxquels je tenais et en général les gens (paysans, commerçants, artisans) avec qui je souhaitais rester en bons termes, pourraient attribuer ma révocation à un motif « noble » (ma polémique téméraire contre l'emphase néo-fasciste des commémorations patriotiques) plutôt qu'aux détails scabreux contenus dans le procès-verbal des carabiniers.

A voir avec quelle chaleur nombre de mes ex-camarades de section traversaient la rue pour me serrer la main et me féliciter de mon « courage » politique, je compris qu'ils éprouvaient le soulagement de se dire qu'ils avaient travaillé pendant deux ans avec un futur « martyr » de la bonne cause et non avec un pervers accusé de corrompre les mineurs.

Le scandale politique recouvrait et effaçait le scandale sexuel. J'ai appris alors et vérifié depuis que, partout et toujours, autant le second coûte de réprobation à son auteur et le souille d'ignominie, autant le premier apporte une auréole glorieuse. Nuto, qui m'évitait depuis le jour de mon expulsion du Parti, se jeta dans mes bras à peine la sanction de l'inspecteur provincial se fut-elle ébruitée. Il me rappela nos expéditions contre la villa Pignatti et le château des Spittalbergo. Comme il semblait heureux ! Non moins ravi de se retrouver solidaire du combattant de Gruaro et de Bagnarola, qu'il avait été déboussolé en lisant la coupure du *Gazzettino*.

C'est moi qui fus le premier à réagir et à rejeter avec dégoût cette comédie. Quoi ! après avoir perdu l'occasion de revendiquer, devant le préteur, le droit à être ce que j'étais, je me reniais une nouvelle fois, je m'écrasais comme une honteuse, je me dérobais lâchement à mon devoir d'assumer ma condition à la face du monde ! Quelle force obscure m'avait soufflé, pendant que je prononçais mon discours, cette petite phrase sur le monument aux morts, sinon le veule désir de faire une sortie « honorable », de m'en aller « la tête haute », en déplaçant le scandale sur un terrain où j'étais assuré de regagner l'estime de mes amis ? Ils me félicitaient pour mon courage : aveuglement ou complaisance ? J'aurais mérité cent fois leur mépris, moi qui, oublieux de mes idées sur le Frioul « archaïque » et « païen », abjurant ma foi dans l'innocence de l'amour, « n'importe quel amour », me conduisais en coupable et apostasiais au premier coup dur.

Si j'avais voulu à tout prix politiser le procès de Valvasone, voici ce qu'ils auraient dû entendre de ma bouche : « Le Parti m'expulse juste après qu'il vient d'essuyer un désastre aux élections politiques, que les illusions nées de la Résistance se sont effondrées, que la Démocratie chrétienne a conquis la majorité absolue, que le tripartisme de 1945 s'est envolé en fumée, que la guerre froide tourne à l'avantage des États-Unis. Sans exagérer la signification qui peut être tirée de cette coïncidence, laissez-moi vous demander si un parti qui se dit de gauche et prétend à libérer le genre humain de ses pluriséculaires entraves mais obéit encore aux lois morales édictées dans la Bible, ne se prépare pas fatalement à subir de nouveaux revers. Entre votre présente défaite historique et le modeste accident de parcours arrivé au camarade P.P.P., la rencontre n'est-elle que fortuite ? »

Mais, bien trop pleutre pour contre-attaquer les communistes et les mettre en contradiction avec eux-mêmes, je recevais sans sourciller les compliments de Manlio et de ses amis accourus de Rosa apporter leur soutien à la « victime de la répression néo-fasciste ». Invoquerais-je pour ma défense le changement d'attitude des habitants de Casarsa ? Mon couard subterfuge du discours ne dupait pas leur esprit borné mais finaud. Le *dottor* Moiana, notaire à Codroïpo, passa devant moi sans soulever son feutre vert à l'autrichienne orné d'une plume de coq. L'oncle de Manlio, qui plus d'une fois m'avait tendu sa gourde de *grappa,* en cachette des femmes, devant l'étable des Campesis, oublia de me serrer la main en me rencontrant chez le boulanger. Dans la rue principale, on guettait maintenant mon passage. J'étais montré du doigt à travers les carreaux. Mon père continuait à hurler dans son perchoir. Il refusait de descendre pour les repas.

Le jour où une mère de famille, en me voyant déboucher de la campagne, se hâta de rappeler et de boucler à la maison ses deux garçons en train de jouer devant le seuil, je compris que je ne pourrais plus rester longtemps ici. Sans ressources, entièrement à la charge de ma mère, mis au ban de la société bourgeoise, ne conservant quelques amis à gauche qu'au prix d'une imposture, en butte à la réprobation du village, où fuir ? où me cacher ? Ma décision fut prise un soir où je trouvai maman en larmes parce que deux de ses collègues avaient changé de trottoir pour éviter de la saluer. « Allons-nous-en, lui dis-je. Confions le père à mes tantes et partons. » Puisque j'étais chassé de l'Éden, autant le quitter pour de bon, sans laisser à nos ennemis la satisfaction de compter sur le visage de maman les rides creusées par les pleurs.

La neige recouvrait les champs, il faisait un froid à fendre les pierres, le matin où maman, vêtue de sa pelisse de lapin dans les plis camphrés de laquelle j'avais tant de fois éternué enfant, parée de son collier d'améthystes et de ses boucles d'oreilles en ruolz, munie d'un sac contenant ses économies, monta avec moi dans le train de Rome. Gino Colussi, mon oncle, revendeur d'objets d'occasion dans l'ancien ghetto de la capitale, nous aiderait à trouver un logement et un emploi.

L'appât du frère et la perspective d'une situation décente suffirent peut-être à attirer maman. Pour ma part, contribuèrent à fixer mon choix le mythe de la grande cité propice aux rencontres nombreuses, l'avantage qu'une multitude anonyme offre toujours aux chasseurs solitaires, le ferme espoir de ne plus avoir à me cacher dans la ville de Pétrone et de Jules II, de Michel-Ange et de Sandro Penna, l'envie de vivre au grand jour les dernières années de ma jeunesse, l'afflux, qui commençait alors, de l'émigration méridionale, pourvoyeuse de garçons vigoureux, bien bâtis, affranchis, disponibles. Déracinés de leur paroisse d'origine, ils ne seraient plus, comme mon mouchard de Valvasone, soumis à l'influence de leur curé.

Que n'ai-je montré plus de hardiesse et brûlé Roma Termini dans ma course haletante vers le Sud ! J'étais parti à la recherche d'un nouveau Paradis pour remplacer celui de mon adolescence et l'utopie du Tagliamento définitivement perdue ; sans me douter que je commettais l'erreur la plus colossale de ma vie, en m'arrêtant deux cent trente kilomètres trop au nord, confiant que le Tibre boueux arrosait le Jardin céleste.

II

22

Rome 1950. La ville de l'Autorité et de la Loi. Partout, comme des rappels à l'ordre, d'illustres monuments, Colisée, Panthéon, basilique Saint-Pierre, forteresse Saint-Ange. Près de l'ancien ghetto où j'eus ma première chambre non loin de l'appartement où mon oncle céda deux pièces à ma mère, le théâtre de Marcellus, le Capitole de Michel-Ange et le mausolée de Victor-Emmanuel élevaient autour de moi le triple avertissement de leurs murailles augustes. Les trois Romes, celle de l'Antiquité, celle de la Papauté et celle de l'Unité, faisaient alliance pour m'humilier.

La forme arrondie prédomine : ovale du Colisée, ellipse de la place Navone, calottes hémisphériques des coupoles, bras de la place Saint-Pierre, orbe de la place du Peuple. Le cercle étant une image de la perfection, une place courbe ou un dôme excluent l'élément humain. Moi, l'Irrégulier par excellence, je me trouvais jeté dans un univers de règles et de prescriptions. J'avais quitté le Frioul, monde de la nature où chaque plante, chaque insecte est un être à part, qui ne ressemble à nul autre ; et je tombais au pouvoir d'une volonté qui ignore toute différence entre les individus.

Titus, Septime Sévère, Constantin m'avaient laissé des arcs ; Trajan une colonne ronde ; Maxence les voûtes en berceau d'une basilique ; Agrippa une rotonde à caissons ; Auguste et Hadrien des tombeaux circulaires ; Jules II la plus grande coupole de la chrétienté ; Clément VIII la sphère de cuivre qui la surmonte ; Bernini une colonnade circulaire ; le socialiste Giolitti la place de l'Exèdre ; le fasciste Mussolini le stade du Foro Italico. D'âge en âge, de régime en régime, les mêmes symboles répètent les mêmes obligations. Obéir ! Défense de s'écarter d'un pouce ! Ici doit régner l'ordre. La troisième Rome ne dispose plus, pour conquérir le monde, de légions casquées comme la première, ni de prélats missionnaires comme la seconde, mais elle conserve intacts les moyens d'éliminer celui qui ne file pas droit.

Quelle naïveté, me diras-tu, d'attribuer ce magistère universel à la ville que depuis le *Satiricon* on décrit comme une sentine de vices, un égout de corruption ! Dante n'a pas attendu Fellini pour en dénoncer les scandales. Les amphithéâtres latins, longtemps avant d'être en ruine, abritaient déjà sous leurs arches la débauche des noctambules. Encore sous le choc du procès, malade de notre fuite, témoin de la douleur silencieuse de maman, j'oubliais que je m'étais décidé sur la foi de Pétrone et de l'Arétin. Je ne vis d'abord en Rome que l'Urbs, la Capitale par excellence, celle qui, sous l'Empire, avait étendu jusqu'aux quatre coins de l'Europe un réseau de routes et de fortifications, de même qu'elle sut assujettir, ensuite, la plus grande partie du monde occidental au trône de saint Pierre. Et gardait, de nos jours, le contrôle absolu du territoire italien : sans tolérer aucune dissidence, si même ce qui se murmure dans un confessionnal de Valvasone à l'autre bout de la péninsule lui donnait l'occasion de révoquer un professeur de l'enseignement public, de briser sa carrière et de le contraindre à l'exil.

J'ai détesté Pie XII. Sa silhouette frêle, son visage émacié reproduits à satiété sur les médailles de l'année sainte, prouvaient à l'évidence qu'un pape ne tire son ascendant et sa force que du sentiment d'être le double héritier de Moïse et d'Auguste, de réunir dans sa personne l'autorité des prophètes et le prestige des empereurs. Il y en avait un en revanche qui me plaisait beaucoup : Urbain VIII, parce qu'il faisait mettre, sur tous les monuments à sa gloire, des abeilles. Abeilles en relief sur les vasques des fontaines, abeilles sculptées au fronton des églises, abeilles piquées dans les armoiries de son baldaquin, abeilles peintes au plafond de ses appartements. Aériens ballets d'hyménoptères butineurs, rappel charmant de· la campagne où il avait couru enfant, avant d'écraser son front sous le poids de la tiare. Même son tombeau à Saint-Pierre était semé de petites mouches à miel qui avaient l'air de s'être posées par hasard, bourdonnantes de vie, instables, prêtes à s'envoler de nouveau. Étrange motif ornemental, s'il voulait suggérer la grandeur de son pontificat. Je trouvais plus bizarre encore, et d'un humour que j'espérais volontaire, cette fantaisie d'associer, au silence éternel de la mort, la trépidation d'insectes affairés sans répit.

M'enhardissant peu à peu, j'essayais de réunir, au cours de mes flâneries entre le Tibre et la Trinité-des-Monts, les indices d'une anti-Rome plus propice à la chasse au bonheur que la Rome officielle et dominatrice figée dans son rôle de *Caput Mundi*. La façade du palais Farnese, par exemple, me rebutait par son aspect massif. J'avais l'impression d'une œuvre achevée, close, définitive, faite pour m'inculquer l'idée de sa permanence et de son immuabilité. Une œuvre « éternelle », devant laquelle je ne pouvais que rester coi, plein de respect et de soumission, admirateur silencieux.

Au contraire, si je me rendais place Navone, je comprenais que la manière la moins indiquée d'apprécier la façade ondulante de Sant'Agnese serait de me planter devant et de la contempler immobile. Je devais marcher de long en large pour découvrir les détails des tours et des clochetons, l'envolée des courbes, la saillie des pilastres, le relief des corniches, l'enfilade des balustres, les mille et une surprises révélées par les variations de la perspective. L'édifice bouge à mesure que je me déplace moi-même, chaque pas m'amène à un point de vue nouveau sur l'ensemble. Coup d'œil jamais global ni unique, mais partiel et divers ; renouvelé à l'infini. Architecture qui ne demande pas seulement à mes yeux de regarder, mais à mon corps de se mouvoir. J'aurais volontiers accolé à cette construction l'épithète de cinématographique, le seul moyen de saisir un tel foisonnement d'images étant non pas de photographier l'église de face ou d'un seul côté, mais de la filmer en une suite de plongées, de contrechamps et de travellings latéraux.

En fouillant dans l'arrière-boutique de mon oncle, remplie de vieux meubles et de livres poussiéreux, j'appris que je venais de m'enthousiasmer sans le savoir (Roberto Longhi évitait de nous en parler) pour l'art appelé baroque, du mot « barroco » qui signifie en portugais « perle irrégulière ». De quoi pouvais-je me plaindre ? Ce style était né à Rome, au début du xviiᵉ siècle. S'il avait dû emprunter son nom à une langue étrangère, c'est qu'il défiait avec trop d'insolence la tradition impériale de l'Urbs.

Même ravissement devant la fontaine des Fleuves, en face de l'église. La pierre, à peine dégrossie, garde la spontanéité rugueuse d'une grotte de montagne, qui n'a pas été soumise à la volonté de l'homme. Des espèces vivantes en grand nombre, végétales et animales, ajoutées au petit bonheur entre les blocs de travertin, imitent les bizarreries de la nature. Pas n'importe quelles plantes : le palmier de Bornéo, le cactus de Madagascar. Et pas n'importe quels animaux : les plus exotiques également, les moins susceptibles de recevoir la loi romaine. Le lion du désert, le cheval marin, le tatou des Indes. Flore et faune biscornues de l'Afrique et de l'Asie, aussi rebelles à l'autorité des Césars qu'à la prédication chrétienne. Et l'eau qui sourd par mille trous et ruisselle sur cet amoncellement de formes plus capricieuses l'une que l'autre renforçait mon illusion d'un entassement fortuit, non fini, mobile, aléatoire, instable, sans nécessité, auquel Bernini aurait pu ajouter ou retrancher autant de détails qu'il lui aurait plu.

A mesure que j'arrivais à me détacher du souvenir horrible de Valvasone, je prenais plus de goût à une foule de curiosités excentriques, tout en m'étonnant de trouver au siège de la religion universelle un aspect finalement moins sévère qu'à des villes comme Bologne ou Florence. Partout je voyais tenu en échec l'effort vers le Beau idéal ; nié et bafoué le rêve de gouverner le monde par une loi fixe et rigoureuse. Entorses à une telle ambition me paraissaient les ciels vertigineux peints au plafond des églises ; les chevaux à queue de poisson des fontaines ; la borrominienne spirale qui, animée d'un mouvement ininterrompu, recommence sans fin son ascension comme une flamme happée par un courant d'air au sommet de la coupole de Sant'Ivo della Sapienza. Et que dire de cette sainte, au fond d'une niche qui ressemble à une loge d'opéra, dont l'extase n'exprime pas la joie métaphysique d'être au contact de Dieu, mais l'émoi passager devant le bel ange qui s'apprête à la percer de son dard ? Ou de la Daphné de la Villa Borghèse, jeune fille qui se transforme à vue en laurier pour échapper aux avances d'Apollon, première statue au monde qui ait réussi à traduire dans le marbre la fable d'Ovide ? On estimait, jusque-là, seuls les peintres capables de rendre l'instant de la métamorphose, seconde fugace où les pieds de la vierge se transmuent en racines, où son corps se durcit dans la gaine d'une écorce ligneuse, ses doigts se prolongent en feuilles d'arbre et ses cheveux se ramifient en branchages.

O nostalgie du Frioul ! Me souciais-je vraiment de la nymphe grecque ? Avec son visage nimbé de lumière, ses bras tendus en avant pour appeler au secours et ses yeux dilatés par l'effroi, je pensais à la petite Aurelia de mon enfance, le jour où elle avait failli se noyer. De même que, dans l'éléphant surréaliste planté place de la Minerve avec un obélisque sur le dos, je reconnaissais le modèle de celui de Catane, pendu en médaillon au cou de ce mystérieux compagnon qui m'aida à m'évader du train allemand près de Pise, quand les lucioles brillaient si fort dans la nuit.

Draperies flottantes, tourbillons de bronze, contorsions de stucs, déroulements de volutes, étalages de coquilles, chérubins à trompettes, femmes à vertiges, bêtes à trompe : hélas, tout ce pathos voluptueux de spirales, de rayons, de vagues, de dorures, d'efflorescences capiteuses n'avait été, je dus bientôt l'admettre, qu'un instrument de propagande au service des papes ; le moyen d'appuyer la Contre-Réforme par des arguments plastiques qui touchent les sens ; la ruse qui assurerait aux pontifes la fidélité du peuple en le promenant de merveille en merveille. Le moine de Wittenberg pouvait bien brandir la doctrine du salut par la foi et prêcher le retour à la pureté biblique : la victoire resterait aux jésus de plâtre, aux saintes pâmées, aux angelots équivoques, aux trompe-l'œil fantastiques, aux orgies de marbre, aux excès d'enjolivures où l'âme chavire dans un désordre ému. Les livres dévorés dans le cagibi de mon oncle ne me laissaient plus aucun doute. Un marginal, un franc-tireur, Bernini ? Lors de son légendaire voyage en France, il avait osé déplaire à Louis XIV par une statue équestre qui ne montrait pas dans une majesté suffisante l'adresse hippique du souverain. Soit, mais quand il se trouvait à Rome, le sculpteur-architecte obéissait, sujet docile, à son maître. Il avait travaillé pour trois papes, dont il exécutait les commandes. Les fameuses abeilles du tombeau d'Urbain VIII, qui m'avaient paru la revanche de la nature sur le pouvoir, de l'instant sur l'éternité, la part de fantaisie volée à la loi, n'étaient qu'un symbole héraldique, l'emblème de la famille Barberini d'où sortait ce prince. Le baldaquin de Saint-Pierre, terminé la même année où le tribunal de l'Inquisition condamna Galilée, servit à renforcer, malgré l'extravagance de ses torsades de bronze, la rigueur dogmatique de l'Église.

Tout ce qu'il y a de bizarre, de fantasque, de contraire aux règles dans l'ornementation baroque répondait au projet politique d'étonner, de séduire les foules par la démonstration d'une richesse et d'une puissance qui seraient des armes irrésistibles contre l'austérité des luthériens. Ce style que j'avais aimé pour son côté école buissonnière, fronde, bravade, se révélait au contraire comme le gardien de l'orthodoxie. Ces surcharges, ces surprises, ce luxe de détails inattendus, cette débauche inouïe d'inventions, tout rentrait dans le plan d'une volonté supérieure.

Quelle déception ! Heureusement me restait mon lieu d'élection, un endroit complètement réfractaire à toute lecture doctrinale. J'arrivais place d'Espagne, la plus dissymétrique du monde, la plus imprévisible, la plus folle, étagée comme elle est sur plusieurs plans, avec cet escalier qui a l'air de musarder, qui s'élargit, se resserre, fait une pause, recommence à monter, sans hâte, sans but, un escalier-promenade qui est une fin en soi à la différence de tous les escaliers du monde qui remplissent la fonction précise de mener d'un point à un autre. Occupé en permanence par une foule de flâneurs et d'oisifs, théâtre en plein air ouvert à toute heure du jour et de la nuit. Je m'asseyais sur les marches, entre le vendeur de lacets, la marchande de fleurs, le rôtisseur de fèves. Les oiseaux pépiaient dans les arbres, les enfants jouaient à la mourre en lançant leurs doigts devant eux, le commis du bar, son plateau en équilibre sur une seule main, grimpait quatre à quatre sans renverser une goutte.

Un jeune homme brun, le visage labouré par une profonde cicatrice, essaya de me chiper mon paquet de *Nazionali.* « Pas à moi ! » lui dis-je, en lui offrant une cigarette. Il me raconta qu'il avait tourné dans *Sciuscià.* L'aîné des deux cireurs de chaussures, c'était lui. Ramon, de parents espagnols. Le grand cheval blanc lui avait envoyé son sabot en pleine figure. De Sica lui ayant garanti qu'il serait indemnisé, il attendait, depuis quatre ans, le million promis.

— Tu crois qu'ils te paieront ?

— S'ils l'ont juré ! s'écria-t-il, une lueur fauve dans ses yeux noirs, le poing crispé comme s'il le serrait sur la navaja de ses ancêtres.

Sous la corniche de la maison qui avait logé le poète John Keats, nous achevâmes le paquet. Un *monsignore,* la soutane boutonnée jusqu'au cou, les yeux rivés sur son missel, descendait en diagonale. Le bagagiste de l'hôtel Hassler, un pompon rouge sur son béret bleu, sautillait derrière une cliente avec un carton à chapeaux sous chaque bras.

— Tu me conseilles le corbeau ou la perruche ?

Avant que j'aie pu le retenir, il avait bondi dans la foule. Je le vis bousculer le prêtre qui rattrapa de justesse ses lunettes sans s'apercevoir que la gourmette en or pendue à son poignet changeait de propriétaire.

En bas de l'escalier, la fontaine surnommée *barcaccia,* parce qu'elle est en forme de nacelle à demi submergée, semblait sombrer pour de bon, l'eau débordant de ses flancs surbaissés. Défi manifeste à l'esprit de permanence et de domination, contre-pied de la devise parisienne *Fluctuat nec mergitur,* emblème de l'incertitude et du risque. Rome, pour une fois, avait voulu exprimer son refus du *Tu es Pierre et sur cette pierre je bâtirai mon église.* « Embarqués » sur un esquif précaire, menacés à tout moment de disparaître, tel était notre sort à tous, habitants de cette ville, qui trouvions dans l'inespéré naufrage de l'Urbs et de ses prétentions à l'hégémonie un motif de reprendre notre liberté d'action. Et de croire dans le hasard, dans l'imprévu, dans la chance. Aussi tout ce que Rome compte de filous, de prostitués, de camelots, de parasites se réunissait-il volontiers sur les gradins de la place d'Espagne ; le seul endroit, assurément, où Ramon, qui n'avait pas d'autre adresse, pouvait attendre l'instant magique de la manne que l'Alfa Cinematografica ferait pleuvoir sur sa tête ; lui permettant enfin de coucher dans un lit, de téléphoner à sa mère en Catalogne et de rendre aux centaines de ses amis, avec un sens tout ibérique de l'honneur et du faste, les milliers de cigarettes qu'il leur avait empruntées. Là se bornait son rêve d'abondance, qu'il trompait en vivant de larcins.

Cependant, il me fallut déchanter une nouvelle fois. L'architecture générale de la place obéit à un code précis, et ce code traduit une vision théocentrique de l'univers, qui exclut l'aventure et l'inattendu.

Les fontaines de Rome, qu'on prendrait pour des « caprices » jaillis de la pure fantaisie (fontaine des Tortues, fontaine des Abeilles, fontaine des Fleuves, fontaine de Trevi, fontaine du Maure, fontaine du Triton), n'ont de romanesque que le nom. Rome est la reine du monde par ses sources. Elle baigne dans un milieu liquide. Le sous-sol regorge de nappes, immense réserve de sucs amniotiques où puise l'humanité. Si la vasque effondrée de la *barcaccia* ruisselle de tous côtés, c'est que, des nombreuses fontaines qui s'épanchent depuis le Pincio jusqu'au Palatin, celle-ci évoque le plus éloquemment les origines aquatiques de la vie, la place de l'eau dans le mystère de la naissance.

Qu'elles sourdent par les fentes de rocailles, qu'elles perlent de l'éventail cannelé d'une conque évasée, qu'elles s'échappent par l'embouchure d'une trompette, ou giclent du bec corné d'un dauphin, les eaux-mères abreuvent, allaitent, bercent, enveloppent, engourdissent la ville. Par le bruit régulier de son clapotement, par le rythme paisible de son jet, chaque fontaine réveille un souvenir nostalgique. De la *barcaccia*, la plus fontaine de toutes les fontaines, coule une plainte éternelle. La réminiscence de cette musique intérieure est le trésor le plus précieux pour tout être humain.

Mais une fois qu'il a séjourné pendant le temps nécessaire dans l'abri protecteur, une fois qu'il a été porté, cajolé, materné, il doit entamer le dur apprentissage de la vie : auquel l'invite l'escalier qui commence dès qu'il a mis le pied au sec. Cet escalier, à la différence de tous les escaliers connus, laisse à l'utilisateur le choix entre plusieurs circuits : il peut passer par la droite ou par la gauche ou encore biaiser d'un côté à l'autre et monter en zigzag. Il rencontre plusieurs petits paliers intermédiaires et à mi-côte une grande et large terrasse avec une balustrade d'où il regarde le chemin parcouru, à moins qu'il ne préfère se tourner vers le haut pour apprécier l'effort qui lui reste à fournir. En somme, allégorie de l'existence humaine, cet escalier lui laisse la possibilité d'établir son itinéraire comme il l'entend, en choisissant la rampe qui lui plaît de même que le lieu et la durée de ses étapes. Mais, allégorie de l'existence chrétienne, il le force à une montée continue, à un effort qui est celui du corps pécheur vers Dieu, de l'âme vers son Sauveur. Au sommet des marches, érigé sur la terrasse supérieure, qu'aperçoit-il ? Un obélisque. Nulle vaine lubie exotique ne l'a transporté ici. Les obélisques, pas plus que les fontaines, n'ont été semés au petit bonheur. Comme les autres trophées égyptiens retrouvés dans les ruines d'Auguste, de Caligula, et plantés par les papes de la Contre-Réforme au milieu des places publiques, celui-ci indique la direction du ciel. Le ciel, figuré par l'église de la Trinité-des-Monts, à laquelle notre voyageur accède par un dernier perron de neuf marches. Les deux clochers qui ferment la perspective se dressent, s'il lève la tête, en face de lui, massifs jumeaux de pierre, terme ultime de son ascension.

Rome l'a pris en main dès le berceau, ne lui accordant une liberté apparente que pour mieux le conduire au but. La place d'Espagne ne me semblait plus, après cette découverte, la promenade pittoresque et agréable qui m'avait plu d'abord. Je prêtais toujours l'oreille au chuchotement de la fontaine, mais les gouttelettes en retombant me demandaient compte du temps qui s'enfuit. Impérative topographie ! La Mère, je la voyais ravalée tout en bas, dans une position ancillaire et subalterne. Point de salut hors du Père, qui pointe en haut des marches son doigt accusateur et me sommait d'entrer dans son temple, quand j'aurais gravi l'escalier.

Il fallait, ou se plier à la discipline et monter la pente, ou s'attendre à être rejeté dans les ténèbres extérieures. Dont abondent, dans l'histoire de Rome, les métaphores les plus diverses : le feu pour Giordano Bruno, brûlé sur le Campo dei Fiori ; les vingt-sept ans de cachot, pour Tommaso Campanella ; le procès de l'Inquisition, pour Galilée ; la torture, pour Mario Cavaradossi, persécuté par le préfet Scarpia ; la prison aux fatales conséquences, pour Antonio Gramsci ; l'acier damasquiné d'une dague anonyme, pour Michelangelo Merisi, dit Caravage, assassiné en pleine gloire sur une plage du Latium.

23

De Caravage, j'allais reconnaître une à une, dans les églises et dans les musées, les toiles dont nous avait parlé à Bologne Roberto Longhi, aussi féru de ce peintre que réticent sur les baroques, attitude cohérente avec ses polémiques contre l'art officiel et surtout contre la manière officielle d'écrire l'histoire de l'art. A la carrière triomphale de Bernini courtisé par les rois et par les papes et qui n'avait jamais quitté la une des manuels, faisaient pendant les tribulations du peintre maudit à qui les persécutions de son vivant et la mort scandaleuse sur une grève désolée n'évitèrent pas une longue période d'oubli posthume, jusqu'à sa redécouverte au xxᵉ siècle, encore plus récente que celle de Vermeer ou de La Tour. Vaguement tenté, au début, de reprendre mon diplôme d'études supérieures interrompu, tu te rappelles, au bout de quelques chapitres, je compris vite pourquoi j'avais renoncé à ce travail et pourquoi il me serait difficile de m'y remettre. Comment me cantonner dans le langage, technique et impersonnel, d'un mémoire universitaire alors que chaque tableau, par son sujet bien plus que par son style, me jetait dans un émoi violent ?

Je courais de l'un à l'autre, amoureux du dernier que je quittais. Tantôt du Bacchus à la corbeille de fruits, dont la chemise blanche en glissant sur le bras a découvert l'épaule ; il penche légèrement la tête en arrière, geste d'invite que soulignent la bouche entrouverte, le regard flou, l'afflux de sang qui lui colore l'oreille d'une tache rouge tranchant sur le noir des cheveux bouclés. Tantôt du Narcisse accroupi au bord de l'étang, qui écarte les lèvres à la rencontre de son image ; non pas le fade berger de la mythologie, mais un vrai gaillard, quelque page échappé d'un château, d'après les fleurs en satin découpées sur le damas de son pourpoint, la riche batiste de sa chemise et la mise en plis raffinée de sa coiffure. Avantages qu'il a gaiement sacrifiés à la vie libre et vagabonde du vaurien : sa belle culotte bleue montre déjà un accroc au genou. Voici maintenant, dans le couloir au parquet de chêne ciré et au plafond décoré à fresque de la Galerie Doria-Pamphili, le jeune saint Jean-Baptiste tout nu. A demi couché sur un bras, de l'autre il enlace un bélier. Tableau qui me frappait, celui-là, par le contraste entre le sourire malicieux qui illumine la face de l'enfant, et la pose accablée, la profonde tristesse de la Madeleine exposée à côté.

Adossée à un mur gris, sur une chaise basse qui est le seul meuble d'une cellule au dépouillement monastique, elle se tient courbée en avant, les mains jointes sur le ventre, les yeux fixés dans le vide. Image de la solitude et du désespoir, rendue plus pathétique par la somptuosité des broderies sur sa robe d'opulent velours serrée à sa taille par un ruban rouge. Sur le sol, à même le carrelage, gisent éparpillées les parures dont elle vient de se défaire. Un des colliers s'est cassé en tombant, les perles ont roulé sur les dalles contre le pied de cristal d'un flacon de vin blanc. Nectar mûri sur les coteaux de Frascati, dont elle méprise la belle couleur dorée, ce qui ne serait pas le cas, pensais-je en riant, de son espiègle voisin de cimaise. Il s'empresserait de siffler le carafon, non sans rafler au passage les bijoux dédaignés.

Rapprochement fortuit, sans doute, mais qui me corroborait dans l'opinion qu'un jeune garçon est fait pour le jeu et pour l'amusement, autant que les femmes sont vouées par nature à souffrir et à s'affliger. Blessées et dolentes, c'est ainsi que je les avais toujours vues autour de moi, à commencer par celles de ma famille. Pour qu'un visage féminin me plaise, il faut que l'habitude des pleurs y ait tracé leur sillon. Volontiers, me disais-je, j'aiderais d'autres Madeleines à porter leur fardeau, comme j'avais partagé avec Giovanna B. son angoisse sur le sort des juifs, avec Wilma Kalz émigrée de Slovénie les peines et les amertumes de l'exil. Wilma Kalz, dont une autre œuvre de Caravage me rappelait la taille svelte et la tournure gracieuse, sous la forme d'un ange blond comme elle et comme elle jouant du violon ; à ceci près que cet ange-ci, nettement masculin malgré l'effort du peintre pour rendre son ambiguïté androgyne, serait resté dans mon carnet d'adresses, inscrit en bonne place, au lieu de disparaître dans un faubourg de Liubliana dont j'avais griffonné le nom au revers d'une boîte d'allumettes depuis long-temps perdue.

Quant au jeune drôle du palais Corsini, via della Lungara, de l'autre côté du Tibre, un casque épais de cheveux noirs cache son front et la moitié supérieure de son visage, laissant dans une ombre indécise la bouche et le menton mais non les épaules ni le buste, inondés de lumière. Je trouvais ridicule de continuer à le déguiser sous le nom hypocrite de saint Jean-Baptiste, lui, transposition évidente, à peine idéalisée, de quelque galapiat croisé dans ce Transtévère où la pègre élisait domicile, et attiré dans l'atelier sous prétexte de le peindre ; voleur ou prostitué, n'hésitant pas à poser nu mais s'arrangeant pour dissimuler ses traits, au cas où le fourbe aurait avantage à disparaître sans laisser un signalement trop précis.

Pensées qui me ramenaient à mon diplôme comme un aiguillon supplémentaire mais en même temps me rendaient conscient d'un nouvel obstacle. Roberto Longhi nous interdisait de lire les tableaux d'un peintre en nous rapportant aux événements de sa vie. A propos de Caravage surtout, il ne cessait de nous mettre en garde contre le « roman noir » de ses aventures. Rixes dans les tripots, rivalités sanglantes avec des inconnus, balafre mystérieuse qui lui avait couturé la figure sur le seuil d'une auberge, et jusqu'à cette mort violente et ignoble sur la plage où il avait ancré sa felouque : l'historien devait rester de bois devant ces péripéties insolites. L'analyse des « valeurs picturales », l'étude du « luminisme », l'examen du « clair-obscur » étaient seuls dignes de retenir son attention. Travers de la critique et de l'esthétique modernes, excusable chez Longhi par sa discrétion de gentleman répugnant à fouiller, comme il disait, « dans les corbeilles de linge sale », grossi démesurément depuis une vingtaine d'années, maintenant que des ingénieurs sans âme, sous le nom de sémiologues et de structuralistes (pédante rivalité avec les sciences exactes), prétendent démonter une œuvre comme un moteur d'avion, en dehors de toute référence à la biographie.

A contre-courant de cette mode qui sévit chez les professeurs et m'a définitivement dissuadé de la carrière universitaire, ma méthode eût consisté à regarder l'œuvre peint de Caravage comme une chronique codée de sa vie. Me frappa tout de suite, par exemple, le couple bourreau jeune/victime âgée. Soit le *Martyre de saint Matthieu,* que j'allais admirer au mur du fond de Saint-Louis-des-Français, en un temps où on ne mettait pas cent lires dans une boîte pour allumer un projecteur. Loin de m'attarder sur la technique du peintre, son système de diagonales et sa science du contrepoint, chapitres non négligeables mais comme un préambule au véritable commentaire, je déchiffrais, autant que me permettaient de voir la pénombre de la chapelle latérale et les couleurs nocturnes du tableau, une scène étrange de soumission et de reddition. Des barbares d'Éthiopie, pays où il est venu prêcher, ont envahi le temple pour mettre à mort le saint ; lequel, renversé sur les marches au pied de l'autel, le crâne chauve, la barbe abondamment fournie, écarte les bras pour recevoir le coup de grâce porté par un adolescent dévêtu, le plus farouche de ses agresseurs mais aussi d'une beauté merveilleuse. Les témoins du meurtre s'enfuient, la peur les jette de côté, les chasse en désordre vers la sortie, l'épouvante leur tord le visage. Seul Matthieu reste parfaitement étranger à cette terreur. Il ne cherche même pas à se protéger la figure de l'estocade qui va lui être assenée. Les bras en croix, il regarde bien en face le jeune homme qui est à demi penché sur lui et cherche dans quelle partie du corps il plongera son arme, une longue épée luisante. « Où il te plaira » semble murmurer la victime à son assassin qui serait tout nu sans un linge accroché à sa taille et un bandeau noué autour de ses cheveux dont les boucles rebelles lui pleuvent sur le front. Le reste de la scène est mal éclairé et sombre. Toute la lumière tombe et la couleur rayonne sur le corps du jeune homme que je contemplais moi aussi avec les yeux fixes de Matthieu. Cette stupeur médusée de l'apôtre devant la jeunesse et la splendeur de son bourreau me laissait tout rêveur ; et bien qu'une docilité aussi passive me parût condamnable, je me disais qu'il faudrait une force surhumaine pour ne pas souhaiter mourir foudroyé par une telle apparition.

Le même couple, et en moi la même intensité d'émotion, je les retrouvais au premier étage de la Villa Borghèse, devant le *David et Goliath* au fond d'encre qui devint vite mon tableau préféré. Pas de témoins de la mise à mort, ici, pas de comparses : effet saisissant de ces deux mythiques adversaires seuls au milieu de la nuit dense. Nul figurant n'a été jugé digne d'assister au mystère de leur dernier tête-à-tête. Le fils de Jessé, le buste à moitié nu, a laissé glisser sur ses reins la tunique du désert. Le visage à peine incliné, il hisse à bout de bras et contemple la tête coupée du Philistin, pendant que son autre main, encore crispée sur la poignée, abaisse l'épée entre ses jambes. Modelé admirable du torse ; air détaché du vainqueur, qui ne s'abaisse pas à se réjouir du trophée chevelu qu'il brandit ; petite bouche, bien dessinée, relevée de rose qui tranche sur le mat blême des chairs ; rose aussi l'oreille, comme celle du Bacchus ; pudeur, ou prudence, du peintre qui a concentré dans ce cartilage anodin la chaude sensualité de son modèle.

Ni l'arrière-plan tragique de ténèbres ni les jeux de la lumière sur la poitrine nue ni le flamboiement de l'épée meurtrière dans le coin le plus sombre ne m'empêchaient de noter un détail curieux : non seulement le mort garde les yeux ouverts mais Caravage ne les a pas faits symétriques. Comme dans la vie, ils diffèrent par le dessin et par l'expression. A gauche je voyais une paupière tombante, une prunelle éteinte aux lueurs hagardes ; à droite, au contraire, sous la paupière bien relevée et restée ferme, l'éclair d'un reflet fauve dans l'iris brillant. Entrouverte sur une rangée de dents qui luisent, la bouche elle non plus ne ressemble pas à la bouche d'un mort. Quels mots va-t-elle lâcher ? Une imprécation ? Une plainte ? Non, quelque chose qui pourrait être, si étrange que cela me parût, un chant de remerciement, une action de grâces à l'assassin. Le comble de la surprise pour moi, c'était d'apercevoir dans cette face avilie et souillée comme l'ombre d'un désir satisfait. Rien ne trahit en elle l'angoisse de l'agonie ; rien, le sursaut de l'ultime spasme ; nul signe de révolte ni d'horreur dans cette physionomie si parlante ; bien plutôt un air d'acquiescement et de soumission, presque d'apaisement. Je croyais deviner, avec un trouble dont je ne savais pas me défendre, une vérité qu'il n'est pas bon de se dire. Il me semblait en un mot que ce géant barbu et ridé n'avait pas subi sans un secret plaisir la loi du jeune.

Curieuse déformation d'un sujet rebattu dans l'art de cette époque mais traité ici au mépris de l'Écriture. Curieuse et inexplicable à moins que... Vite, en rentrant chez moi, un coup d'œil à mes notes conservées pieusement dans un tiroir, comme tous les souvenirs qui me restaient de Bologne. *David et Goliath* peint en 1609, au lendemain de l'agression devant l'auberge du Cerriglio à Naples, repaire de marins et de contrebandiers. Qui le peintre rencontra-t-il ce jour-là ? D'où naquit la querelle ? Quel poignard lui entama la joue ? Il fut si malmené qu'on reconnaissait à peine son visage. Peu de renseignements, en fin de compte. Ah ! si, en voici un, décisif : la tête de Goliath comme autoportrait de l'artiste. Tout s'éclairait dès lors. La méthode de travail du peintre : raconter à travers un épisode de la Bible un événement de sa vie privée. L'identité de l'agresseur. Le motif de l'agression, attribuée par une légende prude à une dette de jeu impayée ; comme celui du meurtre, six mois plus tard, au bord d'une plage déserte près de Gaète, à mi-chemin entre Naples et Rome, sur laquelle le vent avait jeté sa barque, ou sa mauvaise étoile décidé de l'échouer ; meurtre demeuré pour tous une énigme. Fallait-il chercher la clef bien loin ? Caravage avait caché son secret dans ses œuvres. Il suffisait de soulever le masque sous lequel il s'était déguisé. Les inventions iconographiques du peintre m'initiaient aux rêveries suicidaires de l'homme. Je découvrais le prestige exercé sur un grand créateur par des bourreaux de dix-huit ans.

A bon entendeur salut. Pour moi, un quart de siècle plus tard, je me souviendrais de la leçon, quitte à interchanger les rôles. Au lieu de m'identifier au jeune garçon distant et légèrement écœuré qui brandit la tête coupée de sa victime, je prendrais la place du vaincu.

Jouet sanglant offert à l'ardeur meurtrière d'un imberbe, je roulerais à ses pieds dans la boue. Il ne me manquerait ni la plage désolée ni l'aride solitude ni le murmure dérisoire de la mer. Quand ai-je commencé à lire dans ce tableau mon destin ? Je venais souvent à la Villa Borghèse. Sans m'arrêter dans les autres salles du musée, je gagnais directement le grand salon du premier étage. Là, dans le coin de la fenêtre, m'attendait l'adolescent victorieux. Un rayon de soleil, tombant sur la moitié nue de sa poitrine, exaltait la couleur dorée des chairs. Peu à peu, cependant, je me glissais dans la dépouille de Goliath. Le soupçon qu'il avait contribué à sa propre défaite m'emplissait d'effroi tout en me pénétrant de douceur. Comment repousser la tentation de céder l'avantage du combat à celui que jeunesse et beauté auréolent de lumière ? Être arraché à la vie me semblait un sort presque enviable si le coup partait d'une telle main.

Ce ne fut d'abord qu'une idée fugitive, presque une plaisanterie ; dont je songeais à me garder d'autant moins que l'écart d'âge me mettait à l'abri pour longtemps. « Quand j'aurai l'âge de Goliath, pensais-je, quand je commencerai moi aussi à me creuser de rides, à me hérisser de barbe... » Un avenir qui paraissait fabuleusement éloigné au jeune homme de vingt-huit ans en extase devant le tableau. Il pouvait se bercer dans le rêve d'un séraphin cruel fondant sur lui avec une épée. « Succomber comme Goliath, comme Caravage... mais lorsque les années m'auront à mon tour usé, fatigué, dégoûté de vivre ! »

Pour me rassurer contre moi-même et tenir en échec ce fantasme, j'eus recours à un stratagème que je crus magique. Frappé par la dissymétrie entre les yeux du mort, je décidai que je n'aurais rien à craindre tant que je garderais les deux yeux grands ouverts. Le moment où sa paupière gauche s'était affaissée avait averti Goliath de sa fin. De même, la chute d'une de mes paupières serait le signal fatidique de mon consentement à la mort. De là mon habitude d'emporter toujours avec moi une glace à main dans mes expéditions nocturnes ; comme de m'étudier dans le rétroviseur avant d'ouvrir la portière à un passager. Je vérifiais avec un soin particulier le muscle de ma paupière gauche. Si quelque nouveau David errait en quête d'un exploit, il faudrait qu'il aille chercher ailleurs sa victime.

Les deux yeux grands ouverts, je l'attendais de pied ferme. Mon heure n'était pas encore venue. Cette précaution me rendit quelquefois téméraire. Je serrais dans ma poche comme un talisman le petit miroir protecteur.

24

Gino Colussi, brocanteur et célibataire, portait les cheveux en brosse, une grosse moustache prématurément blanchie, une barbiche encore noire. Il vivait seul, en misanthrope. Vingt-cinq ans de résidence romaine ne l'avaient pas acclimaté. Il détestait cette ville, que j'aurais aimée rien que pour me désolidariser du patriotisme démodé de mon oncle, resté séparatiste frioulan. Quand il ne partait pas en tournée avec sa carriole à la recherche de livres et de bibelots, il compulsait des registres dans son arrière-boutique, où je furetais entre les rayons. Chômeur et oisif, je lus les poètes romains, le dialectal et obscène Gioacchino Belli avec une particulière délectation. Quelquefois, pour soulager maman qui s'était placée comme femme de ménage chez un jeune couple dont elle devait aussi promener le rejeton, c'est moi qui la déchargeais de cette tâche en m'offrant à pousser le landau. Gino m'accompagnait jusqu'à l'Isola Tiberina, derrière la synagogue. Au fond de via di Portico, à cinquante mètres de piazza Costaguti où il habitait depuis son départ de Casarsa, nous passions sous la plaque murale posée à la mémoire des huit mille morts du ghetto. Date de la rafle : 16 octobre 1943.

— Le pape n'est pas intervenu ? Il avait été nonce à Berlin, il connaissait personnellement les chefs nazis.

Gino haussait les épaules.

— Pie XII, mon petit, ne s'est jamais soucié des millions de juifs déportés et massacrés pendant la guerre. Il n'a rien fait pour s'opposer au génocide.

Bien que ce pape me fût déjà très antipathique, je n'avais pas envie de suivre mon oncle dans ses phobies.

— Au moins, lui disais-je, la date inscrite sur le mur parle clairement. En octobre 43, les Allemands venaient d'occuper

189

Rome. La persécution a commencé quand ils sont arrivés. Jusque-là, à Rome, les juifs n'étaient pas trop inquiétés.

— Qui a dénoncé les juifs aux Allemands? Qui a dit aux Allemands : à tel ou tel numéro loge un Levi, un Lattès? Des Italiens, Pier Paolo! Les habitants du même immeuble. Quelquefois leurs voisins de palier.

— Des Italiens? Je ne peux pas y croire! L'antisémitisme n'a jamais pris en Italie. Nous sommes déjà assez vils...

— Ailleurs qu'à Rome, tu as sans doute raison. De ma fenêtre j'ai vu des gens du quartier relever les numéros des maisons. Je suis sûr qu'ils allaient ensuite à la Kommandantur. Un jour les camions allemands ont cerné le ghetto. La rafle n'a pas duré plus de quatre heures. Chaque logement était fiché, répertorié. Il suffisait de sonner à la porte et d'emmener les occupants.

Incrédule, je secouais la tête.

— Méfie-toi des Romains. Mussolini s'est installé à Rome sans coup férir. C'est la seule ville qui l'ait accueilli en femelle. Il n'a eu besoin de tuer personne pour y régner en maître. Des dizaines de milliers de gens se dérangeaient spontanément pour l'acclamer sous le balcon de la place de Venise. Ils se croyaient revenus au temps de César, d'Auguste.

Rome a commencé à me plaire du jour où, ayant obtenu un poste de maître auxiliaire dans une école de banlieue, je me suis transféré avec maman, qui n'eut plus besoin de travailler, dans un appartement de Ponte Mammolo, à une heure d'autobus du plus proche terminus des tramways urbains. Pour des raisons qui n'avaient rien à voir avec celles de mon oncle et qui remontaient à ma situation d'enfant déchiré entre un père ravennate officier de l'armée italienne, doublement « central », et une mère « périphérique », je ne pouvais me sentir heureux qu' « en marge ». Formule qui n'était pas pour moi une simple métaphore, mais une exigence concrète, à prendre dans son sens littéral, géographique. Ma destinée centrifuge me désignait pour les faubourgs. L'erreur (mais expliquée par le manque d'argent, la nécessité d'un logis provisoire) avait été de nous installer piazza Costaguti. En plein cœur de Rome. Ponte Mammolo, ultime excroissance vers le nord-est, après Tiburtino, après Pietralata, de l'énorme prolifération suburbaine, campement bédouin plutôt que commune civilisée, m'apparut tout de suite comme un coin retrouvé de préhistoire, le but vers lequel j'avais obscurément tendu en prenant la fuite de Casarsa.

Tiburtino, Pietralata, Centocelle : sous ces noms sonores, une réalité misérable. Penché à la fenêtre de l'autobus que nous avions pris à Stazione Termini et qui remontait la Tiburtina, j'examinais le mélange disparate de bâtisses construites n'importe où et n'importe comment : lotissements des années 30, à l'extérieur délabré, malgré l'ambition fasciste de doter Rome d'une banlieue moderne, projet absurde puisqu'il n'y avait en ce temps ni usines ni fabriques ni entrepôts d'aucune sorte en dehors des murs, les seuls habitants de ces landes et de ces collines presque désertes étant des bergers isolés, des vagabonds sans travail, des repris de justice, quelques ferrailleurs et fripiers dont les cabanes voisinaient encore, minuscules baraques de planches et de tôle ondulée, avec les H.L.M. en béton ; immeubles de la jeune République, bien que d'aspect déjà vétuste eux aussi, groupés en petites cités autour d'esplanades de terre battue qui servaient de dépôts d'ordures, de garages de bicyclettes, de terrains de jeux et d'aires de séchage pour le linge ; ici et là une carcasse de gratte-ciel, trop ambitieux pour être jamais achevé ; ou quelque commerce flambant neuf, à l'élégance tapageuse, comme ce magasin à l'enseigne de Telefunken dont la devanture encore zébrée de céruse se préparait à exposer les premiers modèles d'électrophones à 33 tours.

Quand on aurait refait la vitrine, car après que les footballeurs dont j'admirais la fruste hardiesse eurent conclu leur partie dans le chantier devant le magasin, celui qui paraissait leur chef posa le ballon par terre, prit son temps pour viser et l'envoya d'un coup de pied champion dans la glace qui vola en éclats.

Violence dirigée peut-être moins contre la richesse et l'argent que contre leur symbole, cette surface lisse, brillante, nette, cristalline, où ils n'avaient à refléter que leurs visages sales et qui jurait trop manifestement avec les éléments de leur univers : la boue et la poussière des chemins sans voirie suffisante ; le terne ciment des murs ornés de seuls graffiti ; le crépi écaillé des façades dont je pouvais suivre à l'œil nu les lézardes zigzaguant d'un étage à l'autre sous les étalages de linge pendus aux balcons. Quand prendrait fin cet interminable bivouac de bâtisses hétéroclites ? Debout au milieu de la cohue des voyageurs, avec nos quatre valises coincées entre les jambes, nous ballottions, maman et moi, à chaque cahot de l'autobus. Il fonçait entre les talus d'herbe sale, les maisons populeuses, les bicoques de torchis, les buissons aux feuilles ratatinées, les tas d'immondices, les ruines d'aqueducs romains, le gazomètre rouillé dont la masse brune bouchait l'horizon, les bulldozers rouges au travail parmi les remblais, les grues géantes plantées dans les éboulis.

— Viens donc au fond ! Sur la plate-forme on sera mieux !

Le jeune dont je sentais le souffle dans mon cou et auquel je souriais depuis un bon moment profita du bruit assourdissant d'un scraper en train de racler un monceau de gravats pour me crier à tue-tête cette invite. Bien que personne autour de nous ne fît mine d'avoir entendu, je me mis à rougir malgré moi.

— Ici ? Dans l'autobus ? dis-je gauchement, sans oser crier aussi fort.

Il éclata de rire, appuya son doigt sur sa joue dans le geste éloquent décrit déjà dans les sonnets de Belli et voulut m'entraîner vers l'arrière. Maman, écrasée entre ses voisins, s'accrochait comme elle pouvait à la barre, l'œil anxieux fixé sur nos bagages. Sans cesser de sourire au garçon, dont l'adroite main venait de me donner un avant-goût de ses talents, je lui fis non de la tête. Il sourit à son tour, haussa les épaules avec bonne humeur, me tourna le dos sans insister et se fraya un passage vers la sortie. Au premier arrêt il sauta d'un bond sur le sol, mais ne résista pas au plaisir de grimper sur un petit tas de détritus et de camper crânement sous mes yeux sa silhouette dont les trésors glorieux augmentèrent mon regret de l'occasion perdue.

Devant nous, sur une colline au bout de la route, se découpèrent les maisons du dernier îlot construit avant les plateaux inhabités du Latium. L'autobus parcourut une étendue pelée de campagne non lotie, puis franchit un pont étroit sur l'Aniene, boueux cours d'eau marron. De minuscules potagers, clos par des grillages, bordaient une des rives. De l'autre côté, le véhicule nous déposa en haut d'une pente sur une petite place triangulaire, devant un banc protégé par un auvent en béton. Nous eûmes à peine le temps de descendre, qu'une volée de jeunes drôles aux boucles drues et noires prit d'assaut le marchepied. Houspillé par les cris de son impatiente clientèle, le chauffeur renonça à se dégourdir les jambes sur le gazon râpé et jauni du terre-plein. Il se cala à nouveau dans son siège, tira sur le démarreur et repartit en direction de Rome.

Ponte Mammolo — qu'ignoreraient les cartes si le site n'avait été choisi autrefois pour dresser dans l'isolement alors complet des friches la massive prison de Rebibbia — se composait d'une cinquantaine d'immeubles poussés au hasard de la spéculation, dans un terrain fertilisé par l'Aniene et couvert de broussailles. On n'avait même pas pris la peine de l'essarter. J'ai vécu là pendant quatre ans, dans trois pièces exposées à l'est. Promise aux habitants mais restée dans les plans de l'architecte, l'église manquait encore. Une salle de cinéma, énorme, disproportionnée aux besoins, premier et seul monument public, montrait les plâtres fendillés de sa façade derrière une rangée de colonnes en ciment.

Les rares séances avaient lieu le samedi soir et le dimanche après-midi, devant une assistance clairsemée. Les natifs de Racalmuto et de Pietranera — de ces deux localités siciliennes provenait la majorité de la population — méprisaient les films de cow-boys et les comédies américaines. La grande salle ne se remplissait que certains soirs d'hiver, quand le chauffage urbain était tombé en panne. Les familles affluaient, avec les nouveau-nés, les enfants en bas âge, les femmes enceintes, les vieillards tirés du lit en pyjama et en bonnet. Ils apportaient des omelettes, des pizzas, des compotes d'aubergines, des beignets aux pommes, des bouteilles de vin, bien décidés à couvrir le bruit, pour eux insipide, des conversations à l'écran et des cavalcades dans le désert par le vacarme d'une franche et cordiale ribote. Refusant, avec leur bon sens terrien, de s'intéresser à des inepties aussi étrangères à leur monde, opposant à la première offensive des médias la résistance d'une solide tradition paysanne, ils laissaient derrière eux, au bout de deux heures de chahut et de ripailles, le sol jonché de papiers gras et de canettes vides, non par saleté ni incurie, mais pour s'approprier un peu plus, comme un coin de campagne ou de forêt, cet édifice absurde. A peine moins incongru que l'agence du Credito Italiano qui lui faisait face, avec ses murs de granit poli, ses comptoirs de marbre et ses affiches où des lacs bleus promettaient le chalet de leurs rêves aux souscripteurs d'un plan-épargne.

Les jeunes couples mariés se réservaient les sièges du fond. Ils y faisaient l'amour, tranquillement, sans honte, dans une promiscuité moindre qu'à l'intérieur des chambres surpeuplées du logis parental. Occupation mille fois moins décevante que d'attendre le moment où John Wayne poserait le premier baiser sur la bouche sophistiquée de Maureen O'Hara dans *Rio Grande,* où Jennifer Jones se déciderait entre Joseph Cotten et Gregory Peck dans *Duel au soleil,* deux films très populaires, partout ailleurs qu'ici, dans l'Italie du plan Marshall.

Le village campait à la manière d'une tribu africaine. Les hommes, absents jusqu'au soir, travaillaient dans les garages et dans les ateliers surgis le long de la Tiburtina. Les femmes restaient claquemurées dans leurs cuisines. Elles ne sortaient qu'une heure le matin pour s'approvisionner à la Standa, qui avait le monopole de l'alimentation et des articles de ménage. Quand il se mit à faire très chaud, elles tirèrent leurs chaises sur les balcons, mais en tournant le dossier vers la balustrade. Selon l'antique usage apporté de leurs bourgades siciliennes, elles s'asseyaient face aux fenêtres, le nez penché sur leur ouvrage de couture, sans se permettre de regarder dans la rue.

La rue appartenait aux *ragazzi,* de douze à dix-huit ans, et n'appartenait qu'à eux seuls. Stade pour leurs jeux, colonie pour leurs rivalités, arène pour leurs rixes, magasin pour leurs vols, dépôt pour leurs recels, ils y vivaient en permanence, leur quartier général étant le banc de pierre sous l'auvent en béton. Le centre de l'activité publique, le seul endroit toujours animé, la véritable agora du village se trouvait être ce triangle d'herbe pelée où se décidaient les expéditions, les coups de main, les représailles. Pour quelques lires, l'autobus qui passait toutes les heures pouvait, en cas de danger, de bougeotte, de manque d'imagination, de rumeurs au sujet de nouveaux terrains de chasse, les emporter dans ses tôles brinqueba-lantes vers des occasions inédites de trafics lucratifs ou de butins téméraires.

Mais les grandes équipées, les plus audacieuses et les plus fécondes, commençaient à la tombée du jour, après le retour des pères et des frères aînés. Les jeunes, qui par tempérament ne supportaient pas d'être enfermés entre quatre murs, étaient pris d'une frénésie d'évasion à l'heure où le cercle de famille se ressoudait autour de la table à manger, quand les mères, pour couvrir les cris de leurs maris déjà ivres, tournaient à fond le bouton de la radio (dans quelques années, ce serait la télévision). Les bicyclettes, les mobilettes, les vespas, les lambrettas, quelquefois une Ducati 125 ou même une Mondial à fourche télescopique ressortaient clandestinement des abris où leurs propriétaires les avaient remisées en rentrant du travail. Poussées en silence sur la route qui descendait vers la rivière, elles reprenaient au-delà du pont un service nocturne pétaradant et furibond.

Je m'asseyais sur le parapet pour assister au départ de la meute. Tels des loups affamés, ils allaient s'abattre sur les quartiers de Rome où leurs informateurs leur avaient signalé quelque aubaine alléchante, une pompe à essence défendue par un seul gardien, une boutique dépourvue de rideau de fer, un dépôt de ferraille laissé sans surveillance. Ils avaient réussi à dénicher et à remettre en état un vieux side-car de l'armée allemande, ainsi qu'une *giardinetta* d'avant-guerre, véhicules encombrants, facilement repérables et beaucoup moins rapides que leurs engins préférés, mais indispensa-bles pour emporter la cargaison.

Les nuits de butin maigre ou nul, lorsqu'ils avaient en vain appâté les « fraulènes » allemandes sous les pins de la Villa Borghèse, il leur restait, pour ne pas rentrer bredouilles, à voler l'essence dans le réservoir des voitures, à dévisser les ampoules des réverbères, à embarquer les plaques de fonte des égouts. Sur le chemin du retour, les receleurs de la Tiburtina acceptaient leur marchandise contre une poignée de lires. Après avoir rançonné et pillé sans vergogne, peu leur importait de se faire rouler à leur tour : le principal bénéfice de ces incursions dans Rome étant le plaisir de la chevauchée nocturne, de l'infraction, du risque. La questure les tenait à l'œil. Plus d'un avait séjourné à Rebibbia ou à San Michele, la prison des mineurs.

Sergio, qui m'initiait à ces mœurs, je l'ai rencontré sur le pont, où il me salua le premier. Apostropha plutôt, injuria presque, dans un langage ignoré de moi, un dialecte rauque et brutal qui me prit au dépourvu. Il éclata de rire et me proposa une partie de doigts. L'un des joueurs lève sa main devant lui, l'index et le médius tendus. Le partenaire, avec les mêmes doigts, frappe aussi fort qu'il peut. Chacun à tour de rôle. Nous nous sommes battus avec une telle violence qu'au bout de dix minutes nous avions les doigts en sang. Pacte conclu.

— Pourquoi tu avais l'air si furieux ? lui demandai-je.

Haussant les épaules, il bougonna :

— T'es prof, non ?

— L'école ne t'a pas plu, à toi ?

— J' me suis tiré à douze ans. J'en pouvais plus.

— D'accord ! dis-je en riant. Mais les profs ne ressemblent pas tous à des flics. Moi, par exemple, je ne fais pas mettre en rang.

Il me regarda, soupçonneux.

— Mais les mômes, tu les obliges bien à poser leur cul sur un banc ?

— Évidemment, Sergio ! Comment voudrais-tu faire la classe ?

— J' déteste rester assis. J' peux pas supporter ça. C'est physique. Tiens, vise un peu mes grolles.

Il me montra ses baskets. Le gros orteil perçait sous la toile élimée. Un trou de la grosseur d'une rustine s'étalait au milieu de la semelle.

— Faut qu' j' les use. C'est plus fort que moi ! déclara-t-il.

Incertain si je devais le plaindre d'être trop fauché pour s'en payer d'autres, je suivis des yeux un morceau de bois qui descendait le fil de la rivière dans un tourbillon d'écume sale.

Agressif, il reprit :

— J'en suis à ma cinquième depuis la Saint-Sylvestre ! J' suis comme ça. Faut qu' je bouge. C'est pas possible autrement.

— Quelle marque ? dis-je, pour me donner le temps de comprendre s'il se vantait d'une exceptionnelle aptitude au dégât ou s'il en voulait aux industriels du caoutchouc de ne pas fabriquer du matériel plus résistant.

— Les Pirelli sont celles qui tiennent mieux l' coup. M' faut trois semaines au moins pour les réduire en boudin !

Non qu'il fût un révolté ou un séditieux. Doux et enjoué de caractère, il participait rarement aux raids nocturnes, sauf pour se procurer une nouvelle paire de baskets, quand on annonçait le casse d'un magasin de chaussures. Il m'apprit les rudiments du dialecte des *borgates* : un mélange d'argot romain et de divers patois du Sud. Avant de monter sur le siège postérieur de la Ducati de son oncle, il faisait un signe de croix. Non pas *le* signe de croix, mais *un* signe de croix : car au lieu de se toucher d'abord l'épaule gauche et ensuite la droite, il procédait dans l'ordre contraire. Une « erreur » pleine de sens, qui changeait la nature du signe. Par ce geste magique de protection disjoint de sa référence catholique, il se rattachait à une culture préchrétienne et prébourgeoise, à de vieux rites de sorcellerie païens.

Comme païennes se trouvaient être aussi sa répugnance d'un travail fixe, son instabilité professionnelle. Il s'engageait à la journée sur les chantiers d'immeubles, gâchant du plâtre dans l'auge, charriant des pierres sur la brouette, alignant le fil à plomb, manœuvrant les treuils ; mais, qu'il fît le maçon ou le terrassier, aussi réfractaire aux offres d'embauche durable des patrons qu'à l'endoctrinement des syndicats. L'erreur des communistes fut de traiter ces milliers de Sergio sans métier et souvent sans domicile comme du sous-prolétariat informe aspirant à grossir les rangs disciplinés du prolétariat. Ne les tourmentait ni conscience de classe ni désir d'en acquérir une. Capitalisme, feuilles de paye, lois du travail, sécurité sociale : du latin pour eux. Rien qu'à les voir gonfler leurs narines sur le pont avant de foncer vers la ville, on se souvenait que leurs ancêtres, il n'y a pas si longtemps, avaient gîté dans des grottes et vécu de la chasse. Fils du soleil et du vent, ils gardaient, malgré l'émigration, l'eau courante sur l'évier et les ampoules électriques au plafond, l'œil fier et le pas élastique des nomades. Égarés dans l'Italie d'Agnelli et de la C.G.I.L., inadaptés au rôle de salariés comme à celui de militants. Physiquement, morphologiquement inadaptés, à l'image de mes élèves incapables de fixer leur attention plus de dix minutes, et qui avaient cassé un à un les carreaux de leur classe pour ne pas étouffer.

Tous mes efforts pour les transformer, selon la mission de l'école, en citoyens moyens et obéissants auraient échoué. Les diverses tentatives, aussi bien de la part du P.C. que du gouvernement, pour normaliser, chacun à sa façon, cette grande tribu errante aboutirent à la catastrophe que nous savons. Un génocide pur et simple, un meurtre anthropologique, l'assassinat d'une culture. Mais j'anticipe et généralise au lieu de commencer l'histoire de Santino, le cousin de Sergio, et de Glauco, qui à quinze ans se battait comme un diable pour arracher contre ses camarades plus âgés une place en croupe sur la rutilante Ducati.

25

Glauco, trapu, fonceur, « avec une tignasse qu'un pou serait mort de vieillesse avant d'en faire le tour », selon Sergio ; gamin encore par sa manière boudeuse d'avancer la lèvre supérieure et de s'enfermer dans de brusques silences ; très aimé de ses copains dont il incarnait dans son petit corps râblé toujours en mouvement la gaieté insouciante, la vitalité tapageuse. Peut-être, obscurément, honoraient-ils en lui, qui était le cadet de la bande, leur propre enfance qu'ils se sentaient sur le point de quitter ; et plus que tous les autres Santino, qui non content d'avoir été embauché à l'usine d'eau de Javel située au bord de l'Aniene en amont de Ponte Mammolo, venait de se fiancer avec Fausta la fille du comptable. Il se livrait à des calculs compliqués, fondés sur le numéro du mois, le chiffre des jours et les phases de la lune, pour fixer dans un avenir encore lointain la date de son mariage.

Mariage, dossier, registres municipaux, emménagement : paroles étranges dans la bouche d'un jeune des *borgates,* où un petit nombre de prénoms, comme dans les ethnies primitives, servait à désigner la plupart des membres de la tribu. Aucun papier d'état civil n'encombrait leurs poches. L'idée de se distinguer les uns des autres, l'envie d'être quelqu'un, appartiennent aux descendants des quirites, non aux fils des bois.

Santino accompagnait ses spéculations astrologiques d'un petit sourire qui pouvait passer aussi bien pour une raillerie de ses projets conjugaux que pour une ostentation de virilité. Lorsque, avec une grimace de dégoût, il retirait de ses cheveux luisants de gomina son peigne de poche tout huileux, on ne savait pas s'il regrettait le désordre de ses mèches hirsutes ou s'il râlait faute de voir un résultat plus flambant de ses longues séances chez le coiffeur.

Du reste de la bande, que pourrais-je dire ? Agnolo, les deux

Alduccio, les quatre Amelio, les sept Franco... Vêtus du même blouson, en chasse sur les mêmes pistes, se déplaçant au grand complet, ils vivaient la vie grégaire du clan. Grande surprise fut pour moi de découvrir leur prédilection pour l'eau et les jeux aquatiques. Dès qu'il faisait beau, dès que le soleil perçait la couche des nuages, ils dévalaient vers l'Aniene, arrachaient leurs habits et se lançaient en caleçon dans l'écume bouillonnante. Tous ne savaient pas nager. Tandis que les plus sportifs gagnaient le milieu du courant et se mesuraient à la brasse ou à une sorte de crawl rudimentaire, les autres trouvaient une anse paisible pour se baigner. Fangeuse depuis sa source dans l'Apennin, polluée après son passage devant l'usine, la rivière coulait jaune : ils ne s'y trempaient pas moins avec délices, pataugeant dans l'eau comme dans leur milieu naturel. Santino, le meilleur nageur de Ponte Mammolo, renonçait à un tour avec sa fiancée pour nous rejoindre entre les roseaux où il jetait en tas ses vêtements. Le plaisir de me défier à la course ne durait qu'un instant. A le voir plonger, resurgir, piquer une chandelle, rejaillir et s'ébrouer en mille cabrioles, je comprenais qu'il aurait oublié le monde entier pour le bonheur de se rouler dans les flots. C'est d'ailleurs quand il se laissait aller sans résistance sur le dos et filer à la dérive, que l'attraction mystérieuse de l'élément liquide semblait le posséder le plus complètement. Il fermait les yeux, il se pâmait. Fausta pouvait s'époumoner tant qu'elle voulait du haut du pont. Il n'écoutait pas, ou du fond des eaux limoneuses une sirène plus puissante l'attirait par son chant.

Les jours fastes, la horde s'octroyait une descente aux bains Ciriola. Les bains Ciriola, amarrés en plein Rome par une passerelle disjointe qui enjambait l'eau souillée du Tibre, tenaient leurs flottantes assises sous le pont Saint-Ange. Une ancienne péniche, pontée, renfermait le bar, le vestiaire et les douches. Un radeau de vieilles planches, accolé à la péniche, servait de solarium et de plongeoir. Comme l'entrée coûtait cinquante lires, et que l'intraitable patron, appuyé sur sa jambe de bois, se tenait en faction près de la caisse, on ne pouvait y aller que trois ou quatre à la fois. Les autres entamaient une partie de foot au pied de la muraille sur la rive herbue, s'accoudaient au parapet du pont pour suivre les évolutions des rameurs ou regardaient le soleil s'affaler derrière la coupole de Saint-Pierre comme un gigantesque œuf au plat. Glauco, qui ne savait pas nager, barbotait sous la passerelle, dans le clapotis boueux de la berge. Santino, en vrai champion, se faisait apporter du bar une table d'où il plongeait vers le milieu du fleuve, dans le courant déjà rapide à cet endroit, par un saut de l'ange impeccable, une vrille à nous couper le souffle.

En bas, dans les cales de la péniche, ils se montraient sans gêne sous les douches, orgueilleux de leur jeune virilité et prêts à soutenir les comparaisons. Mais le cul restait pour eux un domaine sacré, interdit. Ils n'en parlaient jamais, s'arrangeaient pour le cacher aux regards. Ils auraient pris en mauvaise part toute plaisanterie à ce sujet. L'établissement fournissait un pan de serviette en loques, de la taille d'un mouchoir. Trop petit pour faire un pagne, il leur servait à se couvrir les fesses lorsque, de la salle de douches, ils rentraient dans le vestiaire.

Un fox bâtard, blanc et roux, mangé par la gale, aux oreilles avachies, le ventre crotté, attendait Santino à l'entrée de la passerelle. Il remuait la queue en le voyant et le suivait sur le radeau, mais Santino devait d'abord feindre de le repousser. « Ah non ! fais pas chier, sale cabot ! » s'écriait-il en grossissant la voix. Le chien, fou de bonheur, s'enroulait à ses jambes. « Bon ! C'est que tu veux faire le plongeon avec nous ! Gaffe-toi ! » Il courait jusqu'au bord du radeau, suivi par l'animal gambadant qui s'arrêtait pile à la limite des planches et tendait avec méfiance son museau au-dessus de l'eau sale qui écumait contre les vieux pneus.

« Tu veux vraiment boire la tasse ? » demandait Santino en lui caressant d'une main le dos et en cherchant de l'autre à l'attirer par la ficelle pourrie qui lui tenait lieu de collier. Le chien pointait les pattes de devant et se raidissait, ses yeux humides et suppliants fixés dans les yeux du garçon. « Tu les as molles, hein ? C'est moi qui vais t'y flanquer, à la flotte ! Saleté de petit bâtard ! » L'animal résistait, faisait un saut en arrière mais, au lieu de profiter de sa liberté pour s'enfuir, il revenait tout frétillant se soumettre au jeu délicieux de la peur et de l'amour. « Saleté de petit bâtard, andouille défraîchie ! » répétait d'une voix affectueuse Santino, qui recommençait à terroriser le clébard en le poussant vers le bord. L'arbre à cames qui ronflait sous la selle de la Ducati 125 ne lui procurait pas la moitié de la fierté et du contentement qu'il tirait de son amitié avec le nommé Sultan. A la fin, il se relevait, donnait un tour supplémentaire à l'élastique relâché de son slip et se précipitait tête la première dans le Tibre, par un carpé du tonnerre qui nous laissait bouche bée. Le chien, tout à la joie de participer à la gloire de son maître sans avoir à payer de sa personne, se livrait alors sur le radeau à une danse frénétique ponctuée d'aboiements qui attiraient hors de sa guérite le rogue unijambiste.

Sergio, Santino, Glauco et moi flânions un jour près de Saint-Paul. Le vent soulevait les bouts d'affiches qui pendillaient aux murs, avec le portrait délavé du ministre Sforza, collé au petit bonheur dans la ville à l'occasion de ses obsèques. Vieux monde défunt qui nous regardait à travers un monocle, comme si l'élégant diplomate était mort depuis un siècle. Notre attention fut accrochée par la mélopée plaintive d'un mendiant. Décrépit et aveugle, il se tenait assis à l'entrée de la basilique, son béret posé à côté de lui sur le trottoir, sa canne blanche en travers des jambes. A force de marmonner des lamentations, il avait réussi à soutirer aux dévotes bon nombre de pièces de dix et de vingt lires et même quelques billets. En nous entendant approcher, il reprit de plus belle ses gémissements. Santino heurta du coude Glauco. Celui-ci, l'air embarrassé, haussa les épaules. Sous prétexte de vider sa chaussure, Santino s'arrangea pour nous laisser filer devant, puis, d'un geste brusque, il s'empara du béret et courut avec sa prise jusqu'au coin de la rue. Le vieux se mit à brailler en agitant sa canne. Comme personne ne venait à son secours et que l'apôtre Paul lui-même restait sourd à ses appels, il se lança en invectives contre « san Lumino », un de ces saints imaginaires que le peuple romain invente pour les abreuver d'injures sans commettre le péché de blasphème.

Les garçons ne firent même pas attention à ses cris. « Presque un demi-sac ! » s'exclama Sergio. Il allongea la main et rafla sans vergogne sa part du butin. Glauco fit de même. Ils me mirent de force un billet dans la poche. Nous remontâmes les quais du Tibre, moi tout secoué encore par cette scène et me demandant quel chapitre dans leur code les autorisait à se montrer aussi durs avec un mendiant sans défense, victime comme eux de la jungle romaine, alors qu'un affreux clebs au poil rouvieux pouvait compter sur la solidarité du groupe et sur la tendresse particulière de Santino.

Lequel m'étonna une fois de plus l'après-midi où il nous apparut avec une veste flambant neuf acquise à la Rinascente, la première pelure de ce genre qu'on eût jamais vue à Ponte Mammolo, plissée à la taille et rembourrée aux épaules, un véritable article de mode, qui aurait pu habiller un mannequin à la vitrine d'une des boutiques de Via Veneto. Aux bains Ciriola, il ne se contenta pas du vestiaire collectif mais réclama, pour y pendre à un cintre son nouvel habit, un placard fermant à clef. Il me montra aussi, mais à moi seul par crainte des quolibets, la cravate qu'il s'était achetée avec la veste et qu'il gardait au fond de sa poche, pliée dans un papier de soie. Une cravate à paillettes phosphorescentes et aux tons si criards que je m'en souviendrais encore même sans l'incident ultérieur qui l'imprima dans ma mémoire.

Avec le reste de sa paye, il loua une barque. Au milieu du fleuve le courant, beaucoup plus fort que nous ne le pensions — il n'y aurait eu pourtant qu'à observer la dérive des papiers graisseux et des bouteilles en plastique — nous entraîna à toute vitesse. Il fallut s'arc-bouter sur les rames pour ne pas être happés comme une paille et risquer de s'écraser sur la pile du prochain pont. « Vise ! Vise un peu ! » fit Glauco. Penché à l'avant de la barque, il nous indiquait une sorte de boule noire qui se débattait à fleur d'eau sous l'arche centrale du pont Victor-Emmanuel. « Merde ! c'est une hirondelle ! » s'exclama Sergio. Des hirondelles, il y en avait des dizaines qui virevoltaient inquiètes d'une berge à l'autre, passaient et repassaient sous les arches et rasaient le fleuve de leurs ventres gris. Un instant de plus, celle-ci aurait coulé. Elle arrachait ses ailes avec de plus en plus de peine, retombait, s'agitait en d'ultimes soubresauts.

« Qu'est-ce qui t' prend ? Arrête ! T'es pas dingue ? » cria Glauco à Santino qui, debout à la poupe, joignait les mains devant lui pour plonger. Il se jeta à l'eau. Le courant l'emporta loin de la barque que, par précaution, nous avions poussée de côté. L'eau bouillonnait contre les avant-becs avec un bruit menaçant. L'hirondelle, prise maintenant dans un remous, tournoyait inerte. Santino, à force de brasses, parvint à proximité. Tout champion qu'il était, je ne l'observais pas sans angoisse. Sa tête disparaissait sous un flot d'eau boueuse, d'où il émergeait suffocant. « Fais pas l' con ! Laisse tomber ! » Sans écouter nos appels, il réussit à saisir la bestiole et à la soulever hors de l'eau. L'oiseau, en se débattant, lui compliquait la tâche. « Elle me fiche des coups de bec ! » D'un bras, tant bien que mal, il nageait vers la rive. « La garce ! » lui répondit Glauco en riant. « Ta fiancée te suffit pas ? » Et Sergio, plus énergique : « Lèche pas le cul de saint Antoine ! »

Glauco lui tendit une main pour l'aider à remonter dans la barque, mais Santino préféra regagner tout seul la berge où il nous attendit, assis dans l'herbe sale, caressant l'hirondelle entre ses deux mains fermées.

— Pourquoi tu l'as repêchée ? lui demanda Glauco. T' avais qu'à la laisser clamser !

— Elle est toute trempée, se contenta de dire Santino.

— Faudrait p't-être aussi que j' te donne ma chemise pour torcher mademoiselle ? fit Sergio soudain agressif. Il ramassa un boulon rouillé et le serra dans son poing.

Santino lâcha l'hirondelle. « Raté ! » cria Glauco moqueur à Sergio, qui venait de tirer son boulon à toute volée contre l'oiseau. Les deux garçons se ruèrent l'un sur l'autre et roulèrent au sol. Je m'étais assis à côté de Santino. L'hirondelle rescapée avait rejoint ses compagnes. Nous restâmes un bon moment silencieux à suivre leurs manèges dans le ciel.

De Casarsa, elles s'envolaient en automne pour l'Afrique. Ma saison préférée, quand l'odeur du moût flottait autour des fermes après le foulage du raisin, et que la lumière moins abrupte moirait de reflets mauves le ruban des canaux... Ce souvenir ne m'effleura qu'un instant. Je le refoulai aussitôt, comme tous les autres de cette époque. La nostalgie serait indigne de toi, Pier Paolo ! Je me dressai d'un bond et courus me jeter dans la bagarre qui était devenue générale.

Si j'ai un remords aujourd'hui, c'est de m'être éloigné de maman pendant ces années de Ponte Mammolo. Tout ce qui me rappelait le Frioul m'était douloureux. La petite gare de l'autre côté de la route nationale, la maison aux volets verts, les géraniums du balcon, la rue qui montait devant l'église, les champs de maïs sous ma fenêtre, le bruit de la pompe qui grinçait dans la cour, je ne voulais plus y penser. J'avais été chassé de l'éden : irais-je me consumer en regrets stériles ? Maman, en revanche, faisait appel à mes sentiments. Le monde d'avant l'exil, elle s'efforçait de le reconstituer pour moi. Sans rien dire, elle achetait à la Standa des assiettes qui ressemblaient à nos assiettes d'autrefois, du linge de table de la même couleur, l'huile et les pâtes de la même marque. Par quel prodige le jambon cuit de Modène et la polenta, difficiles à se procurer au sud des Apennins, égayaient-ils si souvent notre table ?

— Pourquoi ne prends-tu plus ton lait ? me demanda-t-elle un matin en me voyant repousser la tasse qu'elle venait de remplir.

— Il n'est pas bon ici.

Elle soupira.

— Oui, il fait moins d'écume. Mais peut-être...

Sans achever sa phrase, elle se leva, noua son châle autour de ses cheveux devenus gris en trois mois de séjour romain, puis au lieu du cabas ordinaire empoigna le panier en osier du Tagliamento qu'elle emportait pour se rendre en ville. Elle ne rentra que fort tard. Enfermée dans la cuisine, elle s'affaira mystérieusement jusqu'à une heure avancée. J'entendais comme de petits coups de marteau.

— Le déjeuner est prêt ! me cria-t-elle le lendemain matin d'une voix où la malice mettait un enjouement inaccoutumé.

Sur la table de la cuisine trônait un grand bol de faïence identique à celui où j'avais bu à Casarsa pendant les vingt-huit premières années de ma vie ; une de ces coupes démodées, trop larges et trop évasées, à petites fleurs rouges sur fond blanc, qu'elle avait dénichée non sans peine chez le brocanteur indiqué par son frère Gino. Le détail qui aurait dû me tirer les larmes des yeux me raidit au contraire dans une crispation irritée : maman avait pratiqué sur le bord du récipient une série de petites entailles pour le rendre en tout

203

point semblable au bol de mon enfance ébréché par ses nombreuses tribulations.

— Goûte voir comme il est bon de nouveau, me dit-elle en versant de la casserole le crémeux liquide blanc.

Troublée par mon silence, elle se détourna pour prendre l'éponge dans le coin de l'évier. Quelques gouttes avaient coulé sur la toile cirée. Une petite rigole blanche se dirigeait vers le bord. Je bus à contrecœur une gorgée.

— Ah! dis-je, c'est qu'il va être l'heure!

Chaque matin avant de partir pour l'école je l'attirais sur mes genoux pour l'embrasser sur le front. Je lui tendis les bras, ébauchai le mouvement habituel mais sans réussir à terminer mon geste. Mes coudes retombèrent sur la table. Elle fit semblant de n'avoir rien remarqué. L'éponge fut rincée à grande eau, essorée, secouée et remise en place. Je bondis en consultant d'un air soucieux ma montre.

— Maman, je vais être en retard! m'écriai-je.

— N'oublie pas tes lunettes, murmura-t-elle, les yeux fixés sur le bol à peine entamé.

— Ah! oui, ma nouvelle paire. J'espère que tu aimeras la monture.

Je sortis de ma poche une paire de lunettes de soleil et la mis sur mon nez.

— Jésus! des lunettes noires! depuis quand?

— Le docteur me les a conseillées. Pour ménager ma vue.

— Pour ménager ta vue?

Elle secouait la tête, épouvantée.

— Ôte-les vite, mon petit. Des lunettes noires à la maison, c'est comme un parapluie ouvert.

Ces lunettes noires, sans lesquelles on ne me vit plus désormais, emblème et bannière qui propagèrent mon nom, sont devenues célèbres dans toute l'Italie. Au prix d'un complet malentendu. Nul ne comprit que j'avais choisi de regarder le monde sous un jour nouveau. J'étais mort au Frioul : il fallait que je renaisse à d'autres cieux. Elles ont excité la méfiance du public, confirmé les soupçons de mes ennemis, servi de pièce à charge dans mes procès. Pose, snobisme, dissimulation, lâcheté, goût interlope de l'incognito : quels sentiments plus bas l'un que l'autre ne m'a-t-on pas jetés à la face... Un homme dont on avait saccagé le bonheur et qui aurait dû se crever les yeux par fidélité au paradis perdu n'avait-il pas le droit de changer la couleur de ses verres ?

26

Dans nos vagabondages le long du Tibre, nous rencontrions immanquablement, entre le pont Sisto et le pont Garibaldi, en face du clocher carré de Santa Maria in Trastevere qui découpe de l'autre côté du fleuve sa silhouette trapue au-dessus des maisons rouges, la petite bande des pédés professionnels. Ils avaient commencé leur métier pendant la guerre, pour répondre à la demande des soldats américains, et depuis ce temps continuaient à s'asseoir en rang sur le parapet, les jambes pendantes, faisant semblant de regarder le trafic automobile toujours dense sur cette partie du quai.

L'arrêt de la Circulaire Rouge, à l'angle du pont Sisto, donnait un prétexte aux clients et du courage aux plus timorés. Debout autour du poteau, ils feignaient d'attendre le tram et prenaient leur temps avant de se décider. Après de longs échanges de regards en coin et un bref sourire d'assentiment, un des types sautait à bas du parapet et se dirigeait nonchalant vers l'escalier qui menait à la berge, suivi à quelque distance par le miché. Dix minutes leur suffisaient sous l'arche du pont. Si l'affaire devait s'expédier plus vite, on verrait quatre pieds s'agiter sous le paravent de la pissotière, à l'angle du pont Garibaldi.

Ame et corps je m'abandonne
à la blanche porcelaine qui reluit

comme écrivait le grand Sandro Penna. Il habitait trois ponts plus haut, derrière San Giovanni dei Fiorentini, mais une faïence mercenaire n'aurait eu aucun attrait pour celui qui guettait à la porte des lycées, sur la plate-forme des autobus ou dans l'ombre des cinémas. Tout le charme ne vient-il pas de l'imprévu? Plutôt remonter bredouille ses six étages que de se borner à un plaisir sans surprise.

205

— Vise un peu le *frocio !* s'écria Sergio. Debout au coin du trottoir un individu à l'imperméable jaunasse tenait son feutre par le bord et louchait vers les paires de bottines ballantes le long du mur.

— Il a même pas ôté son alliance ! ajouta Glauco.

Pour être *frocio,* dans leur vocabulaire, il fallait : 1° croire que c'est un péché ; 2° se cacher ; 3° payer. Toutes choses qui les amusaient prodigieusement, comme s'ils avaient affaire à des hommes tombés d'une autre planète. Je notais avec soin ces nuances, en vue du roman que je commençais à écrire. Quelques articles publiés dans les journaux m'avaient déjà valu des éloges d'Alberto Moravia, de Federico Fellini. Il semblait que personne à Rome n'eût jamais songé à se promener au-delà des portes d'enceinte. Je frapperais un grand coup en révélant l'univers des *borgates.*

— Mais, demandai-je à Sergio, ceux qui les attendent sur le parapet, comment donc les appelles-tu ?

Il haussa les épaules.

— Y a pas de nom, dit-il.

Je voulus insister.

— C'est pas des pédés, alors ?

— Wanda un *frocio ?* s'exclama Glauco scandalisé.

— Il se détacha de nous pour saluer le gigolo ainsi surnommé et lui serrer chaleureusement la main.

— T'es pas malade, non ? renchérit Sergio.

Et pourtant, aucun des *ragazzi* de Ponte Mammolo n'aurait imaginé de gagner sa vie comme leur ami Wanda, qu'ils dévaliseraient peut-être un de ces soirs s'ils réussissaient à le coincer après son travail dans une des rues obscures du Transtévère par où, fils du peuple à qui ce quartier appartenait encore, il regagnait sa chambre sous le toit : comme ils avaient fauché son béret au mendiant, et pour les mêmes raisons. Demander l'aumône ou vendre son corps : la faute consistait à se cantonner dans une seule activité et à en attendre une rémunération. Ils devinaient, avec leur instinct de nomades non encore urbanisés, que si on entre dans une catégorie sociale fût-ce la plus vile et la plus réprouvée comme celle des gueux ou des tapins, il ne faut plus se plaindre de certaines conséquences : école obligatoire jusqu'à quatorze ans, radio périodique des poumons, service militaire et feuille d'impôts. Les rondes de police elles-mêmes devaient être acceptées.

La police arrivait en trombe au coin du pont Garibaldi. Du fourgon sautaient une demi-douzaine d'agents qui raflaient Wanda et ses collègues entravés par leurs hauts talons, pendant que les *froci*

206

plantaient un peu plus bas le chapeau sur leurs yeux et se serraient contre le poteau d'arrêt de la Circulaire, leur titre de transport dans la main, prêt à servir d'alibi.

« Et ceux-là ? » demandais-je lorsque, devant la gare, en attendant l'autobus qui nous ramènerait à Ponte Mammolo, nous regardions le va-et-vient incessant et les manèges hâtifs sous les yeuses de piazza dei Cinquecento. Un garçon qui avait l'air de fumer sous un arbre se détachait à l'approche d'un passant et le précédait parmi les buissons qui poussent dans l'obscurité des hautes murailles du musée archéologique. « Pourraient pas faire autrement », me répondit Sergio laconique. Il voulait dire que la prostitution ferroviaire tablait sur les voyageurs en transit, sur les représentants de commerce, sur les militaires en permission, sur les émigrés en route vers le nord, sur tous ceux qui passaient en étrangers dans la ville et devaient recourir à des services tarifés, non par honte ni par peur comme les clients du pont Garibaldi, mais faute de loisirs entre deux trains pour partir à l'aventure dans les rues.

Dans les *borgates,* où ni le temps ne manquait ni saint Paul n'avait étendu sa prédication, je n'étais jamais à court de bonnes fortunes. Mes amis se tenaient prêts, de bon cœur et gratuitement, à me rendre heureux. Nous descendions sur les bords de l'Aniene, entre les arbustes des jardins potagers. Le revers d'un talus sur la route de Pietralata, un fragment d'aqueduc, une pierre dressée dans la campagne, le tronc noueux d'un cyprès nous accueillaient dans leur ombre. Nous nous serions passés d'abri sans la crainte d'être dénoncés. Ils vivaient dans une ingénuité splendide. L'amour n'était pour eux que l'expansion physique du plaisir d'être ensemble, le complément naturel des expéditions dans Rome, un talisman contre le risque couru chaque nuit. L'inconfort de nos rencontres, la nécessité de faire vite, leur répugnance à rester longtemps immobiles, peut-être aussi mon propre besoin d'idéaliser leur liberté et leur innocence m'ont rarement permis de les mettre à l'épreuve sur le chapitre précis où un refus de leur part m'eût déçu.

« Pourquoi tu viens pas avec nous ? » me demandaient-ils parfois. C'était au moment de s'élancer pour un de leurs raids nocturnes. Assis sur le pont de l'Aniene, j'assistais au départ de la meute. « On fait le coup à la pompe Shell de Saint-Jean-de-Latran ! » Je secouais doucement la tête. Non, malgré mon désir de me documenter sur leurs mœurs, je me contenterais d'écouter leurs récits le lendemain. Après le procès de Valvasone, maman aurait-elle supporté une seconde enquête policière ? Je pouvais être poursuivi pour complicité, traîné devant un tribunal. Le risque ne me faisait pas peur : mais maman ? « Tu me raconteras », disais-je à Sergio tout excité par la livraison de nouveaux modèles de chaussures de tennis au magasin Dunlop de la longue via Nazionale laissée à la garde d'un seul vigile à bicyclette. Tandis que les motos partaient à pleins gaz sur la route poudreuse, je remontais dans ma chambre ajouter quelques pages à mon livre.

Ce serait un livre cru, dur, d'une franchise allègre et féroce, où je peindrais sans complaisance mes jeunes amis, mais moi-même ne me montrerais pas. Règle absolue que je me suis imposée dans chacun de mes écrits ultérieurs, dans chacun de mes films. Toujours à cause de maman. Ne pas la choquer, ne pas scandaliser cette âme simple qui venait chaque matin au chevet de son fils lui effleurer la joue d'un baiser comme s'il dormait encore dans son berceau. Ce texte qu'à présent je t'adresse, Gennariello, est le premier où je parle de moi. Aussi puis-je revenir et m'interroger sur certains aspects de la vie dans les *borgates* que j'ai passés sous silence dans mon roman.

Après l'amour, nous allions manger une pizza dans une des deux *trattorie* de Tiburtino. Je payais toujours, non pour me mettre en paix avec ma conscience, que j'avais excellente, mais parce que, avec mes vingt-sept mille lires de salaire mensuel et mes premières piges gagnées en collaborant à des journaux littéraires, j'étais le seul à disposer d'un revenu. Pour fixer dans leur souvenir la brève joie d'un instant, je leur filais de quoi s'acheter un cornet de glace ou un demi-paquet de sèches.

En vérité, y a-t-il un seul d'entre eux qui ne soit reparti gratifié d'un pourboire en plus de la pizza ? Le doute soudain me transperce : me l'auraient-ils réclamé en cas d'oubli ou de porte-monnaie à sec ? Je ne voudrais pas penser que ce qui sortait de ma poche comme un cadeau amical atterrissait dans la leur comme un tribut obligé.

J'eus la surprise de m'entendre dire une fois :

— M' faut cinq cents lires !

— Un demi-sac, Glauco ?

Il achevait de reboucler son ceinturon.

— Un demi-sac, Pier Paolo.

— Mais...

Je lui arrachai non sans mal son secret. Une virée, la première de sa vie, chez les filles. Il en mourait d'envie. « Ah ! ce n'est que cela... » Un désir qui me rendait encore plus sympathique la fougue qu'il m'avait montrée dans le petit bois de bambous. Alduccio, « le frère à Gina » (pour le distinguer de l'autre Alduccio), l'emmena chez Madama Brenta, via dei Cappellari, non loin du palais Farnese. En haut de l'étroit escalier qu'éclairait à peine une ampoule obscurcie par des chiures de mouches, ils débouchèrent sur un palier où la patronne somnolait derrière un comptoir. Ils crurent pouvoir se glisser dans la salle d'attente mais, réveillée en sursaut, la mégère dans son truculent argot de San Francesco a Ripa exigea de voir les papiers. Glauco tira de sa poche une carte d'abonnement aux tramways. Elle lui arracha le document et devint rouge de colère.

— La date de naissance, c't au bon Dieu qu' tu l'as refilée ?

Glauco se mit à trembler.

— C'te morveux ! s'écria-t-elle, ça trique même pas et ça voudrait m' faire foutre en tôle !

Suivit un torrent d'invectives puis une réprimande solennelle, mais au lieu de son dialecte de gaupe transtévérine elle changea soudain de vocabulaire et de style. Pour tancer Glauco et le rappeler à l'observation de la loi, elle utilisa l'italien le plus châtié, afin d'enfoncer le contrevenant dans la honte de son infériorité linguistique après l'avoir humilié sur son âge. Doublement avili, le malheureux battit en retraite sans répondre. Alduccio dut le rattraper dans l'escalier pour lui rendre la carte d'abonnement oubliée sur le comptoir.

En me fournissant de sa mésaventure l'amusant récit qui accompagna la restitution des cinq cents lires moins cinquante, Glauco riait un peu jaune. Il eut beau gonfler les joues et rouler des yeux pour imiter la maquerelle, je voyais bien qu'il n'avait pas digéré l'affront. « Tu boudes ? » lui demandais-je, agacé (bien à tort, bien à la légère, comme le montrerait la suite) par ses longs silences. Alduccio sur ma demande me racontait pour la dixième fois, en l'enrichissant de nouveaux détails, la leçon de morale que la tenancière du bordel avait assenée à son camarade. Je trouvais extraordinaire qu'une virago de cette trempe eût choisi pour le morigéner le toscan appris à l'école. A mœurs académiques, langage conventionnel ! Et non moins instructif — pour ta gouverne, jeune Glauco — que l'accès aux femmes fût lié de façon aussi péremptoire à l'acquisition d'une carte d'identité.

A Ponte Mammolo, la liberté érotique passait par deux seules conditions. Première règle : n'avoir aucun « ami » fixe, aucune « liaison », si possible ne jamais faire l'amour deux fois avec le même. Seconde règle : ne jamais s'enfermer dans une chambre, rester dehors, au grand air. Je dois dire que ces deux conditions me convenaient à merveille. Depuis que j'avais perdu Svenn, je ne voulais plus être lié de cœur à personne. La nécessité de changer tous les jours de partenaire me fournissait la meilleure garantie contre les pièges de l'attachement. Quant au refus de la chambre close, du lit, de tout le décor habituel de l'amour, il me paraissait une protection efficace contre ce qu'il y a de plus détestable dans la civilisation occidentale et chrétienne : la clôture bourgeoise qui trace un cercle autour des deux amants, l'appropriation domestique de cette sensualité éparse et profuse qui fait la beauté du plaisir. Les garçons des *borgates*, avec un sens grec et panique de la nudité, replongeaient le corps dans son élément naturel, un coucher de soleil dans la campagne, le murmure du vent dans les myrtes, un tas de feuilles jaunissantes au pied d'un arbre d'automne. Ou, pourquoi pas ? le terreau gras d'un fond de jardin, les détritus abandonnés sur un chantier. A des draps propres j'ai toujours préféré une couche de papiers sales, aux secrets de l'alcôve l'excitation d'un lieu public.

S'enfuir sans donner de nom, sans laisser de visage, ne même pas savoir avec qui on a couché : la suprême liberté, pour les anciens. Dans leur mythologie, Éros apparaît sous les traits d'un enfant qui tire au hasard ses flèches. Le bandeau qui couvre ses yeux l'empêche de voir où elles touchent. Image qui t'aidera à comprendre ce qu'était la vie des banlieues romaines dans les années 50 : une abondance inépuisable de rencontres imprévues, de contacts sans suite. Douceur et joie d'être ensemble, hâte et bonheur de se quitter !

Voudrait-on me convaincre que, sous mes allures de faune échappé d'une églogue, je restais marqué par mon éducation catholique, on n'invoquerait pas de meilleur argument que cette instabilité qualifiée alors d' « anormale », ce courir de l'un à l'autre, cette poursuite sans répit et sans fin. Ne pas vouloir, ne pas pouvoir se dire une seule fois : j'ai trouvé ! Des esprits qui passent pour profonds jugent cette chasse perpétuelle dont notre espèce est friande plutôt réaction négative de culpabilité que goût positif. Ils pensent qu'en nous interdisant ainsi de nous reposer dans une affection durable, nous nous punissons d'être ce que nous sommes. C'est un sujet grave qui ne se peut trancher trop vite ni dans un sens ni dans l'autre. Peut-être que plus tard, en vieillissant, la religion de mon enfance m'a repris à mon insu ? Nous verrons. A l'époque de Ponte Mammolo, je suis bien sûr de n'avoir refoulé aucune aspiration à une vie différente. Libre, en bonne santé, disponible, pourquoi aurais-je cherché à me restreindre par la plus légère dépendance ?

Quant à notre habitude de nous retrouver au grand air plutôt qu'entre quatre murs, s'il faut absolument l' « expliquer » (oh ! cette manie de rattacher à des « causes » une préférence toute spontanée !) sache qu'aucun de nous ne disposait d'une pièce personnelle, pas même moi depuis que mon père nous avait rejoints. Pour éviter à maman de faire chambre commune avec lui. j'avais transporté mon lit dans la salle à manger. Son arrivée à Rome ne ressembla pas du tout à son retour d'Afrique, sept ans avant. Nous vîmes paraître sur le quai de la gare le capitaine en uniforme, vieilli, amaigri, voûté mais fier d'avoir un logement pour la première fois dans l'Urbs et surtout une adresse romaine à graver sur sa carte de visite. On eût dit que le général en chef l'avait appelé dans la capitale et non la nécessité de soulager ses belles-sœurs d'un fardeau devenu oppressant. Se sentir proche des leviers de commande rendit quelque énergie à cet homme qui avait couru toute sa vie après le pouvoir sans même obtenir un quatrième galon. Mais après avoir visité le Foro Italico, la Voie Impériale et les autres réalisations de Mussolini, il revint épuisé de sa course dans l'autobus cahotant. Il remisa son uniforme dans le placard et ne quitta plus sa robe de chambre, en signe de protestation contre une patrie si ingrate envers un soldat de l'Empire.

Quinze jours avant la date fixée pour le mariage de Santino, un après-midi de fin de printemps, quand l'Aniene roulait ses eaux boueuses gonflées par la fonte de la dernière neige des Apennins, nous étions assis, une demi-douzaine, sur le parapet du pont, en train d'arbitrer le concours de nage auquel se livraient plus en amont quelques-uns des plus jeunes de la bande. Ils avaient construit, avec des planches et des broussailles, une sorte de plongeoir et pariaient à qui traverserait plus vite la rivière. Entreprise risquée plus que simple jeu, car le courant à cet endroit descendait avec violence. Il fallait à tout prix éviter de se laisser déporter vers le pont. L'eau se brisait contre les piles et refluait en tourbillons périlleux. Glauco, qui s'était trempé prudemment à l'écart dans une anse abritée, remonta sur la berge. Il vint s'étendre sur un coin du plongeoir, ne tenant pas à se faire remarquer.

L'autobus de cinq heures arriva de Pietralata dans le tremblement de ses vieilles tôles. Par la fenêtre, Alduccio et sa sœur nous saluèrent en agitant les bras. Cinq minutes après ils nous rejoignaient en compagnie de Santino. La proximité du mariage avec une fille de comptable (laquelle ne se mêlait jamais à la bande) et l'espoir d'un avancement dans l'usine d'eau de Javel avaient complété sa métamorphose. Il portait la fameuse veste à carreaux de la Rinascente et, prodige inconnu dans nos parages, une cravate. Je reconnus les tons criards et les paillettes phosphorescentes de l'objet caché naguère au fond de sa poche dans un papier de soie.

La sœur d'Alduccio, brunette mal nourrie aux joues hâves, fagotée dans une jupe mauve à trois mille lires de l'Upim, se précipita pour regarder du haut du parapet les exploits des jeunes champions.

— Eh toi, le Frisé, s'écria-t-elle à l'adresse de Glauco qui se prélassait au soleil, tu t' dégonfles !

Le garçon se redressa sous l'insulte et jeta dans la rivière la pâquerette qu'il mordillait. Sans se presser, comme quelqu'un qui n'a de conseils à recevoir de personne, il alla s'asseoir au bord des planches, les jambes pendantes au-dessus de l'eau.

— T'as la pétoche, continua la fille, que ta tignasse elle te fasse couler !

Deux ou trois sur le pont se mirent à rire. Ils se rappelaient la plaisanterie de Sergio sur le pou. Agnolo nous cria de nous taire. Pour chronométrer le parcours du petit Mariuccio, il comptait sur ses doigts qu'il détachait un à un de son poing fermé. Nous obéîmes, sauf Gina d'autant plus excitée qu'aucun de nous ne se mettait en frais pour elle, sinon ce lourdaud de Romolo qu'elle méprisait ouvertement. La pécore commençait à s'apercevoir qu'elle avait craché trois sacs pour du beurre. Sans compter la moitié du flacon d'eau de Cologne renversée sur ses cheveux gras.

— Fais-le pour moi ! minauda-t-elle soudain enjôleuse.

Elle envoyait à Glauco des baisers et se trémoussait avec des gloussements.

— T'auras la bise, mon mimi. Gina te l' promet !

Glauco se laissa glisser jusqu'à l'eau en se retenant au plongeoir par les coudes. Il trempa le bout de ses orteils et remonta en hâte comme surpris par le froid.

— Mimi ! Mon mimi ! continuait à grimacer la fille. Mon mimi ! Mimi !

Santino, silencieux jusqu'alors, se décida à intervenir.

— Boucle-la un peu ! Il sait pas nager, un bigleux l' verrait sans lunettes !

La fille, ainsi rudoyée, interpella son frère pour lui demander raison d'une telle injure. Mais Alduccio au lieu d'écouter ses doléances s'empressa d'entamer une discussion avec Agnolo au sujet du décompte exact de secondes dont il fallait créditer le concurrent arrivé après Mariuccio.

— Vous m'embêtez à la fin, tas de moutards, tas de ziz ramollis ! hurla-t-elle de toute la force de ses poumons. Résolue à nous écraser de son mépris, elle pivota sur elle-même et s'assit, les bras croisés, sur le parapet, d'où elle essaya d'intéresser à ses mines les rares conducteurs de motos passant dans un nuage de poussière. Nous nous regardâmes d'un air soulagé, mais pour Glauco il en fut autrement.

212

Qu'elle mît en doute ses capacités sportives, elle la sœur d'Alduccio, la première à avoir ri de sa déconfiture via dei Cappellari, le pauvre garçon ne put le supporter. Gina, en réalité, se moquait pas mal de savoir s'il réussirait à traverser la rivière. Glauco, les nerfs encore à vif après l'échec subi chez Madama Brenta, fut la victime d'une absurde méprise. Il choisit, pour se réhabiliter aux yeux de Gina, le moment où elle décidait de nous punir en nous ignorant. Avec un rauque appel qui ne fit même pas se retourner la chipie, il se laissa tomber les pieds devant dans l'eau. Au début il parvint à nager comme les chiens, en agitant les mains sous lui. C'était bon pour le maintenir à la surface, insuffisant pour couper le flot. Il se trouva en difficulté dès que le courant l'eut poussé vers les premiers tourbillons. Les lèvres serrées au-dessus de l'eau et la tête penchée pour ne pas boire, il barbota de son mieux jusqu'au milieu de la rivière où le train d'écume, de sciure, d'huile brûlée et de détritus des usines en amont le happa comme un fétu. Il partit à la dérive, entraîné vers les piles du pont contre lesquelles le torrent se fracassait dans un grondement ininterrompu.

Avec Santino, j'avais dévalé la berge au secours de notre camarade. Mais Romolo, un nouveau dans la bande toqué de Gina qu'il draguait inutilement, surgit par-derrière sans un bruit, se jeta sur moi, me ceintura et me plaqua au sol. Plus je me débattais, plus il resserrait son étreinte. A plat ventre, le cou tendu en avant dans un geste d'impuissance, les yeux fixés avec horreur sur la tête qui tournoyait maintenant comme une toupie, je ne pus que m'égosiller avec ceux qui, restés sur le pont, se démenaient en agitant les bras vers Santino.

Il arriva en trombe sur le plongeoir. Gina, comprenant enfin sa sottise, s'évertuait à rappeler Glauco vers la rive. Le rimmel avait coulé de ses cils pendant qu'elle pleurnichait de dépit, mais peu lui importait à présent. Loin de songer à s'essuyer les joues, bonne fille dès qu'elle ne se croyait plus obligée de monopoliser l'attention, elle participait comme elle pouvait au sauvetage.

Santino ôta son pantalon en un tour de main et le jeta sur les planches à côté de sa veste. Mais la cravate étrennée aujourd'hui, il ne put s'en débarrasser aussi vite. La maladresse et l'énervement produisirent un retard fatal. En caleçon, avec encore aux pieds ses chaussettes qu'il avait gardées pour gagner du temps, il perdit de précieuses minutes à tirer sur le nœud. Quand il eut enfin arraché sa chemise, tout le monde comprit que c'était trop tard. Glauco n'avait plus qu'un souffle de vie. On le vit battre des bras, trop épuisé pour appeler à l'aide. Il coulait par intervalles, réapparaissait un peu plus bas, sombrait à nouveau. Il s'enfonça pour la dernière fois, sans un cri, dans l'entonnoir que creusait la rivière sous le pont, à un endroit d'où même un plongeur patenté n'aurait pu le ramener à la surface. Tel un crêpe noir, ses cheveux restèrent un instant à flotter. Puis l'Aniene dans sa course aveugle effaça toute trace de notre compagnon. L'eau dont ils faisaient leurs délices, l'eau qu'ils aimaient comme un berceau se referma sur lui comme une tombe.

27

Cette tragédie, jointe aux récriminations de mon père qui nous reprochait de le loger parmi les « culs-terreux », me décida à chercher un appartement moins éloigné du centre de Rome. Le contrat passé avec un grand éditeur milanais, au vu d'une de mes nouvelles publiée dans la revue *Paragone* de Roberto Longhi, m'assurait désormais des mensualités plus convenables que les appointements octroyés à un maître d'école. Nous transportâmes nos pénates à Monteverde Nuovo, derrière le Transtévère, près des murailles pontificales : quartier relativement moderne et aéré, séjour d'employés du Vatican, de bureaucrates ministériels, de dentistes débutants, de professeurs de l'enseignement technique, d'émigrés ayant accédé à la dignité d'un salaire.

La mode n'ayant guère changé depuis cinq ans à cause de la pénurie textile, maman tira de ses valises les robes encore élégantes apportées de Casarsa. Elle reprit goût à s'habiller pour descendre via Donna Olimpia, une large avenue bordée d'immeubles presque coquets, et fournie de magasins plus variés que l'unique Standa de Ponte Mammolo. Nous en avions fini avec le spectacle quotidien de la misère et de la saleté. Les commerçants, loin de s'étonner de voir une femme dans la rue, faisaient un brin de conversation en l'aidant à remplir son cabas. Le boucher lui allongeait gratis cinquante grammes de mou pour le chat qu'elle avait adopté, maintenant que nous pouvions nourrir une bouche inutile sans craindre l'animosité des voisins.

Elle achetait pour son mari les journaux qu'elle glissait, tout pliés encore, sous la porte de sa chambre : ultime hommage conjugal, dont semblait se contenter le capitaine. La princesse Joséphine Charlotte de Belgique épousait le grand-duc Jean de Luxembourg, sous une averse qui laissait bien augurer du mariage. La Bégum, en l'absence de l'Aga Khan, présidait la traditionnelle fête des oranges à Cannes. Tyrone Power et Lindan Christian avaient choisi Rome pour leurs vacances. Gina Lollobrigida triomphait dans *Pain, amour et fantaisie* mais, selon les experts, une certaine Sofia Scicolone, encore starlette sous le pseudonyme (provisoire, comme on verrait bientôt) de Sofia Lazzaro, serait la vedette de demain. L'Italie ne se portait pas trop mal, si les nouvelles les plus importantes provenaient du milieu des altesses ou de Cinecittà. Mon père grognait au bout de la table pendant les repas et marmottait de vagues menaces en fin de soirée sous l'effet de la boisson, mais somme toute il se conduisait décemment et ne nous rendait pas la vie impossible.

L'échec relatif de la Démocratie chrétienne aux dernières élections avait apaisé le ressentiment de l'officier en demi-solde contre le parti numéro un de la jeune République. Avec 48,9 % des voix, De Gasperi ratait le bénéfice de la loi majoritaire, baptisée « scélérate » par la gauche, mais non moins haïe des anciens fascistes. Maria Pia de Savoie, en jupe écossaise et souliers plats, partait pour Oxford terminer ses études : la famille royale se maintenait à la une. Du haut du balcon dont il disposait à présent, le rescapé d'Amba Alaghi pouvait voir les premières Fiat 600 se ranger le long des trottoirs. Satisfaction de constater le progrès industriel de son pays, mais beaucoup moins grande que le plaisir de s'asseoir, dans son salon, en face de la nouvelle merveille proposée aux foyers italiens à partir de janvier 1954 et introduite chez nous dès le mois d'avril : un poste de télévision en simili-acajou, acheté à tempérament sur une de mes premières mensualités. Mike Bongiorno ne tardait pas à lancer sa fameuse émission « Quitte ou double ». Il aurait fallu être prophète (ou ancien élève de Roberto Longhi à Bologne) pour ne pas se réjouir de cette initiative, qui intéressait des dizaines de milliers de familles moyennes à la culture générale, grâce à l'excitante promesse de cinq millions de lires.

Les deux meilleurs films de l'année, certes, n'étaient pas précisément optimistes. Mais, outre le fait que très peu de gens les virent en raison de leur faible succès, aussi bien Vittorio De Sica que Federico Fellini (lequel me fit l'honneur de m'inviter à la première) nous y parlaient d'une Italie au passé, d'une Italie que nous pensions révolue. On pouvait compatir au sort d'Umberto D., s'apitoyer sur ce fonctionnaire à la retraite trop pauvre pour payer sa chambre meublée, et ne renonçant à se jeter sous un train que pour garder un maître à son chien, son seul ami. Merveilleuse nous parut la séquence où Maria Pia Casilio, en petite bonne mélancolique, préparait le café du matin devant un évier rongé par l'usure, dans une cuisine dont le mur fissuré sécrétait une procession de cancrelats. Mais l'abandon des vieux par la société qu'ils avaient contribué à bâtir, le mépris des faibles et des handicapés, le culte exclusif et stupide de la jeunesse, c'étaient là des tares héritées du fascisme. L'Italie nouvelle, au lieu de chanter *Giovinezza,* ne pousserait plus au suicide les travailleurs atteints par la limite d'âge. Quant au sous-équipement sanitaire dénoncé dans le film, les établissements ultramodernes Zanussi, surgis après la guerre dans les faubourgs de Pordenone (je les avais visités, avec une de mes cousines du service emballage), s'apprêtaient à lancer la fabrication en chaîne de frigidaires à prix réduit. J'avais beau considérer d'un œil critique cet avènement triomphal des électroménagers, force m'était de convenir que maman ne s'userait plus les jambes à monter de bon matin quatre étages pour mettre sur la table du petit déjeuner le lait qu'elle n'avait pas renoncé à me faire boire dans le fameux bol aux ébréchures en dents de scie.

Ceux que Fellini avait baptisés les « gros veaux » appartenaient, encore plus nettement, à un pays provincial et archaïque où nous ne reconnaissions plus le nôtre : ennui des petites villes noyées dans la brume d'un hiver interminable, rues désertes dès la tombée de la nuit, dimanches abandonnés aux beuglements des ivrognes, miteuses troupes ambulantes de music-hall tout juste bonnes à occuper les fantasmes de célibataires tourmentés par la continence. Leopoldo, l'intellectuel, n'aurait plus besoin aujourd'hui, me disais-je, de lire le manuscrit de sa pièce à un vieil acteur, histrion promenant les restes décatis de sa gloire dans des tournées pour centres balnéaires : il l'enverrait à un éditeur de Milan, comme moi mon roman à Garzanti. Les Fiat 600 qui, dans quelques années, engorgeraient les routes, asphyxieraient les villes et empoisonneraient les rapports sociaux, ressemblaient encore à de petits jouets fragiles et bizarres. Les moteurs artisanaux réveillaient de leurs pétarades joyeuses l'atmosphère assoupie de la province ou tombaient en panne en lâchant un petit jet de vapeur qui donnait le frisson de l'aventure. Les *vitelloni,* cessant de se morfondre sur la plage à compter leurs pas dans le sable, seraient allés voir ce qui se passe à Bologne, à Florence, à Ancône. Dernier hommage de ma part également à la télévision, avant que je la vitupère : je serais injuste de ne pas admettre qu'elle aurait piqué leur curiosité. Au lieu d'attendre comme les grands moments de leur année le gala d'automne au Kursaal ou le carnaval de février, occasions de minables bamboches, ils auraient participé à la vie de la planète et découvert que le monde ne se borne pas à la Romagne.

Personne ne songeait, je t'assure, quand le film sortit sur les écrans, à lui attribuer une valeur prophétique, à voir dans le tissu de

petits mensonges, de filouteries et d'anicroches sordides qui faisaient le fond de la vie quotidienne à Rimini, la répétition générale
des scandales qui éclateraient sous peu à Rome.

Oui, commençait alors l'essor économique, garant d'une Italie
saine, forte et prospère. La péninsule, y compris l'éternel Sud que la
Caisse du Mezzogiorno péniblement arrachait à sa misère ances-
trale, semblait en voie d'épanouissement. Même si l'esprit de 1945
était mort, englouti avec le tripartisme, même si la droite accaparait
les postes et les privilèges, on imaginait imprégnés d'un certain
civisme ou du moins personnellement honnêtes les hommes au
pouvoir, et les institutions de la République au-dessus du soupçon.
Jusqu'à la fortuite réouverture de l'enquête, peu après notre arrivée
à Donna Olimpia, qui diable se serait souvenu de Wilma Montesi,
trouvée morte un an auparavant sur la plage de Torvaianica, à
plusieurs kilomètres au sud de Rome? Une affaire vite classée,
malgré quelques bizarreries relevées au cours de l'instruction.

Aube du samedi 11 avril 1953 : un ouvrier qui pédale vers son
usine aperçoit un corps immobile près de la mer. Il cache sa
bicyclette dans un buisson au bord de la route, descend voir sur le
sable et découvre le cadavre d'une jeune fille, à demi nu, étendu sur
le dos, un bras replié contre le visage. Ni bas, ni souliers, ni jupe.
Fortunato Bettini — ainsi s'appelle le matinal travailleur sorti tout
droit d'un film néo-réaliste, avec ses réactions franches de citoyen
issu de la Résistance qui se précipite au secours de son prochain non
sans avoir pris ses précautions contre les voleurs de bicyclettes —
Fortunato Bettini, donc, symboliquement prénommé, loin de s'attarder dans une contemplation morbide, enfourche en hâte son
vélo, repère le lieu d'après un panneau de réclame pour le dentifrice
Colgate et fonce jusqu'au premier commissariat.

J'ai insisté sur ce figurant retourné à l'oubli aussitôt après sa
déposition, car il est certain que la spontanéité de son témoignage,
la droiture de ses réflexes, la fraîcheur de sa physionomie ouverte et
sincère ont donné le ton à la première enquête, qui retint l'hypothèse du pur et simple accident, sans ébranler la confiance
qu'inspirait aux Italiens leur société rénovée par la victoire sur le
fascisme.

Tout concourt à renforcer cette illusion. On apprend que, deux
jours plus tôt, Wilma Montesi s'est éloignée du modeste appartement qu'elle habitait avec ses parents et ses deux frères au 76 de via
Garigliano, dans le Salario, quartier périphérique d'artisans et de
petits-bourgeois sans histoires. Le père : menuisier. Elle, Wilma :
apprentie couturière. Un peu plus de vingt ans. Brune, de formes
pleines et avantageuses, elle est dans tout l'éclat de sa jeune beauté

qui ne passe pas inaperçue lorsqu'elle lèche les vitrines de via Po, d'où elle ne rapporte, achetés sur ses gains modiques de brave arpette, qu'un carré de dentelle ou quelque ruban. Ce matin du 9 avril elle a mis une jupe de laine jaune à pois verts, un chemisier blanc, des bas couleur chair, une paire de souliers d'antilope vert et noir. Pour aller où ? Sans doute à la plage, puisqu'elle a laissé à la maison sa chaînette d'or avec le portrait de la Madone, ainsi que le bracelet offert par son fiancé, l'élève sous-officier de police Angelo Giuliani en stage à Potenza.

Pourquoi à la mer ? Eh ! c'est qu'elle souffre, la pauvrette, d'un eczéma au talon, et qu'elle croit dans la vertu curative des bains d'eau salée. Elle se rend souvent par le train à Ostie. Inutile de supposer on ne sait quelle énigme autour de sa mort. Elle se sera aventurée un peu trop loin de la rive, aura perdu pied, à moins qu'elle n'ait été victime d'un malaise. Les courants ont déporté son corps de la plage d'Ostie à celle de Torvaianica. Rien de moins mystérieux. Est-ce la première fois aussi qu'on a vu la mer déshabiller en partie un cadavre ?

« En somme, déclare aux journalistes la signora Montesi, opprimée par une légitime douleur, et à qui l'indiscrétion de leurs demandes pourrait être épargnée, que voulez-vous que je vous dise de plus ? Wilma était une jeune fille tranquille et sereine. En fait de garçons, elle ne connaissait que son fiancé, rencontré salle Picchetti, au bal du samedi soir. J'étais là pour l'accompagner. Elle n'est sortie seule avec Angelo qu'en deux occasions : une fois pour aller au cinéma, on donnait *Pauvres mais heureux,* une autre fois pour visiter la Villa Borghèse. Ils devaient se marier en décembre. Sa correspondance amoureuse, pensez donc, elle tenait à ce que je la lise et l'approuve. »

Dernière preuve de son innocence : elle ne savait pas nager. « Sommes-nous assez riches pour payer à nos enfants des vacances balnéaires ? »

A part le fait que dix-sept kilomètres séparent Ostie de Torvaianica, et que ce parcours semblait long pour une placide mer d'avril (mais qui peut sonder les arcanes de la nature ?), restait un point fort obscur. On s'expliquait que les flots eussent emporté souliers, bas et jupe, mais non les jarretelles qui manquaient aussi à la liste. Or, si le port de bas solidement tenus contribuait à la louange de Wilma, jeune personne fidèle aux traditions de décence et de modestie et qui ne se serait jamais permis de sortir les jambes nues, la disparition d'un accessoire aussi intime que les jarretelles insinuait un doute bien fâcheux. Le bain de pieds hygiénique, ou

« pédiluve » comme on l'appelait pour en souligner le caractère médical et non hédoniste, avait-il suffi à produire l'accident ?

Vint alors à la lumière l'argument gardé en réserve pour écarter tout soupçon. Wilma révéla la signora Montesi, était « indisposée » le jour de sa fatale excursion maritime. Détail qui renforçait la version du « malaise » frappant la fille du menuisier au milieu de l'eau, et qui surtout réduisait à néant les rumeurs calomnieuses. Aujourd'hui où les femmes ne considèrent plus leurs règles comme un empêchement ni à l'amour ni au travail, et où les « malaises » sont devenus aussi désuets que les « vapeurs » des comtesses sous l'Ancien Régime, tu auras du mal à comprendre que l'aveu de la mère ait mis un point final à l'instruction. En ce temps, l'Italie vivait encore sous la loi d'une rude et intraitable morale paysanne, selon laquelle l'indisposition périodique des femmes passait pour la volonté du Ciel. Dieu leur interdisait formellement toutes relations sexuelles pendant trois jours chaque mois. Une punition qu'il infligeait à la race d'Eve, stigmatisée comme pécheresse et impure. J'avais vu à Ponte Mammolo des filles de Racalmuto ou de Pietranera s'attacher pendant ces trois jours un ruban noir autour de la cheville : survivance d'une coutume sicilienne très antique, semblable à la crécelle du Moyen Âge qui annonçait de loin le lépreux et faisait le vide autour de la personne taboue.

Fin 53 : un journal de droite publie un dessin satirique qui montre un père de famille embrassant tendrement sa femme et ses enfants, tous en train de pleurer. « Adieu, mes bien chers, adieu à jamais, je vais prendre un bain de pieds. » Plus intrigante encore semble la vignette parue peu après dans un hebdomadaire, également de droite : c'est l'image d'un oiseau saisi en plein vol, avec une jarretelle dans son bec. Pour légende, ce rébus qui achève de dérouter le lecteur : *I piccioni viaggiatori sono ormai volati via.* « Les pigeons voyageurs se sont désormais envolés. » Ne peuvent comprendre l'allusion que ceux qui songent à rapprocher ce volatile de l'homonyme sénateur Attilio Piccioni, ministre des Affaires étrangères, chef historique de la Démocratie chrétienne, un des hommes politiques les plus respectés et les plus influents. Encore faudrait-il savoir qu'un de ses fils, Piero, compositeur de jazz, fréquente la Rome élégante et mondaine. Et qu'il prend part aux fêtes que le marquis Ugo Montagna, important administrateur de biens publics, organise dans son domaine de Capocotta, non loin de Torvaianica : comme le claironne bientôt, dans une déclaration qui va provoquer la réouverture de l'enquête, une jeune Vénus de magazine furieuse de ne pas trouver un engagement à Cinecittà.

Très vite, par la brèche ouverte, un torrent de boue s'engouffre.

On apprend que Wilma est morte d'un abus de drogue lors d'une partie de débauche où la jarretelle n'était pas la seule pièce de lingerie superflue ; que de grands noms de la politique, de la finance, de la presse, participent à ces orgies ; et que le préfet de police Saverio Polito, sans être de ceux qui les cautionnent par leur présence, a protégé les coupables et hâté le classement de l'affaire. L'énormité du scandale, impossible de te l'imaginer, aujourd'hui que des forfaits d'une bien autre envergure alimentent régulièrement la chronique. Les milliards de Caltagirone ou les pots-de-vin de Lockheed renvoient à la préhistoire de la corruption le hasard d'une overdose administrée plus par maladresse que par vice. En 1954, on était à peine sorti des grandes épreuves de la lutte contre Mussolini. Découvrir soudain que la classe qui nous dirigeait, ministres et fils de ministres, banquiers, directeurs de journaux, hauts fonctionnaires, responsables de la sécurité publique, tout ce monde trempait dans la pourriture, produisit un choc énorme dans l'opinion. Le marquis, le préfet et le compositeur de jazz furent mis en prison ; des dizaines de suspects inculpés. Piccioni le père démissionna.

(Le procès, si tu es curieux de savoir comment finit l'affaire, s'ouvrit en janvier 1957 et dura trois mois : au bout desquels les accusés bénéficièrent d'un plein et entier acquittement. Il fallut attendre de nombreuses autres années pour apprendre que les viscères soumis à l'autopsie n'avaient pas été ceux de Wilma mais les entrailles d'une autre substituées aux siennes. Et on ignore toujours d'où est venue la dénonciation ; sans doute de l'intérieur même de la Démocratie chrétienne ; le courant — l'aile gauche — représenté par Attilio Piccioni devant être frappé dans la personne du ministre des Affaires étrangères, selon la tactique, perfectionnée après un quart de siècle et devenue sanglante, qui a coûté non seulement la carrière mais la vie à Aldo Moro : lui aussi chef de file de la tendance « avancée », partisan du « compromis historique » tenu en abomination par les conservateurs de son parti.)

Sur le coup, autant et peut-être plus que la gangrène crapuleuse entrée dans les rouages de l'État, frappa la duplicité de la jeune couturière. S'il y avait une couche sociale sur laquelle la République encore fragile tablait pour consolider ses assises, c'était bien celle des artisans, ouvriers de petites entreprises, travailleurs à domicile, ménages soudés par la foi conjugale, couples de fiancés se distrayant au mélodrame du cinéma paroissial bien que gagnés aux idées laïques, innombrable population de petits-bourgeois consciencieux dont la famille Montesi offrait un échantillon modèle. La jupe jaune à pois verts et le portrait de la Madone en sautoir furent ressentis comme un outrage. Moins que toute autre, cette dépositaire des vertus moyennes si nécessaires à la santé du pays aurait dû se permettre de fréquenter les tarés de Capocotta. La faute de Wilma, dépassant de beaucoup le cas individuel, devenait le symbole de la faillite nationale. On ne pleurait pas seulement un cadavre, on enterrait dix ans d'espoirs et d'illusions. Après avoir découvert où se rendait la fille du menuisier en quittant le logis de ses parents, l'atelier de son père odorant de sciure et de copeaux, comment garder quelque confiance dans la postérité de Gramsci et de don Sturzo, de Matteotti et d'Amendola ? Du jour au lendemain s'effondra le mythe d'une Italie probe et laborieuse, régénérée par la démocratie.

Qui jubila et triompha fut mon père. Incertain d'abord s'il devait nous accabler de ses gémissements sur la « décadence » des mœurs et l' « abaissement » de la patrie, il changea d'humeur et prit le parti du sarcasme. Ah ! l'Italie prospérait, depuis qu'elle croyait pouvoir se passer d'un chef ! On les voyait à l'œuvre, les antifascistes ! Bravo, la République ! Puis, déçu de constater que nous ne relevions même pas son persiflage, il se réfugia dans une contemplation idéalisée du passé. « Du temps de Mussolini... » devint son exorde habituel, et bientôt : « de Son temps... » Il fallait du courage, remarque, pour oser saluer à la romaine les quelques fidèles dénichés dans le quartier, alors que la presque totalité des fascistes s'étaient hâtés de s'inscrire, au lendemain de la Libération, qui à la Démocratie chrétienne, qui au parti communiste.

L'ancien officier, pour mettre son caractère à la hauteur de ses convictions, diminua sa ration quotidienne de vin, reprit l'habitude de s'habiller, de se raser chaque jour. Il sortait, achetait le *Borghese*, rejoignait au café d'autres nostalgiques et imaginait avec eux à quelles glorieuses destinées serait parvenu l'Empire si le Duce, trop généreux pour se défier de ses proches, n'avait pas favorisé son gendre, « Dieu merci fusillé ».

Quel soulagement pour maman : non seulement parce qu'au lieu de la harceler de ses récriminations comme à Ponte Mammolo, il vivait maintenant dans sa chimère. Indifférent à ce qu'elle mettait dans nos assiettes, même quand pour terminer le mois elle ne prenait à la charcuterie qu'un jambonneau pour trois, quitte à forcer la dose de lentilles. Il la laissait en paix, il se fût délecté avec des boîtes de conserve, en souvenir des campagnes d'Éthiopie. Le voir reprendre goût à l'existence ôta un grand poids du cœur de maman. Si détachée qu'elle fût du capitaine, elle était heureuse qu'il eût retrouvé une passion, des amis, de quoi s'empêcher de sombrer dans la déchéance et l'hébétement.

222

Toute surprise et émue, elle me fit un jour observer que je venais d'appeler « papa » celui dont elle m'avait eu il y a trente-trois ans. Je rentrais avec elle du marché. Devant une parfumerie dont la vitrine miroitait au soleil on s'arrêta pile tous les deux, sans nous être concertés. En silence également notre choix tomba sur un rasoir électrique que nous fîmes emballer dans du papier à fleurs. C'est moi qui pris le paquet des mains de la vendeuse ; et qui, jusqu'à la maison, d'un air qui aurait voulu être désinvolte, balançai le fruit commun de nos économies au bout de sa ficelle dorée.

28

Sergio, j'ai continué à le voir. Sa rage à trouer ses baskets et son habileté destructrice me surprenaient toujours. Même les Pirelli, qui lui faisaient trois semaines quand nous nous étions connus, capitulaient maintenant deux fois plus vite. « Vise un peu ! » me disait-il, tout fier de me montrer les nouveaux dégâts, et sans le moins du monde s'offenser que je vienne le trouver beaucoup par amitié mais un peu aussi pour compléter mon apprentissage linguistique. J'achevais mon roman : trois ou quatre heures chaque matin à ma table, à présent que je disposais d'une pièce pour moi. Je racontais mon expérience de Ponte Mammolo. Plus quelques scènes, auxquelles je n'avais pas assisté : vols de voitures, cambriolages, agressions à main armée. Grande imprudence de ma part, puisque ces récits, rapportés par ouï-dire, serviraient bientôt de preuves à conviction contre leur auteur.

Ce livre, je ne l'écrivais pas seulement par goût de l'exploit littéraire. Il témoignerait que je restais fidèle à mes amis des *borgates*. Sergio, Alduccio, Agnolo, aucun de la bande n'eût osé entrer dans un de ces magasins dont j'admirais les vitrines en descendant l'avenue. Tricots de vraie laine, costumes à veston croisé, plantes vertes, poissons rouges, batteries de cuisine, équipements de bureau, sacs à main, transistors, tourne-disques s'étalaient dans les devantures de Donna Olimpia éclairées au néon. Je comparais leur vie sur les bords de la rivière boueuse à la mienne dans ce quartier muni de trottoirs et d'égouts. Je pensais à Glauco. Son corps flottait sans sépulture entre deux eaux vers la mer. Et à Santino, qui n'avait pas réussi à sauver son camarade. Il s'était marié et logeait avec son beau-père dans une dépendance de l'usine. « As-tu motif d'être plus fier ? » me disais-je, attablé avec Livio Garzanti, mon futur éditeur, au Buco, restaurant en vogue, devant un plat de succulents artichauts « à la juive ». Pour être présenté à quelques écrivains et critiques littéraires en renom, j'avais mis la cravate à chevrons achetée par maman via Condotti. Alberto Moravia et sa femme Elsa Morante m'adoptèrent dès la fin du déjeuner.

Plus d'une fois le vieil autobus me déposa sur la petite place triangulaire au gazon râpé : tant qu'il y eut des *borgates,* avant le séisme anthropologique qui les a englouties. Les crues subites de l'Aniene menaçaient moins les *ragazzi* que le développement continu et forcené de la consommation. Fascinés par les rapides changements du paysage autour d'eux, ils ne m'en voulaient pas de mon départ. Derrière Ponte Mammolo, sur les collines hérissées de grues et labourées par les bulldozers, ils me montraient avec orgueil les chantiers de l'Institut national d'assistance. « Comme toi, nous aurons un trône à merde dans nos maisons ! » C'est moi qui me sentais coupable, de les abandonner sans défense à ce que les économistes s'apprêtaient à appeler un miracle en prenant pour critère du bonheur le nombre d'automobiles pour mille habitants.

Du sommet de Monteverde où nous logions, je dévalais la pente jusqu'au Tibre. Le fleuve n'est plus endigué, en aval de Porta Portese. Il coule entre deux talus d'herbe sale ; poussiéreuse l'été, fangeuse l'hiver. Rives mélancoliques converties en dépotoir, égayées dans mon souvenir par l'usage que je fis — guère plus d'une ou deux fois, les occasions étant rares dans ces parages trop déserts pour attirer les rôdeurs — d'un vieux camion abandonné sur cales derrière le gazomètre.

Quel instinct me soufflait-il de ne pas galvauder un endroit où beaucoup plus tard le bonheur fondrait sur moi à l'improviste ?

Je préférais traverser le fleuve et draguer dans les Halles. Pagaille des camions et des charrettes, gloussement des poules, cris des manutentionnaires, notes graves et vibrantes du non lointain bourdon de Saint-Paul, fanfare aiguë des trompettes militaires de la Garbatella, tout concourait à augmenter l'excitation. Beaucoup de jeunes du Transtévère et de Porta Portese se mêlaient à la cohue, soit pour donner un coup de main rémunéré, soit pour piquer dans les cageots. Et puis, au-delà de tout calcul, l'instant de grâce : offert quand je ne l'attendais plus.

— Viens !

— Là ?

— On serait mieux derrière les choux-fleurs !

Brève poursuite entre les pyramides de légumes, jusqu'à la cachette approximative où chacun malgré l'inconfort aidait l'autre à trouver son plaisir. Au moment de nous quitter :

225

— Trois cents lires, ça te va ?

D'abord un peu surpris, je m'arrangeais les autres fois pour avoir toujours quelques billets de cent au fond de ma poche.

Avec plus de fièvre encore je me faufilais dans les abattoirs contigus. L'immense quadrilatère occupait l'emplacement du Foro Boario de l'Antiquité : le marché aux bœufs où déjà les Romains venaient se fournir en viande. Lieu depuis les origines marqué pour les sacrifices et pour les libations de sang. Sous les premiers empereurs, les émigrés juifs qui commençaient à arriver par centaines se groupaient ici même, près du débarcadère, sur les rives du Tibre où s'entassaient les marchandises transportées d'Ostie par chalands. Race méprisée et tenue pour vile, on les cantonnait dans ce quartier abandonné aux besognes infectes. Équarrissoirs, tanneries, boyauderies, pourrissoirs prospéraient entre leurs mains, sous le regard de la police qui se montra indulgente tant que le christianisme n'eut pas trouvé dans leur colonie un foyer de propagande. Ainsi s'adonnait aux plus ignobles industries l'humble et méconnue avant-garde de saint Paul et des apôtres, au milieu des ballots de denrées, des bouges à marins et des porteurs de litières, parquée dans cette banlieue semblable à un ghetto.

La suggestion de cette époque lointaine me rendait cher un endroit où les juifs convertis à Jésus avaient subi les premières persécutions. N'appartenais-je pas moi aussi à une minorité clandestine que tenait à l'œil un pouvoir toujours prêt à donner un tour de vis à la loi ? Mais peut-être, si je veux être sincère aujourd'hui, faut-il reconnaître que je me cherchais un chemin sur les cimes de l'Histoire et une solidarité avec les victimes de Néron pour me masquer la fascination toute spontanée qui me précipitait vers ces lieux abjects. Quelle est la religion, me disais-je, qui n'établit pas un lien aussi nécessaire que mystérieux entre l'extase et la mort, le sang et la résurrection ? Alors que j'aurais dû m'avouer une trouble et irrésistible curiosité de faire l'amour dans des conditions qui auraient paru horribles à tout autre, sauf aux employés municipaux pour qui le paysage de chairs mortes, d'entrailles dépliées, de flaques rouges et de rigoles est devenu habituel.

Comme Carlino, mon préféré, dont le sourire radieux planait au-dessus de l'hécatombe avec l'innocence intacte de ses vingt ans. Il sortait de la tuerie aussi calme et serein que l'adolescent de la Villa Borghèse de son duel contre Goliath. A mon impatience, à ma nervosité, il opposait une indifférence angélique. Tandis que je l'attendais tout trépidant, il se dirigeait sans se presser vers la fontaine. Rien ne me touchait plus que de regarder ce jeune géant boire un verre d'eau claire pour se rincer du carnage. Il renversait la tête d'un mouvement rapide et continu du menton. Sa lèvre avait la fraîcheur et son œil bleu la même limpidité que le liquide dont il essuyait les dernières gouttes sur son menton imberbe, avant de se laver les mains et d'ôter son tablier aux éclaboussures écarlates. Il me rejoignait alors, de son pas égal et tranquille, sur le prélart étendu derrière les stalles des chevaux.

— Tu me files trois cents lires ? me disait-il ensuite, en élevant un peu la voix, non qu'il dût insister pour me voir mettre à la poche une main vaincue d'avance par son calme, mais parce que la sonnerie de la trompette dans la caserne voisine ou le grondement des trains sur le pont l'obligeait à parler plus fort.

Trois cents lires, lui aussi. La même somme pour tous. Avaient-ils établi un chiffre ? Je m'aperçois que je me pose pour la première fois la question. Qui institua ce tarif ? L'offre vint-elle de ma part ? Durent-ils réclamer ? Mon embarras à répondre prouve bien que je cherchais à me mentir. Je n'avais pas trop envie de me rendre compte que la belle époque de l'amour gratuit et spontané dans les *borgates* était révolue. Je faisais comme si je donnais un cadeau. Je me refusais à admettre que la somme était fixe. Il aurait fallu me demander pourquoi ils m'imposaient cette soumission pécuniaire, et pourquoi je l'acceptais.

Et voici une autre contradiction que je découvre. J'avais une chambre à moi, désormais. Pourquoi traîner dans les parages du Tibre, me contenter de rencontres forcément hâtives et bâclées ? J'aurais pu faire monter un de ces garçons, entre autres Carlino dont la chaste réserve démentait le métier cruel, pendant les heures où mon père supputait au bar avec ses amis les chances d'une restauration fasciste quelque peu augmentées, ce qui rallongeait les parlotes, par l'arrivée de Fernando Tambroni au ministère de l'Intérieur et du cardinal Ottaviani à la tête du Saint-Office. Maman, après un café offert à un visiteur aussi correct, se fût retirée dans sa chambre en nous laissant la place libre. Pas une fois l'idée ne me traversa l'esprit d'associer à mon buveur d'eau fraîche l'agrément et le confort de l'appartement familial. Encore aujourd'hui, Gennariello, je préférerais ne pas m'interroger là-dessus. Pour le moment, laisse-moi croire que seule m'attirait au Foro Boario la rage de m'éclater au milieu du sang.

Même si, de plus en plus souvent — dégoûté peut-être par les trois cents lires obligatoires qui aiguisaient ma nostalgie de Ponte Mammolo et ma volonté de fixer dans mon livre un monde en train de disparaître — je traversais l'enceinte sans m'y arrêter et ressortais par la porte de derrière, pressé de rejoindre le cimetière des acatholiques.

Sous ce nom s'étend l'enclos planté de cyprès et de buis où reposent les protestants morts à Rome, en majorité des Anglais, tel le poète de la place d'Espagne qui ne vécut guère plus longtemps que le rossignol par lui chanté ; ou son ami Shelley, noyé dans la mer tyrrhénienne, au large de Viareggio (et Byron lui éleva un bûcher sur la plage : ô temps où ne périssaient dans les flots que ceux qui étaient dignes de ce linceul cosmique : non pas des poupées dociles aux turpitudes d'une clique de milliardaires, mais les premiers poètes, les plus grands écrivains de leur siècle) ; le fils de Gœthe aussi ; quelques princes russes élevés dans l'Église orthodoxe ; et maint noble et riche diplomate d'Allemagne ou de Scandinavie. Ce qui ferait un contraste antipathique avec un secteur de la ville habité par la plèbe la plus pauvre si, depuis la fin de la guerre, on n'enterrait également dans un coin de ce cimetière les dirigeants communistes italiens ; et d'abord Gramsci, dont un myrte solitaire ombrage le tombeau. Un chiffon rouge, comme celui noué au cou des partisans, ceinture le col de l'urne qui contient les cendres du fondateur du P.C.I., mort dans les geôles de Mussolini après avoir passé les onze dernières années de sa vie en prison. Cette urne est posée sur une dalle nue.

Je me dirigeais entre les croix et les cippes funéraires dressés dans le gazon. Arrivé devant la dalle, je me recueillais un moment puis, dans l'odeur humide qui montait de la terre, au milieu des parfums de lierre, de menthe et de fleurs pourries, soulevé hors du monde par le calme où baignaient ces rangées de sépulcres, mais empêché en même temps, par le ferraillement des trams qui prenaient le tournant de Porta San Paolo, d'oublier l'activité incessante, même en ce crépuscule violet qui étouffait les sons, des quartiers prolétaires de l'autre côté du mur, j'engageais le dialogue avec le mort.

Quel devait être le but de mon roman ? « Tu repéreras l'homme, m'enjoignait mon invisible mentor, dans sa forme extrême d'oppression : victime de l'impitoyable système capitaliste qui refoule au-delà des portes de la ville, où il la fait camper dans des conditions indignes, une main-d'œuvre exploitable et corvéable à merci. »

« Mais, objectais-je timidement, si j'ai découvert dans ces *ragazzi* des richesses insoupçonnées de fraîcheur et de pureté humaine ? »

« Balivernes ! Ce que tu appelles fraîcheur et pureté humaine n'est que le fantasme de ta rêverie esthétisante, pour ne rien dire de ton goût pédophile ! Isole tes personnages dans une lumière irréelle, sors-les du temps et de l'histoire, pose autour de leur tête une auréole mystique, et tu pourras te pâmer en effet devant eux. Un cœur d'or sous des haillons ! N'aspires-tu qu'à être un nouveau D'Annunzio ? Laisse donc là ces illusions décadentes. Tes *ragazzi*, au lieu de les contempler, fais-les agir. Plonge-les dans l'histoire et dans le temps. Au lieu d'admirer leur vitalité instinctive, enrôle-les dans la grande armée du Progrès et de la Raison. Montre-les, non pas dans leur gaieté d'enfants sans conscience, mais dans leur lutte d'ouvriers sans travail. Non pas en Bacchus et en Narcisses complaisamment échappés d'un tableau de Caravage, mais en soldats du front rouge. »

« Père, disais-je, anxieux de regagner son estime, j'ai lu tous les cahiers que vous avez écrits en prison. Je veux être l'artisan de cette littérature nationale-populaire dont vous dites que l'Italie a toujours manqué, comparée à l'Angleterre de Dickens, à la Russie de Tourgueniev, à la France de Zola. A Ponte Mammolo, j'ai découvert le peuple dans son état brut, tel qu'il n'existe plus nulle part ailleurs : le peuple-nature, l'homme universel, universel parce qu'originel, saisi dans son innocence première. »

Gramsci m'interrompait d'un ton sec : « Et dans les chapitres suivants, que devient-il, ton homme universel ? »

« Oui, reprenait-il, impatient devant mon regard interrogatif, tes personnages, comment évoluent-ils ? Tu ne vas quand même pas, j'imagine, les regarder fixement comme des Sioux dans une réserve du Dakota ? Il faudra bien qu'ils bougent, qu'ils mettent le nez hors de leurs tentes, qu'ils s'inscrivent à la mairie et au syndicat. Tu ne me réponds pas ? Remarque, ajoutait-il en riant, je n'exige pas qu'ils prennent leur carte du Parti. Mais seulement que les remue un début de conscience politique. Tes *ragazzi*, ils ne m'intéressent que si tu me montres leur avenir. »

Prévoyant que j'exciterais sa colère, je déclarais, penaud : « L'un se place dans une usine d'eau de Javel, achète à la Rinascente une belle veste à carreaux et se marie avec la fille du comptable. Le dimanche, ils assistent aux courses à l'hippodrome de la Villa Borghèse, pique-niquent sur l'herbe, s'offrent un cornet de glace au Casino des Roses, remontent dans la 600 dont les traites s'étalent sur quarante mois. Le couple rentre juste à temps pour regarder le match de foot à la télé. L'autre... » Je baissais la tête, osant à peine continuer. « L'autre... se laisse attirer dans un concours de natation, entre jeunes, bien qu'il ne sache pas nager. La rivière est en crue, il se jette quand même à l'eau... et... »

« J'ai compris. L'un s'embourgeoise, l'autre se noie. »

« En somme... Si vous voulez résumer comme ça les choses, la formule est plutôt bien trouvée ! » accordais-je, m'efforçant, devant l'orage qui grondait, d'amadouer par un compliment mon sévère contradicteur.

Je ne m'étais pas trompé. Gonflant soudain sa voix caverneuse, le mort m'apostrophait rudement.

« Ainsi, tu ne trouves rien de mieux à faire que d'idéaliser l'enfance, de la présenter comme un paradis d'où on ne peut sortir que par la trahison ou par la mort ? *La maturité est tout,* disait avec force Shakespeare, un autre Anglais que j'aurais eu plaisir à avoir comme voisin dans ce cimetière. Un poète viril et responsable, lui, à la différence de tes modèles décadents, Rimbaud, Ungaretti, Lorca, où tu as bu les philtres pernicieux des nostalgies impossibles... L'enfance ! Nous avons besoin d'hommes, Pier Paolo. Le peuple-en-soi n'existe pas, le peuple n'existe que dans son combat millénaire pour sa libération économique. Je veux bien t'épargner de lire Marx, tu es un écrivain, non pas un militant. Mais à condition que tu abandonnes une fois pour toutes le mythe de la préhistoire pour la réalité de l'Histoire, que tu choisisses la raison contre la nature, la maturité contre l'enfance, la conscience contre l'instinct, la lumière contre les ténèbres. »

« Et que tu te décides à te marier et à avoir des enfants », conclusion logique à attendre d'une telle mercuriale. Mais, soit qu'il ne voulût pas affaiblir ses arguments politiques par un ultimatum personnel qui eût rendu vains, il le savait, ses efforts de persuasion, soit pour un autre motif, il renonçait à me provoquer sur ce terrain. Nous restions face à face en silence. Les ombres de la nuit s'avançaient en cortège. Doutes et remords m'assaillaient, bien que je ne fusse pas disposé à me rendre. Une partie de mon être approuvait la leçon. Je m'accusais de vitalisme élémentaire, de mystification populiste. Si je continuais de ce train, mon livre ne serait pas un témoignage historique, la dénonciation d'un scandale, mais un chant élégiaque et complice. Puis je me reprochais de céder trop vite. Gramsci avait raison et tort en même temps. Tirer les *ragazzi* de leur misère : soit, j'étais cent pour cent d'accord avec lui. Mais sans les livrer à la civilisation de masse dont la bureaucratie communiste contribuait, autant que l'administration démocrate-chrétienne, à hâter l'avancement.

Il ne s'agissait pas seulement de nos mœurs (bien qu'il fût à prévoir que les dirigeants actuels du P.C. ne montreraient pas la même discrétion que mon interlocuteur souterrain : ils copieraient plutôt les moralistes catholiques, comme la section de San Giovanni dans le Frioul avait emboîté le pas au curé de Valvasone). Je me demandais — et j'aurais voulu arracher aux mânes du défunt une réponse explicite — si pour implanter une démocratie italienne il fallait envoyer les enfants à l'école, asseoir les couples devant la télé, étouffer le pays sous la chape uniforme d'un langage bureaucratique. L'eau de Javel, que Santino mettait en bouteilles grâce à la protection de son beau-père comptable et délégué syndical de l'usine, répandrait-elle dans chaque foyer l'odeur abêtissante du chlore?

« Tu veux donc laisser le peuple dans l'ignorance et dans la crasse? » Posé en ces termes, le dialogue devenait inutile. Sans même relever une imputation si injuste, je tournais le dos à la tombe et m'éloignais par les sentiers obscurcis du cimetière. J'étais communiste — comment ne pas l'être, dans l'Italie infecte de Gronchi et de Segni? — et pourtant, je restais du côté de Sergio, de Glauco. Solidaire de l'autobus déglingué qui enfilait la Tiburtina, même si pour entrer dans le courant de l'Histoire j'aurais mieux fait de monter dans un véhicule moins archaïque.

Une luciole brillait là, sous mes yeux, entre les mauvaises herbes qui poussaient au pied du mur. L'eussé-je remarquée dix ans plus tôt, lorsqu'il y en avait des milliers à resplendir dans les prés, partout où régnait la nature? Avant qu'on ne répandît à travers champs pour obtenir des rendements plus élevés le choléra des poudres insecticides. Je m'arrêtais, interdit, près d'un ange funéraire en larmes, craignant d'entendre à nouveau la voix irritée de Gramsci. Il me sommait de lui répondre si les masses agricoles, hier encore asservies à la glèbe, ne seraient pas les premières à bénéficier des progrès de l'industrie chimique.

Les stèles se dressaient sans ordre le long du jardin en pente. Qui avait envoyé à Rome tous ces étrangers pour y mourir? Quels rêves? Quelles ambitions? Je profitais des dernières lueurs pour me promener entre les tombes. En caractères russes, grecs, bulgares, en mots turcs, suédois, allemands, chaque vie racontait son destin. Je vis que beaucoup de peintres, d'architectes, de compositeurs et d'écrivains reposaient ici; la plupart emportés avant l'âge; John Keats à vingt-six ans. Sa sépulture est confiée à la partie la plus ancienne du cimetière, au milieu du gazon, à l'ombre de cette pyramide qui n'est elle-même que le tombeau d'un citoyen de l'antique Rome. La stèle du poète anglais porte une lyre et l'épitaphe qu'il avait lui-même dictée. « Ci-gît un homme dont le nom était écrit sur de l'eau. » Avait-il eu le temps d'être plus mûr que le Roméo de son compatriote cité avec tant d'éloges par Gramsci? Roméo! Le fils des Montaigu serait-il lui aussi récusé comme trop jeune? Je pensais à la cendre de tous ces siècles sur laquelle est bâtie la Ville éternelle. L'imagination de ce qui arrive après la mort ferait toujours défaut à la doctrine marxiste. Mais sur un tel sujet moins que sur tout autre il eût fallu provoquer celui dont aucun espoir de survie n'avait inspiré le sacrifice.

Alors je sortais dans la rue où les trams, presque vides maintenant, fonçaient vers leurs terminus. Un vent tiède amenait de la mer quelques nuages vagabonds. Derrière les abattoirs, aux grilles fermées pour la nuit par de lourdes chaînes, les bêtes qu'on égorgerait à l'aube piétinaient énervées la paille de leur litière. Je traversais le pont, roulant dans ma tête les vers qui allaient fonder ma réputation de poète :

Scandale de me contredire, d'être
avec toi et contre toi ; avec toi
dans mon cœur et au grand jour, contre toi
dans l'obscurité de mes viscères

et cherchant quels nouveaux chapitres je pourrais ajouter à mon roman pour oser reparaître devant l'urne. Vivant ou mort, Gramsci restait notre maître, notre guide, notre juge. Aucun écrivain digne de ce nom n'aurait manqué de venir sous le myrte interroger sa poussière.

29

Pour rejoindre le cimetière des Anglais en sortant des abattoirs, je devais contourner une colline : ou de quel nom appeler cette hauteur qui se dressait à pic et me barrait le chemin ? Non bâtie, inhabitée, stérile, sans arbres ni maisons, d'un profil inusuel et d'un dépouillement étrange, elle n'a l'air d'appartenir ni à la nature ni aux hommes. Ses pentes hérissées d'un chiendent ras commencent par une déclivité abrupte puis s'arrondissent près du sommet qui a la forme d'un plateau. Ce monticule d'où la vie semble absente me fascinait par l'énigme de toute cette place perdue. Je ne voyais aucun sentier, aucun moyen d'escalade. Seules quelques grottes creusées à la base abritent un semblant d'activité. Elles servent d'écuries, d'ateliers ou de caves à des maréchaux-ferrants, des marchands de vin, des fabricants de tonneaux dont la besogne intermittente trouble à peine la paix champêtre de ce coin de verdure oublié au milieu de la grande ville.

Le mont Testaccio, qui le connaît ? Personne ne le citerait comme la huitième colline de Rome, bien qu'il égale les sept autres en ancienneté et en mystère. Les habitants de l'Urbs avaient coutume de venir jeter ici, dans les arpents de marécages compris entre le Tibre et l'Aventin, leur vaisselle hors d'usage. Bouts d'amphores cassées, morceaux d'urnes, tessons de cratères et d'assiettes s'empilèrent au fil des ans. Le tas se mit à grandir, de butte il devint tertre, de tertre monticule. Puis les siècles le recouvrirent d'un manteau d'herbe et de chardons, les hommes s'en désintéressèrent, il resta nu et abandonné sous le ciel, antique sanctuaire que personne n'osa profaner.

Je faisais le tour des grottes par la route circulaire, un chemin de terre herbu plein d'ornières et de trous. Le Testaccio tombait vertical de tous les côtés : impossible d'en tenter l'ascension. Quel secret gardait-il sur son faîte ? Pourquoi les artisans à l'entrée de leur caverne ne me donnaient-ils que des réponses évasives ? Un tondeur de chiens avait installé son pliant devant l'officine du bourrelier. Ses instruments rangés dans une boîte à chaussures, il ne demeurait pas rêveur longtemps. Avec son feutre cabossé, sa mèche grise, sa bouche édentée et son sourire à la Richard Basehart (l'acteur choisi par Fellini pour jouer le Fou dans son nouveau film), je le pris pour un simple d'esprit. Il officiait dans toutes les règles de l'art, bien que sans espoir de toucher jamais une seule lire de sa clientèle errante. Comme s'ils s'étaient donné le mot, les échantillons les plus disparates de la race canine accouraient au petit trot après avoir visité les abattoirs et fouillé dans les ordures. Cabots et bâtards de tous les poils et de toutes les couleurs, griffons à oreilles de basset, épagneuls à queue de loulou, fox-terriers à museau de bouledogue. Ils s'asseyaient docilement devant le tondeur qui tirait ses outils de la boîte et soumettait le patient à une toilette méticuleuse. Le chien dûment étrillé se relevait sans hâte, s'ébrouait et s'éloignait en remuant la queue. A la courbe du chemin il se retournait et remerciait par un dernier jappement. Le vieil homme soulevait son chapeau. Ciseaux, brosse et peigne rentraient en bon ordre dans la boîte. Il reprenait sa faction immobile, jusqu'à ce qu'une autre bête, faisant la nique aux agents de la fourrière dont le fourgon stationnait de l'autre côté des abattoirs, vînt tendre son dos hirsute à la main bénévole. Le légendaire Charon des Grecs ne devait pas sembler moins étrange à ceux qui se pressaient au bord du noir Achéron pour être transportés sur l'autre rive : si le Testaccio n'appartenait pas tout à fait au monde des humains, ce nocher me dirait peut-être comment trouver le passage.

— Excusez-moi, lui demandai-je, mais n'y a-t-il pas un moyen de monter là-haut ?

Secouant la tête, il me répondit par cette phrase laconique qui augmenta ma curiosité et ma crainte :

— Derrière la cabane du fleuriste. Mais n'y allez pas. Ce n'est pas pour vous.

— Pas pour moi ?

— Ce n'est pour personne, conclut-il en écartant les genoux pour accueillir un nouveau client.

Derrière la cabane du fleuriste je découvris une piste en zigzag où des chevaux avaient laissé dans la poussière de brique l'empreinte fourchue de leurs sabots. Le sentier me conduisit en quelques instants jusqu'au faîte. Je croyais ce sommet plat, il est creusé d'un léger vallon au fond duquel m'apparut, invisible d'en bas, une petite hutte ronde. Je m'avançai jusqu'au bord de l'escarpement. Les bruits de Rome mouraient à mes pieds. La vue s'étend, au-delà du Foro Boario et du Tibre, sur les pentes de Monteverde, du Janicule et des lointains monts Albains. Seul et isolé de la ville par cet ossuaire de poteries, je franchissais d'un coup d'aile les siècles et les empires. L'immense panorama de la campagne romaine, le ciel encore plus vaste que ne limitait aucune borne, le vent qui soufflait sur ma face aussi librement qu'à la naissance du monde me ravirent hors du temps. Je me plus à imaginer les collines qui fermaient au loin l'horizon telles qu'elles se présentaient lors de la fondation de Rome : couvertes de forêts de hêtres et de bois de chênes, arbres à feuillage caduc, les seuls connus dans le Latium avant que fût introduite de Grèce et de Sicile l'espèce exotique des plantes toujours vertes. Comme celles qui poussent dans le cimetière des Anglais et dont j'apercevais, en me tournant de l'autre côté, les sombres frondaisons. Le myrte qui, avant d'orner la tombe de Gramsci, rendait à la déesse Aphrodite l'hommage de son vernis persistant ; le cyprès, l'alisier et le laurier-rose, surmontés par le panache flexible d'un palmier toujours agité. C'est en Afrique qu'on l'avait découvert, lui, à une époque plus tardive, en même temps que l'oranger et le citronnier, arbres italiens croit-on, bien que plus de deux mille ans se soient écoulés entre l'année de la Louve et leur apparition sur notre sol.

Je ne sais ce qui me reportait ainsi aux mythiques origines de Rome : peut-être l'étrangeté de ce lieu désert et silencieux, où régnait une paix anachronique. Rien n'avait changé ici depuis que pâtres et chasseurs dressaient dans la plaine leurs campements agrestes. En me penchant vers le Tibre, je me représentais sans effort les fêtes que ramenait chaque printemps. Le fleuve s'égayait de barques décorées de narcisses. Les couples d'amoureux se prélassaient au fond des canots et s'enivraient du blond breuvage tiré des vignes de Frascati. Tard dans la nuit qu'embrasaient des feux de joie résonnait la rustique saturnale. La tribu assujettie aux saisons préparait le retour des beaux jours par des danses et des chants adressés aux dieux. Ils accorderaient la fertilité aux coteaux et la fécondité au bétail.

Au moment de quitter le vallon, la seule hauteur de Rome, notai-je amusé par la coïncidence, d'où la coupole de Saint-Pierre échappe à la vue, j'entendis un murmure de voix claires provenant de derrière la hutte. Une tête ébouriffée se montra un instant, deux yeux noirs me fixèrent avant de disparaître, un rire frais fusa comme un grelot.

Il me fallut revenir souvent pour apprivoiser la petite bande d'enfants qui vivaient sur ce plateau. Bien découplés malgré leurs membres grêles, ils avaient la garde d'une demi-douzaine de poneys qu'ils faisaient paître pendant la journée, cachaient dans un repli du terrain à l'approche d'un intrus, enfermaient la nuit dans les grottes et conduisaient le dimanche jusqu'au parc d'attractions de la Villa Borghèse.

— Ton nom?

Pas de réponse.

— Et toi?

Même refus.

Aucun ne voulut me dire comment il s'appelait. Déjà peu loquaces, ils opposèrent à mes questions un mutisme têtu. Entre eux, ils communiquaient par monosyllabes. Celui qui avait besoin d'attirer l'attention d'un camarade l'interpellait par un surnom : Chat noir, Tête d'aigle, Œil vert, Antilope. Ils me cachaient leur identité avec un soin si jaloux que je ne pus l'attribuer à la seule envie de jouer aux Indiens. Peut-être, comme ce vieillard sicilien de Pietranera qui refusait de se faire photographier par peur que l'appareil ne lui volât son visage, craignaient-ils en livrant leur nom de perdre une partie d'eux-mêmes.

Ils me permirent de m'asseoir par terre avec eux, mais non de visiter la hutte. Avec son toit de chaume pointu et ses parois en osier tressé, elle ressemblait au petit temple rond de Vesta, fait de roseaux et de paille, où dès la fondation de l'Urbs un collège de filles vierges fut préposé à l'entretien de la flamme. En souvenir de leurs origines agrestes, les Romains, même aux temps de la splendeur impériale, n'avaient jamais voulu remplacer ce primitif sanctuaire par un édifice en dur.

Vers le milieu d'avril commencèrent de mystérieux préparatifs. Un guetteur placé en haut du sentier sifflait entre ses doigts à mon approche. Ils accouraient de tous les coins de la colline vers le milieu du vallon pour m'empêcher de voir quelque chose posé dans l'herbe devant la hutte. L'objet, emporté dedans avec mille précautions, avait l'air lourd et fragile. Deux boucles de fer pendaient à l'extérieur de la cabane, une de chaque côté de la porte. Ils enfilaient un long bâton dans ces anneaux pour condamner l'entrée.

Un orage nocturne me fournit la première occasion d'intervenir. Le vent avait arraché une partie de l'osier.

— Pourquoi ne mettez-vous pas des pierres pour consolider les murs?

Ils me jetèrent des regards de colère. Sans doute, me dis-je, pensent-ils que je me moque de leur petite construction. Où trouveraient-ils des pierres sur ce plateau? Aussi me hâtai-je d'ajouter :

— Je pourrais vous aider à en remonter. Il y en a plein au bord du Tibre.

Cette fois ils ne daignèrent même pas me répondre. Je les vis fabriquer avec de la paille et de la boue une sorte de mastic végétal qui leur servit à boucher les trous causés par la tempête.

Ma deuxième tentative ne me réussit pas mieux.

Rendus peu à peu moins farouches, ils me montrèrent un jour le trésor dont ils étaient si jaloux. Je dus réprimer un sourire. Même s'il n'avait pas manqué une jambe à ce vieux trépied de terre cuite tout couturé de brèches, un tel ustensile — lécythe pour entreposer l'huile de friture ou marmite à potage rescapée d'une humble cuisine — n'eût possédé aucune valeur. Ils l'avaient déterré, me dirent-ils, en fouillant dans la couche de tessons. Plus fiers que s'il s'agissait d'une de ces coupes murrhines veinées de pourpre et de blanc retrouvées sous les cendres de Pompéi, ils contemplaient, caressaient et surveillaient cette épave ménagère avec des soins d'amoureux.

Pour qu'elle tienne debout ils glissèrent un morceau de brique sous les flancs mal dégrossis où se distinguaient encore les empreintes digitales du potier. Le vase remontait à la plus haute antiquité : on l'avait fabriqué à la main, avant l'invention du tour.

Habitués désormais à ma présence silencieuse ils me confièrent que dans ce pot, comme chaque année à même époque, ils devaient allumer un feu de braises. Ils avaient amassé dans la hutte, où il se consumerait tout doucement jusqu'à l'été, une provision d'herbes sèches, d'écorces de pin, de débris de planches, de lattes de cageots et de charbon de bois. Aussitôt, à la vue de leur récipient boiteux, je m'écriai que j'avais à la maison une bassine beaucoup mieux adaptée. A peine s'ils m'écoutèrent leur décrire le chaudron de cuivre rapporté de Casarsa par maman. Ils me tournèrent le dos avec une mine offensée. Je compris, trop tard, qu'ils ne voulaient pas allumer un feu ni le faire brûler le plus longtemps possible par goût enfantin de voir rougeoyer des tisons, mais, héritiers de gestes dont ils ignoraient la mythique portée, pour renouer avec le culte le plus ancien, le plus sacré de Rome. Dans le temple de Vesta aussi les offrandes étaient servies sur de grossiers plats d'argile, même quand le luxe et l'ostentation eurent remplacé dans l'Urbs impériale l'austère simplicité des premiers temps. La déesse protectrice du Latium devait se contenter d'une fruste vaisselle pour sa nourriture, longtemps après que les sujets d'Auguste et de Tibère buvaient leur vin dans des gobelets de cristal et célébraient leurs festins dans des assiettes en or.

Vint le jour de la mise à feu. L'aîné de la bande sortit de la hutte avec deux morceaux de bois, un bâton taillé en pointe et une planche percée d'un trou. « Antilope » l'entendis-je appeler. Deux longues jambes, minces et lisses... Une mèche en travers du front... Des taches de rousseur autour du nez... Non, je n'arrive pas à le décrire, ni lui ni aucun des enfants. Aussi étrange que cela paraisse, je n'osais pas les observer en face ni poser longtemps mes yeux sur aucune des parties de leur corps. Il me semblait qu'un charme eût été rompu si je les avais regardés comme des garçons. Ils n'étaient pas tout à fait de ce monde et moi, grâce à eux, je m'élevais loin au-dessus de mes habitudes, de mes passions. Je devenais un autre. Leurs petits visages durs et fermés m'interdisaient de leur sourire, de chercher à leur plaire. C'est de leurs voix que je me souviens surtout : claires, argentines, angéliques, voix fragiles et poignantes qui traversaient le vallon en échos de cristal. Et quand l'un se mettait à chanter — quelque archaïque chanson de pâtre transmise intacte de siècle en siècle comme cette âpre berceuse qui accompagna les préparatifs de la mise à feu — des notes transparentes et tintantes jaillissait toujours une note plus haute et plus aiguë, et puis encore une autre qui s'élançait vers le ciel comme si elle allait se fondre là-haut et ne plus faire qu'une seule musique avec l'azur immatériel du firmament.

Je me laissais ravir par ces roulades de voix pures qui montaient et descendaient en harmonies blanches et finissaient par se percher au sommet de l'échelle des sons, dans un instant de grâce et de beauté précaire. L'ultime note s'évanouit en un trille limpide au moment où Antilope eut mis en place ses morceaux de bois. Chaque détail de cette pyrotechnie rudimentaire mais ennoblie par son ancienneté m'est resté en mémoire. Les deux pieds appuyés sur la planche, il introduisit la pointe dans le trou et fit tourner le bâton aussi vite qu'il put. Accroupis en cercle sur leurs talons, ses camarades brandissaient des touffes d'herbe et des brins d'écorce. Impatients de souffler quand la lueur aurait jailli, ils guettaient avidement l'étincelle. Mais leurs tentatives n'aboutirent à rien ce jour-là. Chacun relaya Antilope, chacun essaya à son tour. L'humidité de la terre déjouait tous leurs efforts.

Bien me prit de ne pas exhiber ma boîte d'allumettes. J'avais échoué aux deux premières épreuves mais, comme dans les contes de fées où c'est la troisième qui compte pour l'initiation du héros, je conquis leur estime en m'abstenant de leur offrir le trivial secours du phosphore industriel.

Ils m'autorisèrent à examiner les deux morceaux de bois. Fort de mon expérience sylvestre avec Svenn, je constatai que celui percé d'un trou était fait de racine de peuplier, cependant que l'autre tirait sa matière du cormier plus dur. Ils avaient bien raison, leur dis-je, de ne pas prendre les deux morceaux au même arbre, mais de choisir l'un aussi résistant que possible, et l'autre plus tendre, ce qui permet au bâton d'y pénétrer plus facilement, et à lui-même de s'enflammer plus vite à cause de son peu de consistance.

Pour la première fois ils daignèrent me sourire. Enhardi par leur approbation :

— Néanmoins, continuai-je, vous avez oublié un petit truc très simple qui vous aiderait à obtenir la flamme. Regardez bien : vous commencez par faire tourner lentement le bâton dans le trou, en appuyant de toutes vos forces. Un petit tas de sciure se forme autour de la pointe qui vire. Alors seulement vous tournez plus vite. La poussière de bois s'enflammera toute seule et communiquera le feu à l'herbe sèche.

Antilope se précipita sur ses jambes grêles pour m'empêcher de finir ma démonstration. Il m'arracha des mains les deux morceaux de bois comme si j'avais voulu lui voler sa prérogative. Mais, cette fois encore, à cause de la pluie tombée jusqu'à l'aube, les étincelles moururent l'une après l'autre au contact de la sciure humide.

— Ah! j'y pense, repris-je d'un air timide pour leur faire accepter plus facilement ma suggestion, voulez-vous que je vous apporte un morceau d'amadou? Une petite mèche suffira.

Je ne parlais pas sans crainte, tant ma voix me paraissait grosse et vulgaire dans le concert de leurs grelots d'argent. Ils ne répondirent ni oui ni non. Le lendemain, lorsque j'arrivai avec l'amadou, ils m'entourèrent en silence, prêts à suivre de leurs yeux brillants chacun de mes gestes.

— Pendant que toi, dis-je à l'aîné déjà en place pour l'opération du foret, tu vas tourner de plus en plus rapidement, il faut qu'un autre se mette à genoux pour souffler sur l'étincelle quand elle touchera l'amadou.

Nul ne me demanda de remplir ce rôle ainsi que je l'avais espéré. Ils me poussèrent rudement à l'écart, comme si au moment décisif l'entremise d'un adulte contrevenait à leurs lois non écrites. Un autre de la bande, le chef en second à ce qu'il me sembla, mais dont le corps trapu aux chairs lourdes arriverait peut-être plus tôt à la puberté, s'avança dans le cercle malgré un murmure de protestations. « Pas toi... Non... Taureau, tu pourras pas... » En dépit d'une indéniable vigueur pulmonaire et d'une détermination qui contractait les muscles presque virils de sa face, le fait est que « Taureau » n'obtint aucun résultat. Une lueur bleutée frangeait un instant le bout de la mèche puis s'éteignait dans une fumée âcre. Alors ses camarades, à l'unisson de leurs voix flûtées, lui crièrent de revenir et envoyèrent à sa place le plus jeune de tous, un gamin chétif mais au regard si pur qu'on l'avait surnommé « Œil vert » bien que la couleur de ses iris fût sans conteste le marron. Il gonfla ses joues rondes et poussa sur ses lèvres d'où jaillit une gerbe de pimpantes étincelles et enfin, victorieuse, une flamme assez alerte pour se communiquer aux herbes sèches et de là au contenu du trépied. Ils emportèrent aussitôt le vase dans la hutte dont ils refermèrent la porte avec le bâton transversal passé dans les deux anneaux.

Il me souvint de cette coutume frioulane qui veut qu'une fille soit vierge si elle réussit à rallumer, en soufflant dessus, une bougie dont la mèche charbonne. Dans le cas contraire, c'est que la perte de sa chasteté lui a enlevé sa provision d'énergie créatrice et en particulier le pouvoir de produire le feu.

Un matin, je m'aperçus en arrivant que ce jour ne serait pas comme les autres. Les enfants avaient nettoyé le vallon, enlevé les petits tas de crottin, décoré la hutte de guirlandes et brossé les poneys, dont la robe grise garnie d'une frange de longs poils beiges brillait comme un caparaçon d'argent. Jarret tendu, naseaux au vent, les animaux tournaient sur place et piaffaient d'impatience. Les derniers nuages pommelés de l'aurore s'enfuirent vers les monts Albains. Le ciel resta limpide, de cette sécheresse bleue et froide qui semble crépiter dans l'air. Le trépied fut sorti en grande pompe, porté en procession jusqu'au milieu du vallon, calé avec la brique. Œil vert marchait en tête, une brassée de rameaux odorants serrée contre sa poitrine. De sa bouche s'éleva une cantilène modulée sur deux notes et reprise en chœur, avant de mourir sur un saut d'octave dans les hauteurs diaphanes de l'empyrée. Le charbon de bois dégageait une dense vapeur noire. Ils jetèrent sur les braises des branches sèches de pin et de laurier. A la fumée épaisse succéda une flamme claire. Le moment était venu de lancer le troupeau à travers le feu. Les poneys, au trot, tirés par la bride, sautèrent l'un après l'autre au-dessus du trépied. Dans un silence rompu seulement par la course des bêtes qui prenaient leur élan et les hennissements d'effroi quand elles franchissaient le rideau de flammes.

Puis chacun, s'agrippant à la crinière, monta à cheval d'un seul bond. Sans selle ni étriers, magnifique me parut leur aplomb ; fruit d'une intense communion amoureuse avec l'animal et d'un long entraînement passionné, lorsque, aux heures de l'aube et du crépuscule, ils galopaient à cru sur le plateau désert. Jamais je n'avais vu aucun de mes amis de Ponte Mammolo uni à sa moto par une complicité aussi tendre. Ils flattaient leur monture à voix basse et l'embrassaient sur le cou. Aux compliments murmurés dans l'oreille, aux caresses sur l'encolure, aux tapes affectueuses sur la croupe, le poney répondait en agitant le panache de sa queue. Sans brusquerie excessive, de peur de faire tomber son cavalier, mais avec une impétuosité suffisante pour le rendre fier de son adresse, il se soulevait sur ses sabots et dansait face au soleil, avant de s'élancer à fond de train au-dessus du brasier crépitant.

Dans quel lieu, dans quel siècle me trouvais-je ? Ces enfants dont l'expérience se bornait aux promenades du dimanche dans les jardins de la Villa Borghèse et qui couchaient au fond des grottes creusées à la base du Testaccio, par quel miracle observaient-ils des rites éteints depuis deux mille ans ? Dans quelle Italie vivaient-ils ? Était-ce une planète humaine ? Quand je foulais cette herbe où nul pas d'adulte n'avait enfoncé son empreinte, mes pieds touchaient-ils encore terre ? N'étais-je pas emporté loin du monde, à la suite de ces chants argentins que leurs dernières notes étiraient dans une seule fusée blanche, comme l'azur du ciel trop intense dont il ne reste qu'un éblouissement ?

Le lendemain, je dus m'absenter de Rome. Puis des obligations diverses m'empêchèrent de remonter là-haut. Chaque fois ensuite que j'ai voulu revenir sur la colline, une raison ou une autre me l'a interdit : tantôt une averse furieuse tombée à l'improviste au milieu d'une journée sereine, tantôt la visite inopinée d'un ami à qui pour rien au monde je n'aurais dévoilé le secret. Quand j'ai commencé à faire des films et à disposer d'une caméra, je me suis juré de tourner une scène sur le Testaccio. Le jour où j'aurais été libre, un pneu de ma voiture creva. J'ai d'abord pesté et maudit ce guignon persistant, mais ensuite le signal fut perçu. Docilement j'inclinai la tête. « N'y retourne plus, me dis-je, te voilà averti. » « N'y allez pas, ce n'est pour personne », m'avait conseillé le tondeur de chiens. C'est bon, je n'irais plus sur le plateau. Ce site ignoré suspendu entre ciel et terre, et plus proche des nues que du sol, resterait hors d'atteinte. Royaume des vases fabriqués sans tour, des murs élevés sans pierres, des feux allumés par inflammation spontanée. Paradis des enfants que n'a pas touchés la mue. Ils continueraient à célébrer chaque printemps le retour de la belle saison et à favoriser par leurs cérémonies ingénues le bon déroulement de l'année ; gardiens invisibles, anges tutélaires de la grande ville qui se vautrait à leurs pieds dans une corruption fiévreuse sans même soupçonner leur présence. Et moi, qu'aucun rite de purification n'arracherait à mon destin, il me suffirait d'évoquer leur vie fière et sauvage dans le vallon pour me sentir plus ferme au milieu des épreuves.

Que de fois, penché à la portière de mon auto qui descendait le long du Tibre vers Saint-Paul et la mer, ai-je regardé vers la colline

241

qui semblait être retournée au silence et à l'abandon. Rome glissait chaque jour au cloaque ; l'argent, la réussite, le bien-être, l'hédonisme devenaient ses seuls dieux. Fellini n'aurait qu'à ramasser cette fange qui se coagulerait d'elle-même dans les séquences accusatrices de la Dolce Vita. Bientôt il faudrait aux Romains un bouc émissaire qu'ils enverraient au sacrifice. La tête déjà posée sur l'autel et la gorge à portée du couteau, je garderais la force de soulever les yeux vers le mont inviolé. Comme nécropole de vieux débris, on le délaissait dans son coin. Le vil chiendent de son faîte n'eût semblé à personne un revêtement sacré. Qui d'autre pouvait savoir que de cet amas de tessons jaillissait la dernière source d'eau pure ?

30

Juillet 1955 : les critiques du Parti traînent mon livre dans la boue. « Le langage, les situations, les personnages, le milieu, tout respire le mépris et l'indifférence envers les hommes, une connaissance superficielle et déformée de la réalité, une complaisance malsaine pour les aspects les plus troubles d'une vérité complexe et multiforme » (*L'Unità*). « Comment le Parti et l'organisation de la jeunesse communiste ont modifié, ces dix dernières années, l'esprit et le cœur de milliers de jeunes gens ; comment ceux qui ont grandi dans la faim, en marge de la vie sociale, ont su pourtant résister, sains, fiers, décidés, animés d'une volonté de rédemption alors que tout les poussait à chercher dans le vice la voie la plus facile pour sortir de leur condition inhumaine : voilà ce qu'il fallait raconter » (*Rinascita*). « Nous dénions toute validité au dialecte, aujourd'hui que l'expérience régionaliste cède le pas, pour la première fois dans notre histoire, au développement d'une authentique conscience nationale » (*Il Contemporaneo*). « P. choisit apparemment comme sujet le sous-prolétariat romain, mais cet intérêt a pour contenu réel le goût morbide de la saleté, de l'abjection, de la décomposition et de l'équivoque » (*Vie Nuove*).

21 juillet : la présidence du Conseil des ministres saisit le Parquet de Milan. « Offense aux bonnes mœurs. » De gauche et de droite, tous contre moi. Communistes et démocrates-chrétiens, unis pour me donner la chasse. Comme à Casarsa, cinq ans avant. Un autre, peut-être, eût été fier d'affronter les tribunaux. Je fus atterré. Je ne me sentais pas du tout fait pour le rôle de l'écrivain « maudit ». La « malédiction », pour moi, ravivait le souvenir atroce de Valvasone : horreur bien concrète de celui qu'on montre du doigt, qui risque de perdre à nouveau son gagne-pain, que ses voisins contraindront peut-être à s'exiler une seconde fois, et qui de toute

façon déchire le cœur de sa mère. Un fils traîné en justice, après l'autre assassiné ! Tant bien que mal, en ma présence, elle refoulait ses larmes au fond de ses yeux rougis. Mes amis du milieu littéraire, crois-tu qu'ils auraient compris mes angoisses ? Ils saisirent avec joie l'occasion de crier contre l'imbécillité de la censure.

En entrant dans la salle d'audience, le 4 juillet 1956, j'eus l'impression d'être poussé sur le banc d'infamie. Plus plate apologie n'auraient pu espérer les magistrats. « Lorsque j'anthropomorphise une chienne, je veux dire que souvent, hélas, les jeunes des *borgates* vivent comme des animaux. Si j'ai décrit les trois garçons qui font leurs besoins corporels, c'est pour rappeler le prétexte que prennent tous les gamins surpris à voler dans les potagers. » Les obscénités, les jurons, les blasphèmes ? Par souci, déclarai-je, d'exactitude documentaire : alors que j'aurais dû défendre la langue vivante qui se parle à Ponte Mammolo en attaquant l'inepte jargon bureaucratique déversé du haut en bas de l'Italie par le cinéma, la radio et la télévision : école de paresse mentale et de conformisme, premier abus de la société de consommation.

Le poète Ungaretti, trop malade pour venir déposer, envoya son témoignage. « Les mots placés dans la bouche de ces jeunes gens sont les mots qu'ils ont l'habitude d'employer, et ç'aurait été, me semble-t-il, offenser la vérité que de les faire minauder comme des sigisbées. » Je dus, à contrecœur, remercier d'un signe de tête le porte-parole du grand homme absent. Et m'empêcher de bondir en entendant Carlo Bo, écrivain catholique influent, affirmer à la barre : « Ce roman a une grande valeur religieuse parce qu'il incite à la pitié envers les analphabètes et les nécessiteux. » Nous sortîmes du prétoire, Livio Garzanti et moi, acquittés. Le livre, sous séquestre depuis un an, fut remis en vente. Les journaux ? Honnêtes encore, à cette époque. Reconnue par les juges, mon innocence fut proclamée dans la presse ; sans insinuations malignes ni attaques indirectes, comme ce devint la règle par la suite. En apparence, j'étais donc indemne. Seule maman s'aperçut que mes joues se creusèrent un peu plus, sous mes pommettes dont la saillie s'accentua. Plus le cœur a été tendre, plus il se durcit.

Federico Fellini me donna rendez-vous Porta Latina. Dans une auto blanche, longue, massive, molle, qu'il engagea tout de suite à fond de train sur la route des catacombes, des aqueducs et des ruines. Il conduisait d'une main en dévisageant celles des passantes avantagées d'un riche embonpoint, au risque dix fois évité par prodige de renverser les gamins à bicyclette ou d'écraser la voiture et ses occupants contre un tronçon de colonne. De son autre main il fourrageait dans ses cheveux et tortillait une mèche sous son panama cabossé. Nous foncions sur les chaussées cahoteuses à la recherche d'un décor. Il grognait et soufflait comme un phoque et parlait de reconstruire à Cinecittà une campagne plus vraie que ces vestiges de quatre sous. Trop de tombeaux et pas assez de putains le long de l'Appia Antica. Ne trouva gré à ses yeux fureteurs et méfiants que la Promenade Archéologique. Il entamait un nouveau film, qu'il voulait tourner dans les bas-fonds romains. L'éclat du procès, l'espèce d'auréole noire dont commençait à flamber mon nom, lui avaient suggéré d'utiliser mes compétences. C'est moi qui écrivis le dialogue de la bagarre nocturne où Cabiria affronte ses concurrentes. L'épisode du pèlerinage au Divino Amore est en partie de mon invention. J'avais connu à Tiburtino un estropié, à qui on fit espérer une guérison miraculeuse. Lorsque la Madone apparut, portée à bras d'hommes dans l'église éclairée aux cierges, il jeta derrière lui ses béquilles. Au lieu du miracle, il tomba lourdement à terre et resta assommé sur les dalles.

J'ajoutai une autre séquence : la course vagabonde de deux voleurs en auto dans la banlieue. Fellini l'écarta au montage. Sans même m'accorder l'honneur d'une discussion. Je protestai. Il cligna de l'œil et me donna une bourrade sur l'épaule, plus débonnaire qu'un potentat oriental qui chasserait une mouche de son nez. Ainsi entendait-il la « collaboration » de ses assistants : le servir docilement, ne se permettre aucune suggestion personnelle, l'accompagner dans la limousine blanche au péril de sa vie, se planter à la sortie de la Standa pour repérer des figurantes qui pèsent au moins cent kilos.

Mais comment se fâcher contre l'inventeur de Gelsomina et de Zampano? Deux ans plus tard, il me demanda quelques répliques pour *la Dolce Vita*. Tu te rappelles la scène de l'orgie, vers la fin? Le dialogue des deux pédés est de moi.

Puis, lorsqu'il sut que je préparais à mon tour un film, il se proposa pour le financer. Il venait de fonder, grâce à l'argent de l'éditeur Rizzoli, une société de production, la Federiz. Commença pour moi et mes amis la grande aventure du cinéma. Pendant trois jours et trois nuits, presque sans nous arrêter, presque sans manger, en compagnie du jeune Bertolucci qui faisait ses débuts de photographe comme moi mes débuts de metteur en scène, j'ai tourné dans le Transtévère : des bouts d'essai, qui seraient soumis à Fellini avant le contrat définitif. Je te raconterai une autre fois avec quel enthousiasme je me suis initié au maniement de la caméra, bien que notre instrument fût des plus primitifs, les acteurs improvisés, la pellicule défectueuse, le bruit des motos infernal dans les rues étroites dont la police n'avait pas interdit l'accès pour une simple troupe d'amateurs.

Sur les marches des églises, vu en gros plan à travers l'objectif, le mendiant recroquevillé semblait aussi majestueux qu'un péon indien de *Que Viva Mexico*. Transfigurés par la magie du zoom, les employés de la Manufacture des tabacs qui attendaient immobiles, devant le seuil, la sonnerie de la reprise n'auraient pas déparé la mystique atmosphère de *Dies Irae*. Nous nous rendîmes ensuite, pour repérer le décor pouilleux qui convenait à mon héros, dans les parages de Porta Portese. Occasion pour moi de rendre hommage à un troisième grand cinéaste, sans me demander si le film qui aurait subi des influences aussi disparates trouverait son ton personnel. Aux charlatans du marché aux puces, déjà virtuoses du boniment emphatique, j'eus à peine besoin de faire élever la voix et ralentir les gestes pour leur prêter la gravité ronflante et l'arrogance rituelle des samouraïs japonais, à croire que le Moyen Age féodal de *l'Intendant Sansho* ressuscitait au bord du Tibre. Je parle, bien sûr, du but idéal vers lequel nous tendions ; non du résultat qui apparut à la table de montage, tentative rudimentaire et hachée.

Bernardo — vingt ans à l'époque, grosse tête ronde et pureté enfantine qui résisterait jusqu'au succès de *Dernier Tango à Paris*— me tendait les ciseaux avec une dévotion naïve. Il est écrit que les disciples doivent renier leurs maîtres. Ce lieu commun de la sagesse ne m'empêcherait pas, quinze ans plus tard, de ressentir comme une trahison l'éloignement de celui que je m'étais attaché comme un fils.

Le jour où Fellini devait nous donner son accord, je partis seul, le cœur battant, au volant de ma voiture (cette fameuse Giulietta ! nous en reparlerons). La Federiz logeait via della Croce. Je me souviens d'avoir cherché en vain à me garer dans le dédale des petites rues entre la place d'Espagne et le Corso. Il me fallut remonter jusqu'à la place du Peuple. Via dell'Oca, enfin, j'aperçus une place libre. J'étais si agité que je ratai plusieurs fois mon créneau. Alberto Moravia, qui rentrait juste à ce moment chez lui, au 27, s'approcha en boitillant de la portière. Élégant comme toujours, ses beaux cheveux où luisait à peine un fil d'argent plaqués en arrière et l'épingle de cravate assortie au gilet, même s'il n'était descendu que pour avaler un café au bar du Canova.

— Pier Paolo, qu'arrive-t-il ? Pourquoi si nerveux ?

— Prends le volant et fais la manœuvre à ma place !

— Quoi ? Qu'est-ce que tu dis ?

Il mit sa main en cornet autour de son oreille. C'est vrai qu'il commençait à devenir sourd. Mais d'habitude il comprenait tout à demi-mot. Sa bonté et son intelligence suppléaient au tympan.

— Prends le volant et...

Je m'arrêtai pile, me souvenant qu'avec sa jambe plus courte il ne pouvait conduire qu'une voiture spécialement équipée.

— Quoi? Coupe le moteur. Parle plus fort.

— Federico m'attend! Ou il allonge le pèze, ou je n'ai plus qu'à me jeter dans le Tibre.

— Allons, allons, fit-il en grattant la bosse dolichocéphale de son crâne. Viens déjeuner avec nous après-demain. Elsa voudrait te revoir. Elle t'aime beaucoup, beaucoup, tu sais... presque autant que ses chats! A la Capannina, via della Scrofa. D'accord?

— Après-demain?

— Parce que jeudi je m'envole pour la Turquie. Tu te rends compte, les Turcs qui me réclament! ajouta-t-il en riant. Ils vont me demander mon avis sur les harems! D'ici là, je dois écrire l'article sur *l'Avventura*... Hum!... Antonioni, tu l'aimes, toi?, envoyer à Bompiani la liste de mon service de presse pour *l'Ennui* qui sort dans un mois, courir chez... (il me glissa à l'oreille un prénom féminin) sans qu'Elsa le sache, *per carità!* me faire couper les cheveux pour la réception à l'ambassade des États-Unis. A mercredi, donc!

Abasourdi, je le regardai sans rien dire.

— La Capannina, c'est la nouvelle découverte d'Elsa. Ne compte pas sur la dinde qu'elle t'a promise pour Noël! Épouse qui écrit, fourneau qui languit... Tant mieux, se hâta-t-il d'enchaîner, ne voulant pas avoir l'air de mettre en balance un talent de cuisinière contre deux romans géniaux. Comme ça, elle court les restaurants, et tombe toujours sur la dernière nouveauté. Tu jugeras... N'y aurait-il que la salade aux truffes... Bien meilleure que celle du Buco!

— Des truffes? dis-je, de la voix éteinte de quelqu'un dont la moindre bouchée ferait se retourner l'estomac.

— Des truffes blanches, de celles qu'on ne trouve qu'au Piémont!

Surpris de me voir comme une bûche à cette nouvelle alléchante, il crut peut-être que je lui en voulais de mettre sur le même plan mes affres de créateur et ses plaisirs de gastronome.

— Tu as tort de mépriser les truffes, Pier Paolo. Sais-tu ce que Proust et Joyce se sont dit, les seuls mots qu'ils aient échangés, pendant le déjeuner organisé en leur honneur? « Aimez-vous les truffes? » « Les truffes? Et vous? » S'ils avaient connu les truffes blanches, la conversation n'en serait pas restée là, et la littérature mondiale se serait enrichie d'un dialogue plus substantiel.

La littérature, pas plus que la cuisine, n'arrivant à m'égayer, il se redressa et souleva un sourcil, tic chez lui familier pour exprimer la désapprobation inquiète. Depuis trente-quatre ans qu'il était sorti du sanatorium, il traînait sa jambe infirme sans avoir un seul jour permis à des tourments quels qu'ils fussent de lui couper l'appétit. Superbe exemple de victoire sur soi-même et de politesse envers les autres. « Comme tu veux », dit-il en me saluant.

Un homme qu'attendent sur son bureau une critique de cinéma à rédiger pour *L'Espresso*, une liste de noms à compiler pour le lancement de son prochain livre, un rendez-vous clandestin avec une jolie fille, une invitation à l'ambassade la plus courue de Rome, un billet d'avion pour une conférence à Istanbul, et qui trouve encore le temps de se demander si une assiette de tubercules fongueux déterrés par un cochon sous les chênes d'Alba parviendra à effacer les rides sur le front soucieux d'un jeune confrère tracassé, cet homme-là, seul et unique entre les gens de lettres, je l'estime et je l'admire, même si je n'aime pas trop ses romans.

Il s'éloigna en clopinant, arriva devant le portail du 27, planta du premier coup la clef dans la serrure et fonça dans le vestibule sans se retourner.

En quelques enjambées, j'étais place du Peuple. Je passai d'abord devant la terrasse du Rosati, quartier général des intellectuels de droite. Ils se prélassaient aux rayons dorés du tiède soleil automnal. En me voyant déboucher de via dell'Oca, ils comprirent d'où je venais et se poussèrent du coude avec des ricanements. Aucune autre raison, pour ces écrivains sans public, n'avait pu inciter Moravia à prendre ma défense lors du procès de Milan, que l'espoir de rester dans le vent grâce à l'amitié d'un auteur scandaleux. De l'autre côté de la place, à l'entrée de via del Babuino qui devait me conduire à la Federiz via della Croce, j'aperçus, à la terrasse du Canova, quartier général des intellectuels de gauche, le groupe de bavards habituel. Eux aussi profitaient, devant un negroni couleur caramel, des charmes capiteux de l'arrière-saison romaine. Ils crurent que je m'étais arrêté au Rosati, se regardèrent entre eux comme pour me demander des comptes, restèrent stupéfaits de me voir les saluer d'un hochement de tête sans ralentir le pas, et conclurent de ma hâte pour eux suspecte et de mon geste pour eux cavalier que je venais de frayer avec nos adversaires.

Place d'Espagne, envahie par des touristes débraillés et par des grappes serviles de photographes et de vendeurs de cartes postales qui n'auraient pas osé se montrer il y a dix ans lorsque les marches servaient de campement à la plèbe vagabonde des jeunes émigrés du Sud, je parcourus des yeux la double volée de gradins. Par acquit de conscience, car Ramon, sa balafre, ses rêves chimériques de millionnaire et son effronterie seigneuriale de pickpocket hidalgo avaient disparu depuis longtemps. O nostalgie de cette époque où nous cassions en deux pour en fumer chacun un bout la cigarette achetée à la pièce au tabac voisin, du temps que les buralistes acceptaient de ne pas vendre le paquet en entier !

31

Fellini, debout près du piano-bar, m'accueillit à bras ouverts. « Saké du Japon ? Akvavit du Danemark ? Vodka de Moscou ? » Plus fine critique n'aurait pu démolir mon travail que cette raillerie indirecte sur le mélange des écoles où j'avais puisé et des styles dont il portait la marque. Incapable de choisir entre Dreyer, Eisenstein et Mizoguchi, le buveur montrerait-il plus de décision ? Les étiquettes, ornées respectivement d'une pagode, d'une isba et d'un hareng saur, correspondaient chacune à la patrie d'un de mes maîtres. « Merci, je ne bois pas », dis-je, ce qui me valut un sourire ironique de sa part et de la mienne un supplément d'embarras. De mes bouts d'essai il ne fut pas question autrement que par cette allusion plaisante aux influences subies et à l'inconvénient d'un tel melting-pot. Les trois bouteilles reprirent leur place dans le piano. Le bruit sec que fit le couvercle en retombant sonna le glas de mes espérances. Fellini, nullement gêné d'avoir mis un point final à l'affaire sans débourser une lire de dédit ni un mot de justification, piochait dans une gigantesque boîte de chocolats suisses. Prenant à peine le temps d'ôter les papillotes, il tirait une langue large et gloutonne sur laquelle, deux par deux, il posait les bonbons.

Il me conduisit de pièce en pièce à travers les locaux de la Federiz, pour me montrer les installations flambant neuves, les étoffes de velours tendues aux murs, les meubles design, les lampes de Pontecorvo. « Tu admires notre luxe de parvenus ? » Je me mis à rire avec lui. « Halte-là ! » s'écria-t-il alors. « Défense de te moquer ! Si tu tiens à tourner un film (mon cœur palpita à ces mots), aligne-toi sur le goût du jour. Je viens d'engager Anouk Aimée et Claudia Cardinale. Penses-tu qu'elles accepteraient de monter dans le tricycle déglingué de Zampano ? Au fait, tu as quoi, toi, comme engin ? » Ma réponse parut le satisfaire. Il me parla de la « nouvelle sensibilité » des Italiens. Le public réclamait des films plus chers et plus fastueux, le néo-réalisme avait fait son temps, savais-je que Rome comptait désormais plus de téléphones que Paris ?

— Jette un coup d'œil à ce graphique, me dit-il en prenant sur une table basse de plexiglas une revue qu'il me fourra sous le nez. Quand je tournais *la Strada,* il y a six ans, on consommait en Italie deux cent soixante-dix mille tonnes de gaz liquide. Cette année, la consommation montera à sept cent mille tonnes ! Ces millions de bonbonnes supplémentaires économisent aux femmes italiennes les milliards d'heures qu'elles perdaient à allumer leurs fourneaux !

Saisi par la vision grandiose de cette multitude innombrable de bouteilles pansues et brillantes, il sortit un crayon de sa poche et dessina sur le dos de la revue des rangées compactes de récipients Agipgas.

— Et que vont faire ces millions de femmes italiennes avec ces milliards d'heures passées en moins dans leurs cuisines ? Milan a déjà pensé à elles. Avec trois mois d'avance, la municipalité a commandé deux millions six cent mille ampoules pour les illuminations de Noël ! Et tu sais quoi encore ? On va déboiser la Finlande et la Norvège pour fournir des sapins à toutes les familles ! La crèche est démodée, mon cher. Il ne s'agit plus de se recueillir autour du foyer domestique. Il faut sortir dans la rue, et dépenser, encore dépenser, toujours dépenser ! Accrocher à l'arbre un pactole de cadeaux ! Se défoncer en achats de fourrures et de bijoux ! Le whisky par jéroboams, le foie gras par kilos ! Le caviar à la louche ! De quoi faire crouler le conifère scandinave ahuri d'avoir quitté le désert neigeux des silences polaires pour cette Saint-Sylvestre au champagne, aux klaxons et aux pétards !

L'ahuri, c'était moi, devant ce torrent de paroles.

— Ah ! Ah ! Le piano-bar n'aurait pas plu à mon grand-père, qui mettait sa canette de bière au frais sur l'appui de sa fenêtre. Le dimanche, il attelait la carriole et nous emmenait dans les chemins creux, entre les haies d'aubépines... Bon Dieu ! s'exclama-t-il en se tapant sur la cuisse, je suis en train de m'attendrir ! Halte aux souvenirs d'enfance, Pier Paolo ! Tu ne vas pas me faire réciter la complainte du bon vieux temps ! Seul l'avenir nous intéresse !

— Bien sûr, balbutiai-je, essayant de placer un mot. Je ne nie pas que... Mais des fauchés, des paumés comme le héros de mon film, ni le foie gras ni le caviar ne sont encore pour eux !

— A Rimini, je me rappelle ce mendiant, pas tout à fait un mendiant, une sorte de vagabond, de propre-à-rien, bref quelqu'un dans le genre de ton type. Les autorités fascistes se préoccupèrent de son cas. « Ici, dans notre ville, pas de déchet humain ! » On lui

251

envoya une assistante sociale, on le plongea dans un bain chaud, on l'habilla, il fut chargé d'allumer les lampions pour le carnaval... Quoi? Qu'est-ce que c'est? Une secrétaire lui faisait signe au bout du couloir. — Non, je l'ai répété cent fois. Pas d'interviews en ce moment. Avec personne. Per-sonne, vous entendez? Ils insistent? Qu'ils se débrouillent avec ce que je leur ai dit à Cannes! Où en étions-nous? reprit-il en me poussant dans son bureau. Ah oui! « Pas de déchet humain! » Il était très sympathique, le farfelu en question. Chaque printemps, on le voyait courir avec son filet à papillons après les « manines », ces flocons végétaux, blancs et légers comme de l'ouate, qui arrivent chez nous en mars, flottent dans les airs, tournoient sans jamais toucher le sol, montent, descendent et repartent aspirés par une mystérieuse attraction. Quels crétins, ces fascistes, tu ne trouves pas?

— Justement, dis-je, sautant sur l'occasion.

— Ils n'avaient qu'à lui fiche la paix, au lieu de le déguiser en employé municipal.

— Federico...

— Assieds-toi. J'aurais bien fumé un Partagas. Tu ne voudrais pas me donner un autre coup de main, pour mon prochain film? La séquence des pédés, on l'a trouvée très réussie, tu sais. Très bon dialogue. Tiens, regarde un peu ces esquisses, si ça te chante.

Il étala sur mes genoux une série de maquettes pour *Huit et demi*, dessinées d'une main désinvolte et relevées de légères ombres pastel aux couleurs irréelles des rêves. Ce qui nous transporta, loin du décor agreste et populaire de ses souvenirs adriatiques, et plus loin encore des taudis et des va-nu-pieds de mon film, vers un monde opulent et douillet, de pure fantaisie, où Rudolf Valentino n'aurait pas été dépaysé. Des curistes se promenaient en costume blanc dans une ville d'eau fantomatique ; des odalisques agitaient leurs voiles sous les portiques d'un sérail.

— Je vais te confier un secret, me dit-il en refermant l'album et en m'entraînant vers la sortie. Mais tu ne le répéteras pas, au moins?

Il glissait sur le carrelage de marbre avec l'onctuosité d'un prélat, plongeant son œil bistré et oriental dans le décolleté des secrétaires et m'interrompant par quelque nouvelle bordée de statistiques dès que je faisais mine d'ouvrir le calepin où s'alignaient les chiffres, pourtant modestes, de mon devis. J'avais l'air du curé de campagne venu exposer à son évêque le cas pathétique d'une fille-mère et congédié poliment non sans emporter, comme prime pour le déplacement, un petit potin de curie.

— Devine qui m'a obtenu la palme d'or pour *La Dolce Vita* à Cannes ? Je te le donne en mille ! Simenon, qui présidait le jury. Un Belge ! C'est lui qui a forcé la décision. Un qui mange les moules avec les frites !

Là-dessus, il me poussa sur le palier et me tapa dans le dos. Appuyé à la rampe, il m'accompagna, jusqu'en bas de l'escalier, par un rire sonore, frais, enfantin, qui dévalait sur mes talons les marches de piperne. « Ah ! Ah ! Les moules avec les frites ! Les moules avec les frites ! » L'Italie avait peut-être joué un bon tour à la Belgique en lui soutirant pour une fois un avantage plus agréable à la vanité nationale que les habituels emplois de mineurs de fond pour ses émigrés, mais moi, en remettant le pied sur le pavé de via della Croce, ce 4 octobre 1960, je me retrouvais sans un sou, sans un mètre de pellicule. Je ne pouvais quand même pas, pour me capter les grâces d'un producteur, installer le téléphone chez mes personnages, à qui manquaient encore l'eau courante, les chiottes et le lavabo !

J'eus le bon sens de ne pas ajouter la volte-face de Fellini au dossier des vexations (pour ne pas dire plus) auxquelles j'étais de nouveau en butte, après l'acquittement de Milan. Trois autres procès m'attendaient, au seuil de cet hiver : pour mon deuxième roman, pour l'incident de via Panico, pour l'affaire d'Anzio. En outre, je venais à peine d'échapper à la plainte pour diffamation déposée contre moi par le maire de Cutro en Calabre.

Pendant l'été 1959, l'hebdomadaire milanais *Successo* m'avait envoyé en reportage le long des côtes italiennes. Mes compatriotes commençaient à découvrir les vacances de masse. Je décrivis ce que j'avais vu : les plages souillées, les juke-boxes tonitruants, l'effritement de la morale familiale sous l'effet conjugué du soleil et du maillot de bain, les bandes de teddy-boys fiers de ce nom américain mais gardant sous leurs blousons aux couleurs électriques un cœur petit-bourgeois et fasciste. En Calabre, me frappèrent le dénuement des villages, la sauvagerie du littoral, la tristesse des jeunes, le poids des interdits. Ce qui m'attira une volée de bois vert de toute la presse méridionale (« journaliste de contrebande », « Italien dégénéré », « baudruche gonflée ») et une remontrance du sous-secrétaire d'État au tourisme (« mentalité dévoyée » qui s'amuse à « vilipender le corps unique et indivisible de la patrie »). Il ne faisait pourtant aucun doute qu'une sympathie intense m'avait inspiré ces lignes sur l'abandon et la misère d'une province florissante au ve siècle avant Jésus-Christ mais que n'avait plus jamais visitée, comme la Sicile sous les Arabes ou la Pouille sous les Normands, le vent roboratif de l'Histoire.

Le 12 novembre la ville calabraise de Crotone, administrée par des élus communistes, prima mon second roman. Tollé général, de Tarente à Cosenza. Le maire de Cutro, bourgade voisine de Crotone mais sous junte démocrate-chrétienne, choisit ce moment pour porter l'affaire en justice. Il vaut la peine de passer en revue ses motifs. Reggio m'avait paru d'une pauvreté effroyable. « On dirait la description d'un campement de bohémiens et il s'agit d'une des plus délicieuses villes d'Italie. Comme toutes les autres, elle veut être encore plus belle et devenir plus prospère, mais, dans l'enchantement de son rivage qui se penche sur les eaux du Détroit, et dans la clarté de ses rues lumineuses, trahit-elle l'angoissante détresse dont P. se désole ? » « Les femmes d'une tribu africaine : voilà, pour P., les distinguées citoyennes de l'industrieuse Tarente, port de notre flotte militaire et siège de fameux chantiers navals. » « La réputation, l'honneur, la noblesse, la dignité des valeureuses populations de Cutro ont été manifestement et gravement piétinés. Sur les dunes jaunes, autre terme africain dont se sert le journaliste, poussent par centaines les maisonnettes propres, colorées, gaies, de l'Office de la Réforme. Les gens laborieux du Sud, de Calabre, de Cutro, fidèles à l'impératif biblique, y gagnent leur pain à la sueur de leur front, et non en écrivant des articles diffamatoires contre leurs frères. »

L'Église (« fidèles à l'impératif biblique ») et l'Armée (« port de notre flotte militaire ») montraient les dents contre moi : mais aussi le Tourisme (« l'enchantement de son rivage »), nouveau pouvoir plus redoutable que les deux autres, au moment où « Carosello », une émission publicitaire télévisée, se mettait à répandre quotidiennement d'un bout à l'autre de la péninsule quinze minutes de conseils pédagogiques. Sur la meilleure façon de se laver les dents, de mettre la table pour ses amis, de choisir sa marque d'aspirateur et de lave-vaisselle, de tourner un compliment à une femme : avis, ce dernier, particulièrement destiné aux hommes du Sud, encore en proie à une muette et bestiale convoitise, de nature à faire fuir les étrangères. On n'oubliait pas non plus leurs grasses et difformes épouses : à qui s'adressaient d'abord les recettes de cuisine et les recommandations vestimentaires, sinon à celles que l'abus de pâtes et l'entêtement à s'habiller en noir changeaient en épouvantails sur les plages où Vénus était née ?

Bref, les nouveaux augures de la nation indiquaient à chacun comment se préparer, moyennant un effort dans l'hygiène, la coquetterie, la politesse et la galanterie, à un avenir aussi « lumineux » que les rues de Reggio. Sans dire, bien entendu, que le but de ces différentes métamorphoses n'était pas de pourvoir au bonheur des indigènes, mais tout bonnement d'accroître sur leur territoire les ventes de crèmes solaires, de lunettes noires et de boissons gazeuses. Produits fabriqués dans le Nord, où on espérait que, une fois « civilisées » et alignées sur les mœurs européennes les centaines de kilomètres de côtes méridionales, les touristes au départ de Milan et de Paris, de Zurich et de Francfort y afflueraient par milliers, fournissant une clientèle magnifique aux industries balnéaires.

Le maire de Cutro n'hésita pas à déformer le sens de certaines de mes phrases en les isolant. Procédé typique de ceux qui censurent au lieu de discuter. Tu penses bien que je n'aurais jamais employé l'adjectif « africain » sinon avec une intention laudative, moi qui m'apprêtais à chercher du côté du tiers monde une terre de remplacement pour mes *borgates* perdues. « La mer Ionienne n'est pas une mer de chez nous, avais-je écrit, ses flots, ballottés entre la Grèce et l'Égypte, font entendre au contact de nos plages la rumeur mélodieuse de l'Orient. » Éloge peut-être tiré par les cheveux et mièvre, mais la louange, tout le monde l'aurait comprise. Dans l'exposé du maire, on ne lut que le premier tronçon de ma phrase : « La mer Ionienne n'est pas une mer de chez nous », suivi de ce commentaire goguenard : « Donnons-la à la Russie, si chère à l'auteur du reportage ! » N'aurais-je perdu à cause de cette canaillerie que l'estime de quelques pêcheurs ingénument attachés à leurs côtes, à leurs barques et au souvenir de Garibaldi dans l'Aspromonte, on ne peut nier qu'un tour d'écrou supplémentaire fut donné à la chaîne en train de se resserrer dans l'ombre.

Quant aux porte-parole du Parti, inutile d'espérer que le prix littéraire obtenu à Crotone les eût amadoués. Mon deuxième livre, aventure d'un délinquant de Pietralata et de ses efforts impossibles pour se régénérer par la politique, subit des attaques aussi furibondes que le premier. On m'accusa, dans *Rinascita,* de mépriser mon héros, sentine de vices et d'obscénités. « Voici le jeune criminel devenu membre du parti communiste. A court d'argent, il entre dans un cinéma mal famé, s'approche d'un quidam qu'il reconnaît comme pédéraste et se fait masturber par lui. Il exige cinq cents lires en paiement, non sans employer la force pour contraindre l'individu à cracher. Cela ne suffit-il pas à vous indigner ? »

Note que la bonne éducation et les diplômes universitaires de Mario Montagnana, auteur de cet article et sénateur de la République, protégé par son copieux revenu mensuel contre la nécessité « sordide » d'extorquer à un « triste sire » de quoi bouffer le soir, ne l'ont pas empêché de faire la grossière faute de sens sur « pédéraste ».

Qui « s'indigna », selon le conseil de la revue officielle du Parti, fut l'Action catholique. Plainte contre mon roman. Le magistrat instructeur ne renonça aux poursuites que sur le rapport minutieux du *dottor* Cuttolo, catholique et professeur d'histoire à l'université de Rome. Un mois de travail, trente jours consacrés à l'examen du livre, scrupules qui lui furent payés soixante-seize mille lires — cent cinquante-deux fois le prix d'une passe dans les cinémas près de la gare — pour conclure que les mœurs décrites ici offensent le goût du lecteur mais sans lui donner envie de les imiter. « Nous sommes à présent habitués par les films et les romans néo-réalistes à accepter des choses dures et scabreuses que nos aïeux auraient repoussées avec effarement. »

Non-lieu pour cette fois, mais je m'aperçus, en passant au crible la presse (pourquoi perdre mon temps avec les journaux ? me diras-tu) que mon image publique avait subi une légère quoique significative altération. Je ne suis plus seulement un auteur de livres à scandales, mais un homme peut-être lui-même scandaleux. « P. connaît ce monde de l'intérieur », affirme le critique littéraire de *L'Espresso,* magazine indépendant. S'insinue partout le doute calomnieux : peut-on raconter avec tant de détails la vie des bas-fonds sans participer soi-même aux activités criminelles de la pègre ? Et quand, sous prétexte de jeter des fleurs à l'écrivain, on admire sa précision à décrire un hold-up nocturne contre le pompiste Shell de la via Cristoforo Colombo, on prépare en douce les lecteurs à se dire qu'une telle justesse ne dépend pas seulement de son pouvoir d'imagination.

32

Nuit du 29 au 30 juin 1960. Entre la fête de Pierre et la fête de Paul. Corso Vittorio Emmanuele. La belle église de Sant'Andrea della Valle, où la Tosca venait rendre visite à son amant devant le tableau auquel il travaillait. « Mario ! Mario ! » Je me chante à moi-même ces deux notes, mais voici que dans mon cerveau obscurci par la longue soirée les syllabes de mon propre nom se substituent à celles du peintre. « Paolo ! Paolo ! » Est-ce moi qu'on appelle ? « Hé ! Paolo ! » Je tourne la tête : c'est « l'Allemand », un ami du Transtévère. Il traîne avec un copain. Tous deux s'exclament devant ma Giulietta neuve et demandent à monter. « Pas plus de cinq minutes, j'ai sommeil. » « Oui, cinq minutes, seulement cinq minutes. » Nous faisons le tour de la place Navone, enfilons via dei Coronari. Au bout de cette rue, à l'angle de via Panico, une bagarre a éclaté. Garçons et filles, qui s'échangent des coups furieux dans la lumière de mes phares. « Celui-là, c'est le Baron, je le connais ! », s'écrie l'Allemand. « Alors descends et embarque-le avec nous, lui dis-je. Dépêche-toi ! » Il faut à tout prix les séparer, avant qu'ils ne tirent leurs couteaux. Je remets en marche, pars en trombe. A sept heures du matin, alors que je dors profondément dans mon lit : lampe-torche dans les yeux, « Lève-toi et suis-nous, pas d'histoires. » Rêve ou réalité ? Suis-je toujours dans mon opéra ? Le baron Scarpia me convoque-t-il pour de bon ? Deux agents me conduisent au commissariat. Dommage que ce ne soit pas le palais Farnese, mais un local crasseux près du vieil hôpital San Camillo.

Je suis accusé d'avoir soustrait un voleur aux recherches de la police, « délibérément et en connaissance de cause ». Inculpation. Campagne de presse. On publie sur ma vie privée une foule de détails présentés de manière tendancieuse. J'ai une Giulietta « blanche », voire « beurre frais », dans laquelle je « m'exhibe ».

257

En compagnie de « jeunes amis des plus louches », je me livre à des « sarabandes nocturnes » dans les rues « mal famées ». Via Panico se trouve en plein « dans le quartier des voleurs » (Sandro Penna, le plus grand poète italien, habite à deux cents mètres : je venais de passer la soirée avec lui). On observe que ma vie se met à ressembler à mes romans. « Le *ragazzo* en a trop fait », titre un magazine. Pourquoi suis-je intervenu dans la rixe ? Je n'avais qu'à m'occuper de mes affaires ! Et d'abord : un honnête citoyen circule-t-il entre minuit et une heure du matin dans le dédale de la vieille Rome ?

Et ainsi de suite pendant plusieurs jours ; puis, le procès ayant été renvoyé à trois reprises, chaque fois qu'une nouvelle audience est fixée. Ragots, insinuations, calomnies. En sorte qu'il ne faut s'étonner ni de la question que me posa le président du tribunal : « Comment donc, cette nuit-là, à une heure si tardive, n'étiez-vous pas encore rentré à votre domicile ? », ni de ma réponse, mensongère, vile : « Je me promenais pour recueillir des impressions sur le milieu destiné à servir de toile de fond à une œuvre littéraire en cours. » Acquittement pour insuffisance de preuves : le voleur que j'étais censé avoir caché, deux agents l'avaient cueilli en train de dormir, le plus tranquillement du monde, chez lui, au moment même où leurs collègues m'arrêtaient ! Mais la presse, qui avait consacré des colonnes et des colonnes à l'affaire, expédia le verdict en quelques lignes. Souvent ambiguës, tel cet entrefilet de *La Stampa* réputée sérieuse : « Les juges ne se sont pas convaincus que l'écrivain pouvait être coupable. »

10 juillet 1960. Anzio, un port de pêche, au sud de Rome. Des enfants, accroupis sur le môle, jettent leurs lignes entre les rochers. Je m'avance, plaisante avec eux. Nous observons une barque qui rentre au port. Puis je les quitte pour aller au restaurant. Le lendemain, plainte a été déposée contre moi. J'apprends que, après mon départ, deux journalistes se sont approchés des enfants sur la digue, l'un du *Tempo* (fasciste), l'autre du *Messaggero* (le plus grand quotidien de Rome, centre droit). « Que vous a dit le monsieur qui était avec vous ? — Il nous a montré les garçons dans la barque. Quel âge peuvent-ils avoir ? nous a-t-il demandé. — Et puis ? — Nous avons dit : douze ans. — C'est tout ? — Il a dit alors : N'empêche, ils doivent avoir de belles grosses bites. » Les deux journalistes se sont sentis en devoir d'informer immédiatement la police. Enquête, interrogatoire des enfants, plainte pour tentative de corruption de mineurs. Le préteur d'Anzio interroge à son tour

les enfants. Ils avouent que les deux journalistes les ont abordés en leur disant : « Nous vous donnerons cent lires, mais vous devez tout nous raconter. » Le magistrat s'esclaffe, passe un savon aux flics qui ont fait le rapport et classe l'affaire. Mais la presse, une fois de plus, a eu le temps de murmurer, d'insinuer, de salir. Mes lunettes de soleil ? Que je doive protéger mes yeux fragiles, nul n'en a cure : le « touriste solitaire » prend soin de « cacher » son regard « derrière deux verres fumés ». Le restaurant ? Je n'y suis pas entré mû par la faim, comme tout le monde, mais parce que j'avais compris qu'il fallait « disparaître » du môle, qu'il était temps de « déguerpir ». On insiste sur cette nouvelle « péripétie », dix jours après l' « esclandre » de via Panico. On se déclare « perplexe », « inquiet », « ému ». On me conseille la prudence, non sans me tutoyer comme un délinquant qui n'a plus droit au respect : « N'abuse pas du réalisme ! » Se glisse le soupçon que, déjà « corrupteur linguistique » des enfants, je vise à d'autres buts moins purement littéraires.

C'est l'automne où un journaliste du *Borghese* (fasciste) lance le néologisme « Pierpaolides ». Formé sur le modèle de « Atrides », cette longue lignée de fourbes, d'assassins et de déments qui furent, d'Egisthe à Agamemnon, de Clytemnestre à Oreste, les dignes descendants du sombre et féroce Atrée. Mon film est resté en rade, depuis la dérobade de Fellini ; il me faudra un an pour en achever le tournage ; mais les échotiers ont eu vent de l'affaire, et il semble que tous ils aient vu les rushes. « Pierpaolide » servira d'abord à désigner quiconque vole une pomme à un éventaire, remonte un sens interdit, brûle un feu rouge, traîne après minuit devant la gare : crimes plus légers que ceux de la légendaire famille de Mycènes, mais où les chacals aux aguets flairent déjà l'odeur du sang.

De quoi hausser les épaules, certes. Sauf qu'un jour, traversant les Halles, sais-tu ce que j'ai entendu ? Un gamin aidait son père à décharger des caisses de fenouils. Je ne me serais pas attardé à écouter les traditionnelles plaisanteries que provoque ce légume chez le petit peuple romain, si tout à coup un mot étrange, horrible, n'avait frappé mon oreille. Le jeune garçon, qui s'était laissé tomber une caisse sur le pied, s'emporta contre les *pierpaoli*. Textuel. Une nouvelle étape dans la montée de la violence. Mon prénom ravalé au niveau d'une insulte, en remplacement de *finocchio*, trouvaille, tu te souviens, contemporaine des premiers bûchers de saint Dominique. Quand, pour nous consoler de mourir dans les flammes, on jetait au milieu des fagots un combustible parfumé, dont le nom devait nous rester collé à la peau.

Autant je trouvais anodine cette métaphore potagère, autant me parut infâme le nouveau sobriquet. A partir des Halles, il gagna les marchés. Trois jours après son apparition au bord du Tibre, il jaillissait dans le rauque larynx d'une commère affairée derrière son étal au coin du campo dei Fiori. « Achetez mes beaux *pierpaoli* ! » lançait-elle à la cantonade ; sans méchanceté, je veux bien le croire ; sans même savoir que j'existais ; ayant recueilli ce mot au vol, de la bouche de son fils ou de son mari, et le renvoyant à son de trompe, maintenant, pour le plaisir de sa sonorité plus pleine et plus charnue, et dans l'idée que la marchandise appelée *pierpaolo* se vendrait mieux avec quatre syllabes qu'avec trois. J'eus d'abord envie de rire ; mais le rire se serra dans ma gorge et je me sentis trembler dans toutes les fibres de mon être, comme la colombe lâchée dans le champ de tir qui aperçoit les chasseurs à l'autre bout du terrain.

A l'automne, sortie du film de Carlo Lizzani, *le Bossu de Rome*, histoire d'un jeune bandit sous l'occupation allemande. Lizzani m'avait confié un rôle subalterne. Le film fut saisi pour « apologie du crime ». A l'appui de cette accusation : une photographie de plateau qui me montrait en train de brandir une mitraillette. Non-lieu. Le film réapparut sur les écrans, mais la photo, restée dans les archives des journaux, était prête à resservir. Comme preuve à ma charge, toutes les fois que mon nom reviendrait à la une. Pendant quinze ans, on glisserait sous les yeux des lecteurs, substituée à celle d'un homme qui écrit des livres, l'image d'un hors-la-loi maniant des armes à feu.

Quoi que je fasse, désormais, quoi que je dise, mes actions ou mes propos dénotent le scélérat. 5 novembre 1960 : dans la rubrique régulière que je tiens pour l'hebdomadaire communiste *Vie Nuove*, je conteste la disposition légale attribuant au seul père de famille l'exercice de la « patria potestas ». Pourquoi, si c'est un ivrogne, un crétin, une brute, ne pas déléguer son pouvoir à celui ou celle que la famille aurait désigné(e) comme le (la) plus apte à la direction ? La mère, ou un fils aîné ? Bravo ! s'écrie l'éditorialiste du catholique *Gazzettino* de Venise. Vive la démocratie domestique ! On peut être sûr que celui qui tapera le plus fort sur la table saura se faire élire ! Quel bonheur s'il se trouve à la maison un « blouson noir » ou mieux un de ces *ragazzi di vita* si chers à notre écrivain ! Confions-leur tout de suite le commandement de nos foyers !

30 octobre 1961. Le *Tempo* de Rome titre sur toute la longueur de sa première page : « Pier Paolo P. inculpé pour tentative de vol à

main armée aux dépens d'un pompiste. » La photo du *Bossu,* avec la mitraillette, illustre l'article. Je venais de passer une semaine chez des amis de San Felice Circeo, à une centaine de kilomètres au sud de Rome. Pour travailler, en compagnie de Sergio, au scénario de mon deuxième film. Un après-midi, c'est vrai, j'étais parti sur la route qui longe les dunes, entre la mer et le lac de Sabaudia. Halte à l'Agip. « Combien gagnes-tu ? » avais-je demandé au jeune homme. Et d'autres questions, selon mon habitude. « Cette moto, là-dehors, elle est à toi ? Es-tu fiancé ? » Réponses laconiques. Le garçon avait hâte de raccrocher le tuyau à la pompe et de se replonger dans son ciné-roman à cinquante lires. Il me servit de mauvaise grâce un Coca-Cola que je bus accoudé au comptoir en demandant le prix des porte-clefs et des stylo-billes.

Quelques jours plus tard, irruption de la police, fouille dans toute la maison, meubles sens dessus dessous, maman bouleversée. Que cherchent-ils ? Un revolver ! Bernardino De Santis, dix-neuf ans, est allé trouver les carabiniers pour leur faire ce récit à dormir debout. Grâce à la Giulietta, il a reconnu son « agresseur ». Celui qui, après avoir laissé un bon pourboire, a gagné d'un pas normal la porte de sortie ; où il s'est arrêté pour enfiler lentement une paire de gants noirs ; puis brusquement retourné, un pistolet à la main ; qu'il a chargé devant lui, Bernardino, avec une balle en or. « Si tu bouges, je tire », aurais-je dit, tout en donnant un tour de clef à la porte et en me rapprochant du comptoir ; dont j'aurais tenté d'ouvrir le tiroir-caisse pour y prendre les deux mille lires qu'il contient. Bernardino se serait alors emparé d'un couteau ; et moi, enfui à reculons, sauvé comme un lâche et dépêché de remonter en voiture, non sans le tenir en joue jusqu'au dernier moment.

Puis, c'est l'article du *Tempo,* la divulgation par la presse, le scandale. Le *Borghese* me décrit comme un pantin livide, « aux protubérances frontales trop proéminentes », « pantalon ridicule », « petit corps sec ». « Chantre du sordide et du malodorant », faut-il me laisser en liberté ? J'ai beau protester que je n'ai jamais porté de chapeau noir, ni enfilé de gants quelle que soit leur couleur, et que ces accessoires sortent tout droit, comme le pistolet imaginaire et la balle en or, des feuilletons américains à la mode, je suis traîné devant les juges. Le procès s'ouvre à Latina, au mois de juillet suivant. J'ai décrit la violence dans mes livres ? Je suis donc un violent. Mes personnages attaquent les pompes Shell ? J'ai attaqué cette station Agip. cela ne fait pas un pli. Vais-je leur hurler à la figure que je suis un tendre, un doux ? Que, enfant, j'attrapais les mouches pour les relâcher intactes ? Que j'ai joué aux cartes à

Forcella et traîné dans la Cala de Palerme sans emporter un canif au fond de ma poche ?

Inutile, car le procès a déjà pris un autre cours. Le cri des maraîchers, parti des Halles, s'est répandu sur les marchés de Rome et de là sur la campagne romaine et il plane maintenant comme une clameur accusatrice au-dessus de l'Italie tout entière. Personne n'ose mentionner ce qui n'est d'ailleurs pas un délit pour la loi, mais tous y pensent, tous voudraient me punir pour ce crime. Les avocats du pompiste, qui parlent de verser au dossier (requêtes inacceptables, les deux affaires ayant été classées sans suite) le procès de Casarsa « pour corruption de mineurs » et le procès d'Anzio « pour tentative de corruption de mineurs ». Le président du tribunal, qui demande à Bernardino (depuis longtemps majeur) : « Peut-être P. t'a-t-il fait des propositions dont tu as eu honte ? » Et devant la réplique immédiate du garçon : « Non ! Il ne m'a fait aucune proposition sexuelle, d'aucun genre », n'importe qui comprendrait que les juges l'ont cuisiné auparavant pour déplacer le débat sur le terrain où ils espèrent m'abattre. Sinon comment ce benêt saisirait-il au vol l'allusion euphémique du magistrat ? Pas si abruti, néanmoins, pour ignorer qu'une réponse affirmative laisserait flotter un soupçon sur sa propre virilité. En quoi tu peux reconnaître l'influence des bandes dessinées et de la culture de photo-romans. Mandrake et Superman soufflèrent à Bernardino ce « non ! » énergique qui gardait son honneur sain et sauf.

« Il doit s'être passé quelque chose entre *ces deux* » estime néanmoins le reporter du *Giorno,* journal d'Enrico Mattei, ancien résistant. La ville de Latina — le *Secolo d'Italia* continue à l'appeler par son nom fasciste : Littoria — créée par Mussolini pour être le centre administratif des marais Pontins en cours d'assèchement, inspire-t-elle aux juges une sévérité involontaire ? Bien que doutant de mon crime, ils se sentent en devoir de me condamner. Quinze jours de prison avec sursis, pour « menace à main armée ». Ils n'ont donc pas suivi Bernardino, qui m'accusait de « tentative de vol à main armée ». J'écope cinq jours supplémentaires de prison pour port abusif de pistolet, et dix mille lires d'amende pour absence de déclaration de pistolet. Ce pistolet mythique, obtenu par déduction de la mitraillette du *Bossu.* Il faudra six ans et demi de procédure avant qu'un autre tribunal ne prononce l'acquittement pour insuffisance de preuves. Six ans et demi pendant lesquels la presse colportera la fable du projectile en or. Et recommandera à la louve de l'Agip de veiller sur les pompistes de la firme, piliers de la nouvelle Italie motorisée et autoroutière, avec autant de soin (on a des lettres, à droite, et le goût des métaphores) que la nourrice de Rémus et Romulus sur les fondateurs de Rome.

15 novembre 1961. Un instituteur d'Avellino se présente à la police judiciaire de Rome. Il raconte que je l'ai abordé une nuit, embarqué dans ma Giulietta, conduit en rase campagne, menacé d'un pistolet, assommé et laissé à demi mort en emportant le manuscrit de son roman *les Enfants du péché*. Deux jours après, Antonio Vece se rétracte, avoue qu'il a tout inventé pour que les journaux parlent de lui et fassent un peu de réclame à ses ambitions littéraires. En fait, ils ont parlé de moi. Antonio a vingt-trois ans, « l'âge idéal », n'est-ce pas ? pour fournir une « nouvelle proie » au « poète-bandit ». Deux jours de gros titres, d'articles, de photos, de sarcasmes et d'insultes.

23 novembre 1961. Sortie de mon premier film, au cinéma Barberini. Bagarres, jets d'encre sur l'écran, de boules puantes dans la salle. Les manifestants groupés au balcon renversent sur les invités du parterre plusieurs cageots de *fenouils*. Sergio et son frère Franco, protagoniste applaudi, m'emmènent pour me consoler au California, en face du cinéma. C'est le meilleur glacier de Rome. Une *marronita* d'onctueux marrons glacés avalée debout, par énervement. Les salauds, ils m'auront gâché même ce plaisir !

24 février 1962. L'avocat Salvatore Pagliuca, ex-député démocrate-chrétien de Lucanie, me cite en jugement devant le tribunal de Rome. Il a découvert dans mon film un personnage de voleur et de maquereau qui porte son nom. J'ai non seulement attenté à son honneur, mais compromis sa carrière politique. Pourquoi ai-je cherché à lui nuire ? Parce qu'il représente tout ce que déteste un esprit pervers et factieux. Que ces messieurs de la Cour en jugent : ami personnel de Segni, Leone, Tambroni, Scelba, dont il joint au dossier des lettres affectueuses ; objet d'articles flatteurs dans *la Famille lucaine, Lucanie travailleuse, le Progrès de Lucanie* ; ancien combattant de la guerre 1915-1918 ; veuf ; père de onze enfants ; abonné à *L'Osservatore Romano*. Quant à celui qui l'a diffamé, prostré, abattu, rendu malade de neurasthénie et empêché de réussir son élection au Sénat en donnant un nom et un prénom respectés depuis soixante-sept ans à un abject proxénète, « nous ne jetterons pas, déclare-t-il (note le soudain passage au pluriel de

majesté) la lumière sur sa vie *intime,* par charité chrétienne » (assez chrétienne pour qu'il souligne le mot « intime »).

Les magistrats consultèrent les annuaires téléphoniques et relevèrent des centaines de Pagliuca pour les provinces méridionales. Les Salvatore Pagliuca figuraient eux-mêmes en bon nombre : 25 abonnés à Rome, 21 à Naples, 10 à Potenza, 4 à Matera. Le tribunal, ayant estimé toute confusion impossible entre un souteneur de Torre Annunziata âgé de vingt ans et un vieux monsieur paisible membre du Cercle de la Chasse et du Cercle des Nobles, me condamna à changer le nom sur la bande et à payer les frais du procès.

31 août 1962. Le lieutenant-colonel Fabi, commandant le groupe des carabiniers de Venise, saisit le procureur de la République au sujet de mon deuxième film, qu'il a vu au palais du Cinéma, pendant le Festival. « J'ai immédiatement estimé qu'il s'agissait de quelque chose de contraire au Code pénal, et non d'une manifestation artistique. » Arguments du colonel ? Anna Magnani dit « pisser » au lieu de « uriner » et « merde » au lieu de « excréments ». Le magistrat refuse la plainte : faire parler les gens selon leur milieu n'est pas une offense aux bonnes mœurs. Commentaire du *Gazzettino :* « Vive la langue vivante ! Nous n'aurons pas à nous étonner si l'instituteur dit avec franchise à l'élève qui lève timidement le doigt pendant la leçon : Va donc p..., mon cher, et ne fais pas attention à la vulgarité de mon langage. J'ai l'appui du procureur de la République de Venise. »

Première du film, à Rome, le 22 septembre, au cinéma Quattro Fontane. Commando d'étudiants fascistes. A peine la projection finie, un garçon se lève et gueule d'une voix de stentor : « Pier Paolo, au nom de la jeunesse nationale, je te déclare que tu nous dégoûtes. » Cette fois, j'ai perdu patience et allongé une paire de claques au type qui a roulé par terre. Mais ici, Gennariello, il faut que je change de ton et descende de cette tribune polémique d'où je t'ai raconté la série de mes procès. Car il s'est passé, le lendemain de la rixe au Quattro Fontane, quelque chose de très étrange, qui m'oblige à m'évader de l'image où mes compagnons de lutte m'ont enfermé de mon vivant et où ceux qui gardent mon souvenir continuent à m'emprisonner depuis ma mort.

Les journaux relatèrent l'événement comme si c'était moi à qui on avait cassé la figure. « Gifles pour P. : on a applaudi le film sur la face de son réalisateur. » En t'annonçant un fait « étrange », je ne pensais pas à cette énième falsification par la presse : non, qu'un *finocchio* de mon acabit manque de vigueur musculaire, qu'il se dégonfle devant les coups, quoi de plus naturel ? Tous des lopettes ! Si même Laura B..., qui était assise à côté de moi au cinéma, Laura B..., témoin oculaire de la scène et amie dévouée jusqu'au fanatisme, me citait en exemple, quelques jours plus tard, pour me mettre en garde contre les violences de mes ennemis, « ce fasciste qui t'a frappé » !

Pourquoi n'ai-je pas repris Laura ? Ni envoyé un démenti aux journaux ? Quelle force obscure m'a obligé à baisser la tête et à subir en silence une humiliation fictive ?

Il faudrait peut-être chercher la réponse dans mon film. Dans les derniers plans de la prison et de l'agonie, là où le jeune héros, attaché sur un lit de ciment, gît entre quatre parois nues. De menus larcins l'ont conduit dans cette maison de correction, puis une révolte contre ses geôliers dans ce mitard. Il est ligoté par des courroies qui lui paralysent les poignets et les chevilles. Une autre sangle comprime sa poitrine. En vain se débat-il. Il va mourir, les bras écartés, les bras en croix. Sa mère rentre chez elle, ouvre la fenêtre sur Rome et commence à pleurer.

Elles ont deux mille ans, ces larmes : je sais que maintenant elles coulent pour moi. Homme, accepte ton destin ! Le mien est d'être diffamé, vilipendé, crucifié. J'ai eu tort de frapper ce fasciste. Christ s'est-il révolté contre aucun de ses bourreaux ? Il a dit à Pierre : Rentre au fourreau ton glaive. Je connais les Malchus qui m'entourent et n'attendent qu'une nouvelle occasion pour me cracher au visage. Avant peu ils s'en prendront physiquement à ma personne. Mais autant que de mes ennemis, je dois me défier de mes amis. De tous les Pierres qui voudraient me prêter leurs services. De mes camarades du P.C., qui me félicitent d'avoir dénoncé le régime barbare en vigueur dans les prisons italiennes (Marcello Elisei, le modèle pour la séquence finale, a été torturé pour de bon à Regina Coeli, où il est mort sur le même lit de force que mon héros). D'Alberto Moravia, qui salue en moi la nouveauté absolue d'un poète civique de gauche dans un pays où la poésie nationale a toujours été cocardière et déclamatoire. De Bernardo Bertolucci, qui s'apprête à suivre mon exemple de cinéaste « engagé », depuis que Visconti, Fellini se sont détournés du néo-réalisme. De mes innombrables lecteurs qui m'écrivent pour m'encourager dans mon « combat » en vue d'une rénovation morale et politique de l'Italie.

Non, non ! Regardez plutôt ce garçon qui meurt abandonné, cette mère qui pleure en silence. Je ne puis vous en dire plus. Je cogne sur le fasciste pour ne pas décevoir mes proches, mes fidèles, ceux qui « misent » sur moi : mais sachez que je ne suis pas à l'aise dans ce rôle et que j'accepte avec joie la fausse version de l'incident, ce mensonge plus vrai que la vérité.

7 mars 1963. Le tribunal de Rome (ne t'inquiète pas, je vais clore pour le moment cette liste, bien qu'elle ait continué jusqu'à ma mort et après ma mort : trente-trois procès en tout, dont ceux contre mes œuvres posthumes) le tribunal de Rome examine mon troisième film, un sketch humoristique de quarante minutes. Une troupe d'acteurs — vulgaires, de bas étage — répètent, au milieu des rires, la scène finale de la Passion. « Outrage à la religion d'État » : quatre mois de prison avec sursis. Maman, à qui je rapporte la nouvelle, s'évanouit entre mes bras. J'ai d'abord envie de courir prendre à la gorge le procureur de la République, ce Giuseppe Di Gennaro auteur du réquisitoire. La voilà qui rouvre les yeux, me sourit : aussitôt toute idée de vengeance m'abandonne.

Mère, comment le mystère de notre amour pourrait-il s'accomplir sans le cercle hostile qui se resserre autour de moi ? Il nous faut des Caïphes et des Pilates pour que, de l'idylle familiale et domestique commencée il y a quarante ans dans les vertes prairies du Frioul, jaillisse le drame sacré. Tu le sais bien, tu l'as su avant de me communiquer ta voyance : dès l'époque où tu venais me border dans mon lit d'enfant. De ta main laïque, tu remontais les couvertures et tirais sur les draps ; mais ton autre main, celle guidée par Dieu, tu la promenais doucement sur mon front, sur mes joues, comme pour essuyer à l'avance de mon visage imberbe ce que tu étais seule encore à y voir, la boue du dénigrement et la sueur de l'agonie.

Nous ne foulons plus les riants plateaux de Nazareth. Les sources fraîches de la Galilée se sont taries pour nous depuis que chassés du Frioul nous sommes descendus dans le désert de Palestine. Regarde : les personnages commencent à se mettre en place pour la Pietà. Après les juges, tu devras accepter les bourreaux. Celui à qui est destinée la couronne d'épines s'inscrirait-il en faux contre une sentence inique ?

33

Reste à savoir pourquoi la persécution s'est déclenchée avec cette virulence à ce moment-là de l'histoire d'Italie plutôt qu'à un autre ; pourquoi, en quelques années, elle a atteint ce paroxysme dans la férocité et dans la bassesse ; au point que mes procès ultérieurs n'ont été que les copies des premiers, les insultes qui n'ont plus cessé de me poursuivre s'abreuvant à la haine conçue pendant cette période. Celle qui, pour être précis, s'étend de 1956 à 1963 : époque de mutations profondes dans notre pays, époque où sans être jamais formulée a pris naissance une nouvelle idéologie chargée de dire qui était coupable et de pourvoir à son élimination.

A considérer les grandes dates qui marquent l'histoire politique de ces huit ans, la tentation serait forte de tout expliquer par l'effondrement du mythe soviétique et le retour agressif, après la parenthèse de la Résistance, des factions réactionnaires. Printemps 1956 : rapport de Khrouchtchev sur les crimes de Staline. Octobre 1956 : soulèvement hongrois et répression par les tanks russes. Printemps 1958 : les militaires d'Algérie portent de Gaulle au pouvoir. Été 1960 : l'extrême droite italienne, dont l'appui est nécessaire au gouvernement Tambroni, fomente un coup d'État. Le 30 juin — note que ce jour tombe entre l'incident de via Panico (29 juin) et celui d'Anzio (10 juillet) — le 30 juin, le M.S.I. ouvre son congrès à Gênes, ville que les partisans avaient libérée après des combats sérieux. Aussitôt, c'est l'émeute populaire, écrasée par la police. Une vingtaine de morts, à Gênes et à Reggio Emilia. Tambroni doit démissionner, bientôt viendra aux affaires le « centre gauche » d'Aldo Moro, mais la démocratie a bel et bien été humiliée, elle sort avilie de cette crise. L'hydre, qu'on croyait terrassée, a relevé la tête. Profitant des forfaits qui se perpètrent derrière les murs du Kremlin, exploitant le désarroi qui s'est emparé des communistes, les fascistes pérorent et menacent à nouveau. Que je sois leur bête noire et qu'ils tentent de m'abattre, rien d'étonnant. Ils m'ajustent comme cible préférée, avant de m'achever comme victime exemplaire. Au lendemain de ma mort, les pieuses vestales de la Révolution s'écrieront qu'ils ont eu ma peau.

Mais il faut, je te l'ai dit, écarter cette version des faits. Qui consiste à opposer deux Italies, d'une part l'Italie expressément fasciste, enragée, revancharde, que l'ignominieuse fin de son chef n'a pas découragée, d'autre part l'Italie sage, saine, libérale, modérée. Et à croire que, Tambroni renversé et le parti d'Almirante déconfit, on n'a plus à craindre le vieux monstre. Exact : le cadavre pendu par les pieds comme un porc piazza Loreto ne s'est pas remis debout, il ne ressuscitera plus jamais. Seuls les sots, néanmoins, pourraient se réjouir. Le fascisme historique n'a pas réussi à reprendre racine parmi nous, parce que, en fait de racines, le peuple italien en avait d'autres, enfouies dans son tempérament et dans sa tradition, une disposition infâme et irrésistible pour le conformisme, un penchant inné qui remonte bien avant 1922 et qui ne s'est pas éteint en 1945. Au premier signal on l'a vu jaillir à nouveau.

Occasion qui ne fut nullement la tragédie de Budapest ni le coup de force de Gênes, mais un phénomène indépendant de ces vicissitudes, bien qu'il se soit produit durant la même période, d'où la confusion dans la plupart des esprits. De 1956 à 1963, le miracle économique italien, le boom industriel et commercial sans précédent est la véritable et unique cause de la persécution déclenchée contre moi. Cette hystérie, cet acharnement, cet appel au meurtre qui visent à travers ma personne toutes les minorités, toutes les marges, je voudrais bien pouvoir en rejeter la faute sur les énergumènes du M.S.I., les porteurs de matraques, les poseurs de bombes, les nervis déchaînés : quel soulagement de se dire que le mal s'explique en entier par une poignée de criminels absolus qu'il suffirait d'extirper du pays pour l'assainir jusqu'au tréfonds. Mais le bourgeois tranquille qui descend au feu rouge et fait le tour de sa voiture pour vérifier si la carrosserie n'a pas été égratignée dans l'embouteillage ; l'ouvrier laborieux qui consacre son dimanche à laver son auto ; le jeune couple qui signe des traites sur vingt-cinq ans pour accéder à la propriété d'un trois-pièces dans un immeuble neuf ; le père de famille qui se saigne pour envoyer ses enfants à l'Université ; le syndicaliste qui organise une grève contre son patron abusif : voilà les hommes et les femmes, honnêtes tant que tu voudras, compétents dans leur métier, sans une goutte de sang barbare dans les veines, dont la plupart votent à gauche, incapables de se servir d'un gourdin et qui pourtant, prenant appui sur leur

bonne conscience et sur la certitude d'être « dans leurs droits »,
organisent à partir des années 60 mon lynchage.

Leurs droits : ceux de citoyens d'une nation qui en cinq ans, de
1958 à 1963, a doublé son revenu ; où les investissements augmentent chaque année de 15 % ; où l'indice de la production industrielle, sur la base 1958 = 100, monte à 170 pour l'année 1963,
chiffre encore plus fabuleux si tu le compares à ceux des autres pays
du Marché commun : 139 pour la Hollande, qui vient en deuxième
position, 136 pour l'Allemagne, 129 pour la France ; où le nombre
des permis de conduire est passé de 350 000 à 1 250 000, le poids de
viande consommée par tête de 15 à 31 kilos, le nombre des abonnés
à la télévision de 360 000 à 4 000 000, celui des bateaux de plaisance
de 2 000 à 60 000 ; où les grandes villes du Nord, Milan et Turin, ont
gagné chacune presque un million d'habitants ; où partout s'élèvent
des gratte-ciel, des usines, des raffineries ; où les paysages se
couvrent de pompes à essence à mesure qu'ils se vident des
charrettes et des ânes d'autrefois ; où plus d'un million de travailleurs ont quitté l'agriculture ; où le chômage et l'émigration à
l'étranger ont atteint leur niveau le plus bas dans toute l'histoire
italienne ; où les secteurs de pointe dans l'exportation ne sont plus
les agrumes de Sicile emballés par les femmes ni les cravates de soie
cousues à la main mais les frigidaires de série et les dérivés
synthétiques du pétrole.

Prodiges inouïs, succès mirobolants, que je voudrais te peindre
avec le lyrisme de Fellini, mais le déboisement de la Norvège et
l'importation massive de sapins se prêtent mieux à l'effusion
baroque que le compte statistique des tonnes d'acier, de ciment et
de méthane.

C'est une fièvre de chaque instant, une euphorie collective, une
exultation dont chacun est saisi. On ne se laisse pas troubler par
l'enlaidissement brutal et irréversible des villes abandonnées à la
plus crapuleuse spéculation immobilière ; par le transfert improvisé
et hâtif de centaines de milliers d'hommes du Sud dans les
métropoles septentrionales ; par l'urbanisation subite et désastreuse
de centaines de milliers de paysans ; par le dépeuplement soudain
des campagnes ; par l'effondrement de traditions séculaires ; par le
retard criant des équipements sociaux sur la révolution démographi-
que ; par la vétusté des hôpitaux, le manque d'écoles, la pénurie de
professeurs ; par le fonctionnement anachronique des postes, des
chemins de fer, des navettes pour les îles. L'enthousiasme est de
rigueur, haro sur les sceptiques, ordre de se jeter à corps perdu dans
l'ivresse du travail, de la production et de la dépense, il faut célébrer

le miracle d'une Italie plus rapide à se développer que l'Amérique en son âge d'or.

Le symbole de cette réussite foudroyante étant l'inauguration, à la fin du printemps 1960 (un peu antérieure au début des Jeux Olympiques, mais aussi, remarque la coïncidence, contemporaine des deux affaires de via Panico et d'Anzio), l'ouverture, à son de trompe, de l'Autoroute du Soleil. Chef-d'œuvre qui fond dans une métaphore tangible les songes du passé et les ambitions du présent. Il prouve le talent des ingénieurs modernes aussi habiles à percer les montagnes et à franchir les ravins que leurs illustres prédécesseurs dans l'Antiquité, petite satisfaction rhétorique indispensable au bonheur de la nation ; il relie Milan, capitale des affaires, et Rome, siège du gouvernement ; permet à la Fiat, industrie de pointe, d'écouler les 350 000 autos neuves fabriquées dans l'année ; s'annonce comme un puissant auxiliaire dans la chasse au provincialisme et à l'esprit de clocher ; prélude, de concert avec la télévision, à la grande et complète soudure du pays, géographique mais aussi linguistique, sociale et humaine. Bref, les rêves déçus et les espoirs avortés depuis cent ans magiquement réalisés par ces cinq cent soixante-treize kilomètres de béton.

Dans ce chœur d'hosannas, gare à celui qui détonne. Aux portes de Tarente, Pouilles, l'Italsider monte un complexe sidérurgique géant : quarante kilomètres de routes, trente-cinq de chemins de fer. Treize cents camions manœuvrent chaque jour, on produira par an trois millions de tonnes de tôles et de tubes. Un ouvrier, comparant ces chiffres aux vingt mille oliviers abattus dans la plus belle campagne du monde pour laisser place nette à l'usine, interrompt le discours d'inauguration par des cris et des insultes. On veut le faire taire, il se débat. Deux membres du service d'ordre le ceinturent, le chargent sur une jeep, le déposent à l'infirmerie. Rapport des autorités médicales : bouffée délirante, raptus dissociatif. Sentence : deux ans d'internement à l'asile d'aliénés.

Bien qu'exempte de gestes spectaculaires, non moins séditieuse apparaît ma conduite. La nouvelle loi non écrite, conséquence de la religion du progrès, je l'enfreins par tout ce que j'écris, par tout ce que je fais, par tout ce que je suis. Mal vus, mes rappels que Noël est la fête du Christ, des pauvres et des humiliés, l'année où rien qu'à Milan quarante milliards de lires s'en vont en cadeaux, illuminations publiques, décorations florales. Inconvenants, mes soupçons que la langue « nationale » diffusée sur les ondes depuis les studios de Monte Mario n'est qu'un jargon fabriqué de toutes pièces incapable d'exprimer la réalité vivante des hommes et des femmes d'Italie. Réactionnaire, mon obstination à faire parler mes personnages avec les mots de la terre où ils sont nés. Suspectes, mes habitudes nocturnes, qui me poussent à vagabonder aux heures où les autres, pour être en forme au bureau le lendemain, réparent leurs forces dans le sommeil. Blâmable, mon célibat prolongé, qui m'empêche d'accomplir mon devoir de citoyen. Atroce, le crime dont on n'ose encore me charger, mais qui plane derrière toutes les autres accusations : faute majeure et inexpiable de pratiquer le plaisir pour le plaisir, sans aucune finalité sociale, sans but utile, de gaspiller en pure perte la force que Dieu a mise en moi, de dévier vers le jeu ce qui m'a été confié pour le rendement, et d'inciter à une semblable dilapidation de leur énergie les jeunes qui se laissent influencer par mon exemple. Mais très répréhensible, déjà, mon choix d'une Giulietta blanche pour circuler dans Rome, souvenir fâcheux de l'époque où la voiture était un luxe et Alfa Romeo plus célèbre dans le monde que Fiat, défi aux jeunes couples et aux familles méritantes qui se sacrifient pour acheter à tempérament le modèle le moins cher, obstacle à l'épanouissement psychologique de tous ceux qui se sentent une bouffée d'aigreur en comparant leurs six cents centimètres cubes à ma deux litres et demi.

Seulement, pour me condamner formellement, il faut un code moral de devoirs et d'interdictions adapté aux temps nouveaux. La religion du muscle et du prognathisme viril n'a plus cours depuis quinze ans. Mais non plus l'antique système de valeurs qui paraissait inébranlable dans la ville choisie par le prince des apôtres pour y placer son trône. On commence à rire des consignes en vigueur à la R.A.I. : ne jamais prononcer les mots « lit conjugal », « soutien-gorge », « puberté », ce qui est maintenir les tabous sexuels d'une société agricole au moment où le pays se rue dans l'ère industrielle ; empêcher les spectateurs de voir les jambes nues d'une danseuse, ce qui est prêter à celui qui possède les revenus nécessaires pour se payer un poste de télévision les préjugés de son grand-père laboureur.

L'insuffisance et le déclin inévitable du catholicisme apparaissent en plein lors du scandale qui éclate à Prato. Prato est un centre textile voisin de Florence. L'évêque monte en chaire pour dénoncer deux jeunes gens de son diocèse coupables de s'être mariés civilement sans passer par la cérémonie religieuse. Il réitère ses anathèmes par écrit et traite les deux époux de « pécheurs » et « concubins publics ». Le couple cite l'évêque en justice pour calomnie et diffamation. Le tribunal de Florence, se reconnaissant compétent, condamne le prélat à une légère amende. Clameurs au Vatican : pour la première fois depuis les accords du Latran un ministre de l'Église est jugé par une cour italienne. Pie XII, en signe de deuil, annule les fêtes prévues pour le dix-neuvième anniversaire de son couronnement. Mais une grande partie de l'opinion ne comprend pas que la tragédie doive être du côté de ce vieillard fanatique, quand les deux jeunes bouchers de Prato, dont la clientèle sur les ordres de l'évêque déserte le magasin, sont contraints à brader leur commerce puis à s'enfuir, hagards et ruinés. Peu après, à l'automne, Pie XII meurt. Je publie mon épigramme « à un pape », où je l'accuse d'avoir habité un palais pendant vingt ans sans savoir que des familles, à cinq cents mètres de sa chambre à coucher, s'entassaient dans des taudis.

Pécheur n'est point celui qui commet le mal :
ne pas faire le bien, voilà le vrai péché.

De quoi me faire brûler, à une époque de foi vigoureuse. En 1958, année où commence le « boom » économique, la défense du Saint-Père n'intéresse plus personne. Sauf les nobles du Cercle romain de la Chasse, qui excluent de leur confrérie vétuste l'éditeur Valentino Bompiani directeur de la revue où a paru mon poème.

Fin pitoyable d'un grand mythe déchu. Le coup final étant porté involontairement par Jean XXIII, quand il a radié du calendrier de l'Église un certain nombre de saints déclarés douteux : Gennaro (pardonne-lui !), Filomena, Georges, Catherine. Tu crois que le clergé des paroisses et la foule des dévotes se seraient insurgés ? Je vis apparaître sur les éventaires de Porta Portese une marchandise inédite et bizarre : des fragments d'os, des lambeaux d'étoffes, des mèches de cheveux, présentés sous des couvercles en verre dans des boîtiers de sapin, de chêne ou d'acajou, selon le prix. Les curés n'avaient rien eu de plus pressé que de porter au marché aux puces et vendre pour quelques milliers de lires les reliques des saints biffés.

J'ai acheté un ongle de Filomena, en souvenir des temps heureux où le catholicisme était l'idéologie dominante ; et je le regarde avec tendresse, dans le médaillon où je l'ai fait sertir, chaque fois que celle qui lui a succédé envoie ses argousins à mes trousses.

Sur quel obstacle a trébuché la religion de saint Pierre ? Qu'on les juge ridicules ou odieuses, l'initiative de l'évêque de Prato, plus encore l'affliction outragée du pape ont discrédité l'Église. On ne tolère pas qu'elle se mêle de la vie privée des jeunes gens, l'hiver où quatorze trains spéciaux partent chaque vendredi soir de Rome vers les champs de neige. Parmi les droits récemment inscrits dans la constitution tacite de la société d'abondance, le plus sacré, le plus évident, le plus convoité, le plus inaliénable n'est-il pas le droit à l'amour ? La nouvelle idéologie sera celle qui au lieu d'asservir le plaisir à des conventions médiévales, comme si on était encore au temps du rouet et de la charrue, intègre et exalte la sexualité. Pas n'importe laquelle, bien sûr. Seulement la sexualité qui favorise l'industrie et le commerce, qui « rapporte », qui « rend ». Qui pousse à l'achat d'une voiture et d'un appartement, d'un réfrigérateur et d'une télévision, d'un équipement de skis pour les sports d'hiver et d'une panoplie balnéaire pour les vacances d'été. La sexualité qui a pignon sur rue, l'officielle, la reconnue, à qui les agents immobiliers font confiance et les banquiers crédit ; conjugale il va sans dire, mais pas obligatoirement ; le nouveau mariage en tout cas ne ressemble pas à l'antique hyménée : car si un ou deux enfants augmentent les débours du ménage, trop d'enfants ralentissent la consommation. L'homme (qu'il soit mari ou amant) ne doit plus être le seul à dépenser pour sa toilette et son tabac. La femme, quittant ses hardes de cuisinière et sa faction devant les casseroles, sort, s'habille, se pomponne, fume. Le jeune couple idéal voyage, va au cinéma, fréquente les restaurants, réserve un coin de son budget pour le collier de perles, dresse des plans pour le manteau de fourrure. Image d'un bonheur gémellaire et souriant, popularisée par les milliers de réclames qui envahissent le bord des trottoirs et le talus des routes. Tandis que les boîtes de lait en poudre, les bouillon-cubes pour le potage, les paquets de lessive, les cartons de nouilles arborent l'effigie radieuse de la félicité à deux, l'indispensable alliée intellectuelle se présente sous les traits imprévus d'une science jusqu'alors méprisée dans le pays du soleil, des rires clairs et des ciels bleus.

Psychanalystes, psychiatres et sexologues prennent en effet la relève des prêtres. Facilement, car ils apportent l'idéologie dont on avait besoin : celle qui incorpore au dogme la « bonne » sexualité et en exclut les « mauvaises ». Mauvaises non pas du point de vue moral (bien oublié depuis le « miracle ») mais du point de vue économique. Les sexualités qui, amies du mystère par longue habitude de la clandestinité, hésitent à sortir de l'ombre. Les sortes d'amour qui, vouées à une existence marginale et aventureuse, ne peuvent pas conduire deux personnes à se montrer ensemble. Ni par conséquent les inciter à aucune des activités qui font marcher les affaires. Ni logement à trouver, ni ménage à monter, ni repas de famille, ni vacances en commun. Les passions stériles pour la reproduction de l'espèce, inutiles pour la prospérité du négoce, insultantes pour la majorité besogneuse des travailleurs endettés jusqu'à la fin de leurs jours par la tyrannie du bien-être à crédit.

Considère les dates et admire, une fois de plus, les coïncidences :

Jean XXIII chasse du panthéon chrétien les squatters de la sainteté, dans le vain espoir de susciter un réveil religieux ; pendant ce temps, la psychiatrie démontre le terrible pouvoir qu'elle vient d'acquérir. Mes juges de Latina reçoivent parmi les pièces à conviction un factum rédigé par le professeur Semerari sur demande de la partie civile. Le criminologue (qui ne m'a jamais vu) estime tout naturel que j'aie tenté de commettre un vol à main armée pour deux mille lires. Symptôme d'un « processus morbide en évolution », cet acte en apparence dément rentre parfaitement dans la logique de mon personnage. « P. nous est connu au travers de ses œuvres littéraires et de ses ouvrages cinématographiques : l'analyse psychopathologique de sa production pourrait nous conduire à l'affirmation d'une tendance coprolalique. » Simple jeu, pour l'éminent expert : la « coprolalie » [en italien moins distingué : langage où on appelle merde la merde] dénonce un « comportement névrotique », lequel résulte d'une « infirmité ». Le diagnostic tombe sec : « C'est un anormal sexuel, un inverti au sens le plus absolu du terme. P. est si profondément anormal qu'il accepte son anormalité en pleine conscience, au point de se montrer incapable de la juger comme telle. » « Un pervers exhibitionniste et skeptophile », « un sujet aux instincts profondément tarés, avec de graves sources d'insécurité ». De toute manière un « malheureux », condamné à l'instabilité et à l'échec, comme tous ses « semblables ». Leurs inévitables « souffrances », leur « angoisse », crois-tu qu'il les attribuerait à la situation historique qui leur est faite, à la crainte légitime des tracasseries policières, à la peur non moins fondée du chantage, au danger des rencontres dans les gares et sous les ponts, à l'obligation du secret s'ils veulent garder leur emploi, leur bail ou l'affection de leurs parents ? Pas du tout : un individu « socialement dangereux » le restera quoi qu'il arrive, en raison de sa peur « invétérée » des femmes qui exclut toute « guérison ».

Réduite à ces caricatures, ravalée à ces infamies, la psychanalyse ? Je suis remonté aux sources, pour en avoir le cœur net. Ah ! quelle stupeur, Gennariello, quel dégoût de lire ce que j'ai lu dans Freud ! L'étude sur Léonard, que je discutais avec Giovanna à Bologne, ne m'avait pas laissé cette impression. C'est qu'alors une attitude bienveillante me paraissait en soi une marque d'amitié. Ne pas nous vouer aux gémonies suffisait comme titre à la reconnaissance. Je repris ses ouvrages d'un autre œil. Certes, ni le mot de « péché » ni même celui de « vice » ne vient déparer ses écrits. Élevé dans le pragmatisme vigoureux de la bourgeoisie danubienne, il est trop malin pour ne pas se rendre compte qu'un tel langage ferait hausser les épaules à ses compatriotes (les Autrichiens des années 1900) et rire ses lecteurs dispersés dans le monde, en Allemagne, en Angleterre et jusqu'en Amérique, tous pays où le culte des sciences positives a remplacé la foi religieuse. Il sait aussi qu'un jugement sévère et une autorité exercée brutalement engendrent l'esprit de révolte, tandis qu'une opinion modérée et des paroles indulgentes démoralisent leur bénéficiaire qui courbera plus volontiers la tête devant le verdict.

Recourons donc, dit Freud, à un terme neutre. Parlons d' « étape » ou de « phase » : universelle, accorde-t-il, bon prince ; observable chez tous dès le berceau. Le petit garçon, la petite fille traversent cette période transitoire ; une composante de l'autre sexe, nul ne s'y soustrait ; légitime tant qu'elle reste limitée à l'enfance et à la prime adolescence ; dangereuse si elle persiste à dix-huit ans ; dramatique si elle dure au-delà et s'installe dans l'âge adulte. Autrement dit, elle représente, chez un homme fait, une fixation à un stade intermédiaire, un ancrage dans un temps révolu, un arrêt dans le développement de sa personnalité ; et c'est d'après ce diagnostic d'*arrêt dans le développement* que le psychanalyste se croit fondé à intervenir.

Tu noteras aussitôt le caractère manifestement, splendidement, impudemment *économique* de cette métaphore : l'être humain comparé à une usine dont le rendement ne donnerait pas satisfaction. Au début, passe encore qu'elle produise peu ; c'est la phase, adolescente et temporaire, où l'avenir se prépare ; mais ensuite, il faut qu'elle accroisse régulièrement son volume de production, car une usine qui s'en tient aux mêmes chiffres d'une année sur l'autre est une usine en régression, en perdition. Applique maintenant cette notion d'*arrêt dans le développement,* arrêt fatal en économie, au domaine qui nous occupe, et tu découvres, non sans ébahissement, d'où Freud, fils d'un négociant en laines, a tiré ses idées. Prêtes à appuyer, dès le début du xxᵉ siècle, l'essor du commerce et de l'industrie dans les grands États de l'Ouest qui les accueillent avec gratitude (l'Allemagne et l'Angleterre plus vite et d'un meilleur cœur que les pays latins plus réticents parce que moins développés) et bonnes encore pour l'Italie des années 60. A cette différence près que, pour faire face à la brusque explosion du « miracle », chez nous qui sommes aussi en retard en économie qu'en idéologie, il faut renchérir sur la doctrine. D'où les excès grotesques du professeur Semerari, qui n'a pas le temps, comme Freud, de nuancer, de fignoler, avec la courtoisie démodée d'un sujet de François-Joseph qui regardait l'heure à son oignon et faisait ses visites en fiacre.

Un vocabulaire nouveau se répand dans la presse : aux consonances étranges, assez précis pour paraître savant, assez vague pour être compris du grand public. A commencer par « homosexuel » ce mot barbare, formé d'un préfixe grec et d'un radical latin, qui remplace le désuet et trop littéraire « inverti » et connaît aussitôt une fortune éclatante. « Skeptophile », décidément trop spécialisé, fait long feu ; mais on retient les autres termes pour apporter à ma fiche d'état civil retouches et compléments. « Paranoïaque » mon besoin de provoquer ; « sécurisant » mon choix d'une voiture chère ; « exhibitionnistes » les lunettes noires sur mon nez ; « coprolaliques » mes recherches sur le dialecte ; « fixation » mon amour pour ma mère ; « phobie » mon éloignement des femmes ; « vicariant, non privilégié » l'attachement pour mon chien ; « régression » ma sexualité ; « anal » mon stade ; « narcissisme » mon intérêt pour les jeunes ; « blocage » mon goût des banlieues. Je sors en jean ? « Agressivité ». Je me chausse avec des baskets ? « Fétichisme ». Je joue au foot ? « Hypersthénie ». Je préfère les légumes cuits à l'eau ? « Autopunition ». Toutes les infractions à la loi économique que je t'ai énumérées plus haut me sont retournées à présent sous la garantie scientifique de ce langage qui me place à vie, comme un malade atteint d'une infection contagieuse, sous contrôle médical.

Les médias ordonnent : « Produis ! » et je m'obstine dans un célibat infécond. Ils enjoignent : « Dépense ! » et mon mode de vie, nocturne et clandestin, m'oblige à des amours pauvres, furtives, éphémères. Ils prescrivent : « Voyage ! » et je me contente de descendre à pied jusqu'au Tibre, à moins que je n'aille dilapider en Afrique mes droits d'auteur. Perte sèche pour les professions hôtelières, manque à gagner pour les commerçants en tout genre. Je lèse les intérêts du pays. Je retarde sa spectaculaire expansion. Un cas limpide, net, sans appel. Les psychologues croient rêver devant un échantillon aussi pur. Immaturité ! Infantilisme ! Perversion ! Danger social ! La cause est entendue : me voilà désigné comme l'ennemi public. En avant le pistage et la traque, ne reste plus qu'à attendre quand la trompe sonnera la curée.

34

Je m'approchais de Porta Pinciana, à petite vitesse, incertain si j'allais prendre par via Veneto à la recherche d'un cadeau pour maman dont c'était dans quelques jours l'anniversaire, ou descendre de voiture pour flâner dans les allées de la Villa Borghèse, quand un événement imprévu décida à ma place. Un jeune homme, qui rabattait d'une main sa casquette sur ses yeux et de l'autre serrait son blouson contre sa poitrine, tourna à toutes jambes le coin du Harry's Bar. Il m'aperçut et se dirigea droit vers mon auto.

— Vite, Pier Paolo. Aide-moi. Ces putains de flics m'ont vu m' barrer.

J'étais bien sûr de ne pas le connaître. En tout cas, il ne faisait nullement partie de mon groupe. Pendant la fraction de seconde qu'il me fallut pour me demander si j'allais ouvrir, son visage ne m'inspira aucune sympathie. Ses yeux à fleur de tête se dérobaient lorsque j'essayais de fixer leur regard, ses mains tremblaient contre l'objet qu'elles comprimaient sous le blouson et, pour tout dire, j'aurais préféré que celui qui m'avait abordé si familièrement montrât dans ses gestes et dans sa physionomie un plus grand courage de ses actes. En outre, je n'ai jamais aimé ni les petites moustaches brossées au peigne fin, ni les nez pointus qui ont l'air de fureter pour leur compte. Il transpirait à grosses gouttes et continuait à m'implorer d'une voix geignarde.

— Vite, Pier Paolo, vite...

Sur ses talons, accourut un garçon beaucoup plus jeune, un adolescent encore, aux cheveux ébouriffés, les yeux arrondis par l'effroi. Mais au lieu de m'indisposer comme le premier, ce deuxième personnage me plut immédiatement. Chacune de ses grimaces laissait éclater une gaieté naturelle plus forte que toutes les craintes et prête à s'amuser dans n'importe quelle situation. Il joignait les mains, se signait, prenait à témoin le ciel, tendait ses poignets aux menottes, recommençait à se couvrir la poitrine de signes de croix, le tout avec des mines si comiques, une telle délectation de pitre malgré le danger, que je me mis à rire. J'ouvris la portière et m'apprêtais à faire basculer le siège, mais le petit clown fut plus rapide. Il plongea en acrobate par-dessus le dossier et se pelotonna sur la banquette arrière.

L'autre se laissa tomber à côté de moi sans même me dire merci.

— A gauche, vite, par le Muro Torto.

Il ôta sa casquette pour éponger du revers de la main son front en sueur. Je n'arrivais pas à surmonter ma défiance, augmentée par certains détails : ses cheveux longs, par exemple, mode étrangère alors dans sa nouveauté, choix inimaginable de la part d'un jeune des *borgates*; ou ses mains, dont les doigts blancs et les ongles soignés n'avaient jamais fouillé dans le dépotoir municipal à la recherche de fringues.

S'étant assuré que nous n'étions pas suivis, il ouvrit son blouson, posa sur ses genoux un sac à main trop luisant pour être de vrai crocodile et entreprit d'en explorer le contenu.

— Tu t'appelles comment ? demandai-je, malgré ma prévention. Une sorte de point d'honneur me poussait à me montrer amical. Il ne serait pas dit que P.P.P., intimidé par les campagnes de presse, a fait mauvaise figure à un voleur. En cherchant refuge dans mon auto, l'inconnu m'avait témoigné une confiance flatteuse non moins qu'inattendue pour un écrivain plus populaire par ses ambitions que par ses tirages.

— Peppino, grogna-t-il, les deux mains occupées à retourner fébrilement le fond du sac.

— Et ton copain ?

Le garçon, derrière, s'était assoupi : contrecoup de la peur, sans doute. Dans son demi-sommeil, la frayeur arquait encore ses sourcils. Sa tête, abandonnée contre le dossier, ballottait aux cahots. Un gosse, dont la bouche aux lèvres charnues gardait le modelé incertain de l'enfance.

Au lieu de me répondre, Peppino redressa le rétroviseur que j'avais déplacé pour étudier son compagnon.

— Surveille plutôt les bagnoles, fit-il d'une voix brève. Nous allons arriver dans ce putain d'encombrement de place du Peuple.

— Tu as fait le coup via Veneto ?

— Devant Doney. Putain de putain de bordel ! s'écria-t-il tout à coup, en renversant entre ses pieds le reste du sac. J'ai vraiment pas de pot, moi ! Y a rien, dans ce porte-monnaie. Elle avait pas plus de fric que ça, la môme ?

— Tu habites loin ? dis-je, pour le calmer. Tu veux que je te raccompagne ?

Il enleva sa casquette et la froissa entre ses mains, puis se mit à se cogner le front avec son poing fermé.

— Comment j' vais faire, comment j' vais faire, nom de Dieu !

— Tu n'as pas de parents pour te nourrir ? demandai-je, tout en me reprochant de n'éprouver pas plus de pitié.

Il se redressa, me regarda avec mépris.

— Qui te parle de mes vieux ? Je m'en fous, d' mes vieux ! J' suis pas venu à Rome pour m'occuper de mes vieux ! Ils me passent chaque mois du fric, c'est tout ce que j' leur demande.

— Ils habitent où ?

— Dans leur patelin, près de Pérouse. Remarque, continua-t-il radouci, que j' les aime bien. Ils ont une scierie qui marche pas mal. Trois employés, une maison à deux étages au bord de l'eau...

— T'es donc pas si paumé que ça ! m'exclamai-je.

— Paumé ? Pour qui tu me prends ? J'ai un studio, via Tor Millina, derrière place Navone. Une chouette d'installation, même si mes vieux, question stéréo, restent vachement bouchés.

Dominant ma répugnance, je me contraignis à un dernier effort de bonne volonté.

— Ce sac, pourquoi tu l'as piqué, alors ?

— Et ma boum, bordel de merde ?

Samedi en huit, dans son studio de via Tor Millina, avec ses copains de fac, étudiants en agro. Son vieil électrophone lui faisait honte. « Un mono des commencements du microsillon ! » Il voulait épater ses invités et leurs nanas avec une « vraie chaîne », deux haut-parleurs aux deux bouts de la pièce, la « Hi-Fi » grand style.

— Tiens, ajouta-t-il pendant que nous piétinions au début du Corso. Vise un peu ce Panasonic à platine XZ 3000. Vraiment super ! Le dernier modèle arrivé d'Allemagne.

Il me montrait sur notre droite la devanture de Ricordi, où des appareils compliqués à boutons de métal et voyants lumineux avaient refoulé dans un coin obscur de la vitrine les quelques rares partitions et livres de musique encore exposés, survivance de l'époque où la firme s'enorgueillissait d'éditer Verdi et Puccini.

La moutarde me monta au nez. Mon voleur n'avait rien à voir avec mes amis des *borgates*. Ce n'était qu'un misérable petit-bourgeois qui parlait mal de sa mère et avait piqué son argent à une « môme » — qui sait ? une employée de magasin, d'après le similicuir de son sac, une apprentie, une dactylo, affolée à cette heure d'avoir perdu ses papiers. Et pourquoi ce *scippo* devant Doney ? Non par rébellion, comme les *ragazzi* de Ponte Mammolo et de Tiburtino, mais par conformisme. Pour faire comme faisaient tous ses camarades, acheter ce qui était à la mode, posséder le « dernier modèle » vanté par les magazines. La « boum », les petites amies, la « vraie chaîne », les disques de rock éparpillés sur la moquette, le mousseux qui pétille dans les gobelets en carton : avec un dégoût grandissant, je voyais chaque détail de leur fête.

— La nouvelle vague danse sur Telefunken! repris-je, non sans contrefaire lourdement l'accent germanique.

Insensible au sarcasme, Peppino se frotta les mains, tout content de me trouver dans d'aussi bonnes dispositions.

— Tu es fiancé? demandai-je.

Il recommença à s'agiter sur son siège et à jurer, dans un argot trop voulu pour ne pas me donner le soupçon qu'il cherchait à m'entortiller par ce moyen aussi, selon ce qu'il avait entendu dire de mes romans, non lus à coup sûr.

— Putain de nom de Dieu! J'avais parié avec Arturo que je m' serais dégoté un pull-over en cachemire pour samedi. Le cachemire, c'est ce qui se porte cette année. Non mais, tu vises ma tronche si Marisa en entrant me demande comme ça : « Et ce cachemire, alors, Peppino, depuis le temps qu'on en parle? » Bordel de merde! J'en ai marre, d'êt' fauché! Marre! Marre!

« Bien certainement, pensai-je, il ne rédige pas ses copies d'agro dans ce langage de chiffonnier. » Mais il se trompait du tout au tout s'il comptait m'embobiner de cette façon : car autant grossièretés et blasphèmes me plaisent dans la bouche de ceux qui n'ont pas d'autres mots à leur disposition, autant je trouve odieuse l'affectation de débraillé chez un étudiant. Peppino, sans se douter de ce que je roulais dans ma tête, aggrava son cas par un geste malencontreux. Il tira avec une moue dégoûtée sur les pans de son tricot, un très joli mohair blanc pour lequel Glauco aurait fracturé une devanture à ses risques et périls, au lieu de s'attaquer lâchement aux passantes.

Pris de colère, je lui dis, sans savoir au juste ce que je voulais faire :

— Maintenant, tu vas te baisser et remettre dans le sac tout ce que tu as renversé. Allons! Oust! Plus vite que ça!

Peppino, déconcerté, se pencha pour récupérer les objets tombés par terre. Un bâton de rouge, une agrafe de cheveux, un paquet de Kleenex, des bons d'achat gratuit pour la Standa, une photo jaunie de parents, une carte postale des Dolomites sous la neige. Plus un trousseau de clefs et divers papiers d'identité rangés dans un transparent en plastique. Nous étions arrivés piazza Colonna. Je donnai un brusque coup de volant sur la gauche et repartis à fond de train. Il cogna de la tête contre le rebord en acajou

— Les flics nous suivent ? demanda-t-il tout effrayé, en se frottant la tempe. Ouf ! Mais où vas-tu ? Eh là ! T'es pas fou d'être revenu par ici ? On va se retrouver piazza Barberini !

— C'est exprès, dis-je froidement.

— Qu'est-ce qu'il y a, Pier Paolo ? T'es devenu dingue ?

— Il y a que tu vas rapporter le sac à la fille.

— Ça va pas, non ? Arrête. Arrête donc !

Il tenta d'ouvrir la portière au feu rouge du largo Tritone. Je le saisis par le poignet.

— Ne bouge pas ou je te casse les os. Tu sais, je fais du karaté.

Il pouvait toujours se débattre, je le tenais plus solidement que dans un étau.

— Tourne par là, supplia-t-il, prends cette rue. Tirons-nous par le Quirinal. On peut tomber sur la police, piazza Barberini.

— Merci, tu me donnes une excellente idée. La police, tu ne mérites pas mieux. Je vais te conduire au poste de Stazione Termini.

Il s'efforça de rire, pour tourner toute l'affaire en blague.

— Tu t'amuses à me faire peur, Pier Paolo !

Mais il blêmit en voyant que je n'avais pas la mine à plaisanter. Changeant de tactique, il passa à la flatterie.

— J' croyais que tu étais du côté des délinquants, des voleurs, de tous ceux que la société met en marge. J'ai lu dans les journaux que...

— Eh bien ?

— Tu nous aimes, quoi, tu prends notre défense. Tu dis que c'est pas notre faute si la société nous pousse à nous débrouiller avec les moyens qu'on peut. D'ailleurs le pape, que tu as dit, est-ce qu'il ne donne pas l'exemple ? Est-ce qu'il ne vole pas en grand, le pape ?

Pour le coup, j'eus envie de rire, en entendant cette punaise me resservir mes interviews dans la presse comme justification d'un *scippo* aux dépens d'une cliente de la Standa. Mais la rage l'emporta, et je serrais plus fort les mâchoires, à mesure que Peppino parlait.

— A la fac, j'ai des copains qui lisent tes livres en cachette, tu sais, car ils auraient à le payer cher si un prof les surprenait. Il y en a qui te comparent à... comment disent-ils ? Nitche, c'est ça ? Une sorte de prophète, qu'ils disent, qui voulait mettre le feu à la société. T'es vachement dans le vent, Pier Paolo. Le parti des curés (il baissa la voix sur ces mots, comme si nous devions nous solidariser tous les deux contre le danger d'invisibles micros dissimulés autour de nous) te dénonce comme un monstre, un type sans morale. Comme un nouveau Néron, qu'ils disent.

— Tu sais qui c'était, Néron ?

Il écarquilla les yeux, se gratta la nuque avec sa main restée libre et chercha désespérément dans ses souvenirs de lycée une réponse assez vague pour ne pas me déplaire.

— Un type terrible, faut croire...

Puis, recommençant à gémir :

— Tu peux pas m' faire ce coup, Pier Paolo... Toi, l'homme au colt (il me cligna de l'œil pour voir si je souriais à cette allusion fine) et aux balles d'or ! Tu t'imagines leur tête, à tous ceux que tu as encouragés à se rebeller contre une société injuste ? Apprendre qu'un voleur s'est confié à toi, et que tu l'as livré aux flics ?

— Les voleurs... les voleurs... je les hais, les voleurs, si maintenant ils te ressemblent ! m'écriai-je en lui broyant le poignet. Tu seras le premier que je livre aux flics, tant pis pour toi.

En réalité, je me sentais inondé par une sueur froide qui trempait ma chemise. Moins butor, Peppino eût deviné que ses paroles m'avaient jeté dans un violent trouble. Il poussa un grognement, essaya une nouvelle fois de se dégager puis se rencogna, silencieux. Largo Santa Susanna, je pris à droite par via Orlando. La fontaine de piazza Esedra jetait son panache devant nous.

— Allons-y donc, à la police ! déclara-t-il soudain, d'un ton faraud qui me surprit.

Je tournai la tête.

— Mais on te coffrera, toi aussi.

— A la bonne heure ! m'écriai-je, résolu à lui signifier qu'il en serait pour ses frais de chantage, même si au-dedans de moi je n'attendais pas sans appréhension de connaître sa nouvelle ruse.

— Tu as compté sans mon frère.

— Ton frère ?

Le pouce tendu vers la banquette, il me montrait l'autre passager, le jeune garçon oublié pendant la dispute.

— Je dirai que tu l'as enlevé pour lui faire subir des violences.

— Ton frère ? répétai-je, incrédule.

— Encore mineur, si tu veux le savoir. Quand on se met du côté des flics, ajouta-t-il avec mépris, on évite de se fourrer dans certaines situations.

— Salaud ! m'exclamai-je. Tu mens !

— Ce sera à toi de le prouver au commissaire.

Il cligna de l'œil, cette fois en direction de son « frère » qui, complètement réveillé, s'étirait comme un chat. Avant de dire (première occasion de faire entendre sa voix) :

— T'inquiète pas, Peppino ! On va descendre ici (il indiquait les arbres de piazza dei Cinquecento, devant la gare) et se carapater patte patte. Il a l'air méchant, mais sa voix est douce, douce ! Je l'écoutais en rêve, j'aurais cru qu'elle venait du ciel.

A cette remarque inattendue, nous éclatâmes de rire, Peppino et moi. Je fis le tour de la place et vins ranger la voiture le long du mur de Dioclétien, bien aise d'éviter un nouveau scandale qui eût anéanti maman.

— Foutez le camp, oust! dis-je en lâchant le poignet de mon voisin.

Il ouvrit la portière et déguerpit. Son compagnon, pendant qu'il rabattait la banquette, me souffla à l'oreille :

— C'est faux, j' suis pas son frangin !

Je sentis ses lèvres — non, je n'étais pas en train de rêver — ses lèvres qui se posaient doucement sur mon cou.

— Tu t'appelles comment ? demandai-je, la gorge soudain nouée, incapable de réagir comme j'aurais dû à ce message. Même fugitif et rapide, c'était bel et bien un baiser.

Mais il avait déjà filé hors de l'auto, prompt comme du vif-argent. Il courut après Peppino sur ses tennis percés aux orteils, s'arrêta net au bout de quelques mètres, se retourna, m'envoya un large sourire qui découvrit deux rangées de dents éclatantes, secoua sa tignasse bouclée, agita le bras dans un geste résigné qui pouvait dire aussi bien : « Tant pis pour cette fois ! » que : « Otons-nous cette idée de la tête ! » puis reprit sa course entre les chênes verts, sans se presser, sautillant sur chaque pas comme les enfants, et frappant en l'air de ses deux mains l'une contre l'autre.

Un acteur-né, pensai-je, dès que je parvins à me ressaisir. A lui le rôle du messager dans mon prochain film, dont j'écrivais alors le scénario. Il me fallait un jeune garçon plein de vitalité et de malice. « Comment ? me diras-tu. Une minute après m'avoir laissé croire que tu étais atteint au cœur, tu songeais à utiliser ta merveille pour une fin pratique ? » Eh ! Gennariello, c'est que lorsque tu écris ou que tu fais des films, tu t'arranges inconsciemment pour que toute émotion profite à ton œuvre et l'innerve de sa force vibrante. Pourquoi l'émotion y perdrait-elle ? Pourquoi les créateurs seraient-ils à plaindre ?

Ma conduite fut beaucoup moins réfléchie que je n'ai l'air de le dire. Je me précipitai hors de l'auto. Il avait disparu derrière le coin des Thermes. Je courus après lui, sûr de le distinguer dans la foule d'après son pas élastique. Continuait-il à frapper dans ses paumes, les deux mains levées au-dessus de sa tête ? Comment l'appellerais-je dans mon film ? Mais « Angelo » bien sûr ! D'après l'étymologie : « celui qui annonce, qui apporte la nouvelle, la bonne nouvelle ». Et d'après son allure, sa manière de ne pas toucher le sol. Une grâce, une élégance, une gaieté que je n'avais vues à nul autre, sauf aux « anges » peints au mur des églises, qui entrechoquent en l'air les cymbales. Ils n'ont pas besoin de poser le psaltérion sur leurs genoux, ni de recourir au plectre d'ivoire : ils pincent les cordes avec leurs ongles, et jouent sans s'arrêter de danser.

35

J'aurais voulu l'appeler, lui crier de revenir. Mais comment? Il s'était enfui sans me dire son nom. J'errai de droite et de gauche sur la place, tournant la tête dans tous les sens, me précipitant vers chaque chevelure bouclée. « Angelo, Angelo », murmurais-je, comme si un nom qui avait en lui-même tant de magie séductrice pouvait le tirer en arrière et me le ramener.

Les critiques de cinéma me reprochaient le hiératisme de mes œuvres. Que diraient-ils de la prochaine, située dans l'ancienne Grèce, faute d'y trouver, garantie de renouveau, un personnage différent de mes héros habituels? D'autant plus nécessaire qu'il servirait de contrepoids à la pompe barbare qui engourdit la cour de ce roi mythologique, où les guerriers en faction devant le palais peuvent à peine bouger sous leurs cuirasses.

« Angelo », répétais-je, l'esprit désormais à mille lieues de mon film. Mes lèvres formaient d'elles-mêmes ces trois syllabes si tendres et restaient ouvertes avec un étonnement douloureux sur le o final sans réponse. Je fis demi-tour, espérant vaguement qu'il jaillirait de derrière un arbre et me saisirait aux épaules.

Sotte illusion. A quoi bon d'ailleurs retrouver sa trace? Ne se fût-il pas détourné de moi avec un acerbe dédain, celui dont j'avais voulu dénoncer l'ami?

Je dus me résigner à remonter en voiture, avili jusqu'aux larmes. Trop d'émotions se bousculaient dans mon cœur. Je me sentais brisé. Quoi! J'avais été sur le point de livrer un jeune à la police? Aussi bien *L'Unità* que *Il Tempo* auraient titré en lettres pyramidales : « P.P.P. se désolidarise de la pègre romaine. » Comment en étais-je arrivé là? Moi, commettre cette vilenie? Le faire condamner à six mois de tôle, peut-être, pour un larcin qui ne valait pas dix mille lires ? Me renier moi-même, me déshonorer à jamais ? Qu'aurait dit Sergio ? Qu'aurait dit Elsa ? Où me cacher ? Où fuir ? Pour avoir pensé à conduire un voleur au poste, il fallait qu'un ressort fût cassé en moi. Vite, essayer de voir clair. Me demander pourquoi cette animosité subite, aveugle, contre Peppino. Un jeune comme les autres, après tout. Qui adoptait les goûts et les ambitions des jeunes de son âge : comme ceux de Ponte Mammolo avaient suivi les goûts et les ambitions qui correspondaient à leur époque. Quinze ans s'étaient écoulés depuis Ponte Mammolo. Qui m'assurait que Glauco, s'il avait vécu, n'aurait pas convoité lui aussi un cachemire ? La délinquance avait changé en quinze ans : changé d'objet, le fin du fin n'étant plus aujourd'hui une Ducati 250, arbre à cames et fourche télescopique, mais la chaîne Hi-Fi. Et changé de méthode : finies les chevauchées du Far West, les déménagements nocturnes de boutiques, le romantisme du brigandage. Une suite de *scippi* à la sauvette, calculés comme les bons d'un livret d'épargne.

Évolution on ne peut plus naturelle. Dont il n'y avait lieu ni de s'étonner ni de s'indigner. Ou alors, c'est que je m'étais mis à haïr mon pays. Que je le veuille ou non, l'Italie avait rejoint le niveau de vie européen ; avec pour première conséquence le déplacement des désirs, des fantasmes et des buts. Disparus ou près de disparaître les derniers pauvres ; et, avec les derniers pauvres, la race des casse-cou qui se jetaient la nuit sur Rome chevauchant leurs motos. Ne devais-je pas songer à partir, à m'en aller vers le sud, à émigrer loin d'une ville où le progrès général en augmentant leurs revenus avait éveillé fatalement chez les jeunes un goût plus conservateur ?

Ce n'était pas la première fois que j'entendais l'appel de l'Orient, de l'Afrique. Mais pourquoi le mirage de terres nues et sauvages me reprenait-il à nouveau ?

« Allons, Pier Paolo, tu dis que tu veux te mettre au clair avec toi-même. Ce qui t'a exaspéré, c'est d'imaginer cette sauterie dans le studio de via Tor Millina, les filles abandonnées sur l'épaule des garçons. Leurs disques, leurs rires, leurs plaisanteries, leur bonne humeur, un étalage anodin de gaieté mais que tu détestes parce que tu serais en trop dans cette fête. Tu penses à ton Frioul d'autrefois, aux soirs de bal, quand Manlio se déchaînait sur son accordéon. Quelques rares couples, toujours de fiancés ou d'époux, s'efforçaient de valser en mesure, au milieu du rond de terre battue aménagé devant la tonnelle. Alors tu t'élançais à ton tour, tu saisissais Elmiro par la taille et vous dansiez à perdre haleine, jusqu'à la quinte de toux qui suffoquait ton ami déjà condamné. Il regagnait sa place et se laissait tomber sur le banc, réconforté par ses cousines qu'il avait amenées de Faedis sur la charrette à ridelles attelée du cheval pie. Sans quitter leur coin, les yeux écarquillés par la timidité et par l'admiration, elles restaient toute la soirée à regarder les garçons tournoyer sur la piste.

« Vous l'occupiez en maîtres, dès la tombée de la nuit. Même Nuto, le plus expert en galanterie, se contentait de recueillir, sur le passage de son foulard rouge et de l'étoile de shérif collée à la fesse de son blue-jean, le murmure flatteur des demoiselles alignées dans l'ombre. Virtuose du paso doble et du tango, pourvu que l'un de nous lui donnât la réplique, il ne se souciait nullement de se mettre sur les bras le poids d'une cavalière, à qui les coutumes de nos campagnes imposaient un maintien raide et figé. Jusqu'au mariage, les femmes devaient en toute circonstance observer une chaste réserve. Celle qui s'en fût départie eût encouru la réprobation de sa mère, le blâme de son curé, le mépris de son amoureux lui-même. Si, de temps à autre, pour revernir son blason de séducteur, Nuto en invitait une, il ne lâchait pas de toute la danse le rameau d'aubépine planté entre ses dents. Tu comprends aujourd'hui pourquoi il le gardait en permanence dans sa bouche : non pas en signe de forfanterie tapageuse, ainsi que tu le croyais ingénument, mais comme un sceau posé sur ses lèvres pour toute la durée du bal. Ce temps de mœurs sévères et de barrières rigoureuses, où même un baiser tombait sous l'interdiction, faisait bien ton affaire, avoue-le ! Et tu ne te consoles pas qu'il soit à jamais révolu. Plus grand bonheur te rappelles-tu que celui qui vous unissait tous les quatre lorsque, les réjouissances finies et les lampions éteints, enfin seuls entre vous dans la nuit silencieuse, vous vous raccompagniez mutuellement à bicyclette, jusqu'aux premières heures du matin ? La lune épandait sur les champs sa clarté magique qui se plissait en innombrables rides argentées à la surface du Tagliamento. »

A la place de l'ancienne Italie, qui veillait jalousement sur la virginité des filles et prohibait les relations entre les sexes, je voyais une nouvelle Italie, moderne et permissive, à l'américaine, où chaque samedi soir on se rendait les uns chez les autres avec sous le bras une pile de mambos et de madisons. Embourgeoisement, conformisme et pénurie d'imagination. Mais peu m'importait, pour être sincère, cet aspect-là du changement. Je devinais avec terreur une conséquence autrement grave qui ne manquerait pas de se produire. Il s'agissait de quelque chose qui changerait radicalement ma vie, et finirait par la rendre impossible. J'hésitais à formuler cette menace en termes brutaux, retenu par la peur superstitieuse d'en hâter l'accomplissement. Mais enfin, comment nier l'évidence ? Les garçons, dans cette Italie émancipée, ne seraient plus d'un abord aussi facile. Ils allaient m'échapper. J'aurais de plus en plus de mal à en trouver de disponibles. Sur la plupart des jeunes élevés dans la société d'abondance ne pèseraient plus, comme raisons de me suivre, les contraintes et les frustrations qui jusqu'à présent m'assuraient de leur complaisance. Si les filles se mettaient à sortir librement ; si, comme je le constatais chaque jour, les couples non mariés n'avaient plus à braver l'opinion ; si, avec l'effritement des conventions familiales et religieuses, l'autre sexe n'était plus hors d'atteinte derrière des murs infranchissables, je pouvais être sûr que les règles de la concurrence joueraient de moins en moins souvent en ma faveur, et que mon territoire de chasse, jusque-là illimité, se rétrécirait dans des proportions dramatiques. L'appât de la nourriture, mon meilleur auxiliaire autrefois, deviendrait lui-même inutile. L'époque où ils étaient si fauchés que pour se faire payer une pizza ils ne regardaient pas trop aux services qu'on leur demandait, cette époque avait bel et bien disparu. Un désastre pour moi. Victime des allocations familiales, je n'aurais plus qu'à me réjouir sottement de voir tout le monde manger à sa faim.

Ah ! partir en effet, voyager, fuir loin de ce pays détruit par Vatican II, le centre gauche, le féminisme et les autres conquêtes de la démocratie ; et, sans prétendre que le tiers monde ressemble tout entier à Ghardaïa la blanche isolée dans les dunes sahariennes, où la secte des Mozabites ne permet aux musulmanes enveloppées des pieds jusqu'au sommet de la tête qu'une étroite ouverture triangulaire en face d'un seul œil, parcourir les souks tenus exclusivement par des hommes ; sentir sur soi, langoureuse ou ardente, la prunelle des regards masculins ; entrer dans ces villages où les femmes, si elles ont l'autorisation de s'asseoir devant leur seuil, doivent s'adosser à la rue, le nez collé contre leur maison, comme les Siciliennes de Pietranera transplantées à Ponte Mammolo avec les traditions de leur village.

Autre sujet d'angoisse, je vieillissais. Quarante-trois ans. Quatre de plus qu'Oscar Wilde à l'âge de son procès. Six de plus que Federico Garcia Lorca à l'âge de son meurtre. Mes grands répondants. Je rabattis le rétroviseur pour m'examiner dans la glace. Que de rides au coin des lèvres ! Les joues caves, comme un mort. Et cette bouche : étroite, serrée, figée dans un pli amer. Le regard me parut dur, aussi. Je voulus sourire. Le résultat fut une grimace qui creusa au-dessous de ma pommette un trou en S grand comme une ouïe de violon. Je me fis peur. Au moins pouvais-je me dire content de mes cheveux : bien plantés sur mon front, épais, noirs, sans éclaircie sur les tempes ni fil blanc. Toutefois, en regardant de plus près devant l'oreille, je découvris dans la touffe de la patte deux ou trois poils argentés. Aussitôt, avec une minutie maniaque, j'entrepris de les arracher un par un.

— Eh ! Tu veux v'nir ?

Celui qui m'interpellait ainsi, un de ces gigolos toujours en faction sous les yeuses de piazza dei Cinquecento, pencha sa tête bouclée dans l'encadrement de la portière. Appuyé nonchalamment sur une hanche, il avait attendu que j'aie fini mon manège pour s'approcher et m'offrir ses services. Je rougis et lui tendis mon paquet de cigarettes, le temps de me donner une contenance.

— J' peux monter, alors ?

Avant de répondre, je jetai un dernier coup d'œil dans le miroir, pour vérifier que mes paupières ne tombaient pas, surtout la gauche, précaution contre les mauvaises rencontres, talisman que m'avait enseigné Caravage dans son tableau de la Villa Borghèse. L'examen me rassura : mes deux yeux regardaient bien en face et, si j'arrivais à l'âge où Goliath avait succombé sous les coups de son jeune adversaire, le garçon qui s'apprêtait à ouvrir la portière ne serait pas le David que m'envoyait le destin.

36

Sans que j'aie dit ni oui ni non, il s'installa à mon côté et de l'index, silencieusement, m'indiqua la direction à prendre. Nous n'eûmes pas à aller loin. Il m'arrêta dans une transversale de via Cavour, devant l'entrée d'un immeuble vétuste. Tel un automate, je le suivis jusqu'au dernier étage, dans l'escalier sans ascenseur. Chez lui, je m'en remis à sa volonté. Comment se fait-il que je me trouve ici ? ne cessais-je de me demander. Il m'enleva ma veste et en sortit le portefeuille, qu'il me présenta pour que je lui règle son dû. Ses mains me parurent d'une finesse remarquable. Certes, pour se distinguer des jeunes prolétaires, il n'aurait pas eu besoin de se laisser pousser aussi démesurément l'ongle du petit doigt, comme tous les garçons du peuple impatients de faire savoir qu'ils ne s'adonnent plus à des travaux de force.

Son intérieur — une chambre de service portant le nom du locataire « Protti Aldo » écrit en grosses lettres au-dessus de la sonnette — me sembla un mélange de prétention et d'incurie. Dans un coin, près d'une coiffeuse encombrée de fioles, de pulvérisateurs et de tubes pharmaceutiques, une cuvette posée par terre sur le linoléum recueillait les gouttes qui tombaient à intervalles réguliers du lavabo minuscule surmonté d'une ampoule nue. Au-dessus du lit où je m'étais jeté tout vêtu, des photos de stars fixées avec des punaises recouvraient la paroi. Une couche de rouge rajoutée à la main coloriait grossièrement chaque bouche. Marilyn Monroe, Jane Mansfield, Sofia Scicolone devenue définitivement Sofia Loren... Un abat-jour de soie rose à fronces protégeait la lampe commandée par une poire dont la porcelaine autrefois blanche gardait comme un enduit crasseux le passage d'innombrables doigts. Le reste du mobilier s'est effacé de ma mémoire, car l'étonnement d'avoir accepté cette aventure, moi qui n'aimais l'amour qu'à l'air libre et comme le choc de deux désirs, m'empêcha de regarder avec calme.

Pour la première fois de ma vie, j'avais affaire à un prostitué : je veux dire un garçon dont c'était le métier, qui le faisait pour de l'argent. Nous avions, pendant le trajet, stipulé le prix. La fiction du « cadeau », avec lui, n'était plus de mise. Une nouveauté absolue dans ma vie, aussi énorme, aussi contraire à ma ligne de conduite suivie jusque-là que ma réaction de dégoût contre Peppino.

Il vérifia les billets que je lui tendis, puis se mit à la besogne. Je n'ai gardé qu'un souvenir vague — sauf la cuisante conclusion — de cette première expérience, que je subissais plus que je ne la voulais. A lui revint l'initiative, et du moyen et de la position. Incapable de me détendre, je ne pouvais m'empêcher de concentrer mon esprit sur la série de causes, plus déprimantes l'une que l'autre, qui m'avaient amené à accepter les offres d'une marquette de piazza dei Cinquecento, ni plus ni moins qu'un voyageur entre deux trains qui n'a pas le choix.

Je n'avais qu'à me demander : « A qui ne déplairait pas le détour de P.P.P. par cette chambre de passe ? » pour prendre la mesure de ma chute. Ou encore : « Qui seraient les premiers à approuver que des tapins se tiennent à sa disposition, nuit et jour, sous les murs du musée archéologique ? » La réponse ne faisait aucun doute : tous ceux qui depuis une dizaine d'années me dénonçaient publiquement comme un germe de corruption et de scandale. Journalistes, policiers, magistrats, évêques, médecins, psychiatres, membres des partis politiques, attachés, qui à un titre qui à un autre, à défendre la « société », l'ordre moral sur lequel reposait l'Italie de Saragat, d'Aldo Moro et de Luigi Longo. Leurs « valeurs » recevaient un défi chaque fois qu'un jeune des *borgates* ou des Halles échangeait un peu d'amour avec moi. Dans cette chambre, au contraire, elles trouvaient une consécration éclatante.

En payant les services d'un professionnel, je renonçais à la provocation permanente, mon unique règle de vie jusqu'alors. Pas une fois depuis mon arrivée à Rome je n'étais sorti de chez moi sans me mettre en chasse. Tout garçon qui avait entre quinze et vingt-cinq ans et qui n'était pas trop mal de sa personne devait répondre à mon sourire quand il me croisait dans la rue. Par l'affirmative ou par la négative, peu importe. Même s'il refusait mon invitation, ce qui arrivait neuf fois sur dix, il ne s'éloignait pas sans un trouble secret. Voilà ce qu'on ne me pardonnait pas, cette façon de propager l'inquiétude et d'éveiller le désir là où il sommeillait encore. Mais à présent ? Ce type avec lequel je m'étais abouché avait à coup sûr sa fiche aux Renseignements généraux. Le commissariat, le dispensaire le tenaient à l'œil. Je me cantonnais avec lui dans les limites de la tolérance établie par la Questure elle-même. Plus complète soumission n'aurait pu espérer la meute de mes ennemis.

J'étais entré dans le ghetto, dans la pratique des jouissances tarifées, reconnues, géographiquement localisées (autour de Stazione Termini) ; dérogation accordée par le préfet de police en personne ; lèpre entretenue à dessein, comme un abcès de fixation qui maintiendrait le reste de la ville en bonne santé. Ainsi, tandis que mon hôte s'évertuait à mériter son salaire, je faisais le jeu des autorités. Non sans remords ni angoisse, attestés par l'insuccès de ses efforts.

— Attends un peu, dis-je, ce ne sera qu'un moment de fatigue. Fatigue ? Nullement. Mais la conscience, plutôt, d'avoir capitulé devant la Loi, loi de Moïse, loi de saint Paul, loi du parti communiste, après dix ans de persécution par la justice et par la presse.

Et aussi une amère clairvoyance au sujet des autres raisons de ma défaite : la mutation de Rome, qui, en résorbant les *borgates* et en envoyant à l'usine, dans les bureaux ou sur les chantiers la masse jusqu'alors inoccupée des émigrés et des sans-travail, m'ôtait ma réserve de *ragazzi ;* la libération des femmes, qui accusait ma condition de « différent » et concentrait dans les parages de la gare tous ceux qui comme moi, ne pouvant faire leur cette victoire, se sentaient une deuxième fois exclus ; la permissivité euphorique, qui créait par contrecoup l' « anormal », variété inconnue jusqu'ici, voué à l'ombre, au secret, aux expédients, aux gigolos, tandis que les « boums », les lumières, le bruit et l'excitation jusqu'à l'aube proclamaient bien haut le droit à faire l'amour, pourvu que ce fût le bon, le régulier ; la diffusion rapide des sciences humaines, en particulier le succès foudroyant de la psychanalyse, laquelle avait mis un nom sur ce que j'étais, une étiquette sur mon comportement, établi une fiche sur mon cas ; enfin ma propre crainte de vieillir, la stupeur anxieuse devant le premier cheveu blanc, qui m'avait poussé dans le refuge d'une passe rétribuée, qu'on ne pouvait pas me refuser, d'un plaisir garanti par mon argent.

Pas si garanti que ça, malheureusement, à en juger d'après le tic-tac inexorable du gros réveille-matin posé près de la lampe et dont l'aiguille avait déjà avancé d'un demi-tour sur le cadran circulaire surmonté d'une clochette qui allait sonner d'une seconde à l'autre, en même temps que la fin de ma visite, le premier fiasco de ma carrière. Même en s'ingéniant avec toutes les ressources de son art, l'expert n'arrivait à aucun résultat appréciable. Il redressa la tête, s'essuya la bouche et alla cracher dans le lavabo.

— T'es malade ? me demanda-t-il, sans aménité. Atteint dans sa vanité, mais surtout inquiet, si je racontais l'aventure, de voir baisser sa cote sur le marché en plein air de piazza dei Cinquecento. Comment lui expliquer que ce petit échec n'était qu'une conséquence infime dans le bouleversement anthropologique en train de dévaster l'Italie ? Adieu l'innocence qui avait enchanté mes années de jeunesse dans le Frioul et dont j'avais cru retrouver l'équivalent dans le sous-prolétariat romain. Adieu le mythe de la nature et de l'amour naturel. Chacun des gestes auxquels se livrait maintenant le garçon — s'examiner devant le miroir comme si j'avais pu le contaminer, avaler un verre d'un liquide rose, sans doute quelque remède préventif contre l'infection de la muqueuse, raccrocher à son poignet une gourmette d'où pendait, bien en vue dans un médaillon cerclé d'or, le *David* de Michel-Ange — de même que chacun des miens pour me rajuster, renouer ma cravate, me recoiffer, reprendre en somme l'aspect convenable d'un bourgeois qui sort de chez lui, notre manière ensuite de nous saluer par une poignée de main, comme après une affaire conclue, illustrait nos rapports de payeur à payé, de client à fournisseur.

Simple routine pour lui, allégée aujourd'hui par ma défaillance, mais pour moi confirmation horrible de ce que serait ma vie si cette première rencontre devait inaugurer une habitude. La mutation de Rome nous avait figés dans deux rôles distincts et aussi atroces l'un que l'autre : lui dans la catégorie économique du prostitué, moi dans la catégorie psychologique de l'homosexuel — l'homosexuel, oui, puisqu'il faut enfin lâcher le mot, invention de médecins et de flics, symbole linguistique de mon abdication devant le pouvoir, livrée de domestique que je venais de revêtir en montant dans cette chambre, néologisme aussi affreux que l'espèce d'individus qu'il désignait.

Mon premier mouvement, en me retrouvant dans la rue, fut de courir à pied jusqu'à piazza dei Cinquecento, sous le mur de Dioclétien, là où m'avait quitté, pour rejoindre Peppino, son jeune compagnon. Faute de pouvoir le rattraper, je voulus me replacer à l'endroit exact d'où je l'avais perdu de vue. Grimpé sur un banc, je fermai les yeux et comptai jusqu'à cent. Rite fétichiste, incantation magique pour m'attacher celui dont les traits s'estompaient déjà. « Comment est sa bouche ? me demandai-je. Ses arcades sourcilières ne remontent-elles pas en légère pente vers la racine du nez ? » Tantôt un détail de son visage, tantôt un autre me revenait en mémoire, mais je n'arrivais pas à saisir l'ensemble de sa physionomie. Dès que je me mettais à douter sur un point, aussitôt je me sentais moins sûr du reste. A la fin, je ne savais même plus la couleur de ses yeux, ni si les joues que j'aurais juré complètement imberbes quelques secondes plus tôt ignoraient autant que ça le rasoir.

Le mieux eût été de me poster à un bout de via Tor Millina et d'attendre. Ce que le lendemain je me décidai à faire, malgré mon appréhension d'une rencontre avec Peppino. Bien que le quartier de la place Navone n'eût pas encore été racheté et restauré pour être loué à de riches étrangers et à des gens de cinéma, il avait perdu une partie de son cachet populaire. Dans toute la rue en question, plus une seule échoppe, pas le moindre artisan auprès de qui m'informer s'il connaissait dans le voisinage un locataire à cheveux longs et à moustache fine coiffé d'une casquette. Au bar on fut incapable de me renseigner. Que mon voleur m'eût menti, je m'en convainquis après plusieurs jours d'inutile faction. D'ailleurs, je n'aurais pas voulu de son entremise pour parvenir à mon but. « C'est faux, j' suis pas son frangin. » Je me souvenais parfaitement de ces mots où, à force d'y réfléchir, je lus une sorte de pacte entre le jeune garçon et moi. Il s'était désolidarisé de son ami, peut-être pas son ami du tout. Peut-être Peppino, sous une menace quelconque, l'avait-il contraint de se faire son complice.

Des semaines durant, je continuai à chercher çà et là. Chaque soir, en rentrant à la maison bredouille, je désolais maman par mon air abattu. Tout alla mal pour moi à cette époque. Je n'arrivais plus à écrire ; par précaution, j'appliquai sur mes cheveux une teinture qui resta collée à certaines mèches et ne prit pas sur les autres ; je me cassai une dent de devant en jouant au foot. Simples accidents, dont j'aurais ri en d'autres circonstances ; mais qui achevèrent de me démoraliser et me donnèrent le conseil malencontreux de retourner place de la gare, si bien qu'en peu de temps je devins familier de ces parages et de leurs habitués nocturnes. Sans joie aucune ; avec le sentiment au contraire de m'enfoncer par chagrin dans une voie sans issue.

Celui-là seul qui aurait pu me tirer de ce mauvais pas ne se souciait nullement de mon sort. Pourquoi était-il entré dans ma vie, si tout aussitôt il en devait disparaître ? Avec cette grâce sautillante qui m'avait charmé sur le coup mais qui maintenant me semblait bien cruelle. Ce baiser, je ne l'avais pas rêvé, non ? Je passais et repassais lentement mon doigt sur l'endroit de ma nuque effleuré par ses lèvres. « Angelo, Angelo. » En vain j'essayais de le rappeler. Tantôt par un cri, si je me trouvais seul, tantôt dans un murmure, pour m'isoler au milieu de la foule avec ces trois syllabes adorées mais fictives. Il était parti, il s'était sauvé loin de moi. S'éloignant par bonds et par cabrioles sur ses semelles de caoutchouc ; entrechoquant ses paumes au-dessus de sa tête, comme les anges musiciens de Fra Angelico ; emportant dans ses gambades, en même temps que sa mince et fugace silhouette sur laquelle je ne pouvais même pas mettre un nom, mon dernier espoir, ma dernière chance.

III

37

As-tu remarqué à quelle date reviennent les saints les plus âgés du calendrier ? Nicolas le 6 décembre, Sylvestre le 31 décembre, Antoine abbé le 17 janvier, Catello le 19 janvier, Felice le 25 janvier, Ciro le 31 janvier, Biagio le 3 février. Tous avec les attributs de la vieillesse, tels que longs cheveux blancs, barbe touffue, grand manteau tombant jusqu'aux pieds, capuchon sur la tête. Figures du cycle solaire qui s'achève, de l'année qui meurt. Sylvestre, pour défaire le dragon tapi dans les profondeurs du mont Capitole, dut descendre trois cent soixante-cinq marches avant de rencontrer la bête, un nombre que la légende n'a pas choisi au hasard.

Fin décembre et janvier ramènent, en même temps que les prémices du renouveau astronomique, les saints les plus jeunes : Jésus le 25 décembre, les Saints Innocents le 28 décembre, Sébastien le 20 janvier, Jean soldat le 31 janvier. Relève de l'année défunte par l'année nouvelle, expulsion des pères par les fils : le rituel chrétien ne fait que reproduire le mystère du cycle solaire et de la nature qui s'épuise pour se féconder à nouveau. Les pays germaniques et anglo-saxons, quoique moins païens que l'Italie, associent étroitement le berceau du Christ et la barbe du père Noël.

Vous autres, en Campanie, êtes particulièrement sensibles à l'accouplage symbolique de vos saints. A Gragnano, vous fêtez l'imberbe Sébastien le lendemain du jour où vous avez porté en procession Catello courbé sur son bâton. Les marins de Vico Equense sortent en même temps de l'église, pour les exposer devant la mer dont ils cherchent à se gagner les faveurs, le simulacre encapuchonné de Ciro et la statue à demi nue de Jean soldat adolescent.

A Naples, la nuit du 31 décembre, vous jetez par les fenêtres les vieux objets hors d'usage. Dans la vie domestique aussi, il faut que l'ancien cède la place au jeune. Assiettes fêlées, chaises défoncées, armoires bancales : tout est précipité du haut des maisons. Les passants doivent prendre garde à ne pas être assommés par la chute de centaines de bahuts et de fauteuils, balancés sans aucune précaution des étages les plus élevés. Coutume qu'on a souvent décrite : en a-t-on bien compris le sens ? Le bois qui a servi à fabriquer les meubles retourne au sol où il plantait autrefois ses racines. La faïence des plats ébréchés retourne à la terre d'où le potier a tiré la matière à pétrir.

A la même heure, sur le coup de minuit, éclatent les milliers de pétards que vous avez préparés pendant le mois de décembre et que vous lancez maintenant vers le ciel. De chaque seuil, de chaque balcon fusent les gerbes multicolores, les girandoles qui s'épanouissent en coruscants bouquets d'étincelles. Mouvement inverse du précédent, complémentaire du précédent, et que n'engendre pas quelque puérile frénésie pyrotechnique, comme le croient les observateurs trop hâtifs, mais la nature même du sous-sol. Songe à la matière ignée, à la braise des volcans seulement assoupis dont le réveil est toujours à craindre pour Naples. Il n'y a pas si longtemps qu'une lampe à alcool tombée au milieu des copeaux embrasa la grotte qui servait d'arrière-boutique à un menuisier. Les flammes s'étendirent en quelques instants à l'ensemble des magasins naturels creusés dans le flanc de Pizzofalcone. Les pompiers ne purent venir à bout de l'incendie. Répandu sous la colline à travers mille canaux, il se propage encore, destiné peut-être à rejoindre, s'il ne s'éteint plus, celui qui flambe à jamais, sans commencement ni fin, depuis l'aride solitude des champs Phlégréens jusqu'aux landes calcinées de Pompéi. Tous, à Naples, vous vivez en intimité étroite avec le feu invisible qui couve en permanence dans le tuf poreux de votre ville. Par les explosions de la Saint-Sylvestre, que faites-vous d'autre que le libérer pour une nuit ? Chaque fenêtre devient un cratère à l'imitation du Vésuve. Étincelante fantasmagorie, qui n'a rien à voir avec cette folie du pittoresque que l'étranger vous prête.

Échanger le bas contre le haut et le haut contre le bas : voilà le besoin, partout ailleurs inconnu, qui s'empare de ton peuple avec une violence périodique. Ce qui est au-dessus doit descendre et ce qui est caché sous la surface doit jaillir hors du sol, de même que Sylvestre s'enfonçant à l'intérieur de la terre croise l'astre ascendant de Jésus.

Toi, tu m'annonces fièrement que tu vas te marier. Tu vas te marier, à peine obtenu le bail de cet appartement du Vomero, calata San Francesco, au faîte de la colline. Tes parents étaient sortis d'un *basso* de San Gregorio Armeno pour aller occuper les quatre pièces de Porta Capuana où tu m'as emmené. Cette visite, crois-tu que je ne m'en rappelle pas chaque détail ? Le salon aux rideaux tirés, dont les meubles recouverts de housses ne servent que deux ou trois fois par an ; la chambre où tu dormais avec tes trois frères ; la salle à manger aussi peu utilisée que le salon ; le jardin suspendu où ton père somnolait dans une chaise longue, pendant que ta mère faisait le tour de ses pots de basilic et de menthe, sous la tonnelle où tu lis présentement mon récit. Leur fils, continuant ce mouvement vers le haut, habitera au sommet de la ville, rêve de tout Napolitain. Ma première réaction, bien sûr, est de t'approuver. A toi la lumière et le bon air qui ont manqué à tes grands-parents. Ta Giuseppina élèverait vos enfants dans des conditions décentes. L'humidité, la pénombre, le défaut d'hygiène condamnent les trous insalubres de Spaccanapoli. Qu'il soit clair, une fois pour toutes, que je ne blâme pas dans le progrès l'amélioration matérielle, quand elle apporte aux familles le confort indispensable. Une salle de bains, une chasse d'eau, une fenêtre qui ouvre sur le ciel... Est-ce moi qui prêcherais que suffisent le pain sur la table et la Bible près du lit ? Le romantisme de la misère n'est pas mon fort. A la fois béni et infâme me paraît chaque *basso* : béni en tant que couloir de communication avec les galeries souterraines, infâme en tant que lieu assigné aux pauvres par l'égoïsme des riches. Monte tant que tu voudras sur le Vomero. Mais n'oublie pas ces cavernes obscures d'où les tiens sont issus. Je ne te parle pas d'une vague fidélité sentimentale à emporter sur ta butte. Je te parle de cette corrélation mystérieuse qui unit à Naples le haut et le bas.

Gennariello, mon amour, t'aimerai-je encore lorsque tu surplomberas le golfe de ton belvédère ?

Tu rêves d'une ascension continue : géographique, qui te hisserait de l'antre de Spaccanapoli à la terrasse panoramique des quartiers résidentiels ; professionnelle, qui échangerait ton emploi intérimaire de poseur de vénitiennes contre un poste salarié dans le secteur public ; enfin sociale, qui te porterait de l'état suspect de célibataire à celui respecté de mari.

Que « tendre vers le haut » soit ton ambition de citoyen, je ne t'en ferai jamais le reproche. Tâche simplement, je t'en supplie, de rester en contact avec le bas de ta ville, avec le monde souterrain sur lequel Naples est bâtie. Quand toutes les autres métropoles de l'univers, honteuses de leur sous-sol, le livraient aux égouts et aux rats, Naples aménageait le dédale de ses galeries en lieux de mythe et de dévotion. Crypte de San Pietro ad Aram, crypte des Ames du Purgatoire, catacombes de San Gennaro : mêle-toi à la multitude silencieuse qui vient brûler des cierges sous ces voûtes transformées en cimetières. Toi aussi, retenant ton souffle, tu t'avanceras sur la pointe des pieds. En présence d'un culte qui ne s'adresse pas seulement aux âmes de quelques morts, mais touche aux racines du monde. L'histoire de Naples et de l'Italie n'a-t-elle pas commencé à Cumes ? Nul autre endroit ne me donne plus le sens du sacré que ce long corridor percé dans la colline, au bout duquel la Sibylle est censée avoir prédit à Énée les destinées de Rome. Creusé dans ses profondeurs, le flanc de la roche eubéenne recèle une spélonque où vaticinait la pythie. La parole qui déciderait de ton avenir, te crois-tu dispensé de l'implorer de sa bouche, près du trépied fumant nimbé de vapeurs soufrées ?

En tout cas, réfléchis. Prends ton temps. Examine le pour et le contre avant de déménager. Ta première faute a été de postuler un emploi à la mairie. « Marié ou célibataire ? » t'a demandé le préposé. La réponse pour lui allait de soi. Tu avais écrit ton âge sur le questionnaire : vingt-cinq ans. La robuste silhouette qu'il voyait de l'autre côté de son guichet lui aurait enlevé son dernier doute. Stupéfait de ton aveu, il t'a mis au dernier rang de la liste d'attente. As-tu pensé à qui ton mariage ferait le plus de plaisir ? A don Michele, que tu dis détester. Aux religieuses de San Gregorio Armeno, qui se réjouiraient d'avoir élevé un bon chrétien. A ton frère contremaître chez Alfa Romeo, qui n'aurait plus besoin de rougir quand ses camarades de cellule lui demanderaient de tes nouvelles avec une insistance soupçonneuse. « Pas encore marié le frangin ? » Non, pas encore marié ! Pas encore installé à la cime ! Aie le courage de résister aux pressions ! Interroge la Sibylle dans son antre ! Plonge sous terre à la rencontre de celle qui détient les derniers secrets !

Mais toi, en me lisant, je sais très bien ce que tu rumines dans ta tête. « Que me parle-t-il de Cumes et de Virgile et de pythie ? Pourquoi cette emphase poétique ? cette évocation trépidante d'une Antiquité plus que morte ? Alors que je me tourmente en attendant sa réponse sur le seul point qui m'importe : me donnera-t-il, oui ou non, cette garantie bancaire que le notaire me réclame et sans laquelle le bail de la calata San Francesco me passera sous le nez ? »

Méfiance ? Avarice ? Veux-tu que je t'avoue toute la vérité, dût-elle me faire honte ? Impossible d'ailleurs que tu ne l'aies pas devinée. Je ne t'accorderai pas l'aval que tu me demandes, parce que... Non ! Je n'arriverai pas à coucher sur le papier ces mots qui, écrits noir sur blanc, deviendraient une infamie !

Il faudrait te faire un tableau complet du bonheur qui m'inonde dès que, sorti du Latium par la porte de Terracina dont l'arche monumentale indique la frontière de l'ancien royaume des Bourbons, je m'avance dans le pays des buffles, des oléandres et des citronniers. Tout concourt à ma délectation : le souffle caressant des brises qui se lèvent de la mer, les charrettes qui roulent au trot saccadé des ânes, les matrones assises sur le bord de la route près des pastèques mûres dont elles offrent au voyageur assoiffé une tranche écarlate, le chant rauque du berger couché sous un hêtre derrière une haie de roseaux, une voile à l'embouchure du fleuve, les filets tendus au-dessus des eaux flavescentes... Et puis, quand commence la descente sur la ville, et que je m'enfonce dans les rues sous les fils de fer chargés de linge... Mais les coins de ta bouche se relèvent dans une moue sceptique, tant que je me limite à la louange des palais, des églises, des pyramides baroques, des cloîtres peints, de l'incomparable décor napolitain. « Vraiment ? Ses yeux ne s'attachent qu'à ces beautés et à ces surprises-là ? Quand se décidera-t-il à être sincère ? »

Bon, soyons franc. Je ne veux pas te perdre, Gennariello. Ne te mets pas hors d'atteinte... Renonce à te marier... Laisse-moi un espoir... Une fois juché sur le Vomero, rien ne s'opposera plus à ton mariage. Jusque-là, je peux lutter à armes égales contre ton éducation chez les sœurs, contre le chantage des communistes. Tout seul, te serais-tu fiancé ? Qu'a-t-elle de si irrésistible, ta Giuseppina ? Est-ce un goût spontané que tu as suivi ? A ta place, je serais moins sûr de ne pas m'abuser. Don Michele, ton frère, les slogans de la télé, le refrain des médias, fais à chacun sa part. Ah ! Gennariello, je ne te demande aucune réponse définitive. Réfléchis... Ne t'engage pas à la légère... Tu crains que je ne t'influence ? Non. Je te répète seulement : laisse-moi espérer... Rien qu'une lueur... Même si c'est horrible pour moi que tu me soupçonnes de te tenir par l'argent ! Crois-tu que ton raisonnement m'échappe ?

« P.P.P., d'où vient-il, après tout ? Du Frioul ! A moitié Autrichien ! Homme du Nord ! Le dernier de cette longue lignée de rapaces qui, sûrs d'eux grâce à leur provision de devises, fondent sur la Méditerranée pour satisfaire leurs envies en profitant de notre pauvreté. Avant lui Krupp avait choisi Capri, Gloeden Taormina, Lawrence séjournait en Syrie, Gide à Biskra. Et lui ? Parce qu'il trouve l'Inde ou le Kenya trop éloignés, va-t-il planter à Naples son quartier général ? Que voulait-il dire en m'implorant de rester " en contact avec le bas de la ville " ? A portée de son désir, oui ! Dois-je prêter foi à toutes ces billevesées sur le feu souterrain, le mystère des catacombes et je ne sais quoi encore ? Hum ! J'ai peur de ne deviner que trop bien ce que tout cela, en clair, signifie. Mais s'il table sur notre pauvreté pour nous garder indéfiniment à sa disposition... »

Arrête, Gennariello ! Ne va pas plus loin ! Tiens, je t'envoie tout de suite l'aval pour le notaire, si tu penses la moitié de ce que tu viens d'avancer. Tu verras que je ne compte pas sur ta dépendance financière pour m'assurer de ta soumission. Marie-toi ! Si tu ne m'aimes pas, que le besoin d'une aide matérielle ne t'amène pas à une lâcheté. Tu es libre. Naples n'est pas seulement mon « vivier », comme j'ai cru te l'entendre dire. Si tu as proféré ce mot, rétracte-le, je t'en conjure. Mot atroce ! J'ai mille autres raisons d'adorer ta ville.

Hélas, quand viendra l'occasion d'y retourner pour un de mes derniers films, tu ne seras plus pour moi qu'un ami distrait par le souci de sa petite famille. Tu te montreras aussi gentil, aussi chaleureux, mais à condition que je me tienne au second rang dans ton cœur. Eh bien soit ! Il est peut-être temps de te retirer, Gennariello. Prenons congé l'un de l'autre. Adieu. Si jamais je fais appel à toi, ce sera pour me servir de guide dans les ruelles de la vieille capitale. Ne crains pas que je t'importune par mes supplications, que je cherche à détruire ton couple. J'ai perdu mon pari avec toi. Giuseppina a gagné. Je m'avoue vaincu. Seconde de mes défaites après la disparition jamais acceptée, jamais oubliée, de Svenn. Tu me trouves bien tranquille, n'est-ce pas ? Je me reconnais trop vite battu ? Tu penses que le garçon aux semelles de caoutchouc et aux cheveux ébouriffés a déjà pris ta place ? Que je l'attends ? Que je compte sur lui ? Qu'il me rejoindra d'une façon ou d'une autre ? Peut-être.

Survivrai-je à un troisième échec, si l'amour vient me reprendre un jour par la main puis me lâche sans tenir sa promesse ?

38

Quant à l'Inde et au Kenya, j'ai peut-être entrepris ces voyages poussé par le calcul que tu m'attribues. Si tu savais sous quels noms, les jours où je cède à l'envie de me dénigrer, je me traîne moi-même dans la boue ! Plus s'est enrichie l'Italie, plus je me suis enfoncé loin dans le Sud. Plus aussi, en vieillissant, je voyais diminuer mes chances de plaire par moi-même. Des pentes fertiles du Vésuve j'ai transporté mon terrain de chasse sur les flancs désolés du Kilimandjaro. Le tiers monde sera toujours la providence de ceux que quelques pièces au fond de leurs poches transforment en nababs. Au parfum du jasmin dont les hommes de l'autre côté de la Méditerranée accrochent une branche à leur oreille, se mêle malgré nous, pour souiller la poésie de cette coutume, l'odeur de l'argent. Éternelle équivoque de notre attrait pour l'Afrique, pour l'Asie, éternel mensonge que la cime agitée des palmiers murmure aux quatre coins du désert... Avant de me condamner, écoute pourtant ce qui m'est arrivé là-bas, et si je n'ai pas été le premier puni. Les pays au-delà des mers m'ont apporté sans doute autant d'occasions qu'au plus vil des touristes ; mais, sous la facilité apparente, tu découvriras mes vrais buts, inconnus de moi-même jusqu'alors.

En Inde, j'étais curieux de voir quelle idée réussissent à se faire d'eux-mêmes les hommes d'un pays où il n'y a ni état civil ni papiers d'identité. Fort précaire et nettement insuffisante, comme je ne fus pas long à l'admettre, quoique eût souhaité le contraire un citoyen nostalgique de Bologne où la disposition en arcades a si longtemps fondu les habitants dans une communauté sans frontières.

Au Taj Mahal de Bombay, un des plus grands hôtels du monde, j'avais posé ma valise dans un coin du hall pour avoir les mains libres et serrer celles que me tendait un ami brahmane venu me souhaiter la bienvenue, homme de bel aspect et de vaste intelligence. D'une profonde tristesse aussi, parce que la caste à laquelle il appartient, la plus élevée dans l'hindouisme, lui interdit d'exercer sans déchoir un autre métier que celui de professeur dans l'enseignement public, carrière qu'il abhorre.

Nous causions, appuyés à un des piliers du hall, quand je vis un individu de mine suspecte tourner autour de ma valise en jetant de côté et d'autre des regards qui ne me disaient rien de bon. Entre mes chemises et un pantalon de rechange, mon bagage contenait le manuscrit de mon dernier poème. J'eusse été fort chagriné de perdre ces quelques feuillets. Indécis sur la conduite à tenir, j'essayai discrètement d'attirer vers la bizarrerie de ce manège l'attention de mon interlocuteur. Il suivit mon regard, laissa tomber d'une voix hautaine : « Oh ! ce n'est qu'un shûdra ! » et tourna dans une autre direction son noble profil basané.

Ce qui était à craindre arriva. Le shûdra, hindou d'une caste plus basse mais par là même moins empêché dans ses mouvements, souleva ma valise et s'éloigna le plus tranquillement du monde, à la barbe de celui que son rang supérieur condamnait à une attitude impassible. Plantant là mon brahmane et sa dignité, je courus vers un portier qui traversait le hall. Il me désigna le comptoir de réception, derrière lequel un concierge m'adressa à un boy, qui alla chercher la seule personne habilitée dans l'hôtel à traiter avec les voleurs, parce que de religion chrétienne.

Inutile d'ajouter que ma valise avait disparu avant que je n'eusse parfait mon instruction. Un code d'une rigueur absolue répartit les tâches et les prérogatives entre le personnel du Taj Mahal, selon la religion et la caste de chacun. Les portiers, étant sikhs, n'ont ni le désir ni la possibilité d'intervenir à la place des concierges, tous parsis, tandis que les boys, recrutés parmi les jaïns, ne sauraient à leur tour se mêler de ce qui échoit aux bouddhistes ou aux musulmans.

Du moins crus-je tirer cette leçon des quelques commentaires laconiques arrachés à mon hôte. Il m'invita à boire une tasse de thé. « Éclairez-moi un peu sur vos dieux », lui demandai-je, pendant qu'un serviteur posait entre nous sur une table de campêche deux tasses de la porcelaine la plus fine et une théière ornée d'un éléphant. « Qui est Vishnu ? Qui est Shiva ? » Pour toute réponse, il souleva la théière, remplit ma tasse et continua à verser après qu'elle fut pleine. Le liquide se répandit dans la soucoupe. « Je vous comprends, dis-je. Vous me signifiez par ce geste que ma tête est arrivée en Inde comble à ras bord d'idées occidentales. Je dois la vider avant d'y introduire les prémices d'une nouvelle philosophie. » Il remua les lèvres avec une moue approbative, sans descendre jusqu'à m'accorder qu'en fait de renoncement à mon bien et volonté de renouveau j'avais donné mes preuves. Pour un voyageur venu s'initier à la sagesse hindoue et au détachement des choses de ce monde, n'était-ce donc rien que de s'être laissé dépouiller de son bagage ?

Le Taj Mahal n'est qu'un microcosme de l'Inde. On se heurte partout dans ce pays à des spécialisations maniaques qui maintiennent les hommes en compartiments étanches. Faute de registres où soient couchés leur nom et leur état civil, ils se demandent quelle place ils occupent dans la société. Chacun éprouve le besoin de se fixer quelques tâches très restreintes et de répéter jusqu'à l'obsession un petit nombre de gestes qui lui apportent le minimum indispensable de garantie sur soi-même.

Les fiers brahmanes ne sont pas les seuls à se ligoter d'interdits. La plèbe la plus misérable vit engoncée dans l'observation minutieuse de rites contrariants et de défenses absurdes. Dans un restaurant populaire, fréquenté par une secte de rang infime, j'ai constaté que tout le monde mangeait en se servant uniquement de la main gauche. Opération rien moins qu'aisée, car il s'agit, avec l'aide des seuls doigts de cette main (fourchettes ou baguettes étant également prohibées par leurs règles), de saisir une petite quantité de riz, de la rouler en boule, de tremper cette boule dans une sauce grasse au curry, puis de la porter à sa bouche sans qu'elle se désagrège en route. Je crus d'abord que cette foule de manchots affairés au-dessus de leurs bols rivalisaient dans une compétition silencieuse à la suite de quelque pari bizarre, mais j'en savais maintenant assez sur l'Inde pour comprendre la vérité. Répéter mécaniquement un acte dénué en apparence de raison protège contre le vertige du non-être des gens qui n'ont que ce moyen dérisoire pour éviter le morcellement et la désintégration.

Du coup, tombèrent une partie de mes critiques contre ce que j'appelais, avant mon voyage, l'individualisme petit-bourgeois de mise en Europe. En fin de compte, une fois assurés le nom, l'identité, le domicile fixe (au lieu du gîte itinérant fort prisé ici) et tout ce que je désignais avec mépris sous le nom de « clôture domestique », place bien plus grande reste à la liberté intérieure que s'il faut, chaque jour, chaque heure, se prouver son existence par des gestes stéréotypés et immuables, comme ces malheureux vaishya obligés de garder leur main droite sur les genoux pendant que la sauce au curry dégouline de leur menton.

Voilà une des causes qui m'ont amené à quitter Monteverde pour l'appartement plus confortable et plus spacieux de via Eufrate, où j'ai enfin trouvé la surface de murs nécessaire aux milliers de livres de ma bibliothèque. D'autres motifs que tu apprendras m'ont poussé à ce choix. Mais ne lui fut pas étrangère la conviction, à mon retour de Bombay, qu'on économise une quantité incroyable d'énergie spirituelle en s'organisant un espace privé suffisant pour garder la tête disponible aux choses qui en valent la peine. Matérialisme du sage. Parmi les rites les plus astreignants en Inde, figurent tous ceux qui touchent à la nourriture et à la cuisine. Quel temps perdu dans la corvée fastidieuse de la sélection et de la confection des mets! Moi, il me suffit d'ouvrir mon réfrigérateur Miele, de renommée fâcheusement capitaliste, pour attraper au hasard une tranche de jambon ou un œuf dur, sans cesser de me réciter les vers que je viens d'écrire et de les perfectionner mentalement.

Cependant, lorsque je te disais que j'avais rencontré ma « punition » au-delà des mers, je me référais à d'autres séjours, non plus en Asie, mais en Afrique. Laisse-moi d'abord finir de te relater mon premier voyage où des événements, obscurs à ma conscience quand ils se produisirent, préparèrent à leur façon l'avenir.

Parti pour tourner un documentaire sur l'Inde, c'est-à-dire sur la famine dans l'Inde, je me demandais : « Comment éviter les clichés misérabilistes ? » lorsque le brahmane mon ami, cet homme rigoureux et sévère, si à cheval sur ses principes qu'il n'y aurait pas dérogé pour conserver un poème à la littérature italienne, me fournit le biais nécessaire. Un jour, me raconta-t-il, du temps des Anglais, le maharadjah de Jaipur sortit de son palais pour inspecter ses domaines. La neige recouvrait la campagne d'un manteau blanc. Des bébés tigres s'étaient improvisé une tanière au milieu de l'étendue désertique. Tapis sous de maigres buissons, ils se mouraient de faim et poussaient de faibles gémissements. Le grand seigneur éprouva une profonde pitié pour ces créatures. Il se mit à prier. A la fin de sa longue oraison, il congédia son escorte, se dépouilla de ses vêtements et se donna en pâture aux animaux, qui le déchirèrent de leurs jeunes dents pendant qu'il continuait à prier.

Le sacrifice du prince fit sur moi un effet si extraordinaire que, sans m'arrêter à comprendre les raisons de mon trouble, je me décidai sur-le-champ à utiliser cette légende pour mon film, malgré l'anachronisme d'un tel scénario. Avec la troupe et le matériel, je me transportai dans la ville sainte de Bénarès, où on brûle les cadavres sur les escaliers qui descendent vers le Gange. La cérémonie se déroule dans une atmosphère paisible : mélange d'élégance résignée et de formalisme serein, qui ôte à ces funérailles l'angoisse de la mort. Chacun au fond de lui-même songe à la félicité du défunt, dont l'âme ne tardera pas à se réincarner dans un autre corps pour une vie plus heureuse. Aussi nul lieu ne me sembla-t-il plus propice à l'espoir que je nourrissais.

Je plantai ma caméra sur les marches d'un temple et interpellai un gamin debout devant l'appareil avec ses grands yeux noirs. J'avais préparé ma question, que je lui posai après avoir obtenu le silence de ses camarades massés par grappes autour de nous. « Si un tigre, là, devant toi, était en train de mourir de faim, lui donnerais-tu ton corps à manger ? » Son visage s'éclaira, une double rangée de dents serrées et pointues apparut entre ses lèvres écartées par un large sourire. Il répondit sans hésitation : « Oui, je le ferais. »

J'aurais pu me contenter de cette franchise, elle s'accordait à mon vœu le plus intime. Pourtant, à l'origine de ce « oui » si clair, si lumineux, il me sembla que le désir de faire plaisir à l'étranger comptait plus que le souci de bien pénétrer le sens de sa question. Le petit garçon aurait répondu par l'affirmative à n'importe laquelle de mes demandes : non dans l'attente d'un pourboire — il ne tendit à aucun moment sa main brune — mais pour me donner une preuve de son caractère accommodant et serviable. Or, de mon côté — mû toujours par ce fantasme du tigre — je tenais absolument à trouver un interlocuteur qui accepterait, en pleine connaissance de cause et par conviction intérieure, de courir à l'immolation.

A la porte de son monastère, j'interrogeai un religieux : « Si un tigre, là devant vous, était en train de mourir de faim, lui donneriez-vous votre corps à manger ? » Le cénobite, à qui un seul chicot restait au fond de sa bouche noire, secoua la tête et me dit : « Le maharadjah de Jaipur éprouvait un amour infini pour les êtres vivants. Il s'est dévoué pour sauver d'autres vies. — Mais, repris-je, sans m'apercevoir de ce que mon obstination avait d'inconvenant, si, à côté de votre porte, il y avait encore des tigres qui mouraient de faim, se trouverait-il quelqu'un parmi vous disposé à les rassasier de sa chair ? — Vous ne devez pas, répondit le moine, prendre à la lettre les légendes d'avant l'indépendance. L'histoire du maharadjah de Jaipur nous enseigne l'art de la pitié. »

Je laissai dans la boîte des aumônes une forte quantité de roupies. Le saint homme, dont le burnous en haillons recouvrait à peine le corps squelettique, crut sans doute que ses conseils m'avaient édifié et que je lui marquais ma reconnaissance par ce don. Il n'aurait jamais pu deviner que, profondément déçu au contraire et en même temps conscient d'exiger une réponse absurde, j'invoquais par cette offrande la grâce de rencontrer une oreille moins rétive.

Peut-être qu'auprès d'un maharadjah vivant, pensai-je, la morale du sacrifice resterait en vigueur ? J'obtins un rendez-vous du prince de Mirzapur. La taille bien prise dans une tunique de lin, il avait piqué dans son turban une aigrette de nandou. « Selon toute probabilité, me dit-il, un maharadjah emmènerait les tigres dans son palais et leur donnerait à manger. — Mais s'il était profondément religieux, et qu'il voulût les nourrir de son propre corps... — Oui, pour des raisons religieuses, le cas a pu se produire. — Mais aujourd'hui, insistai-je, sans prendre garde que seule l'extrême courtoisie de mon hôte l'empêchait de mettre à la porte le fâcheux, aujourd'hui, un tel geste serait-il possible ? — Aujourd'hui non, je ne crois pas », me répondit-il avec une certaine brusquerie, lui qui, à la différence du petit garçon interrogé d'abord, n'avait aucun motif de tordre le cou au bon sens.

Ainsi prit fin notre entretien. Mais non la tristesse où me plongea l'évidence que personne dans cet immense pays ne mettrait la joie mystique d'être dévoré par un fauve au-dessus de l'instinct de conservation.

Le soir, ayant donné congé à la troupe, je partis à l'aventure loin du cœur de la ville, attiré comme toujours par les faubourgs les plus écartés et les plus solitaires. Que cherchais-je, en rôdant dans ces terrains vagues où l'eau des étangs est trop opaque pour que s'y mirent les arbustes aux branches rabougries ? A quoi rêvais-je ? Tu ne me croiras pas si je t'affirme que ma promenade nocturne au-delà des ponts de Bénarès était sans but précis, du moins sans le but qu'on voit peint sur ma figure quand je chasse sous les pins de la Villa Borghèse ou sur les flancs buissonneux du Capitole. Faut-il l'avouer ? J'aurais voulu racheter la prudence des Indiens modernes, donner réparation aux tigres, me jeter entre leurs pattes, m'offrir en pâture à leurs crocs... Folles imaginations... Le plus curieux est que dans mon esprit ni violence ni douleur ne s'associaient à ce sacrifice, mais une indicible volupté. En même temps, j'essayais de me rappeler où déjà cette image de tigre et de repas humain m'avait frappé si vivement.

J'en étais encore à fouiller dans de lointains souvenirs obscurcis, quand une bande de lascars déboucha de l'ombre à bord d'une vieille millecento déglinguée. La voiture fit mine de foncer sur moi, à grands coups de klaxon arrogants. Ce geste que j'aurais trouvé stupide et vulgaire de la part des jeunes fascistes embusqués piazza San Babila à Milan me parut au contraire une grâce envoyée du Ciel. A l'instant je compris pourquoi je m'étais risqué à cette expédition dans cet ancien parc aux recoins suspects, repaire de vagabonds et de voleurs. Ils purent constater à mon attitude docile que je ne songeais ni à m'enfuir ni à me défendre. Debout et immobile devant les phares, les bras écartés dans un élan de soumission, je me remettais entre leurs mains.

Ils s'assirent en cercle autour de moi, sans dire un mot. Le dernier à les rejoindre fut le chauffeur, quand il eut retiré du coffre un objet de forme oblongue enveloppé dans un chiffon, qu'il posa à côté de lui sur l'herbe. Je les comptai : ils étaient sept, tous avec des têtes rasées et des visages maigres et sombres où brillait comme des escarboucles une paire d' yeux grands ouverts posés fixement sur les miens. Ils esquissèrent un sourire d'abord timide, puis écartèrent franchement les lèvres. De leurs mains nerveuses aux ongles pointus, ils arrangeaient sur leurs genoux les plis de leur tunique. Deux d'entre eux portaient autour du cou un collier de fleurs rouges. Je leur rendis leur sourire, et inclinai la tête en signe de consentement. Jusqu'à quels raffinements pousseraient-ils les mystères de la politesse orientale, avant de fondre sur leur victime pour la rosser et la dévaliser ?

Dix minutes au moins se passèrent ainsi, à nous observer mutuellement en silence et à laisser mûrir entre nous une curiosité sans réponse. Des oiseaux nocturnes planaient sur leurs ailes blanches au-dessus des buissons et, du côté du fleuve, on entendait par intervalles le feulement rauque des chats sauvages. Entièrement à leur merci dans cette solitude sans témoins, je me demandais quel geste donnerait le signal de l'agression. Peut-être un simple clin d'œil ? Un mouvement de l'orteil dans la sandale à lanières ? Enfin, celui qui l'avait apporté déballa l'instrument : une flûte, à ce que je crus distinguer, une flûte droite, faite d'un tube en ivoire décoré de croisillons en relief. Ils se la passèrent de main en main, comme s'ils hésitaient avant de se décider. Un de ceux dont la poitrine était barrée par des fleurs la garda plus longtemps et la retourna entre ses doigts. Ses compagnons l'encouragèrent. Il porta le bec à ses lèvres et se mit à jouer. Une vieille mélodie indigène, une phrase hachée, saccadée, lamentable, se terminant par un trille suppliant. On eût dit que toute l'histoire de l'Inde, les siècles de ses malheurs historiques et de ses catastrophes naturelles déroulaient leurs plaintes dans cette psalmodie. Et pourtant, sous ce râle qui n'en finissait pas de mourir, prolongé par le battement rapide des doigts et par le souffle inépuisable de l'instrumentiste, perçait l'antique fierté d'un peuple à qui la tragédie permanente de la misère, de la famine, des épidémies, des inondations, n'ôte ni sa douceur ni sa dignité.

Le jeune homme s'était levé pour donner plus d'ampleur à son chant. Ses camarades, toujours assis en rond autour de moi, suivaient chaque inflexion de la mélodie avec des mouvements approbateurs de leurs têtes rasées. Un ou deux fermaient les yeux, mais les autres cherchaient mon regard pour voir si je recevais bien le message. Que, revenu de mon erreur et honteux d'une telle méprise, je traduisais à peu près ainsi : « Ô étranger, nous t'avons abordé grossièrement, parce que nous ne savions pas si le son d'une pauvre flûte, le seul cadeau que nous avions à te faire, suffirait à retenir ton attention. Tu retourneras bientôt dans ton pays où les villages sont construits en pierre et non en bouse de vache, où le nombre des enfants n'est pas dix fois supérieur à celui des poignées de riz, où la peste et le choléra ne rôdent pas devant les seuils. Ne nous juge pas trop sévèrement, nous qui ne savons que jouer de la flûte, que dire par la musique notre humble tendresse, notre amour pour le monde... »

Longtemps la mélopée s'étira dans la nuit tiède. Elle frôlait les touffes d'herbe sale, montait vers le ciel étoilé, redescendait en volutes, restait accrochée aux branches, flottait devant les yeux grands ouverts des jeunes Indiens suspendus à chaque note. A la fin ils se levèrent, inclinèrent timidement la tête et repartirent dans leur voiture, sur la piste creusée par les ornières dans la boue séchée. Rencontre dont j'ai gardé un souvenir inoubliable, tout en regrettant qu'un présent de si grand prix soit allé à un homme agité de trop de passions pour trouver la paix dans un concert.

39

T'ai-je dit quand mon père était mort ? Le 19 décembre 1958, deux mois et demi après Pie XII. Un événement que j'aurais dû mentionner bien plus tôt. Où avais-je donc la tête ? Il gémit, hurla, le délire de son agonie ressembla à une de ses journées ordinaires. Il se tordit dans un spasme d'horreur, les yeux écarquillés, souleva dans un ultime effort sa tête chauve comme s'il voulait nous maudire, puis retomba raide. Maman, se souvenant de l'ancienne coutume longtemps en vigueur à Casarsa, s'accusa de n'avoir pas défait à coups de ciseaux quelques points du matelas. Plus difficilement l'âme s'envole vers le ciel quand on ne lui ouvre pas le passage.

Je ne pensai plus jamais à mon père jusqu'au jour où, trois ou quatre ans après mon voyage en Inde — j'avais visité entre-temps le Soudan, le Ghana, le Nigeria, la Guinée, Israël, la Jordanie, à nouveau le Soudan et le Zaïre, long périple dicté, telle était du moins mon opinion, par le hasard des conférences et des repérages pour mes films — jusqu'au jour, donc, où j'atterris à Nairobi, capitale du Kenya.

J'avais emporté dans mes bagages un assortiment de vestes et de pantalons plus soigné que d'habitude. Je me rendais à Nairobi en visite officielle, sur l'invitation du chef de l'État. On présenterait au cours du premier festival de cinéma panafricain mon film sur l'Évangile qui venait d'être primé à Venise.

Après la campagne habituelle de calomnies et d'invectives à laquelle a donné lieu chacune de mes œuvres. Œufs pourris, fenouils, insultes devant le palais du Festival ; cris, sifflets, menaces ordurières dans la salle ; tomates, nouveaux fenouils, horions à la sortie. *Il Secolo d'Italia,* sous une photo du baiser de Judas, publia le commentaire suivant : « Remarquons l'expression sensuelle du camionneur du Transtévère qui personnifie le traître. Nous croyons

313

que la mesure est comble et que la magistrature doit intervenir. Que P.P.P. et ses adeptes s'embrassent entre eux tant qu'ils veulent, mais qu'ils ne fassent pas endosser leurs mœurs par les protagonistes de l'histoire du monde. » Plus partisane que jamais se révéla en cette affaire la presse, car si on pouvait trouver un défaut à mon film, c'eût été au contraire la timidité excessive. J'ai filmé un Christ asexué et lointain, d'après la tradition des peintres du Moyen Age et de la Renaissance. Sublimé encore par les musiques de Bach et de Mozart, dont les harmonies célestes planent à cent pieds au-dessus de la terre. Jean n'occupe pas une place de choix parmi les apôtres. On ne le voit même jamais poser sa tête sur la poitrine de Jésus ! J'ai manqué l'occasion d'interroger l'Évangile sur un point qui reste fort obscur et troublant.

Œuvre pusillanime, oui, dont il n'y a pas lieu de me vanter. Imagerie classique, difficile à justifier de la part d'un cinéaste que ferait retourner dans sa tombe la fresque sucrée de Zeffirelli. J'ose pourtant invoquer une circonstance atténuante. Les journalistes à l'affût du scandale ne l'ont même pas soupçonnée. Qui a incarné Marie dans la dernière partie du film ? Je n'avais pas engagé une actrice mais choisi... maman en personne ! C'est elle qui prêta à la Madone en larmes son beau et doux visage aux mille plis creusés par une vie déjà longue de souffrances. J'ai tourné ce film pour elle, c'est à elle que je l'ai dédié. Où trouver ailleurs que dans l'Évangile le prétexte d'écrire l'histoire d'amour entre une mère et un fils ? L'avenir montrerait que ce n'était pas abuser des Saintes Écritures que d'inclure la Passion elle-même dans notre drame particulier.

Je ne pouvais pas courir le risque de choquer maman en montrant Christ ou certains de ses disciples dans des attitudes équivoques auxquelles ne l'avaient préparée ni sa foi naïve de paysanne du Frioul ni le sacrifice précoce de toute émotion physique dans sa vie ni ce qu'elle voyait des habitudes de son fils. Si tard qu'il rentrât à la maison, il revenait toujours seul et dormait dans un lit à une place dont elle tirait chaque matin les couvertures à peine dérangées par le sommeil d'une nuit chaste. Pudique devait être mon film, pudique il fut de la première à la dernière image. Tant pis si cette œuvre déçoit quiconque attendait de l'auteur « maudit » une lecture plus coura-geuse de l'Évangile. L'Office catholique international du cinéma me décerna son Grand Prix. Une distinction dont je ne m'émus guère mais qui rendit maman si fière que j'aurais commis bien d'autres petites lâchetés pour la revoir aussi heureuse.

Elle m'aida à remplir ma valise pour le Kenya. Rien d'étonnant que je me fusse pourvu d'un abondant vestiaire, en vue des réceptions au programme. Maman aussi, me sembla-t-il, choisit avec un soin inaccoutumé les chemises et les cravates qui iraient le mieux à son fils selon chaque circonstance. Pourtant, la coquetterie n'entrait guère dans mes préoccupations, quant aux mondanités, je n'en faisais aucun cas, maman le savait aussi bien que moi. J'avais déjà participé à mainte autre manifestation officielle dans le monde et assisté à plus d'un gala cinématographique sans me mettre en frais de garde-robe. Pourquoi donc nous réjouir avec cette gaieté enfantine, elle d'imaginer mes succès prochains dans l'ancienne colonie anglaise devenue indépendante depuis deux ans, moi de plier dans sa housse la veste en alpaga ivoire achetée exprès chez Valentino en bas de la place d'Espagne ?

La réponse me fut donnée le soir de mon arrivée, sur les pelouses du consulat d'Italie. Pour le cocktail d'inauguration, j'avais endossé mon smoking blanc. La foule des invités se pressait dans le jardin, derrière la maison victorienne au charme désuet. Intimidé et mal à l'aise, je me tenais sur le perron, mon verre à la main, sans la moindre intention de tremper mes lèvres dans le prétentieux et fortement alcoolisé mélange tropical. Adossé à une des colonnes blanches qui soutenaient l'élégant fronton, je contemplais la splendeur moite de la nuit africaine. Le consul, se détachant d'un groupe de jeunes femmes en capelines de dentelle, m'invita à descendre et à le rejoindre. C'était un ancien officier de l'armée royale italienne, qui avait fait toute sa carrière en Afrique orientale, et trouvé après la guerre à se recaser dans la diplomatie. Homme affable et disert, qui parlait par lieux communs et citations latines, lissant d'une main sa barbiche poivre et sel taillée à la De Bono, de l'autre jouant avec sa montre en or logée dans une poche de gilet contre son ventre agréablement rebondi.

— Pier Paolo, me dit-il en passant son bras sous le mien, permettez-moi de vous appeler ainsi, mon âge m'autorise à prendre cette liberté... et puis aussi le fait que... Mais à propos, est-ce que votre papa vit toujours ?

— Il est mort, monsieur le consul.

— *Sic transeuntur anni !* Nous avons été prisonniers ensemble, ici même, à Nairobi. Je puis dire que j'ai pris ma revanche ! déclara-t-il en se plantant au milieu de la pelouse sur ses deux courtes jambes. Mais vous-même, hein ? Vous n'avez pas dû être fâché d'apprendre le départ des Britanniques ?

Il me clignait de l'œil par-dessus son verre qu'il sirotait à petites gorgées satisfaites.

— Buvez donc ! Trinquons à la mémoire de votre pauvre papa !

— Excusez-moi, dis-je, l'alcool...

— Bien ! Très bien, mon jeune ami ! *De gustibus et coloribus...*

315

Racontez-moi un peu votre vie... Je vous suis de loin, savez-vous...
Oh! je ne prétends pas avoir lu tous vos livres... Je me remettrai à
lire quand j'aurai pris ma retraite... A tête reposée... Ce qui ne
m'empêche pas d'être parfaitement au courant. Je sais que vous
avez magnifiquement réussi.

A ce dernier mot, malgré moi, je me sentis rougir. Le liquide rose
trembla dans ma main et, pour masquer mon trouble, je dus faire
semblant de boire une gorgée.

— Magnifiquement réussi! reprit-il. Il n'y a qu'à vous regarder,
habillé comme vous êtes... Le plus cher tailleur de Rome, hein?
Permettez-moi de vous féliciter... Vous êtes le meilleur ambassadeur de la culture italienne que j'aie jamais reçu à Nairobi. Entre
nous, les intellectuels vos confrères... champions pour le débraillé!

J'aurais voulu être sûr que ma gêne ne tenait qu'à la familiarité
volubile et au débit insipide de mon interlocuteur. Hélant deux ou
trois de ses hôtes qui passaient près de nous, il les prit à témoin de
ma « splendide réussite », comme il ne cessait de répéter. J'étais sur
des charbons ardents, et répondis par un sourire contraint aux
compliments d'une dame qui retournait son sac à la recherche d'un
bout de papier pour m'extorquer un autographe.

— C'est son pauvre papa qui aurait été fier! continuait, impertur-
bable, l'amphitryon, sans se douter qu'une remarque aussi anodine
me bouleversait jusqu'au tréfonds de l'âme. Car, avec son gros bon
sens, il venait d'énoncer une vérité que je m'étais ingénié à me
cacher jusque-là, malgré mes prétentions à me connaître.

— Carlo Alberto, il n'a pas eu de chance, ça on peut le dire, oui.
Quatre ans derrière les barbelés, puis le retour dans sa patrie où les
hommes avec un passé comme le sien n'avaient plus leur place. Je
parie que le fils a le sentiment aujourd'hui de réparer l'injustice faite
à son père. Qui n'a pas été fasciste à l'époque, voulez-vous me le
dire?

La dame et le gros monsieur qui l'accompagnait hochèrent la tête
et ne firent aucune difficulté pour donner leur assentiment. Je fus
soulagé quand la discussion, déviant vers la politique, prit un tour
général. J'avais besoin de me calmer et de repenser avec sang-froid
au petit discours du consul. Pourquoi, au lieu de hausser les épaules
devant son verbiage, me sentais-je dans la situation honteuse de
celui à qui on vient de prouver qu'il a toujours menti?

Pendant que le gros monsieur racontait ses campagnes avec le
général Badoglio et que la dame, après avoir trouvé le morceau de
papier, recommençait à fouiller dans son sac à la recherche d'un
porte-mine, j'essayais de me ressaisir. « Voyons, tu as débuté par
l'Inde, et tu n'as choisi le Kenya qu'en dernier lieu, ayant visité

d'abord les autres États d'Afrique. » A peine cette phrase prononcée mentalement, je compris que je mentais à nouveau. « Semblables atermoiements prouvent au contraire la fixité de ton but. Deux fois, depuis le Soudan limitrophe, tu as failli entrer. Pour venir à Nairobi, tu devais te sentir prêt. Prêt à reparaître en vainqueur là où ton père avait subi pendant quatre ans le régime pénitentiaire. » Nouvelle objection : « Ce n'est quand même pas ce smoking blanc... » Réplique foudroyante : « Ni ton prix de l'Office catholique international du cinéma ? » Je me mordis les lèvres. La dame me tendit un petit stylo en or guilloché. Je dus le secouer en tout sens pour faire descendre l'encre. Diversion bienvenue, puisqu'elle me justifiait d'être en sueur, au milieu de ces élégantes si fraîches sous leurs chapeaux transparents. « Pas une simple récompense artistique, toujours suspecte à des yeux militaires. Mais un prix catholique, de quoi plaire sans réserve à un capitaine. »

— Vous ne vous sentez pas bien ? me demanda le consul.

Il me voyait éponger ma figure avec le mouchoir de batiste que, sans égards pour l'arachnéen linon mis en plis par les mains maternelles, j'avais tiré de la pochette de ma veste et serrais convulsivement dans mon poing.

— Vous n'êtes pas encore habitué à nos climats... Attention ! Jamais d'eau du robinet...

Il m'accompagna jusqu'au perron où il pria un maître d'hôtel de me conduire dans la bibliothèque et de m'y installer dans un bon fauteuil en face d'une tasse de café. Une pièce confortable et silencieuse m'accueillit, éclairée par une seule lampe qui laissait dans l'obscurité les hautes étagères d'ébène. Des statuettes nègres et des défenses d'éléphants reluisaient vaguement sur les planches. Je me pris la tête entre les mains. A plus amer constat de dépendance n'aurait pu aboutir ma réflexion.

« Ton père, oses-tu nier encore son importance dans ta vie ? Tu voudrais qu'il ne pèse d'aucun poids sur ta conduite, qu'il ait disparu sans te marquer de son influence. Tu n'aimes que ta mère, et tu ne supportes pas l'idée qu'un autre ait contribué à te façonner tel que tu es. Bon gré mal gré, il faut pourtant te rendre à l'évidence. Celui auquel tu ne penses jamais et que sans émotion tu as vu mourir, il ne te quitte pas d'une semelle, il t'escorte dans l'ombre. Tes actions, il en gouverne plus d'une en secret. D'où te vient, par exemple, cette curiosité exclusive pour l'Afrique noire, au mépris des douceurs tant vantées du Maghreb ? Quel dédain, ou négligence, t'a tenu à l'écart des palmeraies de Marrakech, des oasis de Tunisie ? Pourquoi, accouru d'abord au Soudan et au Zaïre, n'osais-tu pénétrer au Kenya ? Comment expliquer que tu aies attendu une reconnaissance officielle, une couronne de tes compatriotes, avant de te montrer dans le pays où le vaincu d'Amba Alaghi supporta l'affront et la honte du camp? Qui t'obligeait à fêter ta victoire de Venise dans le fin fond d'un continent incapable encore de produire un seul film? Ouvre les yeux! Toi qui prétends agir en homme libre, affranchi de ton passé familial, tu n'as pas choisi par hasard Nairobi. N'est-ce pas l'ancien captif de l'amiral Cunningham qui t'a envoyé, sur les lieux mêmes de son humiliation, lui obtenir cette vengeance posthume?»

Je relevai la tête, avili. Au bout des quelques instants qui me furent nécessaires pour accommoder mes yeux à la pénombre, que vis-je, à deux pas de mon fauteuil, posée sur un guéridon contre la statuette de bronze d'un guerrier peul? Une carte postale, que je reconnus immédiatement : la copie exacte, j'en aurais mis ma main au feu, de celle que mon père nous avait expédiée à Casarsa et que j'avais repêchée en cachette dans la corbeille où maman s'en était débarrassée avec l'indifférence réservée chaque mois au courrier conjugal. L'image, identique dans tous ses détails, de l'aventurier et du tigre. Le fauve a déjà dévoré une partie de sa proie mais l'imprudent chasseur, dont seuls la tête et le haut du buste émergent de la gueule aux profondeurs béantes, loin de paraître effrayé par la mort, semble goûter beaucoup d'agrément à son supplice.

D'une main tremblante, je saisis la carte pour l'examiner de plus près. Je retrouvai, intact dans mon souvenir, chaque trait de la scène : le sourire docile du jeune homme qui a l'air de s'offrir de plein gré à la rapacité du tigre ; la chair vigoureuse et bronzée du torse épanoui dans la déchirure de la chemise ; le pelage rayé de l'animal arc-bouté sur ses pattes nerveuses ; les palmiers qui dans le fond du désert jettent vers le ciel jaune leurs panaches flexibles ; un oiseau exotique, perché sur une tige de bambou, qui lance de toute la force de son gosier bicolore un chant sur deux notes (marquées dans une bulle) à la gloire de ce festin humain. Toutes les émotions éprouvées autrefois m'assaillirent à nouveau. Je me revis emportant l'image sous ma chemise et la clouant à la tête de mon lit. Elle était devenue mon fétiche. Chaque soir, avant de m'endormir, j'adressais ma prière au fauve. Il bondissait à mon appel, il accourait vers sa plus que consentante victime. Délices de la peur et de la fuite... Volupté encore plus grande de la reddition... Depuis cette lointaine époque, à vrai dire, avais-je cessé un seul jour de chercher inconsciemment le beau monstre qui me déchirerait entre ses crocs?

Ce n'était pas la peine d'avoir vécu, pendant plus de vingt ans, une existence pleine et riche ; de m'être inscrit deux fois au parti communiste ; d'avoir écrit dix-sept livres et tourné six films ; d'être devenu un spécialiste de la poésie dialectale ; de m'être fait un nom, encensé ou honni, comme auteur et réalisateur engagé ; d'avoir parcouru la moitié du monde ; de m'être rendu en Inde et d'avoir recueilli avec une curiosité d'ethnologue la légende du maharadjah de Jaipur ; non, ce n'était pas la peine d'avoir acquis cette longue éducation intellectuelle et politique qui, d'un autre peut-être, eût fait un adulte détaché de son enfance, pour découvrir à quarante-trois ans que le geste de mon père, le jour où il déposa, sans aucune intention d'ailleurs, ce message dans la boîte postale de son camp, avait associé à jamais dans le cœur de son fils plaisir et châtiment, avidité gourmande et soumission coupable.

La suite de mon séjour à Nairobi... Eh bien ! tu ne t'étonneras pas qu'elle n'ait en rien ressemblé au début. Si l'obéissance à l'obscure loi paternelle devait s'accomplir dans la cruauté et dans le sang, je n'étais pas venu en Afrique pour me contenter d'aventures anodines. Ainsi éludai-je les offres plus ou moins explicites de différents boys du Hilton. Ils frappaient à la porte de ma chambre, passaient leur frimousse noire dans l'entrebâillement et entraient, sans attendre ma réponse, sous prétexte de vérifier l'étanchéité de la moustiquaire ou d'apporter sur un plateau en bois de palissandre des tranches d'ananas glacé.

Le consul avait cru bien faire en me logeant dans ce palace. Plus complète satisfaction n'aurait pu recevoir celui en qui il voulait non seulement honorer « un prince du septième art », mais choyer la mémoire d'un ami. Là où le père, tourmenté par les fièvres, avait dû se contenter d'une paillasse et d'un coin de baraquement, le fils n'aurait qu'à tourner le bouton du climatiseur pour régler la température à sa guise. Un assortiment de boissons capiteuses, maintenues à une fraîcheur de cinq degrés dans le bar mural, étancherait agréablement sa soif.

— Luxe, calme et volupté, comme aurait dit D'Annunzio. Même si ce n'est pas l'Excelsior du Lido, je crois que vous n'aurez pas à vous plaindre.

Prévenance louable, qui prouvait chez mon hôte un naturel généreux à défaut de culture littéraire, mais ne produisit pas sur moi l'effet attendu. Cette chambre me pesait. En fait, à Venise aussi, je fuyais l'Excelsior dès que possible. Mon goût m'a toujours porté vers des hôtels plus simples. A Nairobi, je me sentis particulièrement mal à l'aise dans ce décor opulent. Peut-être à cause de l'insistance du consul à comparer le père et le fils et à raconter partout l'extraordinaire retournement de fortune des P... Dall'Onda. S'il me manquait quelque chose, c'était bien la liberté intérieure nécessaire pour profiter des avantages que la réussite mettait à ma disposition. Appartenais-je à cette race de fils que la conscience d'avoir dépassé leur père épouvante comme un sacrilège ?

Toujours est-il que je ne gardais mes vêtements d'apparat que le temps indispensable pour m'acquitter de mes devoirs mondains. De nouveau en maillot et en jean, chaussé de vieux baskets, je m'échappais dès la tombée de la nuit par la sortie des cuisines. De chétives cabanes, bois et tôle imbriqués au petit bonheur, prolongeaient la ville jusqu'au début de la prairie. La plupart rafistolées tant bien que mal, avec des fils de fer et des bouts de carton, mais précédées d'une clôture en grillage, comme s'il s'agissait de villas privées. Un trou pour la fenêtre, un autre pour la porte. Ce qui n'avait pas empêché leurs propriétaires de tendre sur des pieux, comme un baldaquin devant l'entrée, des étoffes rouges aux dessins criards. Qu'était devenu le modèle indigène et coquet de la paillotte ? Preuve déprimante de la dégradation des coutumes locales sous l'influence européenne, mélange de goût bâtard et de vanité impécunieuse, ce ramassis de cahutes défigurait le grandiose crépuscule africain. Je ne sais pourtant quelle séduction je leur trouvais, tandis que je me hâtais vers mon but ; la même sans doute qui me pousserait dix ans plus tard à choisir l'Idroscalo pour mes expéditions nocturnes, sans que j'aie besoin de chercher à plus de dix kilomètres de mon appartement romain un décor aussi miteux.

Au-delà des derniers lotissements, à la limite de la savane, je n'avais pas été long à découvrir le terrain de foot dans une clairière entourée de buissons. Des géants, à peau d'ébène et nu-pieds, couraient après un ballon plus petit que la taille réglementaire. La sueur brillait sur leurs torses et le long de leurs cuisses aux muscles saillants. Ils m'accueillaient par des meuglements sommaires. Je me dépêchais de me mettre en tenue et de faire de mes habits un petit tas pour renforcer la ligne de touche tracée dans le sable avec l'orteil.

Nous jouions — si on peut appeler ainsi le tumulte anarchique qui mêlait en une seule cohue les deux équipes déchaînées — tant qu'un rais de lumière nous indiquait dans l'ombre les deux tiges d'avodiré plantées au bout du terrain en guise de poteaux. Après quoi... Il faudrait demander au veilleur de nuit du Hilton à quelle heure je sonnais à la porte ; et combien de fois, épouvanté de me voir rentrer avec des marques livides sur la figure, il m'emmena dans l'office pour me poser des compresses tièdes. Je réussissais à lui cacher les taches de sang sur mon pantalon. Quand elles pointaient aussi sur le coton blanc du maillot, il sortait de sa poche un trousseau de clefs qu'il agitait près de son oreille comme un gri-gri, puis faisait trois fois le tour de la pièce à cloche-pied.

Le premier soir, match terminé, lorsque j'eus salué et repris la piste en direction de l'hôtel, ils m'avaient couru après, saisi dans le dos, jeté par terre et soumis à leur volonté par surprise. Mais ensuite, à moi comme à eux, le foot ne servit que de prélude et d'excitant.

Dans le sac à chaussures où maman avait emballé mes escarpins vernis, j'apportais toutes les fioles de whisky, de cognac et de vodka raflées dans le bar mural de ma chambre. Sous l'effet de l'alcool, la violence de mes jeunes Bantous s'exaltait jusqu'au paroxysme. Brutalement, à même le sol poussiéreux, chacun y allait de tout son poids et de toute sa force. Pour m'empêcher de crier, je devais mordre la terre. Puis, meurtri et pantelant, je les entendais détaler dans la brousse avec des clameurs.

Chaque matin, derrière la femme de ménage, entrait le valet de chambre pendant que j'étais encore au lit, le drap remonté sur ma tête au-dessus de mon œil poché. La femme de ménage marmonnait qu'elle repasserait mais le valet de chambre, poussant une table à roulettes, se dirigeait droit vers le bar pour réassortir l'éventail des boissons. Mystérieuses sont restées pour moi les pensées qu'il roulait sous son crâne devant le pillage subi au cours d'une seule nuit. Indolence naturelle ou paresse acquise, on s'étonnait peu dans cette ville. Personne ne songea à me demander pourquoi, aux réceptions qui suivirent et même dans la salle de projection, je gardais mes lunettes noires sur le nez.

40

A sa démarche je le reconnus tout de suite. Il avançait en dansant, comme sur des semelles à ressorts, et frappait en l'air ses deux mains l'une contre l'autre. J'étais assis sur un rebord de mur, via Giulia. Les derniers élèves du lycée Virgile rentraient chez eux, tirés à quatre épingles, coiffés à la dernière mode, leurs livres sanglés dans une courroie. En vagues soyeuses jusqu'aux épaules tombaient leurs cheveux longs. Je les entendais discuter fièrement du Vietnam, et le nom de Marcuse volait d'une bouche à l'autre entre les austères palais de cette rue habitée autrefois par des princes et des cardinaux. Il passa devant moi dans son maillot à cinq cents lires usé par de nombreuses lessives. Les cheveux coupés court, la nuque bien dégagée, une hotte de gros pains sur le dos. Je sautai à bas du mur mais ensuite restai cloué sur place, incapable de bouger, une main sur mon cœur pour en comprimer les battements. De son côté, m'avait-il reconnu ? M'avait-il remarqué ? Machinalement, je me mis à le suivre.

« Laisse-toi guider. Tu verras bien où il t'emmène. » Il m'emmenait en effet. Il me conduisait où il voulait. Faisant halte si dans la foule des ménagères qui rentraient du Campo dei Fiori chargées de fruits et de légumes je perdais du terrain. Se remettant en marche à peine je me retrouvais dans son dos, si près que je distinguais sur la peau hâlée de sa nuque une loupe noire minuscule. Impossible de croire à une simple coïncidence, bien qu'il n'eût pas tourné la tête une seule fois ni regardé de mon côté. Il s'éloignait en sautillant dans ses baskets autrefois bleus délavés par les rageuses averses de Rome, s'arrêtait à nouveau pour m'attendre et repartait aussitôt, sans cesser de frapper dans ses mains comme s'il heurtait une paire de cymbales.

Plus étrange encore me parut ma conduite. Moi qui étais passé maître dans l'art d'aborder les garçons, je me faisais remorquer. Inerte, docile, passif. Dans une poche de mon pantalon, j'avais toujours le petit miroir, précaution contre les mauvaises rencontres. Qu'une de mes paupières (surtout celle de gauche) eût l'air de tomber, j'aurais renoncé à l'aventure. Il tourna le coin du palais Farnese en direction du Campo dei Fiori. Je profitai de cet instant pour sortir la glace et me regarder. O.K., examen positif. Je tournai le coin à mon tour. Il m'avait attendu, tout le poids du corps portant sur une fesse, l'autre jambe soulevée et ne touchant le sol que par la pointe de son pied tendu, comme un danseur entre deux figures.

La seconde poche de mon pantalon contenait un paquet de cigarettes et un briquet. D'habitude, quand un garçon me plaisait, j'allumais une cigarette et je tendais le paquet avec un sourire. Devais-je me fier à ce truc ? Presser le pas, le dépasser, chercher dans ma poche les *nazionali* et prononcer les mots rituels ? « Tu veux fumer ? » Je ne sais pourquoi, le coup me parut indigne. La question que j'avais posée des centaines de fois me serait restée au fond de la gorge. A lui la désinvolture, à lui l'initiative. Une situation toute nouvelle pour moi. Étourdi, éperdu, je me sentais sans volonté, plein d'un obscur effroi qui aiguisait mon excitation au lieu de me faire rebrousser chemin.

Sur la place, rendez-vous des maraîchers du Latium, il déposa sa hotte à la porte d'un restaurant, siffla pour prévenir le type qui jetait de la sciure sous les tables, puis fonça dans la cohue du marché jusqu'à une vendeuse des quatre-saisons. Forte femme aux seins généreux, enceinte de six mois, qui lui remplit un cornet de mirabelles. Il paya, emporta le cornet et se faufila entre les étals de légumes jusqu'à la statue qui domine le Campo. Assis sur les gradins du socle, il s'assura par un coup d'œil que je l'avais suivi, puis commença à puiser dans le cornet une prune après l'autre. Très singulière me sembla sa façon de déguster les fruits. A peine la mirabelle enfoncée dans sa bouche, il recrachait le noyau entre ses jambes, prenant tout son temps au contraire pour savourer la pulpe qu'il gardait sur sa langue, sans la mâcher, tant qu'elle n'avait pas tout entière fondu. Il me regardait maintenant bien en face, avec un sourire malicieux dans les yeux. Une autre prune et « toc ! » le noyau, aussitôt expulsé, rebondissait sur les dalles, tandis que le velours jaune et parfumé du fruit se dissolvait lentement dans sa bouche, derrière ses lèvres charnues qu'il bougeait avec une componction gourmande.

J'espérais qu'il allait m'offrir une prune et que ce geste me fournirait une entrée en matière. Il les mangea toutes jusqu'à la dernière. Alors seulement me revint en mémoire le sonnet d'un des poètes dialectaux que j'avais lus dans l'arrière-boutique de mon oncle. Le cornet de prunes est un moyen classique de communication dans le petit peuple romain. Les jeunes gens se déclarent leur amour par ce langage simple et ingénu. Cracher par terre les noyaux en face de la personne qu'on regarde dans les yeux, c'est lui signifier qu'on expulse de soi tout le dur et l'amer. Elle n'aura que le doux, le tendre, l'équivalent de la suave chair de mirabelle épanouie. Cependant, n'osant croire d'après son attitude si peu engageante jusqu'ici, et alors que nous ne savions rien l'un de l'autre, pas même nos noms, à une subite et inespérée proposition, je demeurai interdit, sans bouger de l'endroit où je m'étais planté.

— Hep! fit-il avec un geste d'invite. Tu n'as pas vu que j'ai craché les noyaux?

— Si... mais avoue que...

— Amène-toi! Si tu crois que je n'ai pas remarqué de quelle façon tu me zieutes.

— D'accord, dis-je en riant. Mais tu ne sais pas la raison.

Je vins m'asseoir à côté de lui.

— La raison? C'est que tu me dragues, oui. Faut pas me prendre pour un con, Pier Paolo.

Je tressaillis. Mon nom était sur toutes les lèvres, je ne pouvais plus passer incognito.

— Heureusement que tu me plais, reprit-il.

— Pourquoi tu ne l'as pas dit, l'autre fois? Je t'ai cherché partout.

— Les prunes n'étaient pas mûres.

— Je ne savais même pas ton nom. Je n'avais aucun moyen de te retrouver. Le studio de Peppino, c'était de la blague, non?

Il me répondit simplement :

— Danilo.

— Danilo, dis-je, plus troublé que je n'aurais voulu l'être. J'avais envie de le toucher, de l'appeler « Nilo, Niletto », de poser mon doigt sur la petite loupe noire de sa nuque. Il portait un maillot très échancré qui dégageait le haut de son buste et la saillie brune de ses clavicules. Il paraissait lui-même d'humeur toute tendre et sentimentale. Sa jambe appuyait sur la mienne. La place avait beau retentir des cris rauques des marchandes, nous étions, sur notre socle de trois marches, isolés du vacarme, hors du monde, seuls avec notre secret. « Deux amoureux. » Pensée qui me hérissa aussitôt. « Toi, amoureux? » Je m'étais bien juré, sous le pommier de mes rendez-vous avec Svenn, qu'on ne m'y prendrait plus. Moi, amoureux? alors que je n'éprouvais pour mon petit voisin aux cheveux frisés rien d'autre que ma quotidienne poussée de désir pour toute chair drue et jeune. « Rien d'autre ? » Que pourrait-il y avoir d'autre ? Pourtant, au moment où je recommençais à m'abandonner au bonheur de la sensation présente, je ne sais quel besoin de me justifier me fit dire à voix haute une phrase qui aurait bien pu attendre une occasion ultérieure. En même temps, j'écartai ma jambe.

— La raison, Danilo, c'est que j'ai un rôle à te proposer dans mon prochain film.

— Moi, un rôle ? Un rôle pour moi ?

— Parfaitement.

Il bredouillait, il s'étranglait. N'y tenant plus, il bondit sur ses pieds et se mit à tourner sur lui-même comme un toton.

— Un rôle pour moi ? J' vais donc être un acteur ? Dans un vrai film ? On verra ma gueule pour de bon ?

Il se laissa retomber, hors d'haleine. Mais sa surprise, son émoi étaient trop forts. Il dut se lever une autre fois, et courir comme un fou autour de la statue, avant de revenir se pelotonner contre moi, tout en sueur.

Passant ses bras autour de mon cou, il me murmura à l'oreille :

— Je vous aimerai... toute ma vie !

— Pourquoi me dis-tu « vous », tout à coup ?

— Vous êtes un monsieur, vous.

— Danilo, si tu veux que nous restions amis, tu ne dois pas me parler comme ça.

Craignant de m'avoir fâché, il renversa la tête et détourna mon attention vers la statue.

— Oh ! s'écria-t-il, vise un peu ce moine qui nous regarde par-dessous son capuchon. Qui c'est, dis ?

— Un philosophe, qui fut arrêté par l'Inquisition, condamné à mort et brûlé vif, ici même.

— En public ?

— En public, devant tout le monde.

— Brûlé vif ! Mais pourquoi ?

— Un hérétique, qui pensait différemment des autres.

— Et à Rome on brûlait un homme parce qu'il pensait différemment des autres ?

— Se distinguer des autres demande toujours du courage, dis-je sans appuyer, incertain si je devais profiter de l'allusion pour appâter Danilo par le plaisir de braver l'opinion.

Bien trop agité pour écouter ma réponse, il répétait avec stupeur : « J' vais être un acteur ! Les gens vont m' voir au ciné ! » Incapable décidément de tenir en place, il se dressa d'un bond et s'élança parmi la bousculade, shootant de joie dans les épluchures. Il avisa dans le panier d'une matrone attelée à la poussette de son gosse une de ces magnifiques aubergines de Sicile qui ont la forme et la taille d'un ballon de rugby, la souleva à deux mains et l'envoya par un tir splendide du pied droit atterrir dans le baquet des calamars. « Voyou ! » hurla le poissonnier aspergé et transi. Les commères firent chorus à son indignation. Danilo revint en courant, avec sous le bras une pastèque volée à un étalage. J'étais déjà debout, nous jugeâmes bon de déguerpir. A l'autre bout du Campo dei Fiori et, de là, dans le dédale des petites rues fraîches autour du palais Farnese.

Son maillot collé par la sueur moulait les formes pleines de sa poitrine. Il s'étira à l'abri d'un porche, comme un jeune animal content d'allonger ses membres, occasion pour moi de découvrir ce qui d'abord ne s'était pas présenté à ma vue. Plus flatteuse promesse n'aurait pu frapper mon regard. Un garçon qui avait tout pour me plaire. Quel élan, quelle joie de vivre, même une fois retombée l'excitation de la maraude et du jeu ! De quoi me donner envie de continuer l'aventure, sans que le mot « amour » dût poser devant moi son point d'interrogation moqueur. En comparaison avec les jeunes que je rencontrais depuis quelques années, si mornes, si abrutis par la société d'abondance, celui-ci conservait la liberté, la drôlerie des *ragazzi* du passé.

— Une partie ? proposa-t-il, en jetant par terre au milieu de la rue la pastèque glauque et luisante.

Nous échangeâmes quelques passes. Mes chaussures à semelles de cuir étaient plus dures que ses baskets en caoutchouc. Trop dures pour le gros melon, qui éclata au premier tir et gicla sur un pneu de voiture sa provision de jus et de pépins.

— Maintenant, dit Danilo, nullement déçu, impatient au contraire de bondir vers du nouveau, on devrait aller chez toi.

— Chez moi ? balbutiai-je, hésitant à comprendre.

— A la maison, tu sais, c'est impossible. Je partage une piaule avec mes deux frères. On ne serait pas seuls une minute.

Je tournai la tête pour qu'il ne me vît pas rougir.

— Chez moi non plus. Ma mère est toujours à tournicoter dans l'appartement.

Maman nous eût laissés parfaitement libres. C'est moi qui pour rien au monde n'aurais voulu faire l'amour entre les murs où elle vivait. Mais si je n'avais pas trop envie de me confesser à moi-même cette répugnance, encore moins eussé-je réussi à m'en expliquer devant Danilo.

— Tu n'as pas une piaule pour toi seul ? s'exclama-t-il.

— Ecoute, Danilo, je connais un endroit superchouette le long du Tibre.

— Ouais ! Moi qui étais si content d'aller voir où habite un type dans le cinéma !

— Je veux bien t'y emmener. Mais après, Danilo. Allons d'abord où je t'ai dit, derrière le gazomètre. Tu verras que c'est mieux, cent fois mieux que dans une chambre.

Il s'arrêta au milieu de la rue, se campa sur ses deux jambes écartées et mit le poing sur la hanche.

— Le long du Tibre ? Comme les p'tits mecs de mon âge ? Alors ça ! Quand je serai vieux, moi, pour sûr que je préférerais un lit et des draps blancs à l'herbe sale des talus !

Il ne m'en voulait pas. Ni reproche ni désappointement dans ses yeux qui pétillaient de malice et de bonne humeur. « Le long du Tibre ! Le long du Tibre ! » Il répétait ces mots avec une gaieté sans bornes. Mais moi, piqué par sa remarque, et confiant que mon corps mince et nerveux, mon ventre plat, mes épaules de lutteur développées par le karaté faisaient illusion, je lui demandai :

— Quel âge me donnes-tu ?

— Ben, plus de quarante berges, pour sûr que tu les as !

Je me mordis les lèvres. Il surprit mon geste. Et aussitôt de protester : les jeunes ne l'amusaient pas, on ne pouvait rien apprendre avec eux, il serait bien content de s'instruire un peu avec moi. Son père, ouvrier à la filiale Marelli de via Lingotto, section matériel radiophonique, rentrait trop fatigué le soir pour s'occuper de ses fils.

— Moi, j' sais à peine lire, m'avoua-t-il en rougissant.

Il venait d'avoir ses quatorze ans l'année de l'école obligatoire. Ses frères, nés après lui, fréquentaient le lycée technique. « Tant mieux pour eux ! » Ce fut dit avec chaleur et sans l'ombre d'acrimonie. Nous marchions le long du fleuve — une bonne trotte jusqu'au gazomètre dont la ronde silhouette grise émergeait au loin derrière les abattoirs. Il voulut ralentir près du poteau d'arrêt de l'autobus. Mine de rien, j'accélérai le pas, jusqu'à ce que le lourd véhicule nous eût dépassés. De nous deux, le blanc-bec imberbe ou le « vieux » de quarante-cinq berges, on verrait bien qui arriverait le plus frais.

— Et tes frères, ils sont contents, au lycée ? demandai-je, décidé à lui montrer que j'avais assez de souffle pour entamer une conversation.

— Comme ci comme ça. Les premières places ne sont jamais pour eux.

— Je parie que s'il y a des fils d'employés, ce sont eux qui les raflent.

— Comment le sais-tu?

Il avait sorti un mouchoir pour s'éponger le cou.

— Ugo a été collé à la fin de la troisième année. Il devra rattraper un an. Enfin, Marcello est passé. De justesse, mais il est passé. Faut pas se plaindre! Les fils d'émigrés, eux, sont collés à tous les coups. Même à l'épreuve de repêchage. Le copain napolitain de Marcello, il arrive pas à s'en tirer.

— Ça aussi, c'était à prévoir, dis-je. J'ai été prof, autrefois. Rien qu'à lire les copies, je pouvais deviner si mes élèves vivaient à deux, trois ou quatre dans la même chambre, je pouvais deviner le métier du père, le nombre de livres sur le rayonnage de la salle à manger, la province d'origine de la famille. Je savais tout sur leurs conditions d'existence, à peu près rien sur leurs véritables capacités intellectuelles.

— Tu crois que j'aurais eu mon brevet, moi? me demanda-t-il avec une pointe de regret.

— Deux frères à travailler dans la même piaule que toi? Déjà tes chances étaient divisées par trois. Y avait-il quelqu'un à la maison pour t'expliquer les passages difficiles de Dante, te faire réciter les batailles du Risorgimento? La Marelli est une usine en pointe : tu aurais gagné sans peine sur le fils du manœuvre ou du pompier. Mais en langues vivantes, ceux que leurs parents envoient pendant les vacances à l'étranger te seraient passés devant. Tu méritais peut-être de réussir par tes qualités individuelles. Le système scolaire te condamnait à l'échec.

— Mon frère Marcello est donc un génie! s'exclama-t-il naïvement, sans amertume contre le sort qui l'avait fait naître deux ans trop tôt, et l'obligeait à livrer du pain dans les restaurants pour arrondir le budget domestique par les quelques milliers de lires de sa paye.

Pendant qu'il écoutait mes diatribes contre l'école, je remarquai avec satisfaction qu'il commençait à traîner la jambe. Plus question de sautiller d'un pied sur l'autre ni de frapper dans ses mains comme les anges de Fra Angelico. Les bras lui ballottaient le long du corps.

Comme nous arrivions à l'angle des abattoirs, il me montra le sommet du mont Testaccio.

— Le gazomètre est encore loin, Pier Paolo. Montons là-haut, si tu veux. Le lieu est inhabité, à part quelques mômes qui ont une frousse bleue des visiteurs et se tirent avec leurs poneys.

Une violente colère me saisit.

328

— Jamais ! Jamais ! tu m'entends ? Il ne faut jamais aller là-haut pour ça !

Il me regarda, stupéfait, et haussa les épaules. Je ne comprenais pas moi-même ce qui m'avait pris. Le vallon du Testaccio eût été l'endroit idéal, sauf que... non, impossible de dire pourquoi je ne pouvais y emmener Danilo. Depuis plus de dix ans que j'habitais la zone et parcourais les bords du Tibre à l'affût de coins tranquilles, l'idée ne m'avait même pas effleuré de mettre à profit cet îlot de verdure et de calme. Quoi ! Profaner par nos souffles d'hommes le concert des voix argentines ? Avilir le seul reste de paradis encore intact au milieu de Rome ? « Jamais, répétai-je en serrant les poings, il ne faut jamais aller là-haut pour ça. » Le Testaccio appartenait aux enfants et à leurs montures, au vent de la mer et aux étoiles de la nuit : défense de fouler avec un amant l'herbe pour moi sacrée de cette colline.

— Quelle horreur, fit-il, pendant que nous longions les abattoirs au milieu des cris d'épouvante. Avec ma classe, j'ai fait un jour la visite. On nous a tout montré. Depuis, j'arrive plus à en manger, de la viande. J' peux plus, tu comprends. Et toi ?

Je dus détourner la tête une fois de plus, à la pensée de Carlino, le géant aux yeux clairs qui se rinçait à l'eau fraîche après le carnage, et des autres apprentis bouchers que j'avais poursuivis jusque dans les flaques de sang de leurs victimes.

— T'es donc végétarien ?

— Le poisson, j'en mange. C'est pas pareil. Mais la bidoche, non.

Rien n'aurait pu me gagner davantage à Danilo que cette franchise à repousser ce qui ne lui plaisait pas. Je fus ému aussi de trouver si pur, si sensible, un garçon d'une carrure et d'une robustesse toutes plébéiennes.

— Mais chez toi, vous ne mangez pas du poisson tous les jours ?

— Je m' contente des légumes. Maman m' fait cuire du soja.

— Du soja ? Ils vont transporter ailleurs les abattoirs, dis-je. C'est un vieux projet sur le point d'aboutir.

— Et mettre quoi à la place ?

— Un jardin public. Un terrain de foot.

— Un terrain de foot ? Chic !

Il avisa une boîte de conserve dans le caniveau et shoota. Je repris la boîte, l'envoyai en l'air de la pointe du pied, et tirai contre le tronc d'un marronnier. Il s'élança à son tour, je le poursuivis, toute son énergie lui était revenue, j'essayai de le dribbler, il me bouscula joyeusement. Nous arrivâmes au gazomètre, contents, excités, en sueur. Il avait déjà ôté son maillot et le jeta dans l'herbe avant de s'attaquer aux lacets de ses baskets. Pendant ce temps, j'aplanissais la terre sous un coudrier malingre qui étendrait sur nous une ombre plus poétique que la carcasse du camion à la banquette de crin si souvent utilisée.

Une merveille, ce garçon. Doux, puissant, compréhensif. Et d'une vigueur exceptionnelle. Inférieure, cependant, à la mienne. C'est lui qui flancha le premier.

— Oh! s'écria-t-il en voyant — preuve dressée à l'appui — que j'étais prêt à recommencer. Trois fois de suite! Ça alors!

41

La maison où j'habitais l'épata beaucoup moins. Au fil des ans elle avait pris un air vétuste, je m'en rendis compte d'après sa mine dégoûtée. Le crépi s'était écaillé sur la façade, la rouille attaquait la main courante des balcons, les volets avaient besoin d'un bon coup de peinture. Pour un « type dans le cinéma », j'aurais pu être mieux logé. Danilo fut assez franc pour m'avouer sa déception. « Ça ressemble à chez nous ! » Mon auto, une Maserati 3500 GT, stationnait devant le trottoir d'en face. « C'est ma bagnole », dis-je, d'un ton que je m'appliquai à rendre désinvolte. Pendant qu'il tournait autour avec gourmandise, un autre changement dans l'immeuble me frappa. Du linge pendait à toutes les fenêtres et sur les terrasses, comme dans les quartiers populaires. Dégradation non seulement physique, mais sociale. A l'époque de notre installation jamais nos voisins, employés du Vatican, médecins ou avocats débutants, émigrés ayant accédé à la dignité d'un salaire, ne se seraient permis de suspendre dehors leur lessive et de trahir par cet étalage leur origine méridionale. Ces premiers locataires étaient partis depuis longtemps. Enrichis par le « boom », ils avaient déménagé dans le centre, remplacés par une deuxième vague d'habitants plus modestes. En sorte que ne demeuraient à Monteverde que des familles aux revenus précaires, indifférentes à l'opinion, contentes de se retrouver dans une atmosphère populeuse de faubourg.

— Regarde ! Des essuie-glaces sur les phares ! Je n'ai jamais vu ça ! Ils fonctionnent pour de bon ? me demanda Danilo, plein d'un enthousiasme enfantin pour cette découverte.

En levant de nouveau les yeux vers notre façade, je m'aperçus que le seul appartement aux fenêtres duquel on ne voyait ni linge à sécher ni fil de fer était le nôtre. Protestation muette où je reconnus bien le style de maman. Combien avait-elle dû souffrir de rester au milieu des pauvres et des laissés-pour-compte, elle la descendante d'une famille aisée, dont le père avait possédé une distillerie et le mari porté trois galons à sa manche, quelle que fût leur mésentente ! Habituée depuis toujours à obéir, silencieuse et résignée avec moi comme avec le capitaine, à Rome comme dans le Frioul, ici comme à Ponte Mammolo, elle s'était gardée de récriminer, se contentant, pour se désolidariser de ses voisines, de mettre des pots de géraniums sur son balcon, là où elles déployaient les langes de leur progéniture et les caleçons de leurs époux. Je me promis de réparer ma faute le plus vite possible. Tout heureux d'associer Danilo à un événement aussi important dans ma vie, je posai ma main sur son cou et le poussai dans la cage de l'escalier.

La tendresse qui m'attacha dès le premier jour à ce garçon dépendit en grande partie — je ne serais pas assez hypocrite ni oublieux du gazomètre pour dire : entièrement — dépendit en grande partie des cinq minutes d'ébahissement qui le plantèrent devant les phares sophistiqués de ma nouvelle trois litres et demi. Sans ces cinq minutes, aurais-je relevé la différence entre nos fenêtres et celles des autres ? La timide supplique de maman ne serait peut-être jamais parvenue à son destinataire.

Ses chaussons glissèrent avec un bruit feutré dans le couloir. Elle ouvrit la porte. Je ne sais pourquoi, j'avais appuyé sur la sonnette au lieu de me servir de ma clef. Elle tenait à la main un plumeau, et avait noué autour de ses cheveux un torchon pour les préserver de la poussière. Quel âge pouvait-elle avoir ? Bientôt soixante-quinze ans ! Je fus effrayé. Dans notre nouveau logis, nous prendrions une femme de ménage. Son vieux visage ratatiné disparaissait sous l'accumulation des petites rides. Je lui arrachai le plumeau, le torchon valsa à son tour, je la serrai dans mes bras et lui dis :

— Maman, nous allons changer de maison, et tu auras une bonne pour t'aider.

Elle porta les mains à ses cheveux, rougit, se troubla :

— Pier Paolo, tu m'as toute décoiffée !

Seules la pudeur de ses émotions, l'habitude de les cacher, l'empêchèrent de manifester sa joie. Danilo, la bouche ronde et les yeux écarquillés, regardait la grande reproduction de l'*Adam et Eve* de Masaccio placardée dans le couloir. Elle comprit vite, d'après son âge, sa mise et sa stupéfaction ingénue devant mes étagères pleines de livres, que cet invité n'entrait dans aucune catégorie de mes visiteurs habituels : ni les étudiants en quête d'une interview pour leur mémoire de maîtrise, ni les émissaires de Cinecittà, ni les apprentis romanciers désireux d'une recommandation pour un éditeur, ni les poètes faméliques cherchant à inscrire leur nom au sommaire d'une revue.

— Je vais vous préparer le café, dit-elle déjà en route vers la cuisine.

Je le fis entrer dans la salle commune. Il s'assit, intimidé, au bord d'un fauteuil, en face de la collection complète des classiques Mondadori reliés en cuir à filets d'or. Maman revint. Elle avait disposé sur le plateau non seulement deux tasses de café mais deux parts de tarte, faveur insigne dont je n'avais vu bénéficier avant Danilo aucun de mes hôtes, familiers ou inconnus.

— Mangez, mes enfants, dit-elle en poussant la plus petite des tables gigognes devant le fauteuil où il n'osait se caler.

Plus admirable expédient n'aurait pu trouver son cœur jaloux de mère. Du côté des filles, peu à craindre. Dactylos temporaires, photographes de presse, aspirantes à un rôle dans mes films, candidates à un prix littéraire, elles ne passaient notre seuil que pour être éconduites poliment. La concurrente qui me volerait au séjour familial ne se trouvait pas dans le nombre. A quarante-cinq ans, je semblais lié pour la vie au foyer maternel. Les jeunes qui défilaient chez nous venaient pour raisons de travail : acteurs, assistants, copains du Parti, journalistes. Sergio, Franco sonnaient aussi à la porte, mais seulement en bons camarades. Nous ne parlions que de politique et de cinéma. Mais Danilo ? L'œil expert de maman avait repéré le danger. Un garçon si fruste, si naïf, qui s'extasiait devant la reproduction de la plus banale des fresques italiennes comme devant une nouveauté jamais vue ! Alors que même ses élèves de l'école primaire, du temps où elle faisait la classe, trouvaient à la page « Renaissance en Italie » de leur rudimentaire manuel la vignette du péché originel par le peintre de Santa Maria del Carmine.

Comprit-elle avant moi, d'après ma brusquerie, mon impatience, que j'étais amoureux ? L'affiche épinglée — par elle ou par moi ? — dans le couloir nous remettait chaque jour sous les yeux le guet-apens où était tombé le premier homme en liant son sort à celui d'une femme : union si funeste et payée si cher que le pinceau de Masaccio, impuissant malgré sa virtuosité à rendre une telle catastrophe, n'avait montré le visage d'Adam qu'enfoui entre ses mains convulsivement serrées. Ah ! d'un tacite accord nous savions que le paradis terrestre de notre intimité ne serait jamais menacé par aucune Eve. Ce péril majeur écarté, les autres ne la prendraient pas au dépourvu. Elle veillerait, puisant dans son arsenal de stratagèmes une parade contre chaque embûche. J'aimais Danilo ? Eh bien ! elle l'aimerait aussi, et mieux que moi. Elle préviendrait ses petits désirs, elle le gâterait, elle lui rendrait la maison indispensable. De ravisseur éventuel, il serait ravalé au rang de frère cadet, de fils complémentaire. Une annexion par les gâteaux. Une castration par la douceur. Elle déposa les deux assiettes sur la table et se retira dans un coin. Toute fière, elle regardait les abricots disparaître dans la bouche vorace et agile de notre hôte, comme si chaque coup de dent vérifiait la solidité du piège où elle le tenait prisonnier. Les joues barbouillées de confiture, un enfant pouvait-il être son rival ? Il n'était pas né et ne naîtrait pas de si tôt, celui qui réussirait à s'interposer entre elle et moi. Pour toujours nous resterions l'un à l'autre, dans les délices intactes de l'éden originel.

Parfait se montra Danilo. Sa part de tarte dévorée, il s'attaqua à la mienne que je n'avais pas touchée. « Que de livres ! s'exclamait-il entre deux bouchées. Tu les as tous lus ? » « Le petit a faim », commentait avec satisfaction maman. Elle était restée debout, les deux mains croisées sur son ventre. Danilo, la dernière miette avalée, trempa ses lèvres dans le café. Il avait oublié de mettre le sucre et fit la grimace. Maman, au comble du bonheur, s'avança pour lui présenter le sucrier. « Tu vois, semblait-elle dire triomphante, il a besoin d'une nourrice, ton ami. »

— Qu'est-ce que c'est que toutes ces taches ? demanda-t-elle en pointant le doigt sur le T-shirt. On dirait du jus de prune. Pier Paolo, tu n'aurais pas une chemise à lui prêter le temps que je lui lave ça ?

Je sautai sur l'occasion. Rendez-vous fut pris pour le lendemain. Il viendrait me rapporter ma chemise et récupérer son maillot propre.

— Dès que j'aurai fini ma tournée, précisa-t-il avant de s'élancer avec une pirouette dans l'escalier.

Tous les jours, désormais, il sonnait vers midi. Maman lui donnait un coup de brosse dans le couloir pour le débarrasser de la farine et des miettes collées à son blouson, puis elle l'introduisait dans ma chambre. Il me trouvait assis devant mon bureau — jamais sur la banquette qui me servait de lit — en train de parfaire le scénario de mon film mythologique. Danilo y aurait le rôle du messager. Les critiques m'ont reproché le prologue et la conclusion de cette œuvre : ajoutés alors, écrits pour Danilo. J'ai mis le prologue en 1925 : un enfant de trois ans joue entre sa mère en longue robe blanche et son père officier de l'armée italienne. Décor : Sacile, une des garnisons de mon père, et mon premier souvenir. Pourquoi cette référence autobiographique ? s'écrièrent les journalistes avertis. (Les autres, toujours à l'affût de l'explication la plus basse : pourquoi ce clin d'œil à l'époque contemporaine ?) La conclusion les irrita encore plus : le vieux roi, les yeux crevés, exilé de Thèbes, chassé de Grèce, se retrouve brusquement en 1967 (l'année du tournage) dans les rues de Bologne et de nouveau sur la place de Sacile, appuyé à l'épaule de Danilo, unique réconfort du proscrit.

— Ça alors! J'devrai y faire quoi dans ton patelin d'enfance? me demandait-il déconcerté par cette fin étrange. (Elle n'avait plus rien à voir avec le drame de Sophocle que je venais patiemment de lui raconter.)

— Rien de spécial. Marcher doucement — pas de sautillements ici, Danilo! — et soutenir un désespéré qui n'a plus que toi pour appui.

A vrai dire, cette dernière séquence m'étonnait moi-même. Quand je l'écrivais, je traversais une période heureuse de ma vie. Plus de procès contre moi. La justice me laissait tranquille. La presse ne me harcelait plus. La persécution s'était relâchée. Giordano Bruno, qui nous avait servi d'entremetteur au Campo dei Fiori, me protégeait du haut de son socle. Le moine copernicien avait payé pour moi, pour tous les hérétiques. Je lisais mon scénario au garçon que j'aimais et dont je sentais la jambe contre la mienne pendant qu'il m'écoutait bouche bée. Quelle peur injustifiée, quelle envie de conjurer le destin m'incita à me projeter sous les traits d'un paria aux orbites sanglantes, que la société met au ban, et qui s'écroule, frappé à mort, le jour où le lâche son jeune compagnon? Sans le savoir, lançais-je déjà vers Danilo l'appel au secours qu'il n'entendrait pas?

Vers une heure, précédée du frottement de ses chaussons sur les dalles, maman tapait trois petits coups à la porte.

— Puis-je mettre l'eau à bouillir, mes enfants?

C'était le signal. Nous dévalions l'escalier, Danilo dégringolait le dernier étage à cheval sur la rampe. Il fallait un quart d'heure à l'eau pour bouillir, plus dix minutes aux pâtes pour être cuites, maman avait encore besoin de cinq minutes pour égoutter, verser la sauce, mélanger, disposer dans les assiettes. Cette demi-heure nous suffisait à peine, mais je n'aurais pas voulu faire moins vite. Sauter dans la Maserati, foncer jusqu'au pont, choisir un coin derrière un buisson, nous rajuster en hâte, prendre les virages du retour sur les chapeaux de roues : ce chronométrage redoublait notre excitation. Nous arrivions juste à temps, affamés et rieurs, devant les portions fumantes de spaghetti.

L'après-midi, avant que Danilo ne partît livrer la seconde fournée dans le quartier San Silvestro-Sistina, je l'emmenais visiter des appartements. Il habitait avec ses parents au nord de la ville, sur la Nomentana. J'optai pour les quartiers sud. C'est ainsi que nous entrâmes un jour dans l'E.U.R., le faubourg construit par Mussolini pour l'Exposition universelle. De larges avenues bordées de chênes aboutissent en cul-de-sac à des palais blancs aux portes toujours closes surmontées d'inscriptions théâtrales. Palais des Congrès, en haut de gradins solennels, Musée de la Civilisation romaine, dont les propylées à colonnes se déploient en arc de cercle, Palais de la Civilisation du Travail, six étages de portiques au milieu du Carré de la Concorde. Les noms de rues eux-mêmes — avenue des Héros, avenue de l'Art, avenue de la Prévoyance sociale — furent choisis pour illustrer les ambitions du Duce. Des épées hautes comme des mâts se dressent dans le poing de statues géantes, et des obélisques érigés aux carrefours exaltent l'idéal viril insufflé pendant vingt ans aux Italiens. Places nues et vides, façades de marbre, galeries désertes, escaliers en plein ciel. Une pompe inutile et absurde qui plut à Danilo émerveillé par les esplanades lumineuses et les alignements d'arcades. Je me gardai bien de lui dire, moi qui vitupérais devant lui la « fascisation » de l'Italie présidée par Saragat et gouvernée par Moro, que l'E.U.R., triomphe ruineux de l'architecture fasciste, avait englouti les milliards soustraits aux cités ouvrières.

L'appartement du premier étage, dans une coquette résidence de via Eufrate, me séduisit à cause du jardin. Un grenadier en fleur agitait dans la brise sa parure de pétales écarlates. Cette rue n'est bâtie que d'un seul côté. L'autre bord longe un précipice au fond duquel j'aperçus des terrains de sport, des hangars et des voies de garage pour les voitures bleu et rouge du métro. Au-delà du vallon, on construisait sur les collines encore rustiques des immeubles de dix étages, nouvelle poussée de la capitale. A gauche, sur l'horizon vide, je humai l'odeur de la mer.

Danilo, tandis que j'examinais avec le portier les articles du contrat, vint en courant me dire que cette fois un grand lit tiendrait sans peine dans ma chambre. Faudrait-il un jour lui mettre les points sur les i? J'étais résolu à dormir, tant que maman vivrait, sur ma couchette inconfortable pas plus large que celle d'un enfant. Si j'ai choisi les cent cinquante mètres carrés, les stores à remontée électrique, la cuisine automatisée, le travertin dans toutes les pièces. les dorures dans l'escalier, l'interphone pour communiquer avec la loge, c'est pour maman : elle aurait enfin droit au luxe que son mari lui avait promis en l'épousant. Pour répondre à mes scrupules d'emménager entre des murs si ostensiblement bourgeois, je me dis que l'E.U.R. ne serait jamais qu'une banlieue de plus à compter dans ma collection. A une demi-heure d'auto du Colisée, ne resterais-je pas un périphérique, un marginal?

La vue plongeante sur le vallon où des mécanos en salopette

s'affairaient autour des wagons déclassait un peu l'immeuble. Le portier hésitait à me dire que je faisais une bonne affaire en ne payant pas le prix fort pour une *palazzina* tout en marbre.

— C'est-y quand même pas dommage de donner sur des rails de chemin de fer ? Enfin, c'est à vous de voir.

Mes dernières objections furent ainsi balayées. Il eut droit pour cette remarque à dix mille lires de pourboire. Je sortis mon stylo pour signer.

— Au moins, dis-je avant d'apposer mon paraphe, les cloches sonnent-elles avec un joli bruit ?

En me penchant vers la droite, depuis la balustrade du jardin, je distinguais au-dessus des chênes une coupole toute lisse et toute blanche.

— Elles ne sonnent jamais, monsieur. C'est à croire qu'il n'y en a pas.

— Il n'y a pas de cloches ? fis-je, déçu.

Quand je demandais à maman ce qu'elle regrettait le plus depuis son départ de Casarsa, elle me répondait invariablement :

— Le bruit des cloches.

— Plus que le chant des oiseaux ?

— Plus que le chant des oiseaux.

— Et comment, repris-je, s'appelle cette église sans cloches ?

— C'est l'église Saints-Pierre-et-Paul, monsieur.

— Saints-Pierre-et-Paul ! m'exclamai-je, sans pouvoir réprimer un tressaillement.

— Alors ça ! s'écria Danilo. Y en a qui sont vernis ! Ils s'installent et trouvent à leur porte une église à leur nom.

L'église de l'E.U.R., masse cubique qui semble taillée d'une seule pièce dans le marbre, avec une coupole en pain de sucre, me réservait une bien autre surprise. Au-dessus des portes de bronze, œuvre de quelque académique sculpteur pontifical, je lus sidéré : O FELIX ROMA QUAE TANTORUM PRINCIPUM ES PURPURATA PRETIOSO SANGUINE.

— Qu'est-ce que ça veut dire ? Tu es devenu tout pâle, Pier Paolo.

— O FELIX ROMA, ô bienheureuse Rome, QUAE ES PURPURATA, qui t'es trouvée toute rouge, tout empourprée, PRETIOSO SANGUINE, du sang précieux, TANTORUM PRINCIPUM, de si grands princes, il s'agit de Pierre et de Paul, tu comprends, martyrisés sous le règne de Néron.

— PURPURATA PRETIOSO SANGUINE, une jolie langue, le latin, y a pas à dire, commenta Danilo pendant que, inondé soudain d'une sueur froide, je tâtais mon trousseau de clefs au fond de ma poche, selon le geste familier aux Siciliens de Ponte Mammolo quand un chat noir croisait leur route.

Par quelle coïncidence avais-je choisi la paroisse qui exalte le sacrifice de mes deux saints patrons ? Rome attendait-elle que je lui fisse moi aussi hommage de mon sang ? Ces marches blanches qui soutenaient comme un socle l'église de Pierre et de Paul, devrais-je à mon tour les empourprer de rouge ? Pierre et Paul, mes prénoms à nouveau associés... Enfant je m'étais promis, au récit des aventures de Paul, d'achever son histoire incomplète. En refusant au plus ardent de ses apôtres un martyre égal en célébrité et en ignominie à la mort de Pierre sur la croix, Dieu avait commis une grande injustice. A moi de la réparer, me murmurait une voix au moment où je glissais dans le sommeil. La même voix que, trente ans après, je reconnus tout de suite. « Songe à tenir ta parole, me dit-elle, qui sait si le temps n'est pas arrivé ? » Les genoux tremblants, je dus m'asseoir sur un gradin. Danilo vint se blottir contre mon épaule, silencieux. Je croyais aux signes et à leur langage magique. J'eus beau récapituler mes raisons d'être heureux : sourdine aux campagnes de presse contre moi, euphorie de maman confortablement relogée, présence affectueuse de Danilo, cette inscription en lettres géantes, à cent mètres de l'appartement où j'allais habiter, suffisait à entamer ma confiance. Aujourd'hui que la vie se montrait plus clémente, sinon belle et lisse comme le marbre de ma blanche *palazzina,* les forces obscures du sang me rappelaient à leurs ordres.

Marbre et sang. Danilo garda via Eufrate les habitutes qu'il avait prises à Monteverde. Au lieu de descendre vers le Tibre, nous trouvions à cinq minutes de l'E.U.R., en rase campagne, des buissons et des halliers. Maman, quand il ne faisait pas trop chaud, dressait la table dans le jardin. Comme ta mère, elle se mit à cultiver des pieds de basilic et de menthe dans des pots. J'emmenai Danilo au Maroc pour tourner notre film ; puis à Bologne et à Sacile. Accueil mitigé du public. Du moins les parquets ne furent-ils saisis d'aucune plainte. Danilo s'était tiré très bien de son rôle. En véritable acteur, dont les journaux remarquèrent le talent. Joie et fierté pour lui ; mais aussi soulagement pour moi. Je pus inviter à déjeuner mes amis du milieu littéraire ou certaines notabilités utiles pour mon travail, critiques, directeurs de journaux, professionnels du cinéma, sans avoir à redouter leurs regards ironiques, leurs sourires en coin lorsque le jeune garçon, qui avait préféré aider maman dans la cuisine pendant que nous parlions boutique, nous rejoignait à table, les yeux rougis par les oignons. Elle lui en avait fait éplucher toute une botte pour les spaghetti *alla furlana,* une recette apportée de Casarsa, boudée lors de son exil à Monteverde, remise en vigueur à l'intention des hôtes de via Eufrate, ainsi que la tarte aux échalotes, autre spécialité cipoline des confins avec l'Autriche. Ils me complimentaient sur mon nouveau logis. Écrivain arrivé, metteur en scène reconnu, Silvana Mangano, Alida Valli, Julian Beck, Totò, Orson Welles, avaient tourné sous ma direction. Éditeurs, producteurs me proposaient des contrats. Quand est-ce que je me remettrais à écrire un roman? me demandait Garzanti, déçu de n'avoir à lancer dans le commerce que des recueils de poèmes et d'essais, lesquels, fait sans exemple dans notre pays d'analphabètes, se vendaient déjà bien, pour la catégorie.

En somme, rien ne m'aurait empêché de me sentir en pleine et harmonieuse possession d'une maturité conquise après tant d'épreuves, sinon justement l'absence de sujet d'inquiétude, la peur d'être délivré de la peur, l'angoisse de rester sans angoisse. Marbre et sang. Le marbre, j'en avais sur mes murs, sous mes pieds, dans mon escalier; il épatait Danilo; il me rapportait (selon l'adage : on ne prête qu'aux riches) des à-valoir plus substantiels pour mes livres, des budgets plus élevés pour mes films; il soulageait les pieds de maman lorsque, assise près de la fenêtre à contempler le grenadier, elle les sortait de ses vieilles pantoufles et posait sur le sienne frais du dallage les nodosités bleuies de ses rhumatismes.

Mais le sang? A qui devrais-je payer le prix inscrit au fronton de l'église où maman se rendait chaque dimanche pour la messe? Sous quelle forme le pourpre tribut me serait-il réclamé? Danilo ne présentait qu'un défaut. Trop bon, trop gentil, trop prévenant, il ne pouvait pas me suivre sur le versant nocturne de mon destin.

Une nuit, après trois mois de fidélité absolue, je m'en fus traîner près de la gare. Danilo, sans se douter de rien, dormait à poings fermés dans la chambre avec ses deux frères. On me vit rôder sous les yeuses du terre-plein le long du musée archéologique. Pas longtemps. Programme trop fade pour moi, chasse sans imprévu. Un simple échange avec un promeneur de rencontre, au pied de la haute muraille, dans la relative sécurité des buissons, ne m'aurait pas suffi. Ayant observé un moment le va-et-vient silencieux des uniformes et des imperméables, je compris que je devais chercher ailleurs. A l'autre bout de la place, les arcades du bar Italia, repaire des prostitués durs, m'attirèrent par leur ténébreuse séduction. Là, murmurait-on, ne s'aventurait que le client prêt à se laisser dévaliser, sans compter les risques d'un mauvais coup. Je remontai le col de mon blouson, franchis l'esplanade presque vide, m'accoudai comme un habitué au comptoir et commandai bravement une bière blonde, mot de passe qui détacha du mur une silhouette embusquée dans l'ombre.

42

Jeudi 4 : une journée comme une autre, sauf qu'elle m'apporta, en plus grande abondance que les autres, ma quotidienne ration de solliciteurs, quêteurs et suppliants, lot de l'écrivain « en vue ». Via Eufrate les attire comme des mouches : j'ai pignon sur rue, désormais ; une adresse avouable, flatteuse, comme si j'avais choisi de me mettre en vitrine pour être plus facilement à leur portée. Ils semblent s'être donné le mot et accourent sans se gêner, chacun selon ses méthodes et avec ses vœux, ses doléances particulières. La veille, à deux heures du matin, en rentrant ma voiture, j'ai trouvé devant le garage un certain Enzo, un de mes anciens partenaires au foot dans l'équipe de Donna Olimpia. Venu me réclamer les quelques milliers de lires que je lui avais promis, me jura-t-il, pour payer son tailleur. Il insistait, sans remarquer, ou vouloir remarquer, l'œil au beurre noir qui me faisait un mal de chien. Mais comment refuser à un garçon en faction depuis cinq heures devant mon élégante *palazzina* le plaisir de retirer son costume neuf ?

Maman me réveilla à dix heures. « Maman, ce n'est rien, je me suis cogné dans le noir contre la porte du garage. » Sans rien dire, elle revint avec une compresse qu'elle appliqua sur mon œil. Puis m'énuméra les tâches de la journée. Ont téléphoné déjà : un jeune de Centocelle menacé d'être jeté à la rue s'il n'apporte pas aujourd'hui à son propriétaire les cinq mille lires restantes du loyer ; un journaliste de *Panorama* pour une interview ; le secrétaire de l'Automobile Club de Gênes pour une conférence ; Maria Bellonci pour un cocktail. Quant au courrier : la requête d'un aspirant acteur, photo à l'appui ; le manuscrit d'une poétesse sarde ; la recommandation d'un sénateur communiste pour un romancier candidat à un prix dont le jury m'a coopté le mois dernier ; la lettre, écrite en belles rondes d'une calligraphie infantile, d'un de nos anciens voisins de Casarsa qui m'offre sa vigne à acheter ; trois pages d'injures d'un lecteur mécontent de mes romans ; le chèque d'un bas-bleu à salon littéraire, dont j'ai honoré il y a quinze jours la soirée. Mœurs romaines : c'est Moravia qui m'a passé le truc de se faire payer pour les dîners en ville et autres mondanités assommantes. Mon tarif arrive déjà à la moitié du sien.

— A onze heures, n'oublie pas que tu as la visite de Giorgio Bassani.

Giorgio Bassani ? Je sursaute. Un de « nos » romanciers les plus connus, les plus estimés, comme rabâchent les speakers des programmes culturels de la radio. Son chèque a dû se monter à une fois et demi le mien. Il a écrit un très beau livre mais Giovanna B., ma camarade d'autrefois, l'aura apprécié plus que moi. Que m'importent les souvenirs attendris de la haute bourgeoisie israélite, l'évocation élégiaque d'une jeune fille aimée avec passion bien que restée hors d'atteinte ?

— Et à midi, continue maman, ces deux-là qui insistent depuis une semaine, un nommé Walter Tucci et son ami Armando.

— Tu ne sais pas ce qu'ils me veulent ?

— Communication importante, m'ont-ils dit. Importante et urgente, ce sont leurs mots. Je t'apporte le café à ton bureau ?

Pour gagner du temps, quand je me lève en retard, je saute le petit déjeuner et me mets tout de suite au travail. Par où commencer, dans cette pile de lettres et de papiers ? Maman entre avec la tasse. De son autre main, elle tient le chiffon à poussière. (Malgré mes objurgations, elle a refusé la femme de ménage.)

— Maman, je t'en prie, pas maintenant...

Elle déplace un rang de livres, souffle sur les coupures de journaux, vide dans la corbeille les mégots refroidis. Je vois bien qu'elle a un secret à me confier, qu'elle cherche une entrée en matière. Elle s'approche, remue les lèvres. Je serre les mâchoires agacé. Elle bat en retraite et, sur le seuil, à voix basse :

— Pier Paolo... Ce serait l'anniversaire de Guido aujourd'hui. Il aurait quarante-trois ans, tu te rends compte ?

Elle s'est approchée à nouveau. Je la sens dans mon dos. Sans me retourner, je prends sa main et je lui baise les doigts. « Ô mère, ai-je envie de lui murmurer, remercie-le de s'être sacrifié pour laisser le champ libre à ton unique amour. » Mais elle pourrait me rétorquer, avec autant de raison : « Ô fils, toi qui ne peux être heureux qu'en souffrant, remercie-le de te faire vivre avec le remords de lui avoir survécu. » Et tous deux, qu'attendons-nous pour nous exclamer à l'unisson : « Regarde, cette année le 5 mars tombe dans le mois de Pâques » ? Allusion au jour de ma naissance, qui coïncidera presque avec la date de la Passion. Guido eût été en trop, dans le mystère qui se prépare. Nous devons rester seuls, face à face, pour le dernier acte de la Pietà.

Mais ces choses-là ne seront jamais dites entre nous. Je me contente de tapoter sa main et de couvrir de petits baisers les tavelures du grand âge. Elle la retire dès qu'elle peut, confuse, pressée d'emporter la corbeille dans la cuisine et de finir le ménage dans l'appartement.

Coup de sonnette : discret, fin, bien élevé. Le contraire des tempétueux carillons de Danilo. Giorgio Bassani entre avec le sourire et tout de suite se tourne vers la patère pour y accrocher son feutre et son trois-quarts poil de chameau. Le temps de masquer sa surprise quand il a vu mon œil poché. Rien à craindre avec lui : je n'aurai pas de question gênante à subir. C'est un gentleman, jusqu'au bout de ses ongles taillés avec soin. Il a plu pendant la nuit. Ses chaussures luisantes de cirage n'ont pu éviter quelques taches de boue. Il y en a une en particulier qui s'étale au milieu de l'empeigne. Elle le fascine, à tout moment il se penche pour la regarder. « Un beau salon », fait-il, calé au fond de la bergère dont il caresse avec satisfaction les bras de velours. Mes meubles, de facture tradition-nelle, sans concession au design, lui plaisent. Il lisse du plat de la paume ses cheveux d'une coupe impeccable qui descendent en pointe entre ses tempes noblement dégagées, s'éclaircit la gorge et commence :

— Pier Paolo, c'est comme président d' « Italia Nostra » que je viens vous voir. Je ne me serais pas permis autrement de vous déranger. Mettons de côté nos divergences, et examinons ensemble si la défense du patrimoine artistique et du paysage national n'est pas digne de vous intéresser. Pardon ! se hâte-t-il d'ajouter en avançant une main replète ornée d'une chevalière, j'ai prévenu vos objections. Nous passons pour de vieilles lunes à vos yeux, et remettre d'aplomb les chérubins qui basculent de la corniche de Santa Maria della Salute est un souci que vous abandonnez volontiers aux chaisières. Pourtant, voici un de vos articles que j'ai découpé. Vous permettez ? « Bien qu'anticlérical, je sais qu'en moi il y a deux mille ans de christianisme ; avec mes ancêtres j'ai construit les églises romanes, puis les églises gothiques, puis les églises baroques ; elles sont mon œuvre, elles continuent à m'habi-ter. Je serais fou si je niais cette force puissante qui est en moi : si je laissais aux prêtres le monopole de tels édifices. »

— Vous êtes juif, dis-je, je suis athée. Et cependant les cinq nefs de la cathédrale de Ferrare sont notre œuvre commune, et la façade rose et ocre de San Petronio à Bologne est notre œuvre commune.

Je me reconnais dans les Madones à tête d'œuf de Cosmé Tura, comme vous dans les saints Sébastien maniéristes de Guido Reni...
Avec étonnement je m'entends tenir ce langage allusif et orné. Mon visiteur est aux anges, non seulement parce que la mention de sa ville natale et du peintre de Ferrare, séjour de son enfance et cadre de tous ses livres, touche son cœur délicatement nostalgique. Loin d'espérer une confirmation de mon article écrit dans un accès d'humeur contre les scandales de la spéculation immobilière, il s'attendait à des sarcasmes sur la pieuse croisade d'« Italia Nostra ». Nous nous mettons à causer tranquillement, des beautés comparées de Bologne et de Ferrare, villes que séparent quarante-sept kilomètres mais berceaux de deux civilisations si différentes, n'est-ce pas? capitales de deux mondes si divers. De Chirico et Carrà auraient-ils pu trouver à Bologne le décor métaphysique de leurs rêves? Et Giorgio Morandi accrocher la lumière trop crue de Ferrare au flanc velouté de ses bouteilles? Du reste, quelle merveille que l'Italie, n'est-ce pas? où autour de chaque clocher a fleuri (c'est son mot) un style local d'architecture, s'est épanouie (c'est le mien) une école de peintres, en accord historique (moi), en harmonie délicieuse (lui) avec les coutumes de l'endroit. Quand on regarde, par exemple, les fresques du palais communal à Sienne où Lorenzetti a représenté des scènes de la vie agricole, admire-t-on plus le talent du peintre ou les procédés de labour qui ne s'observent nulle part ailleurs dans l'Italie de la Renaissance que sur ces pentes sablonneuses de Toscane? Ne laissons pas disparaître ces témoignages irremplaçables d'une civilisation déjà si menacée par le *way of life* américain! (De lui, évidemment, ces trois mots que je ne me serais pas risqué à prononcer de travers.) Et Marinetti? Un fou (lui), un imbécile (moi), avec son idée de combler le Grand Canal pour y construire une autoroute!
Ainsi dure entre nous cet aimable et savant bavardage, contraire à toutes mes habitudes et à toutes mes convictions. Autant me paraît stupide le tapage iconoclaste des futuristes, autant je me suis toujours méfié de ces bonnes volontés qui se lamentent sur les villas en ruine de Palladio et organisent des collectes pour Venise, tout en laissant crever de faim les artistes de leur temps. Volontiers néanmoins je donne la réplique à l'auteur des *Finzi-Contini*, dont le mocassin se balance avec grâce malgré la tache de boue. Jusqu'au moment où mon dixième « n'est-ce pas? », susurré d'une voix suave qui ne me semble plus tout à fait la mienne, m'interrompt brusquement dans mon éloge des fenêtres trilobées de l'abbaye bénédictine de Pomposa, « dont la restauration s'impose ». Je me refuse à jouer plus avant un rôle dans cette comédie, parce que je

viens de comprendre la raison qui m'y a fait entrer. Danilo, oui, il s'agit de Danilo, de la vie que j'ai décidé de vivre avec lui depuis que nous nous aimons. Danilo, le responsable, bien qu'involontaire, de l'empressement avec lequel je me suis lancé dans cette conversation. S'il était moins fruste, si ses lectures ne se bornaient pas à Milton Caniff, Chester Gould, Alcapp ou Crepax, si je pouvais agiter avec lui d'autres sujets que le foot, les acteurs de cinéma et les chanteurs de variétés, il y a longtemps que j'aurais congédié mon visiteur. Moi qui déteste échanger des banalités sur les beaux-arts, faut-il que je sois à jeun de pâture intellectuelle pour me jeter sur le premier os qu'on me tend ! Constatation amère : je découvre que la plénitude de mon amour laisse une partie de moi insatisfaite, et que la différence d'âge entre nous n'est pas le seul obstacle qui nous empêche de marcher à égalité dans la vie.

Pris d'une subite antipathie pour cet homme qui s'est introduit chez moi pour miner mon bonheur, je lui demande d'un air rogue qui tranche avec nos civilités précédentes :

— Vous sollicitez mon adhésion à « Italia Nostra » ?

La chaussure et la tache de boue s'arrêtent pile. Il hoche décontenancé la tête, ne sachant à quelle saute d'humeur attribuer ce revirement.

— Je regrette, dis-je, mais votre action est vouée à l'échec. Vous voulez rendre populaire le problème de la sauvegarde du passé artistique de l'Italie ? Ceux qui n'ont jamais participé à l'Histoire, sinon docilement, comme classe dominée, ne peuvent pas se passionner pour des monuments qui expriment le goût de la classe qui les a dominés.

Si j'avais cru le décourager en lui récitant un des articles les plus rebattus du catéchisme marxiste, j'aurais sous-estimé aussi bien l'étendue de sa tolérance que les ressources de sa diplomatie. Il changea de position dans le fauteuil, toussota derrière sa main et reprit tranquillement, comme s'il venait de chasser une mouche de son nez :

— Pardon, pardon. Avec le temps, l'inconvénient que vous signalez s'estompe. Ne venons-nous pas de tomber d'accord sur la portée universelle de certains...

— Supposez, dis-je soudain, qu'un promoteur veuille obstruer par un pâté de H.L.M. la perspective du corso Ercole Primo, que feriez-vous pour sauver le château des Este, sauver le palais des Diamants ?

Incapable de résister au plaisir d'énumérer les hauts lieux de Ferrare aux sonorités pour moi magiques, je me promène ainsi dans les allées enchantées de la mythologie et de l'Histoire, excursion qui serait impossible avec Danilo sans lui expliquer d'abord qui était Hercule et pourquoi un duc de la Renaissance portait ce nom olympien. Fâché contre moi-même, d'un ton péremptoire je conclus :

— Il n'y aurait qu'un seul moyen de combattre ce projet : transformer votre protestation humaniste en lutte politique. Vous dites, dans votre prospectus, que l'Italie « de nos pères » est en péril. Êtes-vous sûr que ces « pères » dont vous défendez l' « héritage » méritent un pareil dévouement ? Depuis Freud, nous soupçonnons dans tout legs paternel quelque chose qui n'est pas nécessairement positif. A travers l'analyse marxiste de la société, la notion de « père » a subi une détérioration encore plus radicale. La catégorie bourgeoise des « pères » à laquelle vous vous référez comme à une catégorie universelle de l'Histoire a le tort à mes yeux de n'englober aucun de ceux auxquels je m'intéresse : les pères balayeurs ou cuisiniers, marchands de quatre-saisons ou conducteurs d'autobus, métallos ou fraiseurs, et même les pères vagabonds et les pères assassins. C'est avec eux que je pactise, moi, c'est leur Italie qui me tient à cœur.

Flatté que j'eusse mentionné à nouveau la ville de ses romans, il s'inclina d'un signe de tête et murmura, en homme trop courtois pour heurter de front son interlocuteur :

— Pier Paolo, je connais vos opinions et je les respecte. Permettez-moi cependant de ne pas me tenir pour battu. A titre personnel, ne pourriez-vous nous donner un témoignage public de votre estime ? Que sais-je... Un article suffirait... Vous parleriez d'un monument qu'il vous coûterait de voir disparaître...

J'ai envie de le provoquer, tout à coup. Il m'horripile, avec son complet de flanelle et l'obsession de son soulier. N'est-ce pas sa faute, à lui, à ses « pères », à sa classe, si un ouvrier de la Marelli n'a ni le temps ni les moyens d'élargir l'horizon de ses fils au-delà de leurs bandes dessinées ? Sait-il, quand il organise un banquet « Italia Nostra » à l'hôtel Hassler, que Danilo a trois fois plus de marchandise à livrer ? Qu'il doit se taper les deux cents marches de la place d'Espagne avec une hotte de quinze kilos sur le dos, sans avoir droit à une lire supplémentaire ? Et toute cette peine pour que les dames anxieuses de tirer au sec la place Saint-Marc et de débarbouiller quelques vieux manuscrits florentins souillés par la crue de l'Arno émiettent leur petit pain sur la nappe par peur de grossir ; et tiennent des propos racistes sur Naples et la Sicile, leur sollicitude patrimoniale ne s'étendant jamais au sud de Rome.

— D'accord, il s'agit d'un vieux mur crasseux, menacé par l'excavatrice de l'entreprise Pompilio. Sans doute un reste de grange.

Pourri, dégueulasse, mais qui me rappelle le temps où les moutons broutaient l'herbe entre les pavés. Une épave sans aucun intérêt. Et dont la photo jurerait avec le papier glacé de votre revue.

— Pardon ! pardon ! s'écria-t-il en ôtant de sa manche un fil qu'il roula entre ses doigts et mit en boule dans sa poche. Mais c'est excellent ce que vous me dites là ! Léonard de Vinci avait l'habitude d'étudier sur les vieux murs les taches d'humidité, les traces de crachat. Excellent ! Nos lecteurs seront sensibles à cet hommage rendu au maître toscan dont nous voulons sauver *la Cène*, un de nos premiers objectifs. Parfait ! Excellent !

Il repart, tout content de sa visite, dans son poil de chameau à boutons de corne de cerf. Sourire condescendant devant la reproduction de Masaccio : chez lui, il a de vrais tableaux, cadeaux de ses amis peintres à qui il fait des préfaces pour leurs expositions. La porte refermée dans son dos, j'ai envie d'éclater de rire. Quelle bonne partie entre nous, si Danilo était là ! « Pardon ! pardon ! » et « Permettez-moi... » « Léonard de Vinci... » Ah ! Ah ! Je saute à pieds joints dans le couloir, je boxe mon imperméable accroché au portemanteau. Bassani n'a que six ans de plus que moi : je sens le fossé d'une génération entre nous. Une anthologie de « Jeunes écrivains européens » m'a d'ailleurs inclus à côté de plusieurs moins de trente ans. Pure justice. Danilo était tout fier pour moi. Il ne me traiterait plus de « vieux » aujourd'hui ! Quel dommage qu'il n'ait pas assisté à la scène. Il aurait vu comme je rembarre l'écrivain chéri de la bourgeoisie italienne, celui qui pour chacun de ses livres gagne un prix littéraire au lieu d'un procès.

Détour par la salle de bains : avec stupeur je m'aperçois dans la glace. D'une couleur plombée et livide, le cercle autour de mon œil s'est agrandi. J'apprécie rétrospectivement le tact de mon visiteur, et corrige mon jugement trop hâtif. S'il fixait la tache de boue sur son soulier, c'était pour occuper son attention. Empêcher à tout prix son regard de montrer une curiosité indiscrète. Avec Danilo, je m'en tirerai moins facilement. Danilo, oui, que lui dirai-je ? Que pensera-t-il ? La fable du garage ne prendra pas avec lui. Il faut que je trouve quelque chose. Mais quoi ? « Tu veux une autre compresse ? » demande maman qui surgit dans l'embrasure de la porte. Je voudrais surtout qu'elle me dise comment annoncer au grand amour de ma vie qu'à l'heure où les rues nocturnes s'étaient vidées de leurs derniers piétons, je me suis fait amocher dans une aventure sans gloire.

Le voici. La poussée joyeuse et désordonnée de son carillon.

— Pier Paolo ! Que s'est-il passé ?

Il resta planté devant moi, les yeux ronds.

— Tu ne vas pas me dire qu'ils t'ont frappé ? Réponds !

Ce « ils » me fournit soudain l'alibi.

— Si, dis-je en baissant la tête, pour qu'il ne me vît pas rougir.

— Qui ? Les fascistes ?

Et moi, dans un souffle :

— Les fascistes.

— Les salauds ! Les salauds !

Il cria, s'arracha les cheveux, courut jusqu'au bout du couloir, tendit le poing vers le palier, revint, approcha son doigt tout près de mon œil, retira sa main, recommença à crier : « Les salauds ! » puis :

— Raconte. Dis-moi comment c'est arrivé.

— Ils m'attendaient près de ma voiture. « C'est toi qui débauches nos enfants ? C'est toi l'ordure ? C'est toi qui te fais payer par Moscou ? » Et vlan, un coup pour chaque question.

— Ils étaient combien, Pier Paolo ?

— Heu... Je ne sais plus... Trois ou quatre peut-être... Dans l'ombre, je ne voyais pas très bien.

— Tu les reconnaîtrais ?

— Ils avaient des cagoules.

— Les salauds ! Et lâches avec ça.

J'essayai de le calmer. Il s'étonna :

— Comment ? Faut gueuler la nouvelle. Tout le monde doit savoir que l'Italie de Moro est une pourriture.

— Je t'en prie, Danilo. Ç'a été un hasard, un accident.

Je le poussai dans le jardin, où les branches maigres du grenadier fumaient dans le pâle soleil hivernal.

— Un accident ? J'espère bien que tu vas écrire un article. C'est quand même plus grave de se faire tabasser en pleine rue sans défense que de recevoir des œufs à Venise où les trois quarts du public sont pour toi.

— Un petit événement, qui ne regarde que ma vie privée.

— Ta vie privée, Pier Paolo ? Tu oses me dire ça ? Ne m'as-tu pas seriné que tout ce qui nous arrive a une signification politique ? La police tire sur les paysans d'Avola qui refusent de récolter les amandes pour dix mille lires de paye hebdomadaire, mais elle abandonne les rues de Rome aux salopards du M.S.I. ? C'est de la vie privée, ça ?

Je ne savais plus comment le retenir. Il voulait avertir mes amis, ameuter le quartier. A ce moment on sonna de nouveau à la porte. Ni le coup bref et poli de Bassani, ni la tempête affectueuse de Danilo, mais trois appels de même longueur, impérieux, solennels, qui nous donnèrent le frisson.

43

— Walter Tucci, fit un jeune homme longiligne en me tendant une main osseuse. Il braqua l'index sur mon œil et s'exclama :
— Les fascistes, hein ? Bravo, Pier Paolo. Au niveau somatique, vous fonctionnez correctement. Je leur disais bien que vous n'étiez pas tout à fait perdu, qu'on pouvait tenter quelque chose pour vous. N'est-ce pas, Armando ?

Interloqué, je ne réponds rien. Sa voix de basse, sa vareuse boutonnée jusqu'au cou, ses cheveux qui lui tombent aux épaules, son assurance, son jargon, tout en lui me hérisse. Derrière lui s'avance un petit blond aux cheveux courts et bouclés, très mignon, les bras chargés de brochures dont il maintient la pile avec le menton. Je lui aurais volontiers serré la main, à lui : il me plaît, il m'a souri en inclinant tant bien que mal la tête, ce n'est pas comme l'autre qui m'interpelle de sa voix caverneuse, son menton en galoche pointé sur ma reproduction de l'*Adam et Ève*.
— Masaccio ! Il fallait s'en douter. Ne savez-vous pas qu'il y a des peintres qui s'appellent Burri, Matta, Fontana, Tapiès ? Vous êtes incroyablement en retard. D'après l'œil poché, je confirme le diagnostic de comportement anarcho-révolutionnaire. A intégrer d'urgence dans une praxis objectivement opérationnelle. Heureusement que nous sommes venus, n'est-ce pas, Armando ?

Armando, que son compagnon estime superflu de me présenter, a déchargé le tas de brochures sur le coffre, d'où plusieurs sont tombées par terre. Je lis quelques titres au hasard. *Groupe 63 : Critique et Théorie. Le Congrès de Palerme. Poésie expérimentale. Laborintus/Labyrinthus.* J'y suis : le Groupe 63, deux douzaines de fanatiques qui se proclament d'avant-garde et veulent faire table rase du langage. Envoient des commandos chez les écrivains jugés trop clairs, trop faciles à lire. A leur congrès de Palerme, l'autre année, ils m'ont lancé un avertissement : « P.P.P., c'est bien de s'intéresser aux dialectes, à l'aspect néo-syngmatique du phonème, mais tes livres sont documentaires, ils reflètent la réalité, ils font dans le spéculaire-mimétique, un point de vue absolument périmé. » J'avais haussé les épaules à ce charabia, mais aujourd'hui j'ai l'impression que la partie ne sera pas si facile : peut-être parce que, au lieu d'un lointain oracle impersonnel, le message m'arrive par la bouche de deux jeunes Romains de vingt-cinq ans ; dont l'un, ce qui va compliquer les choses — je connais mes faiblesses — est d'une beauté charmante qui déjà me désarme. Je vois aussi le risque que Danilo, épaté par des mots abscons, s'étonne de ne pas me trouver à la page.

— Vous pouvez remporter vos brochures, dis-je d'un ton assuré. Je les ai lues. A qui vos positions ne sont-elles pas familières aujourd'hui ?

— Ah ! observa Walter sarcastique. Et vous gardez sur votre mur un peintre objectivement périmé ?

— J'avais cette reproduction dans mon ancien appartement... C'est un souvenir, voyez-vous... Une cigarette ? dis-je, pour amadouer le Torquemada.

— Il est attaché aux souvenirs, tu comprends, fit Walter en se tournant vers Armando qu'il précéda dans le couloir sans attendre que je l'invite à entrer. Merci, jamais de tabac ni d'alcool. Mais vous éludez la question. Vos soldats romains, dans le film sur l'Évangile, sont habillés comme dans les fresques de Piero Della Francesca. Les couleurs du sketch avec Orson Welles, vous les avez empruntées à Pontormo. La dernière image du film avec la Magnani, c'est sur le Christ mort de Mantegna que vous l'avez copiée. Oui ou non ?

— Mais c'est un interrogatoire ! dis-je en riant, blessé que ni Walter ni Armando ne remarquent l'entrée de Danilo, qui vient nous rejoindre au salon. Ils ne le saluent pas, se soucient de sa présence comme d'une guigne. Danilo reste bouche bée devant la chemise indienne à ramages qui flotte sur le jean blanc d'Armando.

— Au niveau de la phonicité, enchaîna Walter à qui le mot de « musique » eût paru d'une simplicité risible, vous avez choisi Bach pour votre premier film, Bach et Mozart pour l'histoire du Christ, Vivaldi pour les aventures de la putain. Ignorez-vous que Varèse, John Cage, Stockhausen, Nono et Boulez ont fixé les nouvelles lois du comportement instrumental ?

Il regarda dans la pièce avec méfiance et ordonna à son compagnon d'examiner mes livres dans la grande étagère appliquée entre les deux fenêtres. Gauchement, je tentai de me justifier.

— Si j'ai mis le chœur de la *Passion selon saint Matthieu* sur la rixe entre les garçons dans la boue des H.L.M., c'est pour avertir le spectateur qu'il n'assiste pas à une bagarre néo-réaliste mais à une lutte qui a quelque chose d'épique, de mythique... Je ne suis pas un auteur néo-réaliste, dis-je avec plus de force, me souvenant des arguments utilisés à Palerme contre mes romans.

Pendant ce temps, Danilo avait avancé une chaise au petit blond qui se hissa sur la pointe des pieds pour atteindre au coin gauche supérieur de ma bibliothèque.

— Il y est ! s'écria-t-il d'une voix désagréable de fausset, en tirant du rayon *Sur la métacritique de la gnoséologie,* de Theodor Adorno.

— Regarde aussi à B et à H, lui enjoignit Walter.

Armando sauta à terre d'un bond léger, sa chemise indienne vola gracieusement autour de ses hanches, il déplaça la chaise et prit sur le rayon voisin *le Degré zéro de l'écriture* de Roland Barthes puis plongea devant lui et retira de sa pêche *Idéologie et Langage* de Max Horkheimer. Si le test avait été négatif, peut-être seraient-ils repartis en m'abandonnant à mon sort méprisable d'auteur de romans lisibles. Mais, puisque je fréquente moi aussi les bons livres, me voilà classé, avec leur morgue sectaire, dans la catégorie des « attardés-récupérables ». Ils restent, et je dois me ronger en voyant Danilo remettre la chaise en place sans que l'autre daigne le remercier.

— Va demander à maman de nous préparer des cafés, dis-je d'un ton sec. Oust ! Mais qu'est-ce que tu attends, planté là ?

Il sort, l'échine basse, ne comprenant pas pourquoi je le traite aussi mal. Walter s'assied sur le divan, le cou engoncé dans le col de sa vareuse, droit et raide çomme la justice. Armando choisit la bergère. Il se vautre dans les coussins, le ventre en avant, les bras pendant de chaque côté.

— J'aimerais quand même savoir, dis-je d'une voix détachée, pourquoi vous avez pris la peine de venir.

— Nous voulons vous sauver, Pier Paolo. Au vu des quelques productions intéressantes qu'il connaît de vous, le Groupe a décidé d'intervenir.

— Et... auxquelles de mes œuvres dois-je cet honneur ?

— Il dit : « œuvres », tu entends ? Pier Paolo, d'où sortez-vous ? Les œuvres, c'est bon pour les écrivains, pour ceux qui se fient encore à l'intuition et croient à la création individuelle, mode périmé de production. J'espère que vous ne vous considérez pas comme un écrivain mais comme un producteur de textes. Nous venons vous offrir de participer à notre travail d'équipe en vue de théoriser au niveau linguistique la contestation radicale du système grâce à une stratégie interdisciplinaire.

N'aurais-je devant moi que Walter, je crois que je le prendrais par le col de sa vareuse Mao et que je le flanquerais à la porte, avec son visage de bois et ses cheveux longs de fils à papa qui doivent lui coûter au moins mille lires de brushing quotidien. Mais Armando, au fond de la bergère, les jambes écartées, m'intimide. Comme tous les beaux garçons que je rencontre dans les débats publics où les circonstances m'empêchent de les accoster, il m'attendrit, il me rend veule. Une fois, à Bologne, après une conférence sur Visconti, je me suis presque rétracté parce qu'un jeune homme, dessiné comme un page de Carpaccio, m'avait pris à partie. Dressé au fond de la salle, il m'accusait de défendre « un richard, un aristo ». Pourquoi cette ânerie m'a pris de court, demande-le à ses yeux en amande, au sourire qui retroussait sa lèvre. Muet et soumis, je l'ai laissé dire, trop content qu'il restât debout et m'offrît les grâces de sa silhouette à détailler. Pour plaire à Armando, pour le tirer de sa torpeur ennuyée, je serais prêt à leur accorder tout ce qu'ils veulent.

— Il me semble, dis-je sans pouvoir m'empêcher de rougir, que j'ai payé assez cher de ma personne. Si quelqu'un a mérité sa place dans les files de l'avant-garde...

Walter haussa les épaules. Quant au blond, il me récompensa par un ricanement, au lieu du sourire espéré.

— L'avant-garde ! dit Walter. Il se réclame de l'avant-garde ! Eh bien oui, ajouta-t-il après une pause pour préparer son effet de surprise, vous faites partie de l'avant-garde, Pier Paolo. Vous vous êtes bien battu. Vos polémiques ont eu du mérite. Mais votre révolte, comme celle de tous les représentants des avant-gardes historiques, depuis Dada jusqu'aux beatniks américains, est partie d'un point de vue matérico-émotionnel périmé. Vous restez attaché à la rhétorique des contenus. Nouveaux contenus, mais vieille rhétorique. Vos expériences linguistiques sont bruyantes et superficielles. (A ces derniers mots, je n'ai qu'une peur : c'est que Danilo ne rentre maintenant au salon et n'entende prononcer ma condamnation en termes aussi limpides pour lui qu'ils le seraient pour tout le monde. Faites, ô Dieu, que Walter jargonne à nouveau.) Vous opérez sur l'échafaudage extérieur de l'imperium linguistique traditionnel. (Ouf !) Le Groupe dénie à la langue le droit d'instituer un rapport frontal de représentation avec la réalité. (Je respire.) Le Groupe dénonce les avant-gardes historiques qui n'ont pas pris conscience de la totalité de la réification du système. (Ouf ! Ouf ! Ouf !)

Walter s'appliqua une tape vigoureuse sur la cuisse. Et moi, au lieu de lui demander quelles preuves le Groupe avait données de sa pugnacité contre le « système » comparables à mes vingt et un procès, aux trois saisies de mes livres, aux quatre mises sous séquestre de mes films, à mes quatre mois de prison avec sursis, je me tournai humblement vers Armando.

— Armando, vous avez tout à fait raison de refuser l'étiquette trop commode d'avant-garde. C'est courageux de votre part. Les plus douteuses opérations commerciales...

Absorbé dans la contemplation de sa chemise, il écouta mes flatteries sans me récompenser d'un regard. Déjà Walter enchaînait :

— Aussi le Groupe ne se reconnaît-il qu'en tant que néo-avant-garde. L'avant-garde était opposition à la société, négation de la société. La néo-avant-garde est négation de la négation. Cela ne nous intéresse plus de contester la société en respectant les rapports de communication linguistiques. Notre programme de négation de la négation se définit dans la révélation de la nature réifiée de la communication. N'est-ce pas, Armando ?

J'ai beau avoir horreur de leur galimatias, j'ai beau savoir que sous leurs prétentions révolutionnaires ils s'installent en douce aux leviers de commande dans les maisons d'édition, à la radio, à la télévision, dans les magazines à grand tirage, dans l'almanach littéraire Bompiani où le Groupe a fait sa percée en 1967 comme les fascistes l'avaient colonisé en 1932 au temps des « Livres d'acier » si appréciés de mon père, dans l'Université où leur ton péremptoire terrorise des professeurs trop lâches pour dénoncer leur imposture, le cri de guerre de Rimbaud : « Il faut être moderne » m'épouvante moi aussi. Il n'est jamais drôle pour un écrivain d'être rejeté par la génération qui le suit. Il serait dramatique pour moi de perdre le contact des jeunes. Et comme les jeunes aujourd'hui n'ont plus aucune culture sérieuse qui leur permette de résister à la fascination des grands mots obscurs, je me vois déjà, avec mes exigences de clarté intellectuelle, avec mon sens de la responsabilité civique, menacé par l'isolement et par l'oubli.

— Nous venons vous offrir une dernière chance, reprit Walter. Edoardo Sanguineti vous propose d'écrire dans la revue du Groupe, Il Verri. Deux sujets au choix. Premier sujet : « L'importance d'Alain Robbe-Grillet dans l'opération de dépouillement du texte romanesque de toute fraude idéologique. » Deuxième sujet : « Comment, sur le même thème de l'aliénation dans la société néo-capitaliste, Moravia et Antonioni fonctionnent à deux niveaux radicalement différents. »

— Volontiers, dis-je, heureux de me retrouver sur un terrain plus familier où ils me laisseront aligner quatre phrases de suite. La solitude de l'homme moderne, tel est en effet le thème commun à la Nuit d'Antonioni et à l'Ennui de Moravia. Mais dans le film il s'agit d'un mal-être vague, irrationnel et presque inexprimable. Giovanni et Lidia flottent comme dans un rêve. Ils ne savent pas qui ils sont, pourquoi ils se conduisent ainsi, d'où ils viennent, où ils vont. Tous les deux se consument d'un mal totalement subi. Ils se laissent détruire sans possibilité de rachat. Lidia se promène au hasard en grattant d'un ongle névrotique le crépi des murs. Giovanni trimbale au petit bonheur à travers les rues et les salons sa figure de croquemort. Ils dérivent en dehors de l'Histoire, dans un monde fermé sur lui-même, figé, immuable. Antonioni se limite à décrire l'angoisse comme un état de nature, sans cause ni remède. Moravia, au contraire, introduit la dimension de la conscience. Dino souffre d'une déprimante impossibilité de communiquer avec autrui ; mais les interventions du romancier nous permettent de comprendre pourquoi il reste muré dans sa prison. Le héros de *l'Ennui* est un personnage historique ; l'angoisse de Dino une angoisse explicable par l'Histoire. Fils de bourgeois riches, complexé à cause de sa classe et à cause de son enfance, il est le croisement d'une double crise, sociologique et psychologique. Marx et Freud...

— Et vous concluez ? me coupe d'une voix sèche Walter qui n'a pas cillé jusqu'ici.

— Je conclus qu'il est fort dommage que le public se soit reconnu dans le film d'Antonioni bien davantage que dans le roman de Moravia. *La Nuit,* malheureusement, reflète la paresse mentale des spectateurs, leur refus de tout effort rationnel de compréhension, leur intime satisfaction de se dire : « Nous sommes prisonniers de notre mal de vivre, de notre exquis mal de vivre. »

Walter tira sur les pans de sa vareuse, avant de rendre son jugement.

— Moravia opère au niveau de la réalité, Antonioni au niveau du langage. Comment osez-vous comparer un monosémantisme événementiel périmé à une polysémie de néo-avant-garde ? Nous refusons absolument de vous suivre dans votre analyse quand vous dites que Giovanni erre dans les salons, que Lidia gratte les murs. N'est-ce pas, Armando ? Nous ne pouvons admettre une aussi scandaleuse occultation du texte antonionien.

Mais avant qu'Armando finisse de bâiller, la porte s'ouvre avec fracas. Danilo vient de la pousser du pied. Il entre, soutenant de ses mains pataudes le plateau des cafés. Derrière lui s'avance maman : elle s'est réservé le privilège d'apporter le sucrier, celui en argent, celui pour les invités, qu'elle tient par les anses en forme de sirènes. Ni Walter ni Armando ne se lèvent pour l'accueillir ; à peine si Walter abaisse d'un mouvement mécanique la pointe en galoche de son menton. Armando juge inutile de se redresser dans son fauteuil et de prendre une pose plus correcte. Mon irritation augmente quand je vois Danilo présenter le plateau à Walter et maman, la cuiller à la main, demander humblement au jeune homme combien de sucre elle doit mettre. Armando à son tour se laisse servir sans remercier. Je crois surprendre un léger rictus sur ses lèvres, comme s'il pensait : « Ah ! la vieille mère qui passe avec les cafés, il ne manquait plus que ça ! » Je saisis rageusement ma tasse, bois d'un seul coup et déclare, dans un élan subit :

— Voulez-vous que je vous le dise ? Le néo-capitalisme que vous prétendez combattre n'a pas d'allié plus précieux que votre Antonioni. Un créateur qui refuse d'interpréter rationnellement le monde pour se complaire dans un formalisme vide fait le jeu du pouvoir. Rien ne réjouit autant les patrons que ce genre d'œuvres exsangues et tarabiscotées, qui leur laissent les mains libres pour spéculer à la Bourse, exploiter les ouvriers, mater les comités d'entreprise, s'enrichir sur le dos des pauvres.

Énervé par leur mutisme, j'ajoute, quitte à me mettre dans mon tort en employant cet argument un peu bas :

— Et le peintre qui couvre sa toile de lignes ou de taches sans signification, croyez-vous qu'il dérange qui que ce soit ? Trouvez-moi un dirigeant de la Fiat qui n'ait pas son abstrait au mur de sa salle à manger !

— Nous ne sommes plus au temps de Courbet et de Zola, lance avec mépris Walter.

Ah ! nous ne sommes plus au temps de Zola ! J'ai envie de lui sauter à la gorge, en apercevant maman dans son attitude familière, debout près de la porte, les mains croisées sur le ventre. Si dévouée, si oublieuse d'elle-même qu'elle demanderait presque à ces malappris si le café leur a plu. Pour raconter ses chagrins et ses peines, pour rendre justice aux épreuves endurées en silence par cette femme qui a traversé deux guerres atroces, qui a perdu un fils assassiné, qui a vu mourir de déchéance son mari, qui a balayé et lavé la vaisselle chez les autres, qui a partagé avec son fils survivant une vie quelquefois misérable, toujours précaire, qui s'est évanouie entre ses bras le jour où un tribunal l'a condamné, il faudrait un talent, une force, une envergure incommensurables avec le dogmatisme de ces charlatans. Assenant le coup final je leur dis :

— La meilleure preuve que vos livres, loin d'avoir la moindre charge révolutionnaire, travaillent à consolider le pouvoir, c'est qu'ils sont traduits et vendus librement dans l'Espagne de Franco. Les miens, au contraire, y sont interdits par la censure.

Walter se dressa comme un automate, marcha vers la porte, se retourna sur le seuil et, d'une voix sifflante :

— La basse injure est une entrave intolérable au déroulement du processus dialectique. Viens, Armando. Au niveau de la construction du contraire négatif, il est clair que nous avons tout essayé.

A peine eurent-ils disparu dans l'escalier que Danilo me tira par la manche, éclata de rire et me sauta au cou.

— C'était pas la peine qu'il la ramène comme ça avec sa chemise ! Tu sais d'où elle vient ?

— De Katmandou, comme toutes leurs frusques !

— Idiot ! Je me disais bien que quelque chose clochait là-dedans. J'ai profité du moment où il a grimpé sur la chaise. L'étiquette de la Rinascente était restée collée en bas, au coin du tissu. Je l'avais deviné que c'était d' la frime !

— Mais pas les mocassins à vingt mille lires !

— Ah ! tu les as remarqués aussi ?

Il est tout heureux, m'embrasse une nouvelle fois. Pourquoi ne suis-je pas heureux de mon côté ? Pourquoi me tourmente le souvenir de cette visite, de ce que j'ai dit, de ce que je n'ai pas dit ? Je ne devrais pas avoir besoin de me raisonner : si la néo-avant-garde se réduit à ce baragouin mystificateur, mieux vaut, mille fois mieux, passer pour « classique », voire « traditionnel », mais rester ce que je suis, continuer à écrire mes livres à ma façon et y parler de choses qui intéressent Danilo et qui lui plaisent. Pourtant la phrase de Rimbaud revient traîtreusement m'obséder. « Il faut être moderne. » La modernité aujourd'hui consiste-t-elle à mépriser les jeunes sans instruction ni bachot ? A se moquer de savoir comment le pain est distribué à Rome ? ce que pensera le fils d'un ouvrier de la Marelli en vidant sa hotte dans le restaurant où quelques affiliés du Groupe 63, peut-être, se réciteront leurs rébus autour d'une puritaine bouteille d'eau minérale ?

C'est enrageant de se dire qu'un roman écrit sans ponctuation, sous prétexte que les points et les virgules exercent une fonction répressive, sera salué comme « moderne » par les mêmes critiques qui parleront avec dédain de « néo-vérisme » si je raconte les aventures d'un garçon de courses.

Je regarde Danilo, qui aide maman à remporter les tasses dans la cuisine. Une réflexion affreuse me traverse l'esprit : que c'est la faute de Danilo, de ce qu'il est, de sa simplicité, de son manque de culture, si je dois écrire des poèmes lisibles, tourner des films faciles à comprendre, me couper en somme de tout espoir de rentrer en grâce auprès des arbitres du jour. Walter a cité Burri : cuisant souvenir pour moi. Cet artiste exposait dans la galerie la plus élégante de Rome. Danilo s'esclaffa : « Des sacs ! Des sacs à farine comme ceux de la boulangerie ! », un doigt sur la tempe, l'air de dire : « Est-il pas dingue, celui-là ! » Et moi, n'osant ni prendre la défense de celui que je considère comme un authentique et grand créateur, ni me discréditer aux yeux du Tout-Rome en me solidarisant avec le sens commun... Résultat : au bout de cinq minutes, avant que le gros des invités n'affluât, on nous a vus filer à l'anglaise.

Plus étroitement Danilo sera associé à ma vie, moins souvent j'échapperai à de tels pièges. Vite, réfléchir sur la situation fausse où je me suis mis par ma liaison avec un livreur de pain auprès de qui il m'est difficile de ne pas rire devant une exposition de sacs vendus très cher bien que semblables à ceux en grossier jute qu'il voit entassés dans la resserre de son patron.

Mais ma conviction n'est-elle pas déjà arrêtée ? Qu'ai-je besoin de réfléchir plus longtemps ? Quoi ! Je mettrais en balance l'approbation de quelques snobs incapables de ressentir par eux-mêmes et la sincérité, la pureté de Danilo ? S'il me plaît, si je l'aime, n'est-ce pas d'abord pour sa fraîcheur ? Ah ! plutôt trouver la force de supporter mon isolement au milieu de la société littéraire de Rome, qu'en vouloir même l'espace d'une seconde à celui qui me donne sa jeunesse, sa chaleur et son amour avec un élan si spontané. Je chasse une pensée si honteuse. Mais elle m'est venue, elle me laissera des traces, elle me rendra plus amère cette solitude intellectuelle qui s'épaissit autour de moi.

— Tiens, dis-je en prenant mon chéquier, tu en as vraiment marre, de pédaler sur ton clou ?

— Mais, Pier Paolo...

Sans se douter de ce qui me pousse à lui offrir aujourd'hui la vespa qu'il guigne depuis un bout de temps dans le garage d'occasions de viale Europa, il me raconte pour la dixième fois les dangers de la circulation à vélo depuis qu'on a créé des couloirs pour les autobus.

— Et puis non ! s'écrie-t-il, incapable de tricher. Ce qui m' plaît, c'est qu'elle a un pare-chocs chromé !

Franchise qui lui rapporterait une auto, s'il me la demandait ! Je vais lui signer le chèque, il partira comme un fou et moi, l'oreille tendue pour écouter le dernier écho de ses bonds sur le marbre du hall, je resterai penché sur la rampe, sans courage pour retourner tout de suite dans mon bureau où m'attendent des épreuves à corriger. Source de nouvelles angoisses quand le recueil paraîtra et que tombera le verdict des critiques prêts à encenser n'importe quel grimoire :

— P.P.P., un peu plus à chacune de tes œuvres tu t'éloignes de la jeune génération.

44

Le 7 janvier, on me vola ma voiture. Deux jours après, je lisais dans *Paese Sera* le récit de la rencontre organisée à Turin par les premiers comités d'agitation universitaire. La Catho de Milan était occupée depuis le 18 novembre. Le mouvement avait gagné Gênes, Pavie, Cagliari, Salerne, Florence. A Rome, rien encore. (Pas étonnant, aurait dit mon oncle Colussi.) Échauffourée à Milan, l'agent de police Sostegno grièvement blessé. Télégramme du président de la République pour stigmatiser ce « barbare attentat ». Réplique d'un juge de « Magistrature démocratique » : la police avait chargé la première et sans raison. Souligner d'un trait rouge ce passage, pour m'en indigner tout à l'heure avec Danilo. Avant que j'aie pu trouver mon crayon, coup de sonnette. Maman accourut, affolée.

— Un policier !

Je me précipitai. Un brigadier, plus très jeune, de petite taille et trapu, claqua devant moi des talons.

— Monsieur, on a retrouvé votre voiture. Je vous rapporte les clefs.

— Ah ! fis-je radouci, entrez donc.

Il me demanda la permission d'ôter sa casquette qu'il accrocha au portemanteau. De ses cheveux noirs et ondulés coupés au ras de la nuque s'échappa une forte odeur de brillantine. Gêné par le bruit de ses gros souliers ferrés sur le dallage, il s'avança sur la pointe des pieds dans le couloir.

— Dois-je servir le café ? me chuchota maman dans son dos.

— Pas question, répondis-je de la même voix.

Le brigadier, planté au milieu du salon, m'attendait au garde-à-vous. Je ne pus m'empêcher de l'inviter à s'asseoir.

— On a retrouvé aussi le voleur, me dit-il. Ce qu'il y a de sûr du moins, c'est que de sérieuses présomptions pèsent sur le susdit.

358

« Quel style ! » pensais-je en regardant sur sa joue basanée les petites entailles produites par un rasoir trop scrupuleux. Cependant, au lieu de m'irriter contre les détails bureaucratiques de son récit, je me sentais une certaine indulgence pour mon hôte. Toute sa personne exprimait l'ambition, vouée à un échec manifeste, de faire oublier par une coquetterie excessive ses origines méridionales. Il croyait qu'en se versant sur la tête un pot de gomina parfumée il effacerait l'inconvénient de sa petite taille léguée par des ancêtres à qui une sous-alimentation chronique n'avait jamais permis de dépasser un mètre soixante.

— Maintenant, conclut-il, je vous prie de me dire s'il est dans votre intention de porter plainte.

— Qui est-il, ce suspect ? demandai-je. Quel âge a-t-il ?

— Dix-huit ans.

— D'où vient-il ? A-t-on des renseignements ?

— C'est le fils d'un ouvrier.

— Il a dix-huit ans et c'est le fils d'un ouvrier !

— Exact, fit-il en portant machinalement la main à son front, comme s'il était au rapport.

— Vous seriez content que je dépose plainte et que je fasse envoyer ce jeune en prison, n'est-ce pas ? dis-je sans lui cacher mon hostilité.

Je m'en voulais d'accueillir un homme compromis par force, même s'il en était personnellement innocent, dans les nombreux crimes où ses collègues avaient trempé les mains : répression des manœuvres agricoles dans le Frioul sous le gouvernement De Gasperi ; écrasement des ouvriers sous le gouvernement Tambroni ; vingt morts à Gênes et à Règgio en 1960 ; plus récemment, les deux morts d'Avola en Sicile ; chasse aux bergers en Sardaigne ; guerre aux autonomistes dans le Haut-Adige ; aujourd'hui la charge, matraque au poing, contre les étudiants de Milan. Sur la table basse, entre nos deux fauteuils, le brigadier pouvait voir *Paese Sera* avec en manchette la déclaration fracassante du juge de « Magistrature démocratique ».

Il jeta un coup d'œil sur le titre mais ensuite, à ma stupeur, murmura, non sans rougir jusqu'aux oreilles :

— Moi aussi, je suis fils d'ouvrier.

Comme je le fixais incrédule, il reprit :

— Ça vous étonne, hein, qu'un fils d'ouvrier fasse ce métier ? J'ai lu vos articles, monsieur, vous devez penser que ce n'est pas joli de ma part.

Ému tout à coup, et ne sachant que répondre, je criai d'une voix forte : « Maman, veux-tu nous préparer des cafés ? »

— Vous prendrez bien un café, brigadier ?

Il me sourit tristement, alluma la *Nazionale* que je lui tendais et se mit à fumer en silence. J'aurais voulu en savoir plus. Pour le mettre en confiance, je lui dis :

— D'après votre accent, vous êtes Napolitain. Oh ! ajoutai-je en hâte, de peur qu'il ne se sente humilié par ma remarque, s'il y a un accent que j'aime, c'est celui de Santa Lucia et de Porta Alba. Ça aussi, je l'ai dit dans mes articles. N'est-ce pas que vous êtes de Naples ?

— Mon père travaillait aux aciéries de Bagnoli. Il poussait des chariots. Nous habitions Fuorigrotta. A huit dans deux pièces.

— Je peux entrer ? demanda maman, qui apportait les deux tasses et le sucrier sur un plateau.

Le brigadier se leva, resta au garde-à-vous pendant qu'elle approchait la table gigogne, et ne se rassit que lorsqu'elle eut quitté le salon. Il se mit à boire, le petit doigt levé. Je fus attendri par ce geste où je n'aurais vu, cinq minutes plus tôt, que servile effort pour copier les manières de cette bourgeoisie qui lui ordonnait de matraquer les grévistes de piazza Sant'Ambrogio.

— A huit dans deux pièces ? repris-je, m'apercevant qu'il n'attendait qu'un encouragement pour parler.

— Nous crevions de faim. Ma mère me loua au concierge du palais San Felice. Tous les matins je devais nettoyer les quatre escaliers et les deux cours du palais. La nuit, ordre d'ouvrir le portail aux locataires qui rentraient après dix heures. Je dormais tout habillé sur un coffre, juste au-dessous de la sonnette. Le tintement me réveillait en sursaut. Petit comme j'étais, j'avais huit ans à peine, il fallait que je monte sur un tabouret pour atteindre la barre. Des dames en robe longue et en chapeau, des messieurs qui me donnaient un petit coup de canne dans les côtes, passaient dans un nuage de parfum en se moquant de mes cheveux ébouriffés. « Le petit plumeau ! Le petit macaque ! » Le concierge me donnait à manger aux mêmes heures qu'à son chien. Ma mère venait me voir le samedi pour retirer les cent lires de ma paye. Mais vous êtes bien patient de m'écouter, monsieur. C'est la première fois que je raconte ça à quelqu'un. Je ne devrais pas.

Il se tut, embarrassé, fit le geste instinctif de passer le doigt sur la couture de son pantalon, puis, tressaillant à la vue du liséré noir, le besoin de justifier son uniforme le saisit à nouveau.

— Au bout de quelques semaines on s'aperçut que j'avais des poux. Un de mes frères prit ma place, on m'envoya chez un coiffeur qui me rasa complètement puis me garda à son service. Avec une grosse brosse qui tenait à peine dans ma main, je débarrassais les

360

clients des cheveux tombés sur leur veste. Ils me récompensaient par un pourboire que le patron, dès qu'ils étaient sortis, s'empressait de fourrer dans sa poche. Que d'informes tignasses j'ai vues se transformer par son art en chevelures ondulées ! Que de moustaches hirsutes auxquelles il réussissait à donner belle allure ! « A la Umberto ! » criait le royaliste. « A la Toscanini ! » le mélomane. Certains réclamaient une lotion. La boutique humide et glacée se remplissait alors d'odeurs exotiques. Mais le sommet c'était la brillantine. Une denrée de luxe pour notre échoppe de banlieue. Dense et onctueuse, tenue sous clef dans l'armoire à glace d'où je ne sortais le pot que lors des grandes circonstances. Le patron, après en avoir étalé gros comme une noisette sur le crâne de quelque *avvocato* qui tirait sur sa manche pour regarder ostensiblement l'heure à sa montre en or, trouvait commode d'essuyer ses mains sur mes cheveux. Tout luisant de brillantine je ressortais du magasin. La forte odeur que je dégageais faisait l'admiration de mes camarades. Une couronne sur la tête ne m'eût pas valu plus de prestige auprès des gamins du quartier.

Il porta la main à ses cheveux dans un geste naïf qui me toucha. Trente ans après son passage chez le fruste barbier de Fuorigrotta, il comptait sur les mêmes preuves pour se donner du courage. Surprenant mon regard, il se rengorgea, rectifia le nœud de sa cravate et sourit.

— Je crois comprendre, monsieur, que vous ne m'écoutez pas avec indulgence seulement parce que je vous rapporte les clefs de votre auto. Ce n'est pas comme les autres gens, qui nous détestent et nous méprisent. Croient-ils donc qu'on choisit de bon cœur la police ? J'ai été forcé d'y entrer, monsieur. C'était le seul moyen d'échapper à la misère. Pas plus tard qu'hier, je trouve ma femme en larmes. « Anna, pourquoi pleures-tu ? » On avait refusé de la servir, dans une droguerie où elle demandait de la lessive. « Ici, c'est un magasin de prolétaires. » Faces sombres et sévères autour d'elle. « Bon Dieu, Anna ! que j' lui dis, fallait leur répondre que nous aussi on est des prolétaires, et peut-être plus qu'eux ! » Elle éclate alors en sanglots, je n'arrive plus à la calmer. « Mais Pasquale, tu es aveugle ! me dit-elle enfin. Tu ne sais pas que nos voisines me croisent sans me saluer, que je n'ai pas d'amies, qu'on me regarde comme si j'avais la peste, que nos enfants sont isolés à l'école. Leurs camarades les mettent en quarantaine et refusent de jouer avec eux ! » Tandis qu'elle se défoule un bon coup, je pense à toutes les petites humiliations qu'on me fait subir, à moi aussi, dans mon immeuble et dehors, en ville, partout où je me montre avec mon uniforme : portes qui se ferment brusquement quand je descends l'escalier, voisins qui ne m'adressent pas la parole, autobus qui démarrent sous mon nez. Je n'ai pas d'amis, moi non plus, monsieur. J'ai un nom honorable comme les autres, Esposito Pasquale, c'est mon nom, monsieur, je suis un père de famille comme les autres, j'ai les mêmes problèmes que les autres, les prix montent pour moi comme pour les autres, et pourtant ils me rejettent, ils m'excluent. Pour eux je suis le flic, l'étranger. Flic, flic, seulement flic ! Je n'avais pas d'autre choix, monsieur.

Il partit si ému qu'il oublia sa casquette au portemanteau. Je dus courir après lui dans l'escalier. En remontant, ébranlé par sa confession, j'entendis sonner une heure. Que faisait Danilo, si ponctuel ? Déjà une demi-heure de retard ! J'ouvris la porte-fenêtre et traversai le jardin, jusqu'au magnolia d'angle d'où je me mis à guetter. Le froid très vif détachait avec une pureté cristalline chaque son dans la rue et sur la colline en face.

Où le rejoindre, s'il ne venait pas ? Comment le retrouver ? Je n'avais même pas son adresse. Que savais-je de sa vie, en dehors de ce qu'il m'en disait ? Ah ! pensai-je en riant, je ne vais pas me mettre à le surveiller ! Ne me dit-il pas tout, mais tout de ce qu'il fait ? Pourquoi le soupçonner ? S'est-il jamais caché de sortir le samedi soir avec la nièce de son patron qu'il emmène au dancing paroissial de San Lorenzo ? C'est vrai qu'il m'a emprunté hier mille lires pour acheter des fleurs à cette Luisa dont c'est l'anniversaire aujourd'hui. Mille lires auxquelles j'ai pu mesurer mon bonheur et savourer la chance inouïe d'être aimé à quarante-six ans par un garçon nullement misogyne ni incapable de flirter avec une camarade de son âge. Mais si un jour... ? Non, non ! Je devais chasser cette pensée, gratuite, peu généreuse, qui ne reposait sur aucun indice. Aurais-je préféré l'entendre parler mal des filles et ne le voir affectueux qu'avec moi ? Comme il m'eût semblé alors moins complet, moins humain ! Comme le petit faible qu'il montre pour Luisa me rend sa tendresse plus précieuse. Luisa, la nièce de son patron ! Presque quelqu'un de sa famille... Il doit la croiser souvent dans la boulangerie... Alors, de quoi m'inquiéter ? Je serais fâché de savoir qu'il ne lui fait pas un brin de cour... S'il ne ressentait rien pour cette petite, pourrais-je me dire qu'il m'a choisi ? Mot délicieux à me répéter...

Une heure et demie. Aucun bruit de moteur à l'horizon. Il aimait danser, il... Oui, oui, je n'avais qu'à me louer de le trouver si plein d'impulsions vitales, si intact dans son caractère et dans ses goûts virils. Sans timidités ni préventions, sensible à la beauté féminine, vraiment libre. Alors que tant de ceux qui nous accordent leurs faveurs, avouons-le, ne nous donnent que ce qui serait inutilisable autrement. J'avais rencontré mon genre. Le contraire du garçon à complexes et à inhibitions. Bien plus homme que femme, grâce à Dieu ! Mais de là, quand même, à me laisser tomber parce que c'est le jour de souffler seize bougies sur le gâteau de sa copine... En sortant pour la dixième fois dans le jardin, la vitre me renvoya un visage décomposé.

Il arriva vers deux heures, tout excité. Une grande manif d'étudiants l'avait bloqué place de Venise.

— Y en avait des milliers, Pier Paolo ! Ça t'aurait plu de les entendre scander : « Non à l'école de classe ! Non à l'université des privilèges ! » En face d'eux, une rangée de jeeps et de camions bourrés de *celerini,* avec leurs casques, leurs boucliers et leurs matraques. Je me suis arrêté, je me suis dit : « Pier Paolo sera content que je crie un peu avec les étudiants. Il verra que j'ai appris à bien lire *Paesa Sera* et que ses leçons entrent dans ma caboche. » Pas vrai, Pier Paolo ?

Je me traitai intérieurement de pauvre con et d'idiot, pour l'accès de jalousie sous le magnolia. L'image du brigadier, le récit de son enfance, l'aveu de son isolement et de son désarroi s'effacèrent sur-le-champ de mon esprit. Je fus tout entier au bonheur de me sentir à l'unisson avec Danilo.

— Avaient-ils aussi des grenades à leur ceinture ? demandai-je en reprenant sur la table l'article accusateur.

— Pardi s'ils en avaient ! Elles ont commencé à nous pleuvoir dessus. Pof ! Pof ! Jésus, quel boucan ! Je ne savais plus où j'en étais. Les yeux me brûlaient salement. Coup de bol, une fille s'amène. « Prends ça », qu'elle me fait, en me filant une moitié de citron et une pastille d'aspirine. Pour la remercier, je lui ai offert de se barrer avec moi. Nous courions comme des fous, à la fin on a retrouvé la vespa et on a démarré. « Toh ! qu'elle a fait, mais je t'ai vu jouer au cinéma ! »

— Une fille ! m'exclamai-je pour plaisanter. Tu dragues les filles, maintenant !

— Regarde si elle est pas chouette, Annamaria, reprit-il en sortant de la poche de son blouson une petite photographie d'identité. Elle connaît bien tes films, ce que j'étais content !

— Elle t'a donné sa photo ?

Je n'avais pu m'empêcher de pâlir. Au ton de ma voix, il changea lui-même d'attitude, ce qui augmenta mes soupçons.

— Je voulais pas la prendre, cette photo, qu'est-ce que tu crois ? « Dépêche-toi, me disait-elle, si papa se penche à la fenêtre et te voit, ça fera du grabuge à la maison. »

— « Si papa se penche à la fenêtre », qu'est-ce que ça veut dire, Danilo ? Tu l'as raccompagnée chez elle, par-dessus le marché ?

Il courba le dos et fit un geste évasif de la main, comme s'il voulait minimiser l'importance de ce que je venais d'apprendre.

— D'ailleurs, dis-je avec mépris, je me moque de toute cette histoire. A chacun sa Dulcinée !

Je lui rendis la photo, espérant qu'il allait la déchirer sous mes yeux. Mais, sans relever le sarcasme dont la flèche s'émoussa contre l'ignorance d'un garçon livreur sorti de l'école à douze ans avant d'avoir entendu parler de Cervantes, il la remit en place dans la poche intérieure de son blouson.

— Et peut-on savoir, repris-je, où elle habite, cette beauté ?

Naïvement, il tomba dans le piège.

— Viale Regina Margherita, au 121.

— Ah ! tu as retenu l'adresse. Vous vous êtes sans doute promis de vous revoir ? Une inconnue, comme ça... Tu te lances à la tête d'une inconnue !...

Affolé, il ne répondit pas. Pour essayer de me dominer, je passai dans le jardin, où l'air glacé me fouetta au visage. « Toi, jaloux ? Toi, à qui répugne le type efféminé et qui porte sa spécialité sur le visage ? Toi, à qui les *ragazzi* de Ponte Mammolo plaisaient tant parce qu'ils ne se gênaient pas pour aller chez Madama Brenta avec les quelques lires qu'ils te piquaient ? La plupart ont fini par se marier, comme Santino. Ils allaient avec toi par tendresse pour toi, non par aversion de l'autre sexe. Cette part en lui qui ne t'est pas acquise par avance, n'est-ce pas celle que tu préfères en Danilo ? Bien plus homme que femme... »

Saisi d'une idée subite, oubliant tout ce que je venais de me dire, je me plantai sous le grenadier, face à la rue. Danilo n'avait pas ôté son blouson en entrant. Il le retirait tout de suite d'habitude et le pendait dans le couloir. Plus que jamais aujourd'hui, avec ce froid perçant, il aurait dû enlever sa tenue fourrée de moto quand il avait mis le pied dans l'appartement. « Non ! Non ! m'écriai-je, tu ne vas pas recommencer à te ronger en supposant par exemple qu'il tient à garder cette photographie sur lui. A la place du cœur. D'ailleurs, je vais faire un test. Compter jusqu'à cinquante, le plus lentement possible. Puis me retourner tout d'un bloc et regarder par la porte-fenêtre. Si je le vois en maillot, je cours à lui, je l'embrasse et je lui donne les dix mille lires pour qu'il s'achète la selle de cow-boy dont il a envie depuis longtemps. S'il est toujours en blouson, alors... »

Je ne savais pas ce qui sortirait de cet « alors » murmuré d'une voix étranglée pendant que je froissais dans ma main une feuille racornie du grenadier. Je me mis à compter. Arrivé à cinquante, je me dis : « Encore dix. » A soixante, je jetai la feuille et me retournai. Danilo n'avait plus son blouson. L'inscription « Viva la Lazio » s'arrondissait en lettres rouges dans le dos de son T-shirt bleu. Il montrait quelque chose à maman, et lui parlait avec animation. Je fermai les yeux, avalai un grand bol d'air, fis le signe de la croix, comme au lycée quand j'avais échappé à l'interro de maths. Je poussai tout doucement la vitre et souris de ma sottise en voyant ses robustes épaules qui se soulevaient et s'abaissaient au rythme d'une sportive probité.

45

Au bruit de mes talons sur les dalles, Danilo se retourna. Ce qu'il montrait à maman, c'était la petite photo d'Annamaria. Il prit peur en me voyant, referma son portefeuille qu'il enfonça dans la poche arrière de son Levi's. Maman battit en retraite dans la cuisine. Je saisis Danilo par le bras, je le pinçai jusqu'au sang.

— Tu es supporter de la Lazio, maintenant? Depuis quand? Idiot! C'est la Roma l'équipe à soutenir. Je te l'ai dit cent fois!

— Ce n'est pas vrai, Pier Paolo! protesta honnêtement Danilo. En dehors de la Bologna, je ne t'ai jamais vu t'intéresser à une autre équipe.

— Ah! parce que tu sais ce qui m'intéresse, peut-être? Tu sais ce qui me tient à cœur? Dans ce cas tu aurais pu te demander si j'aime me mettre à table à deux heures, et si maman sera contente d'avoir à trimer jusqu'au milieu de l'après-midi avant de finir sa vaisselle.

— Mais...

— Tu files viale Regina Margherita, à l'autre bout de la ville, ça ne te dérange pas, ça non, qu'on ait besoin de t'attendre et qu'on se fasse du mauvais sang.

— Mais, Pier Paolo, j'étais sûr que tu m'aurais approuvé! Annamaria passait un sale quart d'heure si elle rentrait trop tard à la maison. Son père est très sévère avec elle. Il la croyait à la fac, c'est un vieux qui ne comprend rien aux manifs.

Il répéta, pour m'amadouer :

— Elle connaît vraiment bien tous tes films.

Exaspéré, je lui décochai dans l'estomac un coup de poing qu'il encaissa avec une grimace.

— Comment se fait-il que son père soit à la maison pendant la journée? Les pères qui travaillent ne rentrent pas chez eux avant le soir, déclarai-je, péremptoire.

— Monsieur De Lollis est confiseur, tu sais. Il a inventé une recette spéciale pour petits fours à la pâte d'amande. Aujourd'hui est le jour de fermeture du magasin. Il tient ses enfants au doigt et à l'œil. Si Annamaria rentre en retard de ses cours, il se penche à sa fenêtre pour la guetter. Il a pris l'horaire pour le coller à son mur. Un grand placard avec l'emploi du temps exact, jour par jour. Elle fait Arts graphiques à la fac d'architecture, conclut-il fièrement.

— Un confiseur, par-dessus le marché! m'exclamai-je. Un horrible petit-bourgeois, enrichi en faisant bouffer du sucre aux épouses de notaires et d'entrepreneurs. As-tu oublié les deux morts d'Avola, en Sicile? Ils se sont fait tuer parce qu'ils en avaient marre de cueillir des amandes pour enrichir monsieur et mademoiselle De Lollis.

— Mais il n'est pas riche, eut encore la force de protester Danilo. Ce n'est pas lui le patron du magasin. Il travaille aux fourneaux, dans l'arrière-boutique...

Les lasagnes, apportées fumantes sur la table, m'empêchèrent de le harceler plus longtemps. Danilo, dès le lendemain, retrouva son exactitude habituelle. Je m'étais juré de ne plus le tourmenter avec Annamaria, bien qu'il fût assidu auprès d'elle, je le devinais d'après un petit air de fatuité heureuse qui lui échappait involontairement. Passionné tout à coup par la politique, il se plongeait dans la lecture de mes journaux, ce qui m'eût paru une victoire si j'avais été sûr d'être le seul à l'influencer. Au reste, toujours aussi affectueux, c'est lui qui insistait, malgré le froid persistant, pour faire un tour avant déjeuner dans le terrain vague au-delà de l'E.U.R. Nous commencions par une partie de boxe, avant de rouler derrière un buisson. Pendant le repas, les jours de manifs, il me demandait d'écouter la radio. J'allumais à contrecœur mon petit transistor, mais sous quel prétexte aurais-je pu lui interdire de s'engager à fond avec les étudiants?

Ils se dressaient contre tout ce que Danilo m'avait entendu critiquer dans le système scolaire italien : les programmes vétustes, les méthodes périmées, la pédagogie élitaire, l'absurdité de juger le fils du plombier sur un passage de Dante, l'injustice de noter sa copie avec les mêmes critères que celle du fils de professeur ou d'avocat, l'imposture de cette sélection intellectuelle qui n'était qu'une discrimination sociale. Je lui avais parlé de mes expériences dans le Frioul, de mes élèves aux tignasses pleines de paille. Ils sentaient encore le fumier et l'étable, ayant aidé leurs pères à sortir les vaches avant de gagner l'école où je devais leur faire réciter les six cas de la déclinaison latine et conjuguer le plus-que-parfait des verbes déponents. Et lui, que préoccupait son frère Ugo toujours à

367

la traîne dans sa classe, ne se lassait pas d'entendre, pendu à mes lèvres, que l'échec scolaire reflète plus souvent la situation de famille que les insuffisances personnelles de l'enfant.

A présent, depuis le début des troubles et des affrontements avec la police, il me commentait tout joyeux les progrès de l'émeute.

— Tu verras, me disait-il en parodiant ingénument mes paroles, que le jour de la revanche n'est pas loin. Ceux qui potassent leurs leçons à trois dans une chambre auront des chances égales à celles du fils à papa qui dispose d'une piaule pour lui tout seul.

Mais les arguments dont je m'étais servi pour séduire Danilo me parurent moins irrésistibles, du moment qu'ils pouvaient lui fournir un encouragement à défiler derrière les banderoles. Je voulais bien m'indigner avec lui contre les crimes américains au Vietnam, mais non le munir de slogans qu'il braillerait dans les cortèges au coude à coude avec Annamaria. Depuis quelques jours, la faculté d'architecture avait pris la tête du mouvement. Je ne voyais pas sans un pincement au cœur la figure grave de Danilo, à l'écoute près du poste, l'oreille tendue vers le bruit sourd des grenades.

— Il ne faudrait quand même pas qu'ils se montent la tête, lui disais-je. Ils réclament la suppression des examens, sans penser aux conséquences.

— Mais les conséquences ne peuvent être que bonnes et souhaitables, Pier Paolo, si les examens, comme tu me l'as démontré, ne font que sanctionner (c'est bien le mot, hein?) les inégalités sociales.

— Taratata ! Supprimer les examens reviendra à avantager ceux qui ont des relations personnelles et qui trouveront à se caser sans qu'on leur demande leurs diplômes.

Il me regardait, stupéfait de m'entendre changer d'avis au moment où j'aurais pu me faire reconnaître à bon droit comme le prophète de l'insurrection.

— Au lieu de te laisser tourner la tête comme un étourdi, reprenais-je, tu devrais réfléchir que les flics que vous attaquez viennent de la même classe sociale que ton père, tandis que parmi les étudiants il n'y a pas plus de deux pour cent de fils d'ouvriers.

Danilo se grattait la nuque, déconcerté par cette objection, mais ensuite il bondissait, ayant découvert où clochait mon raisonnement.

— Ce n'est pas nous qui attaquons les flics ! s'écriait-il. C'est eux qui nous attaquent.

Je cherchais rapidement un autre terrain où reprendre l'avantage.

— Occuper les lycées, à quoi cela mènera-t-il? A ce que les plus riches se paieront des leçons particulières ou s'inscriront dans des boîtes privées. Qui sera pénalisé, une fois de plus ? Les pauvres, ton frère Marcello qui ne pourra jamais devenir ingénieur, ton frère Ugo qui devra faire une croix sur le bac. Danilo ne répondait rien. Mais à le voir ensuite se précipiter sur sa vespa et partir à la course pour démarrer plus vite, je pouvais craindre qu'il n'allât se jeter au milieu de la bagarre, impatient de trancher par l'action les doutes qu'il emportait après deux heures d'ergotages démoralisants.

Alberto Moravia, dont ils avaient souillé et dévasté l'appartement, me téléphona pour me mettre en garde contre les « oiseaux », un groupe non identifié d'énergumènes qui sonnaient chez les écrivains et entraient de gré ou de force. Sans dire un mot, se refusant par système à articuler une parole, se contentant de pépier comme des moineaux, ils fonçaient dans la cuisine, sortaient les œufs du réfrigérateur et se répandaient dans les pièces avec ces projectiles. Quand ils avaient barbouillé les murs, renversé les tables, éparpillé les manuscrits, crevé les toiles, ils prenaient leur vol et recommençaient ailleurs leurs gazouillantes déprédations.

Maman dûment avertie — « Regarde par l'espion et n'ouvre à aucun visage inconnu » —, je partis en voiture pour le Pincio. Plus de dix mille manifestants, d'après la radio, occupaient la place du Peuple. Un spectacle alors nouveau et extraordinaire — poings tendus au-dessus des têtes, guitares, vociférations, chants révolutionnaires, feux de joie où se calcinaient sans brûler les chaises en plastique du café Rosati le repaire de la droite, immenses portraits de Che Guevara en treillis de guérillero, faces sombres et crispées des policiers derrière les carreaux grillagés de leurs camions — mais ne t'inquiète pas, je ne vais pas faire des phrases sur ce qui a été décrit tant de fois et te paraîtrait aussi neuf qu'une page sur les tranchées de la Grande Guerre. Malgré le pittoresque et l'insolite du tableau, je n'étais pas venu pour remplir mon carnet de notes. Ce que je cherchais — qui pourrait me le dire ? La crainte mais aussi le désir de surprendre Danilo bras dessus, bras dessous avec une brune dont la photo, contrairement à ce qui m'avait échappé par dépit, annonçait une jolie figure, me poussait de-ci de-là dans la foule qui me portait comme un bouchon. Décoiffé, le regard fixe, l'oreille aux aguets, tournant la tête à droite et à gauche, je devais avoir l'air d'un fou, et comme fou en effet mérite d'être jugé celui qui travaille à sa propre ruine. Ses cheveux crépus, sa toison moutonnant sur la nuque, cent fois il me sembla les reconnaître, cent fois je dus m'excuser. Je ne repartis, provisoirement soulagé, que lorsque l'heure de reprendre son travail eut sonné depuis longtemps au clocher de Santa Maria.

369

A la maison, je trouvai maman en larmes, les murs du couloir maculés de merde, mon bureau en désordre, mes livres par terre, le Masaccio lacéré. Les « oiseaux » avaient accompli un de leurs raids.

— Maman, je t'avais bien recommandé de ne pas ouvrir.

— Mais je le connaissais, celui-là. Un ami à toi. Un des deux jeunes venus te voir le jour de l'anniversaire de Guido, tu te rappelles ?

— Ah ! le grand brun aux cheveux longs ?

— Non, l'autre, un blond, avec une chemise indienne.

— Armando !

— Peut-être, il n'a pas dit son nom. Il est entré avec un autre et ils ont tout chamboulé, tout salopé en dix minutes. Jésus, pardonne-leur.

Pendant que je remets les livres dans l'étagère et vérifie les pages de mon manuscrit, j'entends maman se lamenter dans la cuisine. Elle avait cuit ce matin une demi-douzaine d'œufs pour la salade russe du dîner. Les vandales, afin d'en bombarder les murs, commençaient à sortir du réfrigérateur le reste de la provision, quand soudain Armando (« Tu es sûre que c'est lui, maman ? — Oui, le blond à la chemise indienne. — Le blond ? Le petit blond ? Vraiment sûre ? — Comment donc ! Je le revois encore, tordu par la colique et filant comme un rat hors de la cuisine ! ») Armando s'était pris le ventre à deux mains et précipité au cabinet. D'où le changement de programme et la fantaisie impromptue d'étaler sa merde dans le couloir. Mais ce qui fâche surtout maman dans son orgueil de ménagère, c'est qu'elle n'arrive plus à distinguer dans l'assiette les œufs crus d'avec les durs.

— Va en acheter d'autres, lui dis-je. Pour ce que ça nous coûtera !

Mais elle les soulève à tour de rôle, les soupèse, les secoue près de son oreille, comme s'il s'agissait d'un trésor à sauver. La paysanne du Frioul, parcimonieuse pour chaque miette de nourriture, ne se résigne pas au gâchis de douze œufs. Quant à moi, je découvre avec stupeur que le débat littéraire n'a été qu'un tremplin de départ pour des terroristes aux desseins mystérieux.

Danilo tomba à l'improviste. Je ne l'attendais jamais l'après-midi.

— Alors ça ! Les fascistes, encore ?

Il avait reconnu la merde à l'odeur, lui, avant de voir les traces de doigts sur les murs.

Cette fois, je dus le détromper.

— Non Danilo. Les fils à papa à qui leurs bonnes ont appris à se torcher le cul et à se laver les mains après. Ils se défoulent aujourd'hui, de même qu'ils ont jeté en l'air la discipline apprise à la maison et sèchent les cours pour faire des manifs.

Intrigué par le manège de maman, il m'interrompit sans relever l'allusion à Annamaria.

— Mais Madame, s'exclama-t-il en riant, c'est tout simple ! Vous le prenez entre le pouce et l'index et vous le faites pivoter sur lui-même. S'il tourne comme une toupie, c'est qu'il est cuit. S'il bouge à peine, c'est qu'il est encore tout liquide au-dedans. En voici un, tenez... Alors ça ! ajouta-t-il à mon intention, sans oser s'adresser directement à maman, tu te dis de la campagne et tu ignores un truc aussi simple !

Il se campa sur ses jambes écartées :

— Ma parole, c'est toi le bourgeois !

— Comment as-tu fait pour te rendre libre ? lui demandai-je d'un ton sec, dépité de reconnaître un fond de vérité sous cette boutade.

— La plupart des restos ont baissé leur rideau de fer. Paraît que cette nuit y aura de la casse.

Plus tendre et plus câlin n'aurais-je pu le souhaiter que pendant cet entracte prolongé jusqu'au soir. Après son départ seulement, l'affreux soupçon me mordit. « S'il m'a donné deux heures en extra, c'est qu'il cherche à se faire pardonner quelque chose. »

La nuit fut calme, mais le lendemain les étudiants de la faculté d'architecture soutinrent une bataille rangée à Valle Giulia. J'entendais le claquement des grenades et la clameur des refrains sur mon transistor que j'avais transporté sous le magnolia pour guetter Danilo qui n'arrivait pas et ne parut pas de toute la journée. « J'avais donc raison hier soir, me dis-je. Son cadeau de deux heures n'était rien moins que gratuit. Sachant ce qui se passerait aujourd'hui, il tenait à me laisser un acompte. » L'idée ne me vint même pas à l'esprit qu'il avait pu être blessé, comme je l'appris ensuite : un coup de matraque sans gravité, bien qu'on l'eût emmené avec les autres à l'hôpital. Les mots « faculté d'architecture », répétés par le speaker sur tous les tons, me tambourinaient à l'intérieur du crâne. Danilo, rien de plus sûr, jouait au tupamaro pour épater la fille du confiseur, laquelle depuis beau temps, impossible d'en douter non plus, avait arraché du salon paternel le placard qui affichait son horaire. Elle se souvenait de lui dans le film, elle le prenait pour un acteur, il devait se garder de lui avouer qu'il livrait le pain dans les restaurants où son père, coïncidence non improbable, envoyait un assortiment de petits fours à la pâte d'amande pour étoffer d'une spécialité sicilienne la carte romaine des desserts.

A trois heures du matin, longtemps après la fin des combats, je veillais encore. Dans l'obscurité et le silence qui, du Colisée jusqu'aux Parioli et de Saint-Pierre jusqu'à la gare, enveloppaient la ville endormie. Seuls les éboueurs s'affairaient sur le champ de bataille pour ramasser les quintaux de papier journal utilisé comme rembourrage par les manifestants. Épuisé par l'insomnie, déprimé par l'attente, torturé par la jalousie, j'écrivis le poème qui marquerait un tournant dans ma destinée. Il consternerait mes amis comme un symptôme d'autodestruction, déclencherait la stupeur incrédule de Danilo, provoquerait des ricanements dans la presse de droite, soulèverait la perplexité affligée de *Paese Sera* et de *L'Unità,* exciterait l'indignation de l'extrême gauche, m'aliénerait la sympathie des jeunes sans élargir à d'autres lecteurs mon public, et contribuerait de toute manière à renforcer mon isolement.

Dès les premiers vers, dédaignant les précautions oratoires, et renonçant aux périphrases obscures qu'auraient pu me fournir vingt-cinq ans de métier, je signai ma propre condamnation.

> *Lorsque hier à Valle Giulia vous vous êtes bagarrés*
> *avec les policiers,*
> *aux policiers allait ma sympathie !*

Inutile de tortiller ce que j'avais à dire dans les alambics prétentieux d'une poésie « expérimentale » que deux cents lecteurs auraient comprise. Plutôt le langage brutal des faits eux-mêmes.

> *Parce que les policiers sont fils de pauvres.*

J'oubliais toutes les fois où ils étaient venus m'apporter une sommation du juge, toutes les fois où ils étaient venus m'arrêter à l'aube, toutes les fois où ils m'avaient encadré dans le box des accusés.

> *Ils sont nés dans les périphéries, où*
> *l'autobus s'arrête pour faire demi-tour.*

Mots magiques qui les absolvaient à mes yeux.

> *Au travail dès l'âge de huit ans, frustrés*
> *de leur enfance...*

Ce distique pour venger Esposito Pasquale, comme il s'était présenté lui-même : avec l'humilité de ceux qui s'estiment trop peu pour mettre la marque individuelle du prénom avant celle commune du patronyme. Le nom du brigadier (Esposito : sobriquet attribué à un enfant trouvé, « exposé » dans le tour d'un couvent) rattachait sa lignée à une origine honteuse et avait dû être pour lui une source supplémentaire d'humiliations.

Cette circonstance atténuante lui eût-elle manqué, j'aurais pris son parti avec la même injustice. Émigrés tirés de leur lit à l'heure du laitier et renvoyés dans leur village natal, marquettes du pont Garibaldi embarquées dans les paniers à salade, meurtre de Paolo Rossi par les fascistes resté impuni depuis deux ans, pompes en action à la porte des usines contre les piquets de grève : j'aurais passé aux flics tous leurs abus passés et présents, toutes leurs complaisances à l'égard du pouvoir, rien que pour assouvir ma rage contre M. De Lollis et sa fille.

Et puis, regardez comme on les habille : en fantoches,
avec cette rude futaine qui pue le rata.

Ferais-je allusion à leur salaire ? Oui, puisque la paire de mocassins d'Armando, en pécari cousu main dont j'avais noté l'élégance, coûtait la moitié de la solde d'un engagé de deuxième classe.

Pour une quarantaine de mille lires par mois.

Je tressaillis : ne venait-il pas de Rome, ce bruit qui se rapprochait sur la route ? J'avais appris à distinguer à l'oreille chaque type de moteur : la Vespa d'après son ronflement feutré, la Lambretta d'après son cliquetis plus clair, la Gilera à ses pétarades, la Guzzi à ses explosions. Hélas, le grondement qui ébranlait la vallée sous mes fenêtres ne pouvait appartenir qu'à un des premiers camions de la marée qui embouchait la via del Mare pour se trouver dans le port d'Ostie à l'arrivée des bateaux de pêche. Sous le coup de la déception, je me déchaînai en invectives.

Je lis dans vos barbes des ambitions impuissantes,
dans vos pâleurs des snobismes désespérés,
dans vos yeux fuyants des lâchetés sexuelles,
dans votre gaieté forcée la honte d'un père confiseur.

Mais je rayai ce dernier vers, qui m'aurait mis devant Danilo en position de trop grande infériorité. « Au niveau de l'esthétique », comme eussent dit les émissaires du Groupe 63, les hendécasyllabes précédents ne valaient guère mieux. Ma diatribe sonnait faux, je ne voulais pas m'en rendre compte. Si mon poème mérite de survivre, c'est par les passages plus sentis où j'ai fondu la confession du brigadier avec mon expérience de réprouvé.

Sans avoir droit à un sourire,
rejetés en marge du monde,
séparés,

373

exclus (d'une exclusion qui a peu d'égales),
humiliés d'avoir perdu leur qualité d'hommes
pour celle de policiers (être haïs fait haïr).

Un crissement au ras du sol me fit tourner la tête. Un gros coléoptère à carapace noire s'était glissé par la porte-fenêtre. Arrêté à la limite du cercle que traçait mon abat-jour sur les dalles, encore tapi dans l'ombre, il frottait l'une contre l'autre ses antennes pointées vers mon bureau. Bien que je me défende d'attribuer une portée symbolique aux petits hasards de la vie quotidienne, surtout quand il s'agit d'insectes qui ont été mis si souvent à contribution par les romanciers, cependant un frisson me parcourut l'échine, à voir ce visiteur nocturne remuer ses mandibules dans ma direction et soulever ses élytres cornés comme pour prendre son vol. Au moment où j'allais battre en retraite et lui laisser le champ libre, il se ravisa, peut-être dégoûté de ma capitulation trop rapide. Après un ultime grésillement de défi, il pivota et mit le cap sur le fond de la pièce. Ses pattes grêles patinaient sur le marbre, ce qui ne l'empêcha pas de foncer d'une traite vers un trou du mur où il disparut sans s'être retourné.

A relire mon poème, je fus saisi d'horreur. Le feuillet, déchiré en quatre, valsa dans la corbeille à papier. Je courus l'y repêcher, puis entrepris d'en recoller les bouts, avec du scotch déroulé sur le même petit appareil qui avait amusé Svenn dans mon grenier de Versuta. Allais-je me mettre à sangloter maintenant ? Je serrai les mâchoires et mis le poème sous enveloppe, à l'adresse de la revue qui publiait mes textes. Tant pis si je n'avais pas le temps de demander leur opinion à aucun de mes amis. Quels amis, d'ailleurs ? Avais-je des amis ? L'espoir d'un nouveau scandale leur eût fait trouver excellent ce méchant factum promis à la une des journaux. J'étais seul, seul, seul. Seul avec la blancheur sale de l'aube et mon visage ravagé que me renvoyait le carreau de la fenêtre derrière laquelle le premier oiseau du matin secouait ses plumes sur les branches du grenadier. Je m'étais cloué au pilori de mes propres mains. Les dizaines de milliers de lecteurs qui jusque-là me faisaient confiance m'abandonneraient avec mépris.

46

Un répit : le tournage d'un nouveau film à Milan. J'emmenai Danilo avec moi. Le plus mauvais de mes longs métrages, malgré son succès en Italie et hors d'Italie. Schématique, abstrait, voulu, forcé. Un règlement de comptes avec la bourgeoisie. Un acte d'accusation contre les parents bourgeois et leurs enfants bourgeois et les idées bourgeoises sur l'amour coupables d'avoir dévoyé Danilo en lui mettant dans la tête qu'il devait aimer une fille et la promener en croupe sur sa vespa, image qui m'obsédait même quand le jeune homme, loin de Rome et d'Annamaria, dormait dans une chambre d'hôtel voisine de la mienne. Sans la pression des médias, sans les réclames pour le couple diffusées à longueur de journée sur les ondes et dans les journaux, sans cette intoxication qui a transformé la culture italienne en office de propagande hétérosexuelle, eût-il jamais songé qu'il n'était pas quitte de ses obligations viriles par des bouquets de fleurs apportés à la nièce de sa patronne ? Ce péché énorme, de détourner les garçons de leur destination naturelle, il ne fallait rien de moins que Dieu pour le punir. Je mobilisai donc Dieu, sous les traits du bel et énigmatique acteur américain qui s'introduit dans la maison de Paolo et séduit tour à tour chacun des membres de la famille, père, mère, fils, fille, plus la petite bonne, la seule que cette expérience engage sur la voie mystique, tandis que le fils et la fille, victimes de ma haine contre la jeunesse étudiante, sombrent dans un hébétement sénile.

Présenté à Venise à l'automne, le film reçut le prix de l'Office catholique international du Cinéma, récompense attribuée pour la seconde fois à une de mes œuvres. Ce qui ne la préserva ni des poursuites pour obscénité ni du séquestre, après l'explosion accoutumée d'injures au palais du Festival et la non moins rituelle bordée de fenouils tirée contre l'écran. Les critiques, toujours serviles devant la mode, me félicitèrent d'avoir liquidé une bonne fois les dernières séquelles de mon goût naturaliste. J'avais trouvé enfin un langage « moderne », le décor froid et impersonnel de mon film reflétant, selon eux, la désolation de l'âge néo-capitaliste. La villa de Paolo, certes, ressemble plutôt à une clinique qu'à la résidence cossue d'un riche industriel : murs blancs et lisses, couloirs vides, mobilier réduit au minimum, cuisine sans casseroles ni victuailles, univers géométrique et ripoliné. Mais je n'avais pas lieu de me vanter, moi qui savais pour quelles raisons cette œuvre rompait avec mon style habituel, fait de petits détails et de précisions concrètes : le lâche désir de rentrer en grâce auprès de ceux qui ne juraient que par Godard et par Antonioni ; l'espoir de prendre ma revanche sur le Groupe 63 en décrochant un article élogieux dans les *Cahiers du cinéma,* revue d'avant-garde publiée à Paris et dix fois plus prestigieuse que le provincial *Verri* aux ordres du provincial Sanguineti ; l'ambition d'être réintégré dans le groupe de pointe des créateurs par une reconnaissance internationale, que m'accorda en effet le public de Roland Barthes et d'Alain Robbe-Grillet.

Et maintenant, Gennariello, prépare-toi à l'entrée d'un personnage extraordinaire, unique et irremplaçable, à qui par cet exorde naïf je veux rendre l'hommage dû seulement aux très grandes héroïnes, aux déesses et aux fées : Maria Callas, oui, la Divina comme on l'appelait, avec qui j'étais en pourparlers pour un autre film, et qui vint à l'aéroport de Venise signer le contrat entre deux avions. Retirée de la scène depuis plus de trois ans, elle attirait toujours la meute des journalistes. L'agent de la police des frontières lui restitua son passeport sans l'ouvrir, elle poussa le portillon d'un coup de rein et marcha droit sur moi en me tendant les bras. Je lui rendis son accolade dans un élan d'affection fraternelle, mais au moment où nos joues auraient dû s'effleurer, elle s'arrangea pour tourner brusquement la tête et coller ses lèvres aux miennes. En même temps, son bel œil étrusque étiré en pointe regarda sur le côté, pour s'assurer que les photographes ne manquaient pas cette scène. Un peu surpris de ce manège, car deux ou trois occasions seulement nous avaient mis en présence dans la foule de quelque gala, je reculai vivement ma bouche. Loin de se formaliser, elle parut enchantée de mon accueil, tint à garder son bras sur le mien pour répondre aux questions des reporters, et manifesta pendant la durée de son escale une gaieté volubile.

La photo du baiser apparut dès le lendemain dans la presse du monde entier. « Une idylle entre P. P. P. et la Callas ? » n'hésitèrent pas à titrer les magazines américains. Trois semaines plus tard, on apprenait qu'Aristote Onassis épousait Jacky Kennedy, sans que l'armateur grec eût osé prévenir celle qui avait partagé son lit, son yacht et son île de Skorpios pendant neuf ans. La maîtresse délaissée s'était évanouie en lisant la nouvelle dans le journal. Je me rappelai alors chaque détail de notre brève entrevue à Venise : la jovialité excessive de Maria, la nervosité de sa main occupée à ouvrir et à fermer son sac dont le fermoir valait à lui seul un million, surtout l'acte ostentatoire de ce baiser provocateur. Dernier effort, d'autant plus pathétique qu'un homme tel que moi en était l'instrument, pour exciter la jalousie du félon, dernier espoir de le ramener à elle.

Me trouvais-je en meilleure posture, et ne méritais-je pas d'être plaint avec une égale commisération, moi qui avais fait le même calcul ? Sous les yeux de Danilo, pendant qu'il dévorait allégrement la brioche de son petit déjeuner sur la terrasse ensoleillée de l'*albergo* de deuxième classe que j'avais préféré au trop luxueux Danieli, je mis la photo du baiser, dans la folle espérance qu'il se croie menacé par une femme de quarante-cinq ans. Il avala sa dernière bouchée, recueillit les miettes dans sa main, lécha le fond de sa paume, but là-dessus une gorgée de *cappuccino* et me demanda s'il était vrai que soixante marins composaient l'équipage du yacht *Christina* et que six maîtres d'hôtel y servaient douze sortes différentes de caviar à chaque repas.

A Rome, en décembre, quelques jours avant le gala d'ouverture de la saison lyrique, où elle avait promis de venir entendre dans un de ses anciens rôles de prédilection la nouvelle vedette internationale, une Espagnole qui selon la rumeur colportée par la malignité romaine avait longtemps servi dans un café à Bâle pour compléter un salaire de doublure, je retrouvai Maria vieillie, détruite.

Elle se laissa tomber sur le pouf du petit boudoir bleu et rose, orné de reproductions à l'huile de tableaux de maîtres hollandais, que le directeur de l'Excelsior avait mis à notre disposition. Un simple collier de perles pendait sur sa robe fermée au ras du cou.

— Finie, je suis finie, me dit-elle. Que me reste-t-il ? Ma voix brisée, ma carrière en morceaux, ma vie de femme en miettes. Ni famille, ni enfants, ni affection d'aucune sorte.

— Maria... bredouillai-je, horriblement confus. Cette femme que des millions de fanatiques avaient adulée dans sa gloire choisissait pour lui révéler sa misère celui qui était pour elle à peine plus qu'un inconnu.

— Je suis une branche morte, reprit-elle, les yeux fixés sur l'arabesque du tapis. Excusez-moi de vous parler comme cela, Pier Paolo, mais nous avons le même âge et... oh ! ne m'en veuillez pas si je vous parais indiscrète... il me semble que vous seul pouvez me comprendre car... ce sentiment d'être une branche morte, ne l'éprouvez-vous pas vous aussi ? Oh ! l'horreur de vieillir sans famille, sans enfants, sans rien laisser derrière soi...

Elle enfouit sa figure dans ses mains et soupira à plusieurs reprises, jusqu'au moment soudain où elle se redressa de toute sa taille. A la place des larmes que je m'attendais à y voir briller, elle me montra un visage dur et coupant et deux yeux étincelants de colère.

— Je ne l'ai dit à personne jusqu'à présent, mais vous devez savoir jusqu'à quel point il m'a avilie. J'attendais un enfant de lui, Pier Paolo, et... il m'a forcée à avorter ! J'ai obéi parce qu'Ari m'avait toujours affirmé qu'il détestait le mariage. L'imbécile que j'ai été ! Il ne voulait pas mon enfant parce qu'il avait déjà pris la décision d'épouser Jacky !

« A la bonne heure », pensai-je, ravi de la voir recouvrer aussi vite cette énergie légendaire qui donnait la chair de poule aux admirateurs de sa Tosca, et dont elle aurait besoin pour notre Médée. A l'appui de cette réflexion, je me dis que pour une femme « finie » elle gardait assez de caractère pour choisir un pouf sans dossier qui la forçait à se tenir droite, au lieu d'une des confortables bergères où elle aurait pu s'affaler.

— Maria, dis-je à voix haute, vous ne pourriez pas être dans de meilleures dispositions à la veille du premier clap de notre film.

— Vraiment, Pier Paolo ?

— Oh pardon ! m'exclamai-je, craignant de l'avoir blessée par cette comparaison peu délicate entre la perfidie d'Onassis et la traîtrise de Jason. Et d'ailleurs, qu'avais-je besoin de lui suggérer que pour entrer dans la peau de la princesse de Colchide elle n'aurait qu'à revivre les sentiments d'humiliation, de colère et de vengeance qui l'agitaient depuis quelques mois ? Médée avait toujours été une de ses héroïnes fétiches, elle s'était taillé un de ses premiers triomphes dans l'opéra de Cherubini. Mais quand j'essayai de la remettre sur la voie de cette soirée mémorable à Florence, je n'obtins qu'une réponse décevante.

— Savez-vous l'unique souvenir que je garde du Teatro Comunale ? Zeffirelli m'avait fait une robe trop lourde. Zeffirelli ou Margarita Wallmann ? Oh ! ma pauvre tête... Je me rappelle les efforts inouïs que je m'imposais pour faire retomber en plis droits sur les marches du palais les kilos et les kilos de velours rouge.

Remarquant mon air incrédule, elle reprit :

— Puisque nous en sommes au chapitre des aveux, autant vous apprendre que je n'ai jamais lu la tragédie d'Euripide, ni étudié le mythe grec de Médée, ni même lu d'un bout à l'autre le livret de l'opéra de Cherubini.

Elle secoua la tête et sourit, comme seule sait sourire une femme du monde qui compte sur l'arme souveraine de son charme pour se faire excuser d'être ignare.

— Je n'ai jamais eu le temps de lire, vous savez. A huit ans, en Amérique, ma mère m'inscrivait aux concours de chant. A dix-sept ans, à Athènes, je débutais dans *la Traviata...*, Non, je me trompe, dans *Tosca*, pardon pour ce lapsus.

— Bien révélateur ! ne pus-je m'empêcher de murmurer.

— Jamais un jour de vacances, jamais un moment de répit, enchaîna-t-elle perdue dans ses souvenirs. Trilles, vocalises, arpèges, vibrato, descentes et remontées d'octaves, bourdons, appoggiatures. Les professeurs me faisaient répéter dix fois, vingt fois le même air, sans se soucier si je mettais un sens derrière les mots. A Venise, quand j'ai débuté dans *les Puritains,* je comprenais si mal mon texte qu'au lieu de : *Son vergine vezzosa* (« Je suis une vierge charmante ») j'ai chanté : *Son vergine viziosa* (« Je suis une vierge vicieuse »). Une seule chose intéressait mes imprésarios, mes répétiteurs, les directeurs de théâtres, les critiques musicaux, ma mère, mon public, une seule chose : ma voix, les possibilités techniques de ma voix. Il en a été ainsi tout au long de ma carrière. Chacun de mes nouveaux rôles a correspondu à une évolution technique de ma voix. Lorsqu'elle s'est mise à décliner, Rudolf Bing m'a proposé de chanter au Met la Reine de la Nuit. Il m'assurait que mon *contre-fa* encore intact ferait merveille. Les autres comptent les années de leur vie d'après les naissances, les maladies, les succès de leurs enfants, conclut-elle mélancolique. Moi d'après les notes que j'ai réussi à atteindre ou qui se sont détachées de ma voix.

Je l'avais laissée parler, si manifeste étant le réconfort qu'elle puisait dans l'évocation de ses années de travail. Mais lorsque je la vis de nouveau en proie à sa triste obsession, je me décidai à lui faire part d'une idée qui me trottait depuis longtemps dans la tête.

— Je ne puis vous croire tout à fait, Maria. Vous n'avez pas le droit de vous diminuer ainsi. Je ne connais rien à l'opéra, je suis analphabète en musique, mais je sais bien quelle image inoubliable vous avez imposée à des millions de spectateurs et d'auditeurs. Se pâmeraient-ils à de simples acrobaties dont le mérite échappe à l'immense majorité d'entre eux faute de compétence ? Votre monsieur Bing vous a proposé un emploi pour votre *contre-fa :* mais cet emploi, qui conviendrait encore à vos possibilités vocales, vous l'avez refusé. Et pourquoi ? Parce que le personnage de la Reine de la Nuit ne vous intéresse pas, ne vous concerne pas, ne vous dit rien, pas plus qu'aucun des autres personnages de Mozart. Mozart n'a jamais été fait pour vous, Maria. Attendez, laissez-moi finir. Le marivaudage, la galanterie, la comédie de mœurs, ce n'est pas votre climat. Oh! Mais voilà que vous allez penser que je cherche à rabaisser Mozart. Je veux dire simplement que pour Mozart il faut des chanteuses qui travaillent dans le sens de la perfection, de la finition, comme des miniaturistes attentives à chaque détail du coloris. Tandis que votre génie, Maria, c'est de vous laisser traverser par de grandes forces obscures sur lesquelles n'a que peu de prise l'art des retouches et des nuances. Ne soutenez plus que vous avez choisi vos rôles selon les ressources de votre gosier, ou alors reconnaissez que la nature vous avait dotée de l'organe apte à... oh! quel jargon, Maria... apte à exprimer votre vérité la plus profonde.

— Ma vérité? Quelle vérité? me demanda-t-elle, un sourire incertain sur les lèvres, et fourrageant dans son sac à la recherche d'un clip en diamant avec lequel elle se mit à jouer avant de le diriger vers son chignon.

— Je connais si peu l'opéra, j'ai peur de proférer des sottises. Mais enfin, si nous prenons par exemple la fameuse trilogie de Verdi, comment expliquerez-vous que ni le *Trouvère* ni *Rigoletto* ne vous aient permis de vous livrer à fond, mais seulement *la Traviata*?

— C'est à cause de Luchino, observa-t-elle en piquant le clip dans ses cheveux.

— Non, Maria, le destin de Violetta correspond si bien au vôtre que vous aimeriez avoir débuté à dix-sept ans dans *la Traviata*, j'en prends à témoin votre lapsus de tout à l'heure. Longtemps avant de rencontrer Visconti, vous saviez que la femme trahie d'Alexandre Dumas vous donnerait l'occasion d'être totalement vous-même. Et quels ont été vos autres grands rôles, ceux qui porteront votre marque à jamais? Médée, repoussée par Jason, Lucia di Lamermoor, abandonnée par son fiancé, Norma, rejetée par Pollion, Anne Boleyn, répudiée par Henri VIII. Toujours des maîtresses trahies, des épouses bafouées. En elles seules, Maria, vous pouviez vous reconnaître, à elles seules vous identifier. Leur tragédie, c'était déjà la vôtre, même si vous étiez loin de soupçonner en chantant ces opéras que l'expérience personnelle coïnciderait un jour avec la simulation théâtrale.

Effrayé de mon audace, je voulus la divertir par une comparaison dont un des tableaux hollandais accrochés au mur me fournit le prétexte.

— Regardez cette ville en feu, lui dis-je. L'auteur est un contemporain de Dürer qui s'appelait Lucas de Leyde. Il a passé toute sa vie à peindre des villes incendiées, des forteresses en flammes. Savez-vous comment il mourut? Dans l'explosion d'une poudrière!

— Merci bien ! Vous en avez de bonnes ! s'écria-t-elle en riant. Dois-je pour me conformer à mon destin me jeter dans le feu comme Médée, ou monter sur un bûcher comme Norma, ou devenir folle comme la pauvre Lucia, ou poser ma tête sur le billot comme Anne Boleyn ? Ce serait toujours mieux que la tuberculose de la Dame aux camélias, remarquez. Heureusement encore que la terrasse du château Saint-Ange est fermée au public ! Voilà une possibilité en moins !

Quand nous eûmes ri ensemble de ma gaffe, elle me demanda, affectueusement :

— Pourquoi prétendez-vous que vous ne connaissez rien à l'opéra ? Personne ne m'a jamais parlé comme vous. Je vous en prie, Pier Paolo, tenez-moi ce soir compagnie dans ma loge.

— Non, Maria, je déteste l'opéra. Rappelez-vous ce qui a été convenu entre nous : dans notre film, vous ne chanterez pas une seule note. Pour moi, ajoutai-je, désireux d'effacer le ton brutal de cette déclaration, le chant est lié à jamais aux berceuses que me chantait maman et aux complaintes populaires qu'elle fredonnait dans sa cuisine.

Je faillis dire : « Une femme ne devrait chanter que pour son fils », mais je me retins à temps.

— Il y a une autre raison pour laquelle je n'aime pas l'opéra. Avez-vous jamais regardé dans la salle ? Peu vous importait sans doute de savoir qui vous applaudissait ! Le public d'une salle d'opéra est composé aux trois quarts de... C'est un peu difficile à dire, Maria, aidez-moi.

— Je crois vous deviner, Pier Paolo.

J'hésitai avant de choisir mon mot, qu'entre tous ceux que le vocabulaire mettait à ma disposition je retins pour sa nuance odieuse.

— Aux trois quarts de pédés, dis-je à voix basse, non sans souligner par une intonation méprisante l'insulte contenue dans ce terme.

Je n'oublierai jamais son geste, que je range dans le trésor de mes souvenirs, à côté de la lointaine initiative de Wilma Kalz, lorsque la jeune violoniste slovène s'offrit à me servir d'écran contre les rumeurs malveillantes de Casarsa. Cessant de jouer avec son clip, Maria me prit les deux mains dans les siennes.

— A mon tour de vous dire, Pier Paolo : « Vous n'avez pas le droit de vous diminuer ainsi. » N'employez plus jamais cet horrible mot. Si vous saviez l'expression de souffrance qui s'est dépeinte sur votre visage ! Il n'y a pas lieu de vous tourmenter ni d'avoir honte de ce que vous êtes. Non vraiment, continua-t-elle en cherchant un argument qui pourrait me convaincre.

Soudain elle le trouva et dit, promenant autour d'elle un regard nostalgique :

— Mes meilleurs amis, mes seuls amis ont été Luchino Visconti et Jean-Louis. Alors, vous voyez ?

Elle baissa la tête, ce qui me permit de la contempler dans l'automne opulent de sa beauté, depuis qu'ayant renoncé au théâtre elle avait repris un peu de poids. Ses cheveux tirés en arrière dégageaient toujours avec une admirable netteté le front et les tempes, mais dans ses joues plus pleines les fossettes avaient presque disparu. Débarrassés des faux cils qui les allongeaient obliquement, j'admirais pour la première fois le pur dessin de ses yeux fendus à l'orientale. D'une grande douceur se nimbait cette figure célèbre par sa rigidité altière. Ce n'était plus le masque moulé sur le bronze de quelque statue égyptienne, mais un visage meurtri qui trahissait une longue histoire d'émotions et de souffrances. Quand elle recommença à parler, j'eus l'impression qu'elle monologuait dans un songe.

— Comment se fait-il que nous comprenions à l'improviste le sens de certaines actions que nous avons accomplies machinalement pendant toute notre vie ? Cette partie du public à laquelle vous faites allusion, Pier Paolo, je la distinguais parfaitement dans la salle, je la reconnaissais tout de suite, que ce fût à Milan, à New York, à Mexico, à Londres, à Berlin, à Paris. Les plus fidèles me suivaient de ville en ville. De qui donc sinon de l'un d'eux provenaient ces roses anonymes qui m'attendaient à mon hôtel ? Mais vraiment j'ignorais, avant de parler maintenant avec vous, à quel point je subissais leur emprise, moi qu'ils écoutaient subjugués. Oui, je m'en rends compte à présent, c'est pour eux que je prenais telle pose sur la scène, pour eux que je plaçais ma voix de telle façon, pour eux que je m'arrachais ce cri des entrailles, pour eux que j'essayais de me surpasser dans mon art. Oh ! je les revois tous à présent. Le craintif, qui n'a jamais de sa vie adressé la parole à une femme et qui, dans la collection de photos épinglées au-dessus de son lit, parmi les dizaines de danseurs et de présentateurs de mode, fait une seule exception pour moi dont il découpe le portrait dans le programme en rentrant du spectacle. Le hâbleur, qui arbore une moustache frisée au petit fer et fait étalage d'une virilité arrogante, quitte à filer doux devant sa mère à qui il cache ses activités nocturnes. Le solitaire, qui soupire après l'âme sœur et s'attarde jusqu'à la dernière minute de l'entracte dans le foyer où errent d'autres timides stimulés par le même espoir. Le honteux, qui n'ose pas venir accompagné, comme si sa seule présence à l'opéra pouvait le compromettre. Les paires d'amis, ceux que je préférais, les couples heureux de leur existence et qui songent, en m'écoutant rugir et invectiver sur la scène, à la douceur casanière de leur petit chez-eux. Tous, je les revois tous, qui me contemplent de leurs yeux extasiés, car je suis la seule femme qu'ils puissent admettre dans leur vie. Grâce aux projecteurs qui m'isolent dans un halo lointain, ils redeviennent des hommes normaux, suspendus aux lèvres, aux aventures et aux caprices d'une femme, soulevés, pour une femme, d'un sentiment ardent, prêts, pour une femme, à éprouver une passion, eux que d'obscurs événements remontant sans doute à l'enfance obligent à refouler leurs élans devant toutes les autres. N'étant plus tout à fait une femme, je les libère de leurs inhibitions. A celle qui les fascine dans son costume de reine ou de prêtresse, ceinte d'une couronne flamboyante, auréolée d'une lumière irréelle, séparée d'eux par la fosse de l'orchestre et par le prestige attaché à la diva, ils donnent l'adhésion totale de leur être dont ils se garderaient d'accorder la plus petite partie à leur voisine assise à côté d'eux sur un fauteuil semblable au leur.

Stupéfait d'entendre de sa bouche la réponse à la question qui m'intriguait depuis l'époque de Bologne où j'allais dans l'ombre du petit cinéma Rex ajouter la fumée de mes cigarettes à l'encens qui montait vers les stars de Hollywood détachées jusqu'à nous de leur mystique empyrée, je me penchai vers Maria et posai un baiser sur ses mains qu'elle avait laissées dans les miennes.

— Et moi, lui demandai-je timidement. Dans quelle catégorie m'auriez-vous rangé si vous m'aviez aperçu dans la salle ?

— Oh vous ! dit-elle sans hésitation, c'était le tendre, celui qui est lié à sa mère d'un amour si intense qu'il doit se tenir au large des autres femmes. Et pour vous, contraint à ne voir en moi qu'une idole, j'aurais redoublé de précautions. Veillant à garder une attitude hiératique et lointaine, à ne jamais descendre de mon piédestal, à ne jamais tenir mon sceptre comme un bâton mais toujours comme un sceptre, à ne jamais vous laisser deviner que sous le manteau de gloire de la Callas battait le cœur de l'humble Maria. Je comprends aujourd'hui le sens des efforts que je m'imposais. Par exemple ce souci apparemment ridicule, quand je chantais Médée, pour faire tomber droit sur les marches du palais royal les plis rouges de ma robe trop lourde. Il ne fallait pas qu'aucun d'entre vous, perdu dans son extase de l'autre côté de la rampe, s'avisât que mon costume sortait des mains humaines d'une couturière, ni découvrît que dans cette prison de velours et sous le faste de ces bijoux un corps humain de femme cherchait à reprendre sa respiration. Et quand, Norma ulcérée, ou Turandot assoiffée de sang, ou Médée résolue à la plus atroce vengeance, ou Tosca déchaînée, j'éclatais en furibondes imprécations, c'était encore pour vous tous, Pier Paolo, que je me défonçais, ne dit-on pas ainsi maintenant ? que je me défonçais jusqu'à la limite de mes forces, oui, pour vous tous, afin que vous puissiez vous dire, assis confortablement dans votre fauteuil : « Pauvre ténor, qui dois subir cette tempête ; pauvres maris, qui devez affronter chaque jour la violence qui est inscrite dans le sexe féminin. Quel bonheur pour moi de m'être sauvé à temps d'un pareil enfer ! Me voilà protégé à vie contre l'exagération dramatique, les crises de nerfs et l'hystérie féminines ! » Pier Paolo, est-ce que je me trompe ? Suis-je l'interprète fidèle de vos sentiments ?

J'acquiesçai d'un sourire, ne voulant pas plus la couper dans son élan qu'Énée n'eût interrompu la Sibylle en train de lui révéler les grandeurs et les misères de sa race.

— Pourtant, enchaîna-t-elle, je n'étais pas encore quitte envers vous. Lorsque, avec cette énergie épuisante, je m'étais sacrifiée pour vous dans le rôle ingrat de la furie, il me restait à remplir la dernière partie de ma mission. Peut-être, sans le vouloir, par les charmes insidieux de la musique, par la traître magie des sons, étais-je allée vous solliciter dans votre exil et vous attirer vers le continent défendu. Pour vous tranquilliser définitivement, pour me mettre une bonne fois hors de votre portée, pour sceller d'un cachet symbolique notre pacte mutuel de non-intervention, je vous réservais la grande scène de ma mort, apothéose de votre plaisir parce que garantie de votre paix. Je disposais, au moment de disparaître, d'une variété infinie de moyens, plus spectaculaires les uns que les autres : la décapitation pour Anne Boleyn ; l'immolation par le feu pour Norma ; le délire pour Lady Macbeth ; la folie pour Imogène ; le suicide pour Tosca ; le coup de dague d'un spadassin pour Gilda ; l'épée d'un frère pour Léonore ; le nuage de flammes pour Armide ; le caveau muré pour Aida ; le poignard pour Gioconda ; le poison pour Abigaille ; les bêtes fauves pour Pauline. Il ne m'aurait même pas manqué la noyade, si j'avais chanté *Hamlet* sur une scène ! Mais tous ces moyens n'avaient qu'un seul et même but : exorciser en vous les restes de nostalgie pour la femme. Pendant quatre heures vous m'aviez adorée, distante et inaccessible. Maintenant vous pouviez me plaindre, punie et humiliée. Après vous être dit, la durée du spectacle : « Quelle merveille extraordinaire qu'une femme, pourvu qu'elle ne m'approche pas ! » vous rentriez chez vous en pensant : « Après tout, ce que je préfère en elles, c'est de les voir mortes et enterrées. »

— Maria ! protestai-je, vous ne parlez pas sérieusement !
Nous nous mîmes à rire de nouveau.

— Mais alors, repris-je frappé d'une idée subite, il faudrait croire que tous les opéras ont été écrits pour des publics de...

— Chut ! fit-elle en me mettant une main sur la bouche. Vous m'avez promis de ne plus vous servir de ce mot. Et d'ailleurs, assez sur ce chapitre. Jurez-moi que vous m'accompagnerez ce soir. Sinon je croirai que vous me trouvez idiote de vous avoir dit tout ce que je vous ai dit.

J'espérais que le livret, aussi stupide et tarabiscoté que d'habitude, me fournirait une échappatoire.

— Bon, dis-je conciliant. Que donnera-t-on ?

— *La Traviata*. Pour les débuts de Montserrat Caballé. Je suis curieuse, observa-t-elle sans envie, de l'entendre filer ces fameux *pianissimi* dont j'ai toujours été incapable. Quelle chance elle a de commencer par le plus beau rôle du répertoire !

Pris au piège, je bredouillai sans conviction :

— J'aurais préféré un drame... moins bourgeois.

— Pier Paolo ! Vous m'avez expliqué tout à l'heure pourquoi je m'étais réalisée dans *la Traviata* plus à fond que dans *le Trouvère* ou dans *Rigoletto*. Laissez-moi vous dire à mon tour pourquoi cet opéra est celui qui touche le plus... ceux dont nous venons de parler. Je me suis souvent interrogée, avec Luchino, sur l'extraordinaire succès de cette histoire, très conventionnelle et bourgeoise en effet. Un fils de famille qui tombe amoureux d'une courtisane mais que son père arrache à cette liaison parce qu'elle fait scandale dans son milieu et empêcherait le mariage de sa sœur. Faites un effort de transposition. A la place de la courtisane, mettez un homme, un autre jeune homme. Et vous verrez aussitôt, contre l'amour de deux êtres en marge de la normalité, se dresser la formidable machine de la répression sociale : les pères qui ne sont plus en redingote noire et ne menacent plus de déshériter mais font le chantage bien pire de l'hôpital psychiatrique, les vivres coupés, la porte condamnée, le spectre des sœurs vouées au célibat... Je suis sûre en tout cas que mes admirateurs revivaient, lors de ma grande scène avec M. Germont, le drame qu'ils avaient dû affronter au sein de leur propre famille après la découverte de leur secret.

Elle ajouta, comme pour se défendre de paraître plus intelligente qu'elle n'était :

— Oh ! vous savez, si vous estimez que je n'ai pas proféré à l'instant une ânerie, tout le mérite en revient à Luchino.

J'avoue que le désir de revoir sous cet aspect inédit l'héroïne entrée pour la première fois dans mes rêves avec le film de Greta

Garbo emporta mes dernières résistances, moi qui reprochais à l'immense littérature d'opéra de ne rien me proposer de comparable à ce que je trouvais chez Proust ou chez Thomas Mann, chez Verlaine ou chez Lorca, sans remonter jusqu'à Michel-Ange et jusqu'à Platon. Se pouvait-il que dans l'obscurité du petit cinéma de Bologne le lycéen bouleversé par la mort de Marguerite Gautier identifiât son propre destin à l'aventure de cette femme ? Trois jours de suite il était revenu s'enivrer de ce parfum amer où se mêlait aux arômes de la volupté l'incantation du tombeau. Aussi avais-je hâte maintenant de voir si la musique exercerait sur moi le même sortilège, si se renouvellerait le choc de ma première rencontre avec l'amour maudit.

Mais quand nous arrivâmes, le soir, en haut de via Barberini, Maria dans son vison blanc et moi dans mon smoking de Venise, notre taxi fut arrêté à l'entrée de via Torino par un car de police placé en travers de la chaussée. Les étudiants, nous apprit-on, attaquaient à coups de tomates et d'œufs pourris la foule élégante qui descendait de voiture devant le péristyle du théâtre.

— Ramenez-moi à mon hôtel, fit Maria en souriant.

Par délicatesse elle ne voulait pas, connaissant mes opinions politiques, me compromettre avec le public de richards et de snobs qui avaient payé vingt mille lires leur place pour être vus au gala d'inauguration. J'obéis, sans lui avouer que je trouvais détestable cette nouvelle preuve de conformisme et d'intolérance donnée par la jeunesse de Rome.

47

S'il n'y avait qu'un de mes films à sauver, ce serait celui-là. Pas l'ombre d'un doute. La récente trahison d'Onassis, le désir de maternité frustré qui rendit si bouleversante la scène avec les enfants auxquels, sans le serment de ne plus jamais exploiter les restes de sa voix, elle eût chanté sur leur lit de mort une ancienne berceuse du Péloponnèse, mais aussi, j'ose le croire, le souvenir de notre conversation à l'Excelsior inspirèrent à Maria un jeu magnifique. Elle comprit qu'elle ne devait pas « jouer », justement ; mais se contenter d'opposer, à la bande des Argonautes nus et dansants, une immobilité d'idole. « Tu me demandes d'être la Femme, avec un F majuscule, n'est-ce pas, Pier Paolo ? » Chargée de vêtements et de bijoux, au milieu du désert de Cappadoce, elle me questionnait de sa voix aux reflets de cuivre où la proximité de sa patrie avait réveillé l'accent grec.

Décidé non seulement à punir Danilo mais à lui montrer que je ne le garderais pas sans conditions au nombre de mes acteurs, je l'avais emmené avec nous mais sans lui donner aucun rôle dans le film. Afin de le consoler, Maria le bourrait de rahat-lokoum au pied des rochers sculptés de Gorême où nous tournions les scènes de Colchide.

— C'est drôle, me fit-elle observer un soir, pendant qu'elle épiait du coin de l'œil Danilo occupé dans le sable avec un gecko à la tête pointue et aux pattes palmées, c'est drôle comme tu as besoin de t'entourer de femmes en vue, alors que pour les garçons tu te contentes de jeunes parfaitement obscurs. Songe aux actrices que tu engages : Anna Magnani, Laura Betti, Silvana Mangano, la Callas. (Elle appuya sur l'article avec ce mouvement impérieux du menton qui nous rappelait qu'elle avait beau être assise dans la poussière d'un village turc elle restait la Divine.) Qui se souvient du nom de cet adolescent brun et maigre dont tu as fait le Christ dans ton Évangile ?

Femmes en vue, garçons obscurs : rien de plus étrange, mais rien de plus vrai. A quarante-sept ans, avec derrière moi une longue carrière de films et de livres, je me retrouvais, entre Maria parée comme une châsse, auréolée par sa gloire, applaudie dans les aéroports, acclamée où qu'elle parût, et Danilo en Levi's vautré à plat ventre près de son lézard, dans la même situation exactement qu'il y avait vingt ans lorsque, en compagnie du jeune Svenn qui sentait la paille, le coquelicot et le maïs, j'allais m'extasier, sur les bancs du cinéma en plein air de Codroïpo, devant le maquillage sophistiqué et les yeux peints de Rita Hayworth adulée de cent millions de spectateurs.

Ce souvenir du Frioul m'assombrit. Quoi de plus probable, me dis-je dans un instant de découragement, que Danilo finisse par me filer entre les doigts comme Svenn avait un jour disparu ? Que resterait-il de mon passage sur la terre ? Une suite de déboires, d'amertumes et d'échecs. Sauf à laisser quelques œuvres qui transmettraient la mémoire de mon nom. A cette pensée je redressai la tête, essuyai les larmes qui commençaient à me brouiller le regard et demandai à Maria si elle était prête pour le clap de la mort d'Apsirtos.

Ni scandale ni saisie du parquet pour une fois, quand le film, présenté peu de temps avant les fêtes de fin d'année, reçut un accueil froid des critiques déçus de ne relever aucun détail scabreux, aucune provocation politique, aucun blasphème contre l'Église, rien qui leur permît de louer à haute voix mon audace tout en comptant sur la censure pour leur réserver les délices d'un nouveau procès à sensation. Éloges polis puis silence gêné lorsqu'on apprit que le gala de lancement serait donné à l'Opéra de Paris sous le patronage de M\ue Pompidou, la femme du président de la République française qui avait maté en mai 68 les émeutes du Quartier latin.

Mon œuvre la plus belle et la plus originale tomba dans un prompt oubli. Maria se claquemura à nouveau dans son appartement de l'avenue Georges-Mandel. Elle reprit sa vie solitaire et mélancolique, avec son chien qu'elle promenait le long des avenues vides de ce morne quartier du Trocadéro. Au trésor de ses robes qu'elle rangeait dans un ordre maniaque, en épinglant sur chacune la mention de la date où le vêtement était entré dans sa collection et de la circonstance où elle l'avait porté, peut-être ajouta-t-elle, mue par le pressentiment qu'ils seraient les derniers costumes de sa carrière, le manteau et la tunique de Médée. Non pas, comme il me plaisait de le penser, pour commémorer un ultime et fugitif succès d'estime sans rapport avec ses triomphes d'antan, mais en souvenir de notre amitié romaine puis turque, et de l'étonnement d'avoir découvert, plusieurs années après sa retraite de la scène, l'aiguillon mystérieux qui avait stimulé son génie.

Même reconnu à sa valeur, le film n'aurait pu sortir dans un plus mauvais moment. Quelques jours avant Noël, éclata le premier de ces événements dramatiques qui devaient sans trêve ensanglanter l'Italie. 12 décembre, 16 h 30, à Milan, piazza Fontana, explosion d'une bombe à la Banque de l'Agriculture, dans la salle du public. Seize morts, quatre-vingt-huit blessés. Attentat d'une gravité sans précédent, qui traumatise le pays. Qui a mis la bombe ? Dans quel but ? Pourquoi s'en prendre à des innocents ? Trois jours après, on annonce l'arrestation de l'anarchiste Pietro Valpreda. La même nuit, un autre anarchiste, Giuseppe Pinelli, employé aux chemins de fer, que le commissaire Calabresi est en train d'interroger dans les locaux de la préfecture de police de Milan, tombe du quatrième étage et se tue.

Machination ? Bavure policière ? Nouvelle affaire Dreyfus ? Pendant des semaines, impossible de penser à autre chose. Le téléphone sonnait sans répit. Renonçant à filtrer les appels, maman me laissait répondre moi-même.

« — Pier Paolo, il ne s'agit sûrement pas d'un suicide. Quatre flics entouraient Pinelli pendant son interrogatoire par le commissaire Calabresi. — Avait-on des indices contre Pinelli ? — Pas le moindre indice, sinon le fait qu'il était anarchiste. — On n'a donc rien retenu contre lui ? — Rien, sinon le fait qu'il s'est jeté par la fenêtre. Pier Paolo, tu dois intervenir. »

« — Allô ! Calabresi prétend que ses hommes ont essayé de retenir Pinelli pendant qu'il se jetait par la fenêtre. Un des brigadiers aurait réussi à le saisir par les pieds, mais ses souliers lui seraient restés dans les mains. — Pourquoi ris-tu ? — Parce que la police, dans son zèle à se disculper, a présenté à la presse trois souliers différents ! »

« — Rappelle-toi que le contrat des métallos devait être renouvelé ces jours-ci. — Ce qui veut dire que le suicide de Pinelli... — ... serait bien utile pour rassurer l'électorat après les grèves de cet automne, les piquets devant les usines, les cortèges de solidarité des étudiants. — La bombe était fasciste ? — Le 12 décembre, jour de l'attentat, simple coïncidence bien entendu, le Conseil de l'Europe à Strasbourg s'apprêtait à expulser la Grèce des colonels. »

« — Le juge refuse l'autopsie de Pinelli, qui aurait permis

d'élucider l'origine de la tache brune constatée sur la nuque du cadavre. Il faut que tu interviennes, Pier Paolo. Belle occasion pour toi de te réhabiliter ! »

« — Cette fois il semble qu'on soit sur la bonne piste. Le juge interroge un éditeur de Trévise, Giovanni Ventura, et son collaborateur Franco Freda, notoires fascistes, animateurs d'Ordine Nuovo. — Sur quels indices ? — On a découvert dans leur librairie un arsenal de bombes semblables à celle de piazza Fontana, ainsi qu'une liste avec des plans détaillés de tous les endroits où des attentats ont été commis depuis le printemps dernier : à la Foire de Milan, dans les trains au mois d'août.., — Ils sont en prison ? — Le juge les a inculpés mais laissés en liberté. — Pourquoi ? — Pourquoi, pourquoi... A toi, Pier Paolo, de poser publiquement la question ! »

« — Déclaration de Feltrinelli, en voyage à l'étranger. Il renonce, dit-il, à rentrer en Italie. Lorsque le Reichstag brûle, mieux vaut se tenir au large. — Feltrinelli, hum ! Figure-toi que nous avons un ami commun, le peintre Giuseppe Zigaïna. J'ai sous les yeux sa dernière lettre. Il m'écrit de sa villa du Frioul, près de la frontière yougoslave, pour me raconter qu'il a reçu la visite de Giangiacomo... déguisé sous une fausse barbe et des lunettes noires ! Il lui a proposé une chambre, mais Giangiacomo est allé dormir sous une tente dans le jardin. Le lendemain matin, à l'aube, stupéfait et effrayé, Giuseppe a vu son hôte en salopette militaire de type cubain s'exercer à lancer des grenades contre les troncs d'arbres. »

« — Du nouveau, Pier Paolo. On a appris en consultant les registres de la Croix-Rouge que le standard de la préfecture de police avait appelé l'ambulance dix minutes avant l'heure de la chute de Pinelli. — Et l'alibi du cheminot ? — Définitivement confirmé, malgré la manœuvre tendant à discréditer les deux témoins, sous prétexte que l'un est un ouvrier en retraite et l'autre un éclairagiste pédé. — Que dois-je faire alors, selon toi ? — Foncer, Pier Paolo. Nous avons besoin de ta plume, de ton courage, de ta générosité. Camilla Cederna s'est engagée à fond. Tu ne peux pas laisser à *L'Espresso* le monopole du combat. »

« — Nouvelle trouvaille de Feltrinelli. Il a fait mettre en vente dans ses librairies des bonbonnes de peinture-spray avec le slogan : " Peins ton flic en jaune. " Nous savons qu'il t'énerve en tant qu'éditeur du Groupe 63 et des actes du congrès de Palerme, mais reconnais que " Peins ton flic en jaune ", c'est un joli coup de pied au cul, hein ? Giangiacomo va être inculpé, aussi sûr que deux et deux font quatre. »

« — Allô ? Tu lis les journaux, oui ou non ? Le jeune anarchiste

Paolo Faccioli, détenu depuis avril pour les bombes à la Foire de Milan, a fait parvenir une lettre à ses amis où il décrit les sévices auxquels le soumet le commissaire Calabresi : soixante-douze heures d'interrogatoire à la file, interdiction de s'asseoir, gifles, cheveux arrachés, pointes d'épingles dans les couilles. — Bon, je vais voir sous quelle forme je pourrais intervenir. — Tu ne peux plus te dérober, Pier Paolo, sinon on croira que ton poème sur les flics n'était pas une boutade. — Dans quel journal me conseilles-tu d'écrire ? J'ai eu longtemps une tribune dans l'hebdomadaire *Vie nuove...* — Ah non ! pas dans un journal du P.C. Tu n'arriverais pas à te réhabiliter aux yeux des jeunes, Pier Paolo. Tu as lu ce que le commissaire Calabresi vient de déclarer à un reporter de *L'Unità* ? — Non, dis-moi. — Revenant sur l'affaire Pinelli, il a dit : " Nous n'avions rien contre lui. C'était un brave garçon, un employé modèle. Nous avions l'intention de le relâcher le lendemain. " Pas dans un organe du P.C., je t'assure, Pier Paolo. Ce sera mieux pour nous tous et pour toi en particulier. Tu as un sérieux handicap à remonter. — Alors où ? — Essaye un des nouveaux journaux de la gauche extra-parlementaire. *Lotta continua, Potere operaio, Il Manifesto,* tu n'as que le choix. — Ils m'ont tous attaqué déjà, et durement. — Parce qu'ils te croyaient lié à *Vie nuove,* aux journaux du Parti. Ils seront trop heureux de t'accueillir dans leurs colonnes. »

« — Allô ? Cette fois impossible de reculer. Giovanni Ventura, l'éditeur de Trévise, tu sais ? Et son complice Franco Freda, les deux fascistes... — Ceux qui avaient un arsenal dans leur librairie et un plan de tous les attentats commis et à commettre... — Oui. Eh bien le juge vient de les renvoyer avec un non-lieu ! — Quoi ? — Parfaitement, un non-lieu. — Mais tous ces indices... — Pas suffisants pour continuer l'enquête. — Alors ça ! comme dirait Danilo. — Le pouvoir abandonne la piste noire et ne s'intéresse qu'à la piste rouge. Seule l'extrême gauche doit être coupable. — Comment a réagi le P.C. ? — Ne fais pas l'enfant, Pier Paolo. Le P.C. n'a aucune envie de laisser à la Démocratie chrétienne le monopole et les avantages de la stratégie de la tension. Lui aussi veut se poser en arbitre, en modérateur. — Et alors ? — Alors il a intérêt à ce qu'après le scandale De Lorenzo et la tentative manquée de golpe fasciste, le péril anarcho-gauchiste passe à la une des journaux. Sans compter la revanche à prendre sur les grèves sauvages de l'automne qui ont laissé comme deux ronds de flan le syndicat. — Le P.C. ne s'alignera jamais sur la Démocratie chrétienne. Il ne se prêtera jamais à l'ignoble manœuvre consistant à faire condamner l'extrême gauche pour des crimes commis par les fascistes. — Jobard, c'est ce qu'on verra ! »

« — Franchement, Pier Paolo, si tu tardes encore, tu vas te couler pour toujours. Les gens attendent que tu prennes position. As-tu oublié le festival de Venise, il y a deux ans ? Bientôt les fascistes ne seront plus les seuls à te bombarder de fenouils. Tu auras toute la jeunesse contre toi. »

« — Tant pis, Pier Paolo, c'est maintenant le scandale de l'instruction Valpreda qui secoue l'Italie, sauf toi apparemment. Fausse, archifausse la déclaration du chauffeur de taxi qui prétendait avoir déposé devant la Banque de l'Agriculture, quelques minutes avant l'explosion, l'anarchiste porteur d'une grosse serviette noire. Pur mensonge, extorqué par la police. Quant aux autres témoins à charge, elle est allée les pêcher dans les milieux interlopes où travaillait l'accusé, danseur professionnel : parmi les drogués, les travestis, les... — Les homosexuels, je parie ! — Je n'osais pas le dire, Pier Paolo, mais puisque... — Bon, je serais d'accord pour *Lotta continua*. — A la bonne heure ! Le procès pour diffamation que leur a intenté le commissaire Calabresi doit s'ouvrir à Milan cet automne. Une aubaine pour toi, qui as besoin de redorer ton blason. Propose-toi pour le reportage, dans *Lotta continua* ou ailleurs. »

Et ainsi de suite pendant des semaines et des mois. Sans compter les réveils en pleine nuit, les injures anonymes, les bordées de « Salaud ! Dégonflé ! Vendu ! » criées à l'autre bout du fil par des voix déguisées. « On t'enculera, toi et les cocos ! » Qui m'insultait ? Les fascistes ? Les gauchistes ? Harcelé, tiré à hue et à dia, sommé d'entrer en lice, je me sentais à bout de nerfs. Comment me décider pour tel ou tel journal avant de savoir, parmi tous les groupes et groupuscules nés en 1968, lequel avait la sympathie d'Annamaria et, par ricochet, de Danilo ? Tout en étant fidèle à nos rendez-vous de midi et à nos virées buissonnières, il me parlait librement, désormais, de ce qui se passait à la faculté d'architecture : sans mentionner la jeune fille, mais sans me cacher d'où il tenait ses renseignements. Ainsi, je savais que la tendance baptisée « Mouvement étudiant » perdait du terrain : ils n'étaient capables, selon Danilo, que de proposer un cycle de conférences sur la pensée de Mao. Plus sérieux *Il Manifesto,* qui affichait la liste des professeurs coupables de distribuer des mauvaises notes et de pratiquer l'inadmissible sélection. Leurs cours seraient dorénavant boycottés. Promotion pour tous, voilà ce qu'il fallait ! Entre la crise économique, le chômage, le sexe, la famille, manquait-on de sujets brûlants pour occuper les heures de cours ? A bas la littérature et l'Histoire !

La bataille pour le divorce battait alors son plein. Aux jeunes de se mobiliser sur une question qui engageait leur avenir ! Sans oser renouveler à Danilo mes inquiétudes sur ce radicalisme infantile qui tournerait au détriment des enfants de familles pauvres dont les relations ne suppléeraient pas aux diplômes manquants ou dévalorisés, je riais avec lui quand il me racontait les initiatives du *Manifesto* : par exemple se dresser dans le fond de l'amphithéâtre avec un mégaphone et entonner un chant de la Résistance si le professeur s'obstinait à faire la classe sur Palladio. Mais *Il Manifesto* montrait un goût autoritaire qui déplaisait à Danilo, de même que *Avanguardia operaia*, d'inspiration trotskiste et contraire au « spontanéisme » tenu en grand honneur à la faculté d'architecture. *Lotta continua*, en revanche, exaltait le jeu, la fantaisie. Je crus comprendre que c'était Danilo, cette fois, qui influençait Annamaria : en tout cas ils se rallièrent (et moi aussi par conséquent) à la tendance la plus conforme au tempérament de celui qui gambadait en marchant et frappait dans ses mains, même si, à ma grande tristesse, il se livrait de moins en moins souvent à son exubérance naturelle depuis que les critiques de cinéma avaient jugé sa prestation dans un de mes films où il jouait le rôle bondissant du facteur, « sympathique mais limitée au retour désormais lassant de quelques cabrioles stéréotypées ».

Lotta continua publia dans son hebdomadaire une série de caricatures sur l'affaire Pinelli. Dans un autobus bourré de monde, on voyait un passager se retourner agacé vers le commissaire Calabresi : « Mais que faites-vous, *dottore,* vous me poussez ? » Ou bien, convoqué au quatrième étage de la préfecture de police, un citoyen prenait la précaution de s'attacher aux épaules un parachute. « Saut de l'Ange », le surnom donné au commissaire, était repris par toute la presse. Nous attendions avec impatience chaque numéro du journal qui nous arrachait de grands éclats de rire et c'est pourquoi, lorsque le commissaire se décida enfin à porter plainte, je m'arrangeai pour me faire envoyer au procès. Ce serait le procès de la police italienne, de ses méthodes, de ses infamies, et pour moi l'occasion de lever l'équivoque du poème écrit la nuit de Valle Giulia.

Auprès de Danilo surtout, il était grand temps de réaffirmer par quelque action publique ma combativité antifasciste, dont il ne possédait d'autres preuves que les plaies sanglantes et les marques livides imprimées de temps à autre sur mon visage : stigmates de mes nuits clandestines et des raclées écopées près de la gare, mais qu'il attribuait, en l'absence de tout démenti, à la sauvagerie d'un de ces commandos d'extrême droite qui depuis l'abandon des poursuites contre Freda et Ventura sillonnaient impunément les rues de Rome.

Milan me parut sinistre, en ce début d'octobre brumeux et humide. Des tracts de toutes les couleurs, ramollis par la pluie, jonchaient les trottoirs de leur bouillie spongieuse. Le vent rabattait sur les murs les bouts écornés des affiches. Ambulances, estafettes bleues de la police, camions rouges des pompiers débouchaient à toute vitesse précédés du sifflement de leurs sirènes. De longues rangées d'agents en tenue de combat occupaient les carrefours. Mais assez sur ce sujet, devenu en quelques années si fastidieux qu'on plaint les auteurs entêtés à faire de la copie sur leurs souvenirs de barricades.

Je voulus retourner à Sant'Ambrogio, basilique romane à l'écart du trafic, la plus ancienne église de la ville, au centre d'un quartier paisible. Je me rappelais le grand Christ en mosaïque, rayonnant dans la pénombre au-dessus de l'autel, but habituel de mes promenades à Milan. Faute d'être jamais allé à Ravenne, je venais chercher ici, dans l'abside au flamboiement mystérieux, sous cette voûte d'où me fixait l'œil écarquillé du Pantocrator, les terreurs et les frissons qu'avait pu éprouver maman pendant son voyage de noces. L'église était fermée, le quartier en effervescence. Au balcon de l'université catholique pendait le drapeau noir des anarchistes, la police encerclait le bâtiment.

L'œil que je n'avais pu revoir continua à me poursuivre, dans les rues où flottait l'âcre odeur des gaz. C'était celui de mon père, maintenant, sévère, dilaté par l'effort, immense et implacable tel qu'il apparaissait au petit garçon de trois ans renversé sur la toile cirée de la cuisine. Mon père me tenait cloué à la table tandis que de son autre main il versait quelques gouttes de collyre au coin de ma paupière. Oh ! qui me délivrerait de cette face presque collée contre la mienne ! J'essayais de chasser ces images, en me disant que sans le relent des grenades qui me piquait aux yeux et à la gorge, l'époque lointaine de ma conjonctivite ne me serait jamais revenue en mémoire. Quelle association absurde confondit dans ma tête, pendant que je me hâtais vers le tribunal, les petits cubes rutilants des mosaïques de Sant'Ambrogio et la dent en or plantée au beau milieu dans la mâchoire du capitaine ?

Police encore aux abords et dans la cour du palais de justice. Une demi-douzaine d'autopompes en batterie, des centaines d'agents sur pied de guerre. Tant bien que mal je me faufilai jusqu'à la salle d'audience déjà archicomble et assiégée par une multitude de jeunes que d'autres agents refoulaient à coups de matraque dans les couloirs. Une place vide, au banc des journalistes, restait près d'un géant barbu, l'envoyé du *Manifesto*, flanqué d'un bandeau noir sur un œil. Il m'ignora ostensiblement. Celui de *L'Unità*, un ami de longue date à l'embonpoint confortable, me tendit une main adipeuse et cordiale, ce qui augmenta mon embarras.

Devant nous siégeaient les représentants de la grande presse, *Corriere, Stampa, Giorno, Messaggero*. Aucun ne tourna la tête pour me saluer, pas même Camilla Cederna, la moins conformiste de la profession, et qui publierait dans *L'Espresso* les comptes rendus les plus courageux du procès. Les avocats bavardaient à voix basse devant leurs pupitres. Mon voisin communiste me désigna les deux accusés : le directeur de *Lotta continua* et son adjoint en qui je reconnus, avec une stupeur mêlée d'appréhension, Walter Tucci. Mêmes cheveux longs, même vareuse Mao boutonnée jusqu'au menton, même air hautain et superbe que le jour où il était venu m'assener son cours de littérature. Instinctivement, je me tassai sur mon banc, essayant de me faire le plus petit possible. Si nous devions nous retrouver face à face, je voulais être sûr d'abord qu'il ne m'identifierait pas avec l'auteur du poème sur les flics mais avec le journaliste décidé à grossir l'indignation de ses collègues contre le meurtre d'un innocent.

Plus se prolongeait l'attente, plus je me sentais mal à l'aise. Derrière la barrière du public, au premier rang, insensible au tapage de la foule qui hurlait, riait, trépignait, levait le poing en entonnant des bribes d'*Internationale*, Licia Pinelli, la veuve, se tenait droite et muette devant l'estrade où les juges prendraient place. Lorsque la fameuse Bianca Guidetti-Serra, avocate de la défense, rejoignit son pupitre, toutes les têtes se penchèrent pour regarder cette gloire féminine du barreau. Dans le bref silence qui suivit, l'envie d'éternuer me prit si fort que je dus sortir mon mouchoir et y enfouir mon visage, à la grande surprise de l'envoyé de *L'Unità*, poussah débonnaire qui suait à grosses gouttes dans le prétoire surchauffé.

Peu soucieux de lier conversation avec le représentant du P.C. mais désireux de me ressaisir, je prêtai l'oreille à ce que disait l'envoyé du *Manifesto* qui me tournait les épaules pour parler à son autre voisin, un mince brunet que sa moustache et ses cheveux teints m'empêchèrent d'abord de reconnaître pour Armando. Il lui demandait d'où il savait tant de choses sur Walter Tucci. « Mais c'est mon frère ! » répondit le jeune homme avec fierté. « Comme il est maigre ! » observa son interlocuteur. « Il a toujours été de santé fragile. En fait, il aurait dû mourir à peine né. C'est un produit des premiers antibiotiques apportés par les Américains. » « S'ils avaient su ! » commenta en riant le barbu à face de pirate. Armando se mit à rire aussi.

De derrière mon mouchoir je jetai un coup d'œil sur le visage blême et creusé du directeur adjoint de *Lotta continua*. « Il aurait dû mourir à peine né. » Il n'était pas mort mais promenait partout avec lui une pâleur et une arrogance funèbres. L'instinct de mort que la nature avait inscrit dans ses gènes mais que la science avait déjoué rayonnait de sa face impassible comme une froide splendeur inhumaine. Si les nouveau-nés sauvés par la pénicilline devaient tous lui ressembler, alors, me dis-je, il aurait mieux valu en effet que les Américains, au lieu de nous apporter ce cadeau en supplément du Colgate et du Coca-Cola, eussent laissé à la mortalité infantile le rôle voulu dans le plan de la Création.

Puis j'eus honte d'une telle pensée. Walter Tucci se trouvait ici, porte-parole de tous ceux qui réclamaient justice pour le cheminot : preuve qu'en passant de la littérature à la politique il avait converti son goût des polémiques oiseuses en engagement viril. Les « oiseaux » du Groupe 63 ont barbouillé de fiente les murs de mon appartement, mais aujourd'hui il s'agit de venger un homme assassiné. Maman en avait été quitte pour un paquet de lessive : la veuve ne laverait pas aussi facilement le sang de son mari.

Fort de ces résolutions, je redressai la tête et me mis à examiner Walter, décidé à trouver que ses cheveux longs n'étaient pas une preuve de soumission à la mode mais un acte personnel de défi aux nuques rasées des ministres démocrates-chrétiens et des fonctionnaires de police ; que sa vareuse Mao ne témoignait aucun mépris pour les valeurs démocratiques, mais protégeait comme une cuirasse leur champion à qui cette armure n'était pas superflue ; et que les yeux qu'il promenait d'un air lointain au-dessus de la foule n'exprimaient pas la satisfaction orgueilleuse du fanatique replié sur lui-même mais une volonté de concentration indispensable avant l'affrontement avec les assassins de Pinelli.

A cet instant, ces yeux dont je venais de faire mentalement l'éloge rencontrèrent les miens. Walter tira par la manche son avocat. Celui-ci glissa un mot à l'oreille de l'avocat du commissaire Calabresi, Me Michele Lener, spécialisé dans la défense des industriels véreux en fuite, et célèbre depuis qu'il avait obtenu l'acquittement des policiers inculpés du meurtre de sept ouvriers à Reggio Emilia. Me Lener se tourna vers moi. Sa toge s'ouvrit pendant qu'il pivotait. Le numéro de la revue qui contenait mon poème apparut dans les plis de la robe. L'envoyé de *L'Unità* le vit aussi. Il toussota pour m'assurer de sa bienveillance. Mon regard se brouilla. Il me sembla que d'autres personnes dans la salle venaient de noter ma présence. On se poussait du coude, on me montrait du doigt. Que me voulaient-ils ? Pourquoi se répétaient-ils mon nom, d'abord dans un murmure qui peu à peu s'enfla et devint une clameur ? « Pier Paolo ! Pier Paolo ! Pier Porco ! Pier Porco ! » Ils le scandaient à présent, toujours plus fort ; et, sauf Licia Pinelli qui restait impassible, le regard fixé sur les fauteuils vides des magistrats, ils se dévissaient la tête et se livraient à toutes sortes de contorsions pour m'apercevoir recroquevillé et honteux sur mon siège.

Le barbu du *Manifesto* choisit ce moment pour se tourner de mon côté. Il souleva sans se presser le bandeau qui recouvrait son œil et me dévisagea bien en face, de ses deux prunelles qui voyaient aussi clair l'une que l'autre. J'aurais préféré des insultes à cet examen pénétrant et silencieux accompagné d'un imperceptible rictus qui abaissait le coin de ses lèvres. Plus pénible que tout me parut l'indifférence d'Armando : affalé sur le banc, les jambes écartées, non moins goujat en brun qu'en blond mais non moins séduisant, il jouait avec un filament baveux de chewing-gum qu'il sortait de sa bouche, étirait avec complaisance puis renfournait pour en achever la succion comme s'il ne m'avait jamais vu, jamais connu.

L'occasion de m'enfuir se présenta lorsque la Cour, précédée d'un huissier qui secouait une clochette, fit son entrée dans le prétoire. Tout le monde se leva, sauf Armando qui demeura vautré. Le président et les deux juges tendirent la main pour apaiser le vacarme. J'avais déjà gagné la porte, les huées et les sifflets continuant à se déchaîner contre moi. Leur écho me poursuivit dans les couloirs où les manifestants qui détalaient devant les gourdins n'eurent pas le temps de me reconnaître. Ils retentissaient encore à mes oreilles longtemps après que j'eus quitté le palais, errant à l'aventure dans les rues de Milan et regrettant de n'avoir pas reçu moi aussi un coup de matraque. Une bonne blessure, une plaie eût rendu justice à mes convictions, rassuré mes amis, prouvé à Danilo que la fille du confiseur n'avait pas le monopole du courage, de la jeunesse, du risque, du panache. Mais là ne se serait point borné le rôle du sang, et je sais bien de quelle obscure faute il m'eût également racheté.

48

— Pier Paolo! Pier Paolo!

J'entendis sa voix m'appeler de la rue. Il criait mon nom à pleins poumons. Quatre à quatre il monta l'escalier et tambourina contre la porte trop impatient pour sonner.

— Pier Paolo! s'écria-t-il en se précipitant sur moi, ça y est! Nous avons le divorce! La loi a été votée cette nuit!

Il avait pris l'habitude de m'apporter les journaux. Ce matin-là il jeta sur la table toute la presse au complet. A part le lamento catholique, inévitable, le ton était à l'exultation. « Victoire du progrès et de la démocratie. » « Deuxième Libération de l'Italie. » « La honte des accords du Latran effacée. » « L'Italie entre dans l'âge moderne. »

— Dans l'âge moderne, oui, dis-je sarcastique. Mais de là à croire que l'institution du divorce est une victoire du progrès et de la démocratie...

J'eus envie de rire en voyant sa mine stupéfaite. Toutefois, emporté par mon irritation, je continuai :

— Les imbéciles! Ils mettent au crédit du progrès et de la démocratie ce qu'il faut attribuer à la culture de masse et à l'idéologie de la consommation. Les classes moyennes ont voulu et obtenu le divorce, mais qui, à part le dernier crétin, irait soutenir qu'elles se sont émancipées de la tutelle cléricale par un acte de maturité politique?

— C'est ce que tous les journaux écrivent, Pier Paolo!

— Tu aimes bien t'amuser, n'est-ce pas, Niletto, dis-je sans lui répondre directement.

— ... Oui... fit-il après une seconde d'hésitation, partagé entre la crainte d'un nouveau piège et le bonheur de s'entendre appeler par ce diminutif affectueux.

— Mais que dirais-tu si une loi était promulguée dans le pays pour te prescrire de t'amuser ? Une loi qui t'obligerait à être toujours content, et qui déclarerait coupable et punirait au nom du peuple italien quiconque resterait étranger à la gaieté des autres ?

— Ce que je dirais d'une pareille loi ?

— Oui. Tu commencerais par te réjouir, évidemment, mais très vite tu éprouverais comme un sentiment de satiété, et tu ne serais pas long à rouspéter contre une exigence qui aurait tout l'air... tout l'air de quoi ?

— Bah ? j' sais pas, moi. Tes raisonnements sont pas si faciles à piger, ça non.

— Le nouveau pouvoir les réduira tous en esclavage, m'écriai-je, sans même qu'ils aient le temps de s'en rendre compte !

— Quel pouvoir, Pier Paolo ?

— Celui qui commande désormais en Italie et ordonne aux jeunes gens : « Faites l'amour, mariez-vous, jetez par-dessus bord les idées caduques de vos parents, soyez un couple à la page, qui se marie et se démarie, disposez librement de vos corps... »

— Et ce serait un mal, Pier Paolo ? Franchement, j' te suis plus.

A cette protestation, dictée par le bon sens et l'honnêteté, je fus sur le point de me ressaisir. Mais j'aperçus le portefeuille qu'il avait oublié la veille sur mon divan.

— Toi aussi, mon pauvre Danilo, repris-je d'une voix sifflante, le nouveau pouvoir te manipule. Je ne me rappelais plus la date exacte de ton anniversaire. J'ai regardé dans ton portefeuille, et qu'est-ce que j'ai découvert ? Que tu avais gratté sur ta carte d'identité la mention « garçon de courses » pour la remplacer par le mot « étudiant ». Autrefois, tu n'avais pas honte de ton ignorance, Danilo. Tu étais parfaitement heureux d'être un garçon de courses. Aujourd'hui, le nouveau pouvoir t'impose de te considérer comme un « étudiant ». Un étudiant ignorant, donc un type malheureux, honteux et névrosé. Mais un jeune homme à la mode, un jeune homme qui participe à la grande euphorie des autres jeunes Italiens, à leur faux bonheur de se sentir « modernes ». Comprends-tu qu'un garçon de courses, dans cette Italie « moderne » et « émancipée », est aussi anachronique qu'un couple indissoluble ? Tu seras « moderne » mais névrosé : comme les innombrables jeunes mariés qui vont tomber dans le piège du divorce.

Je vis qu'il ne m'écoutait plus mais fixait avec effroi le portefeuille que je continuais à brandir sous son nez.

— Tiens, éclatai-je en perdant toute mesure, tu oses me demander : « Quel pouvoir ? » quand non seulement tu vas à Ostie avec

Annamaria mais que tu te fais photographier avec elle dans toutes les poses les plus... répugnantes !

Sur ces mots, je sortis du portefeuille les trois photographies que j'y avais trouvées : Danilo et Annamaria nus sur la plage, Danilo et Annamaria s'embrassant sur la bouche derrière une cabine, Danilo et Annamaria dansant au Luna-park d'Ostie.

— Voilà ce qu'il a fait de toi, le nouveau pouvoir : un garçon qui estimerait déshonorant de ne pas se livrer à une série d'actions dont le modèle lui est fourni par une propagande de chaque instant qui l'imprègne à son insu. Il faut qu'il sorte avec une fille, il faut qu'il se montre nu avec elle également nue, il faut qu'il la tienne enlacée en dansant et qu'il l'embrasse de cette façon dégoûtante. Mets-toi ça une bonne fois dans la tête, pauvre idiot : l'octroi du divorce après les autres facilités accordées à la masse est une fausse tolérance, une oppression bien pire que les anciens interdits de l'Italie catholique. Tu as maintenant le devoir de t'amuser en couple, comme les filles ont le devoir de perdre leur virginité avant le mariage. La faute aujourd'hui, la faute ridicule et impardonnable serait la solitude, la chasteté, la fidélité aux valeurs traditionnelles... Et puis, ajoutai-je pour devancer Danilo qui s'apprêtait à regimber de nouveau, le pire c'est que le divorce, en facilitant la liberté sexuelle du couple, ne facilitera que cette liberté-là. Le pouvoir, libéral sur ce seul chapitre, s'opposera plus que jamais... à tout le reste ! Tu verras... Les minorités vont être traquées et punies au nom de la liberté octroyée au grand nombre. Le mépris laïque envers ceux qui ne sauront pas apprécier les avantages de la société d'abondance sifflera sur leur dos comme jamais le fouet de Moïse n'a sifflé...

Ainsi exhalai-je ma rancœur et ma jalousie. Un autre que Danilo se fût offensé de mes paroles mais lui, trop généreux pour se fâcher, m'adressa cette simple prière quand j'eus terminé ma diatribe :

— T'as peut-être raison, Pier Paolo. J' sais pas. Mais garde ces pensées pour toi, je t'en supplie. N'en fais pas des articles pour les journaux. Cela te ferait du tort, crois-moi.

Au lieu de l'écouter, je me hâtai de commencer dans *Il Corriere della Sera* une polémique contre la société permissive, que j'accusais d'être plus totalitaire que la Démocratie chrétienne, plus totalitaire et féroce que le régime fasciste lui-même. « Dans une société qui multiplie les interdictions, toutes les possibilités sont ouvertes ; dans une société qui accorde une permission, toutes les possibilités sont fermées sauf celle ouverte par cette permission. » Première ébauche de la formule, devenue fameuse, que je mettrais cinq ans plus tard dans la bouche d'un personnage de mon dernier film.

De la gauche comme de la droite commencèrent à pleuvoir les

injures ; qui redoublèrent lorsque, avec une sombre et folle frénésie, je me mis à vaticiner au sujet de l'avortement. « Légaliser l'interruption de grossesse », tel était le nouveau cri de guerre de la fraction éclairée de l'opinion et de la presse, la nouvelle victoire à remporter sur le Vatican et sur les nostalgiques du fascisme. Et moi : « Dire que la légalisation de l'avortement rendra plus facile l'amour entre homme et femme est une imposture. Il faut crier bien haut qu'une telle mesure rendra l'amour entre homme et femme obligatoire. Plus aucun garçon, plus aucune fille ne pourra se soustraire à cette obligation, qui ne sera donc pas une conquête du progrès et de la démocratie mais l'insolente mise en demeure de nos nouveaux maîtres. Faites l'amour, jeunes Italiens, c'est un ordre. Montrez-vous à la hauteur de vos nouvelles libertés. La facilité de l'amour créera l'obsession de l'amour. Personne n'aura le droit de se tenir à l'écart et de bouder la fête. Malheur à qui refusera d'adopter le modèle euphorique et triomphant du couple. Malheur à qui sentira en lui un obstacle invincible pour arriver au bonheur par ce moyen-là. Il sera désigné à la réprobation publique et mis au ban de la société. »

Puis, quittant le ton oraculaire des articles sur le cataclysme anthropologique en train de dévaster l'Italie, naguère pays de la décence et de la modestie, à présent luna-park de l'hédonisme le plus vulgaire, je m'astreignis à descendre aux détails pratiques. Si le contrôle des naissances, déclarais-je, est devenu un problème planétaire, une question de survie pour l'humanité, il se heurte chez nous à un grave obstacle aplani depuis longtemps dans les démocraties voisines où une première révolution bourgeoise au XVIIIe siècle puis une deuxième révolution industrielle au XIXe siècle ont précédé la troisième révolution des médias et préparé au bouleversement des mentalités. En Italie, terre de fortes passions paysannes qui garde intact le souvenir de la Pietà chrétienne, arracher les fils au ventre de leur mère ne pourrait être qu'un crime. La sagesse, poursuivais-je, le moyen de concilier le respect sacré dû aux mères et la crainte justifiée de la surpopulation, serait donc de lutter non pas au stade de l'accouchement mais de l'accouplement. D'enseigner aux familles de la petite bourgeoisie et du peuple qu'il y a des coïts stériles ; ou de les aider, si elles les connaissent déjà, à surmonter leur répugnance morale contre des techniques érotiques qui dissocient le plaisir de la procréation.

Cette fois, ce fut un tollé immonde, un déchaînement inouï de grossièretés, de plaisanteries obscènes et d'insinuations sur ma vie privée. « Le pape pris à contre-pied. » «Fanfani dans le pétrin. » Une de mes chères amies (qui cessa de l'être ce jour-là), la

401

romancière Natalia Ginzburg écrivit dans *La Stampa* que je préconisais l'amour contre nature comme contraceptif universel. Moravia m'accusa publiquement d'être un sexophobe paulinien. Les communistes ironisèrent lourdement : si la survie de l'espèce dépendait du bon vouloir des homosexuels, il fallait demander aux prêtres de réhabiliter Sodome. A droite non plus on ne s'embarrassa guère de subtilités. « P.P.P. veut que les filles restent chastes afin d'éviter la concurrence et de garder pour lui seul ses *ragazzi*. » Un tract anonyme fut jeté la nuit d'une auto dans les rues de Rome :

P.P.P. toujours avide de folklore
linguistique rappelle à notre bon
souvenir le proverbe romain
Cazzo in culo
non fa fanciullo

Les fascistes osèrent imprimer : « P.P.P., reconnaissant son amour exclusif pour sa mère, revendique l'étoile rose par dévotion filiale. Freud lui-même n'aurait pas pensé à désigner Œdipe pour le lager nazi. »

Appel direct au lynchage. Confirmation exacte de mon diagnostic. Crois-tu que j'aurais essayé d'amortir les attaques en acceptant de m'expliquer ? C'est le contraire qui se produisit. Je n'avais suggéré ma solution qu'avec mille nuances et à titre d'hypothèse. Quand je m'aperçus qu'elle m'était renvoyée grossie, déformée, caricaturée par la mauvaise foi, la malveillance, le persiflage, le sous-entendu ordurier, je me sentis poussé à répondre en outrant mon point de vue au-delà de ce que je pensais réellement. Parti pris d'indigner la jeunesse que je ne réussissais plus à séduire, besoin de me maintenir à la pointe de l'actualité par le scandale si ne me restait plus que ce moyen, mais surtout âcre plaisir de faire le vide autour de moi. Mes absurdes polémiques m'enfonçaient dans un tunnel sans issue : Danilo devina que ce motif l'emportait désormais sur les arguments rationnels. « Non, Pier Paolo, non, me suppliait-il au début, quand je lui donnais à lire ma copie avant de l'envoyer au journal. Tu vas te mettre à dos l'Italie entière. » Mais bientôt il se tut, ayant constaté qu'aucune remarque ne pouvait m'exciter davantage. L'Italie tout entière contre moi, et moi, seul contre mon pays, comme Dante chassé de ville en ville, comme Savonarole tiré de force en bas de sa chaire pour être traîné sur le bûcher... Que devais-je donc inventer encore pour que Rome admît que j'étais de trop dans ses murs ? Jusqu'au jour où je me lassai moi-même de ces provocations. Il me fallait une voie plus directe, plus rapide vers le but que je m'étais fixé — ou que mon démon intérieur avait choisi pour moi.

J'avais découvert à une demi-heure d'auto de via Eufrate, au bord de la mer, près de l'embouchure du Tibre, une côte basse et déserte qui me sembla aussitôt magique bien que Danilo ne se laissât pas conduire sans résistance au milieu de ce paysage désolé. Les immeubles populaires qui prolongent Ostie sur la droite s'arrêtent pile à l'entrée d'une sorte de lande dominée au loin par les restes puissants d'une tour octogonale, vieux donjon romain isolé et perdu en marge de ce qui n'est plus qu'un immense dépotoir de détritus et de gravats. Quelques roseaux étiolés par la poussière penchent leurs têtes malingres entre les cailloux. Une grisaille uniforme recouvre ce bout du monde auquel sa lisière marine, loin d'apporter une bordure de couleur, n'ajoute qu'une frange d'écume sale et d'eau trouble où flottent des bouteilles en plastique et des papiers gras. Je fis tout de suite le rapprochement avec le mont Testaccio. Voilà, me dis-je, dans cette ville dégénérée et corrompue, les deux seuls endroits qui restent sacrés. L'un — le Testaccio avec sa cohorte d'enfants mystérieux — béni ; l'autre — cet Idroscalo au nom anachronique évocateur de navires et de trafics portuaires aujourd'hui disparus — assurément maudit : mais tous les deux sacrés, hors du monde, rarement foulés par le pied humain, réservés à des cérémonies secrètes. Rites du feu sur le Testaccio et fêtes du renouveau de la vie, mais ici, que seraient-elles ici ? me demandai-je en poussant devant moi Danilo récalcitrant. Je nous avais interdit de monter sur la colline des poneys mais à présent, attiré comme par un sortilège, je serrais Danilo par le cou et le dirigeais vers le centre de ce royaume de la misère et de l'abandon.

Déjà incapable par nature de tenir en place mais ce jour-là doublement impatient de manifester sa vitalité, il se mit à courir entre les cabanes disséminées dans cette zone qui paraît d'abord sauvage. Minuscules remises à peine plus grandes que des guérites, baraques abusives sans cadastre, sans voirie, sans électricité, bicoques de planches et de tôles complétées avec des accessoires de voitures, rafistolées avec de vieux rideaux, étoupées avec du papier journal, mais témoignant par un détail ou par un autre — une marquise au-dessus de la porte, un nain en porcelaine près du seuil, une antenne postiche de télévision — que leurs propriétaires avaient voulu singer la villa balnéaire en dur au-dessus de leurs moyens. Pas âme qui vive le jour de notre première visite. L'Idroscalo ne s'animait que le dimanche, lorsqu'ils venaient apporter un moellon, une solive en renfort, consolider le toit, pendre une cretonne à une fenêtre sans carreaux, en vue de la belle saison où ils passeraient toute la journée au bord de la mer, comme leurs riches voisins de Fregene au-delà du Tibre. Leur premier soin avait été de planter une rangée de pieux ou d'élever une barrière en treillage autour de leur maison pour se délimiter un enclos. Parfois un écriteau fiché dans le sable portait le nom de la famille et même un numéro. « Ça alors ! Quelle idée, puisqu'il n'y a pas de rues ! » Plus folle encore nous parut cette baignoire calée sur ses quatre pattes d'éléphant dans la terre, au milieu du « jardin », faute de place sous le toit, et l'eau ne pouvant tomber que du ciel, faute de canalisations.

J'aurais pu être touché par ces efforts attendrissants pour transformer un bidonville précaire en station de villégiature ; ou au contraire juger d'un œil sévère cet attachement tenace à la propriété privée, responsable de la surenchère dans le mauvais goût. Rien de tel ne me passa par l'esprit. J'avançais plein d'angoisse et de stupeur comme si, au lieu d'être tombé dans la plus sordide de toutes les banlieues possibles, je me trouvais par un coup de baguette ramené aux origines de l'univers, ou précipité brutalement vers sa fin. « L'Afrique », me dis-je en me souvenant de ce que j'avais vu dans les faubourgs de Nairobi, lorsque je courais entre deux rangées de cahutes à mes rendez-vous dans la savane. Mais ce mot enchanté lui-même, « l'Afrique », ne me donnait pas la clef de ce que j'éprouvais ici : un mélange de fascination et de terreur sans commune mesure avec mes impressions du Kenya. Au Kenya, c'était l'aurore du monde. Ici, c'en était le déclin, le pourrissement, la décomposition ultime. Rome avec ses palais, ses églises, ses couches superposées de siècles, de religions, de gouvernements, venait achever son histoire entre ces dunes de gravats, ces caricatures d'habitations. Du port où avaient débarqué tant de peuples impatients de se compter parmi les fils de la Louve, ne restait plus devant nous qu'un estuaire envasé, abandonné des pêcheurs eux-mêmes. Les mouettes qui planent au-dessus de toutes les embouchures s'étaient enfuies à tire-d'aile à la recherche d'un séjour moins mélancolique. Ce décor de poussière et de boue, voilà tout ce qui subsistait de la Ville éternelle, reine et guide des nations ; l'héritage de l'Urbs se bornait à ce lotissement ; la ruine de Rome, dont on parlait depuis si longtemps, était enfin consommée.

Un effondrement sans appel, et pour moi le cadre idéal, le théâtre digne du grand spectacle que je voulais me jouer. A la fenêtre d'une masure, pour remplacer la vitre manquante, je vis étalé un numéro récent du *Messaggero*. « Enquête sur la jeunesse », proclamait la manchette. Et, imprimées en caractères gras sous le titre, ces lignes débordantes de confiance : « Giuseppina nous a déclaré avec le sourire : On ne me jette plus à la porte si j'entre dans une église les bras nus. » Visage épanoui de Giuseppina ; auquel avait dû correspondre, corollaire facile à deviner, la satisfaction sans réserve du journaliste. Ah ! Ils croyaient tous qu'une ère de liberté et de bonheur s'ouvrait pour l'Italie. Au moment où Rome claironnait sa foi dans l'avenir de la civilisation, serais-je le seul à réclamer une veste à manches pour Giuseppina ? On dit que les habitants de Pompéi, le soir qui précéda l'éruption du Vésuve, festoyèrent avec insouciance. Ils moururent la coupe à la main, ensevelis sous la pluie de cendres. Nul volcan ne serait nécessaire aujourd'hui. La mort avait déjà pris ses quartiers dans le désert de l'Idroscalo.

Danilo lui-même, renonçant à courir et à gambader, marchait à côté de moi, réglant son pas sur le mien et s'arrangeant pour me toucher par le bras, comme un enfant apeuré qui a besoin de rester en contact. J'explorai en long et en large les pistes tracées dans le sable pendant qu'il me lançait des coups d'œil anxieux comme s'il avait voulu me demander où je voulais le conduire. J'étais content de noter qu'il subissait pleinement le maléfice de ce lieu, auquel l'œuvre des hommes ne faisait qu'ajouter un surcroît de tristesse et de dérision.

— Non, pas ici, Pier Paolo, pas ici ! me supplia-t-il lorsqu'il eut compris le but de mes recherches.

Nous venions de découvrir un terrain de football rudimentaire délimité par une ligne de cailloux. Je commençai à faire tomber mes vêtements sous le regard horrifié de Danilo qui m'imita à contre-cœur. Pas de moyen plus sûr de le braquer contre moi que le choix de ce décor et de cette solitude angoissante. Il comparerait le dénuement de l'Idroscalo aux charmes de la toute proche plage d'Ostie, et les gestes librement et gaiement accomplis avec Annamaria à ceux auxquels j'allais maintenant le contraindre.

— Ah ! Tu n'y as pas pensé, à cette permission-là !

Je marmonnai ces paroles entre mes dents, tout en ôtant la ceinture de mon pantalon, une grosse ceinture à boucle de cuivre massif que je fis siffler autour de mon poing.

— Si tu crois que tout est permis aujourd'hui, tu dois aller jusqu'au bout de ce qui est possible !

Je mis la ceinture dans sa main et lui présentai ma poitrine nue.

— Frappe ! ordonnai-je à haute voix.

Il me dévisagea incrédule, écarquilla les yeux, souleva les sourcils, fit mine d'éclater de rire puis, se résignant à ce qu'il crut être un nouveau jeu, m'allongea un coup sans force qui m'effleura à peine.

— Pas comme ça, Danilo. Frappe plus fort ! Frappe avec la boucle ! Frappe jusqu'au sang !

Pour donner l'exemple, je le cravachai sur la jambe. Il poussa un cri puis resta muet de surprise et d'effroi quand il aperçut sur sa cuisse le tracé boursouflé d'une zébruque qui rougissait rapidement.

— Pourquoi as-tu fait ça ? balbutia-t-il, les larmes aux yeux.

— Pourquoi j'ai fait ça, Danilo ?

Une seconde plus tôt, j'aurais répondu : « Parce que le droit de fouetter et d'être fouetté n'est pas inscrit dans la société d'abondance. Parce que cette permission, elle ne l'accordera jamais. Parce que si tu m'aimes, tu dois tout accepter de moi. Parce que, à quelques centaines de mètres de l'endroit où tu as recueilli les premiers bénéfices de la tolérance, je t'enseignerai que c'est l'apocalypse qui a débuté. » Mais soudain l'espèce de fureur qui me possédait tomba. J'eus horreur de ma brutalité. D'un air stupide je regardai la ceinture que je tenais encore à la main.

« Il n'y a qu'un coupable, un seul coupable ! » murmurai-je en retournant contre moi la lanière. Je me mis à me frapper avec la boucle ; d'abord mollement, comme absent à moi-même ; puis de plus en plus fort. Je ne m'aperçus même pas quand les plaies commencèrent à couler. Je continuais à me flageller partout, sur les épaules, sur le dos, sur le ventre. « Bien fait ! Bien fait ! » Je me répétais machinalement ces mots, sans savoir pour quelle faute je m'infligeais cette sanglante mortification. « La liberté du corps, voilà ce qu'elle vaut ! » aurais-je pu crier à Danilo, si j'avais été en mesure d'aligner une phrase.

Il s'était éloigné et regardait les nuages que le vent soufflait en rafales vers la mer, les deux mains sur les oreilles pour ne pas assister à la scène ni entendre le claquement du cuir sur ma peau.

Dès que je l'appelai il accourut, non sans se livrer d'abord à un geste que je me rappellerais quelques années plus tard, dans des circonstances presque analogues. Nu comme il était, il arracha de la palissade voisine une planche qu'il apporta et posa par terre entre nous.

— Que comptes-tu faire de ça ? lui demandai-je étonné.

Il rougit, ramassa le morceau de bois et l'envoya valser au loin. Je me moquais bien, en ce moment, de savoir ce qui lui était passé par la tête.

— Niletto, fis-je, excité par le sang, par la douleur, par la beauté funèbre du paysage autour de nous.

— Je vais nous préparer un coin, attends, fit-il, forcé de comprendre d'après ce qui se présentait à sa vue que tout effort pour obtenir un délai et me ramener dans nos parages habituels serait inutile.

— Non, Danilo. Ici, comme ça. Viens.

— Debout? Mais ce n'est pas possible! s'exclama-t-il.

Et même s'il admit que le contact des gravats et la poussière qui souillait jusqu'au moindre brin d'herbe au bord du terrain de foot n'auraient pas arrangé mes blessures, je vis bien qu'il trouvait scandaleuse et n'accepta que pour s'éviter une nouvelle explosion de violence la position humiliante à laquelle je le contraignis.

49

Plusieurs événements, les uns publics les autres privés, apportèrent dans ma vie une diversion qui me permit de refaire surface et de reprendre mes sens après la scène de l'Idroscalo où il s'en était fallu de peu que Danilo ne ramassât ses vêtements et ne s'enfuît en me laissant seul sur la grève.

Après l'octroi du divorce et avant la loi sur l'interruption de grossesse, le gouvernement devait donner des gages à la droite ; susciter donc un terrorisme rouge qu'il combattrait en s'en prenant à l'extrême gauche. Cette explication vaut ce qu'elle vaut. Toujours est-il qu'une seconde vague d'attentats compléta la première. Aux violences commises par les nervis du M.S.I. s'ajoutèrent les agressions contre des cadres d'usines. Par centaines les bombes jetées contre des sections locales du P.C.I. ; quotidiens les raids dévastateurs dans les écoles ; fasciste encore l'attentat en Calabre contre le train du Soleil, qui avait fait six morts et cinquante blessés. Mais deux mois après — le 17 septembre pour être précis — un dirigeant de la Sit-Siemens de Milan trouva son auto brûlée dans le sous-sol de son immeuble : épisode qui serait passé inaperçu entre les milliers d'incidents analogues, si les incendiaires n'avaient laissé leur signature sur le mur du garage. Un étrange paraphe, fait d'une étoile à cinq branches et de deux initiales mystérieuses : un B et un R tracés à la peinture carmin.

Attiré par tous les langages symboliques, en vain essayai-je de déchiffrer celui-ci ; jusqu'au jour où — c'était en janvier de l'année suivante — le même groupe terroriste fit exploser huit bombes sur la piste d'essai des pneumatiques de l'usine Pirelli ; en laissant cette fois, sur des tracts jetés près des camions détruits, son nom en toutes lettres : « Brigades Rouges ». Les journaux ne donnèrent pas une place excessive à l'événement, qui rentrait dans la routine de la délinquance politique. Probablement n'aurais-je pas moi-même fait une distinction trop nette entre ces pourpres milices et d'autres organisations voisines quoique moins imagées et préférant à celui de la couleur l'emblème de la raison abstraite — Mouvement du 22 octobre, Groupes Armés Prolétaires (de Feltrinelli passé définitivement à l'activité clandestine), Nouvelle Résistance, Autonomie Ouvrière — sans la manie de signer leurs crimes et de les signer par une étoile à cinq branches. Un rébus excitant qui emportait mon esprit aussi bien vers le bouclier de David que vers le Pentagone américain, deux clefs qui s'adaptaient mal à la serrure. Sans compter que Renato Curcio, le chef des Brigades Rouges, on savait qu'il ne s'était pas formé chez Lénine ni chez Mao mais, catholique militant, venait de la faculté de sociologie de Trente, bastion de la foi et du dogme depuis le fameux concile, pépinière de jésuites, foyer de la Contre-Réforme où il était naturel qu'il eût puisé le mépris des institutions démocratiques, mais non la pyrophilie ni l'art de manier les explosifs.

L'autre diversion — mais puis-je appeler ainsi ce qui fut le dernier bonheur de ma vie ? — se présenta sous la forme d'un film à tourner, non loin de Rome par les kilomètres, à des années-lumière par l'esprit et par le cœur : à Naples, Gennariello, désormais ma ville préférée d'Italie. Je t'y ai retrouvé. Modifié pour l'état civil, mais préservé de l'embourgeoisement, mais intègre, mais pur.

Te souviens-tu du temps où tu posais des vénitiennes aux fenêtres ? Occasion d'enjamber des centaines de balcons et de faire irruption chez les gens. Tu aurais très bien pu entrer par la porte cochère et monter par l'escalier. Tu préférais appuyer ton échelle contre la façade, grimper par surprise et pénétrer de force, confiant que ce moyen romantique tournerait la tête aux jeunes filles. Car tu n'aimais qu'elles, Gennariello, et c est pourquoi, moi, je t'ai tout de suite aimé. Elles seules te plaisaient. Un penchant inné, merveilleux spectacle pour moi, car c'était la première fois que je voyais un garçon attiré vers les femmes de lui-même, sensuellement, par goût, en dehors de toute influence. Ce qui chez les autres est ralliement contre nature, extorqué sous la pression du milieu, de la famille, de l'école, des bandes dessinées, de la télé, du prêtre, du médecin, rayonnait chez toi avec la force d'un instinct animal.

Ô Napolitains ! Votre tribu s'éteindra peut-être mais sans s'être laissé corrompre. Tu habites maintenant sur le Vomero, tu as pris le bail de cet appartement en haut de la calata San Francesco, tu as épousé ta Giuseppina, elle va te donner sous peu ton premier enfant : et pourtant tu n'as pas changé, tu n'as pas cédé, je retire tout ce que j'ai pu te dire de désagréable. Oui, ma première impression était fausse. Ni don Michele, le curé de ta paroisse, que j'ai soupçonné d'avoir pesé sur ta décision, ni ton frère contremaître chez Alfa Romeo et inscrit au Parti ne sont intervenus. Exemple presque unique aujourd'hui d'un jeune qui demeure ce qu'il est et s'accomplit dans le droit fil de sa vocation, tu as su garder intact — à mes dépens mais tant pis — ce don splendide d'être toi-même. Locataire d'un deux pièces lumineux, fier de ta terrasse et de ton panorama sur le golfe, époux, père de famille, employé du recensement, mais d'abord Napolitain, c'est-à-dire enraciné par des attaches indestructibles dans la préhistoire de l'humanité, comme les maisons de Naples sont reliées par des canaux souterrains au feu de la solfatare, à l'antre de la Sibylle, aux secrets de l'univers.

De la troupe que j'avais amenée de Rome pour tourner mon film les uns — la petite minorité — découvrirent avec émerveillement que tout n'était pas perdu en Italie, les autres se risquèrent à contrecœur dans les rues qu'ils déclarèrent sales, sombres, bruyantes, humides et sans hygiène. Je leur avais raconté l'histoire de Pasquale Esposito, le brigadier venu me rendre les clefs de ma voiture. Ils me blâmèrent de garder de la sympathie pour une ville qui envoyait ses enfants au travail dès l'âge de huit ans, leur rasait le crâne à cause des poux et les obligeait à s'enrôler dans la police s'ils ne voulaient pas mourir de faim. Ma raison ratifia ce jugement. Mais la raison est-elle l'instrument le plus approprié pour comprendre Naples ? Je reconnus que j'aurais dû me promener avec moins de plaisir dans ce labyrinthe où un démocrate se pince les narines par juste dégoût des odeurs indignes d'un pays civilisé. La seule autorité devant laquelle je m'incline — ici comme ailleurs — étant le bonheur que j'éprouve, le verdict éclairé de mes amis romains ne suffit pas à me ramener au bon sens.

Je n'avais rien dit de mes impressions à Danilo. De lui-même il retrouva sa joie de vivre, son enthousiasme et ses bonds. La force de Naples est telle, qu'elle le rendit à sa vérité. Annamaria ? Il ne lui envoya pas une seule carte postale, il ne chercha même pas à lui téléphoner de l'hôtel. Rayée, oubliée, la fille du confiseur. Nous fûmes heureux comme au temps de Monteverde, comme la première fois derrière le gazomètre. De mon film, je fis un hymne à la jeunesse, au corps humain, à l'amour physique, aux organes sexuels de la femme mais aussi de l'homme que personne avant moi n'avait osé montrer comme je les ai montrés.

A la tombée de la nuit je me mettais en route, sur les traces de Caravage : c'était l'heure qu'il eût aimée, pleine de mystères et d'ombres furtives. Lui aussi, quand il avait posé ses pinceaux, partait à l'aventure dans la ville aux mille boyaux. L'auberge du Cerriglio, repaire de matelots, de contrebandiers et de repris de justice, avait disparu depuis longtemps, mais tu me guidas dans la ruelle étroite et tortueuse où s'élevait jadis l'hôtellerie la plus mal famée de Naples. Là, non loin des marches du seuil, le peintre avait reçu en pleine face le coup d'épée sanglant. Nous ne vîmes, dans ce quartier presque abandonné aujourd'hui, que des feux de planches allumés au pied des maisons. Quelques gaillards, solidement campés sur leurs jambes, étendaient leurs mains au-dessus de la flamme. Ils tournaient la tête à notre approche, nos regards se croisaient, je risquais un signe d'invite, tu pressais alors le pas jusqu'au prochain angle. « Non, pas ici, me disais-tu, l'endroit est resté dangereux. » Crois-tu qu'ils cachaient une arme dans la manche de leur blouson ? A quelle imprudence s'était livré Caravage ? Pauvre, toujours à l'affût d'un sou pour acheter le vernis de ses toiles, il n'avait pu étaler sous leurs yeux des pièces d'or.

Que n'aurais-je donné pour assister à la scène ! L'éclairage devait être le même : ces ténèbres traversées de lueurs, ce clair-obscur cher au peintre. Pareils également le cercle des hommes autour du feu, les mines patibulaires, les manteaux roulés sur le bras, le mutisme ombrageux. Voici le voyageur qui sort de l'auberge, fasciné par le petit groupe immobile, par les silhouettes à contre-jour, par les contrastes de couleurs entre le sombre des visages et le rose transparent des doigts illuminés en dessous par la flamme. Que manquerait-il au tableau ? Un jeune drôle moulé dans son pour-point... La dague qui luit contre sa jambe... Une parole murmurée à l'oreille, peut-être un geste à l'appui... Et l'autre qui empoigne son arme et en balafre la joue de l'audacieux. Sa surprise, enfin, devant l'humilité de sa victime : Caravage se contente de toucher sa blessure de la main. Le sang coule : il sourit à celui qui d'une seule botte vient de le défigurer. Puis il s'éloigne lentement, le front courbé en signe de soumission. Il regagne le seuil, remonte dans sa petite chambre, fixe une toile sur son chevalet, et, puisque son fantasme d'immolation n'a été qu'à moitié assouvi, il se donne les traits de Goliath, se coupe la tête et l'accroche au poing triomphant de son bourreau.

Tu m'arrachais à mes rêveries pour me désigner, penché à une fenêtre où il suspendait du linge à des fils de fer tendus en travers de la rue, un *femmeniello*, et tu riais de ma stupeur : quoi ? un homme occupé à cette tâche féminine ? J'aurais pu le voir, me disais-tu, à d'autres heures de la journée, sortir un panier à son bras et se rendre au marché, éplucher les légumes, repasser, coudre, au su et au vu de

411

tous, entouré de la bienveillance et de la sympathie générales — et même, prétendais-tu, s'habiller d'une jupe, d'une blouse et de souliers à hauts talons pour faire sa promenade du soir dans le quartier. Le plus curieux, c'est qu'en enfreignant ainsi une des lois les plus rigoureuses du monde méditerranéen, il ne soulevait aucune hostilité, ne s'attirait aucun blâme. A peine si quelques plaisanteries inoffensives fusaient sans méchanceté dans son dos. Une sorte de vénération silencieuse protégeait ton ami et lui permettait de vivre en paix sa vie de femme.

— Chaque quartier, presque chaque ruelle a son *femmeniello*, me dis-tu ? Accepté par tout le monde ?

— Par tout le monde, Pier Paolo. Pourquoi t'étonner ?

En effet, pourquoi m'étonnais-je de la faveur dont jouit chez vous le travesti ? Ses voisins ont beau le taquiner quand il se dandine sous son chapeau à fleurs, ils ont besoin de le sentir parmi eux. De quelle obscure gratitude ne sont-ils pas remplis pour celui qui a le courage d'être femme à leur place ?

A ton tour d'être surpris, n'est-ce pas, Gennariello ? Jamais tu n'aurais pensé que les accoutrements de ton ami, ses lessives, ses veillées près de la table à couture puissent jouer d'autre rôle que d'égayer le quartier. Commences-tu à comprendre que des hommes à qui leur société défend de manifester le côté féminin de leur nature révèrent en secret le garçon qui ose transgresser l'interdit ? Il les libère, il les apaise. Un exorciste, bien plus qu'un amuseur. Tu croyais à une de ces inventions pittoresques par lesquelles le peuple napolitain cherche à oublier sa misère. Il a créé Polichinelle, son imagination ne reste jamais en panne ni son ironie à court de cibles. Il enjolive d'ampoules multicolores les oratoires des carrefours, passe des guirlandes de persil dans les naseaux des veaux morts, pique dans les thons étalés sous les portiques de Spaccanapoli des œillets comme des banderoles. Un théâtre en plein air, une fête permanente. Pourquoi n'attacherait-il pas des sandales dorées aux pieds d'un jeune commis ?

L'origine des *femmenielli* remonte pourtant à une source mythique, qui n'a rien à voir avec les spectacles de rues. Ils se rattachent à san Gennaro, dont tu portes le nom, protecteur de Naples, décapité à Pouzzoles et auteur du miracle qui se renouvelle deux fois par an dans la cathédrale, lorsque le sang de l'ampoule se liquéfie devant la foule à genoux.

Tant pis si le liquide rouge de la fiole qu'on tire du tabernacle en grande pompe n'est plus depuis longtemps le sang de l'évêque de Bénévent recueilli par une vieille femme sur le lieu du supplice. Peu importe également que la liquéfaction ponctuelle, le premier samedi de mai et le 19 septembre, aux dates anniversaires de son arrestation et de sa mort, résulte d'une intervention humaine plus que d'une grâce divine. Faudrait-il hausser les épaules sous prétexte que les mains du diacre ont réchauffé en cachette le flacon avant de l'exhiber au public ? Vous avez adopté pour patron un homme qui saigne à dates régulières : je ne veux retenir que ce choix symbolique, qui donne à votre superstition la force et la beauté d'un mythe grec.

Gennaro avait bravé la persécution de Dioclétien. Il s'était porté au secours de deux de ses amis chrétiens emprisonnés sur l'ordre de Timothée, le gouverneur romain de la Campanie. Ni les bêtes fauves auxquelles il fut présenté dans l'arène ni la hache du bourreau ne purent entamer son courage. Rude paladin du Christ taillé sur le modèle des premiers apôtres, il vous a laissé le souvenir d'un soldat et d'un chef. Rien de gracieux en lui, rien d'efféminé. Tu ne le verras jamais accroché aux cimaises d'un musée entre un saint Jean et un saint Sébastien. Cependant, même vous, les hommes réputés les plus intransigeants sur leur honneur viril, que feriez-vous d'un héros exclusivement masculin ? Pour que vous ayez confiance dans votre protecteur, pour que vous lui accordiez la sainteté, il faut que vous lui reconnaissiez le privilège réservé aux femmes, cet écoulement périodique qui désigne dans le champion le moins suspect la présence et le mystère de l'autre sexe.

Adieu, Gennariello. Tu n'as pas voulu que je t'aime. Un peu d'amour perdu rend le monde plus triste et plus pauvre. A Naples les statues elles-mêmes sont l'objet de soins tendres, et un homme que quatre-vingt-quinze pour cent de ses compatriotes avaient déjà rejeté n'a pu te fléchir ! Une nuit, ne réussissant pas à dormir — il devait être deux ou trois heures du matin — je remontais la via Roma. Devant moi se dressait la masse sombre du Musée National, dont les fenêtres, à ma grande surprise, étaient brillamment éclairées. Tout paraissait désert et silencieux à l'intérieur du bâtiment. Le jeune garçon que je suivais de loin et qui était arrivé sous une des fenêtres de l'édifice s'arrêta tout à coup, prit appui sur le socle en saillie et se hissa jusqu'au grillage. Je m'arrêtai à mon tour. « Un voleur, pensai-je. Comment va-t-il s'y prendre pour entrer ? » Mais il resta immobile, se contentant de plonger son regard dans la pièce. Après plusieurs minutes de contemplation, il sauta à terre et s'éloigna.

Je ne songeais plus à le poursuivre. M'étant assuré que la rue était vide, je m'approchai de la fenêtre et grimpai sur le socle. Un épais grillage à mailles très denses empêchait de voir à l'intérieur, sauf par un trou de la grosseur d'un poing qu'on avait pratiqué en arrachant un morceau du treillis. J'aperçus, posés en désordre par terre, des bustes d'empereurs, des fragments de bas-reliefs, des amphores plus ou moins cassées, tout ce qu'un musée archéologique entasse dans sa réserve. Mais soudain, de ce bric-à-brac poussiéreux, jaillit une vision merveilleuse : une statue, éclairée en plein par le projecteur, se détachait contre le mur gris du fond. Intacte celle-là, tournée de trois quarts vers la rue comme si elle voulait me parler ou me tendre les bras, elle paraissait vivante. A peine revenu de mon saisissement, je reconnus le célèbre et magnifique Antinoüs de marbre, que j'avais cherché en vain dans les salles ouvertes au public.

Je revins. Chaque nuit, aux heures où dans la ville déserte plus personne ne circule, quelque passant attardé se glissait le long du mur et montait sur le socle pour appliquer son œil au trou. Veilleurs de nuit, ouvriers, conducteurs de trains, avec qui je liais bientôt amitié. Ils se succédaient à la fenêtre et contemplaient en silence, sous le projecteur allumé sans interruption jusqu'à l'aube, l'adolescent pensif dont le corps appuyé légèrement sur une jambe semblait les appeler à lui.

« Pourquoi ne viens-tu pas le regarder pendant le jour? » demandai-je à un typographe du *Mattino* que ses absences répétées avaient fait renvoyer du journal. « Pendant le jour? me répondit-il comme si je lui avais parlé d'un astre du firmament, pendant le jour il s'éteint. » Et c'était vrai : sous le blafard éclairage naturel, l'Antinoüs se distinguait à peine dans la grisaille de la petite pièce. Il n'apparaissait dans toute sa splendeur lumineuse qu'à des adorateurs assez fervents pour renoncer à leur sommeil ou se laisser priver de leur salaire.

Savaient-ils qu'il avait été le favori d'Hadrien? Avaient-ils même entendu nommer la Grèce? Pourquoi les lampes brûlaient-elles dans le musée vide? Quelle énigme de penser qu'un jeune homme couché dans la poussière des siècles surgissait chaque nuit des ténèbres pour s'offrir à la dévotion passionnée d'un petit nombre d'admirateurs clandestins!

Ils abandonnaient leur famille, ils se passaient de dormir pour être fidèles au rendez-vous. L'heure tardive et inusitée, le silence et l'obscurité qui s'étendaient autour de nous, le fanatisme d'une poignée d'initiés qui s'étaient donné le mot, le sacrifice de leur repos, de leur métier, cette abnégation tranquille, le flamboiement mystérieux de leur idole : avais-je découvert un de ces cultes ésotériques dont Naples a le secret? Je me joignais à eux sans rien dire. Puisque tu ne voulais pas que je t'aime, c'est avec une statue que je renouvelais mon antique serment d'allégeance à la jeunesse et à la beauté.

50

Ils étaient trois, à la terrasse du Canova, qui me hélèrent cordialement. Raf (Raffaele avant son séjour aux États-Unis), je le connaissais par les studios de Monte Mario, où il produisait à longueur d'année une émission sur l'opéra. Un garçon jusqu'alors effacé, timide (pour la raison que j'avais tout de suite devinée) mais qui m'apparut, si ce n'était pas quelque illusion printanière favorisée par la première journée de beau temps qui soufflait une brise tiède sur les flâneurs de la place du Peuple, métamorphosé de fond en comble : d'abord hâlé et maigri, en habitué non seulement des piscines mais des salles de gymnastique où on peut se faire bronzer en plein hiver ; puis affublé de la même moustache fine et des mêmes cheveux en brosse que ses deux compagnons ; enfin respirant par tous ses pores une suffisance heureuse en net contraste avec sa modestie d'antan.

Sans aucun doute, depuis la dernière fois où je l'avais aperçu, il s'était « libéré » ; peut-être sous l'influence de ses deux amis, Bruno et Jean-Jacques, un Français qu'il me présenta dès que j'eus pris place à leur table : pareils en tout point à lui, avec la petite moustache arrogante et l'exhibition de virilité confiée à la coupe sportive des cheveux. Un type humain nouveau, dont on voyait depuis quelque temps des centaines d'exemplaires entre le Pincio et le Colisée. Signes distinctifs : la peau brunie aux rayons artificiels, l'attaché-case à portée de main, la veste à la mode, le foulard de chez Cucci ; et le sourire fat de ceux qui ayant vécu longtemps dans la dissimulation et le mensonge n'en reviennent pas d'avoir trouvé le courage de se montrer au grand jour tels qu'ils sont.

Ils se répandaient dans Rome en disant qu'ils avaient choisi le Canova comme quartier général à cause du point de vue qu'on y a sur l'obélisque de Ramsès II, « le plus phallus de tous les obélisques romains ».

Certes, j'aurais dû me réjouir avec Raf qu'il eût réussi aussi magnifiquement son « come out » comme il claironnait depuis son retour d'Amérique, et que, au lieu de la créature pâle et effarouchée qui rasait les murs, il fût devenu cet athlète plein d'assurance. Quel beau parti il avait su tirer de son stage à New York ! Ville qui remplaçait aujourd'hui le Berlin des années 1920, le Capri des années 1900, comme but de pèlerinage et d'initiation ; et d'où maint jeune Européen, échappé du cercle étouffant de sa famille, revenait avec des allures dégagées, un vocabulaire ésotérique et des habitudes nouvelles : costumes de cuir, garçonnière confortable, se railler de tout, bichonner son corps, vacances à Marrakech et à Tunis, week-ends à Amsterdam (le guide Petite Planète à la main), récits de fabuleuses aventures au Thermos II de Leidseplein ou aux Continental Baths de la 74e rue, emploi abondant et exclusif du mot *gay* pour se désigner entre eux et se vanter leurs amusements.

Jean-Jacques, en outre, était féru d'opéra. Cette mode qui parcourait le monde l'avait saisi lui aussi. Mais s'agissait-il d'une simple mode ? Comme beaucoup de ses compatriotes qui avaient choisi cette forme d'art en rupture avec la tradition intellectuelle de leur pays pour marquer qu'ils rejetaient aussi sa morale puritaine, le jeune Français se donnait à fond dans une passion qui contribuait à son épanouissement personnel. En s'affirmant « lyrique », amateur de fioritures et de paroxysmes « baroques », il s'inscrivait en faux contre le classicisme national, et posait sa candidature à une vie sans règles ni contraintes. Seulement, emporté par son enthousiasme, il ne pouvait s'empêcher de comparer à tout bout de champ les chanteuses entendues aux quatre coins de l'Europe et d'amener la conversation sur ce terrain. Raf, par métier, et Bruno, par snobisme, l'y suivaient d'ailleurs volontiers. Rien de plus comique que de les entendre détailler âprement les mérites de leur favorite respective, l'engouement pour telle ou telle diva fournissant à chacun l'occasion d'un jugement péremptoire. Grâce au gosier de ces dames ils se partageaient en clans irréductibles, eux qui avaient tout le reste en commun, le langage, les tics, les vêtements, les saunas, la drôlerie brillante et facile.

Je m'assis à contrecœur sur la chaise que Raf me tendit. Mon premier geste fut de commander un negroni, moi qui ne buvais jamais d'alcool. Ils avaient résolu pour leur part de se mettre à l'eau minérale, et suçotaient chacun avec une paille un quart de San Pellegrino. Choix raisonné et ostentatoire : quand on est libre et qu'on ne se réprime plus, qu'a-t-on besoin de se consoler au moyen d'excitants ? Ils m'accueillirent avec une humeur gaie et légère à laquelle je m'en voulus de répondre aussi mal. Je serrais mon verre entre mes doigts crispés, incapable de m'abandonner à cette douce matinée de printemps. Autant je les approuvais de s'être débarrassés de tout sentiment de culpabilité et d'en avoir fini avec le jugement de Moïse, autant m'indisposaient leur désinvolture et leur confiance en eux-mêmes. Ils semblaient n'avoir d'autre but que de vivre le plus agréablement possible. Leur aisance me causait une antipathie instinctive dont je fus le premier à me blâmer.

Jean-Jacques nous fit admirer un flacon de parfum Yves Saint Laurent grand format qu'il avait acheté à la boutique free duty du nouvel aéroport Charles-de-Gaulle de Paris. Il se trémoussait sur sa chaise, il n'en pouvait plus de bonheur, entre la fierté d'avoir décollé de la plus moderne aérogare d'Europe, le plaisir d'exhiber un article aussi prestigieux, la satisfaction de l'avoir payé à prix réduit et la joie d'être arrivé à temps pour la Carmen de Cossotto ce soir à l'Opéra. Bruno cherchait la vacherie qui le blesserait le plus dans son chauvinisme ingénu quand Raf, qui m'avait le premier hélé, essaya de m'attirer dans leur discussion.

— Nous aimerions connaître ton avis, ô grand homme, me dit-il. (Décidé à ne plus rien prendre au sérieux depuis que les bars de Christopher Street l'avaient affranchi, il ne pouvait parler que sur le ton du badinage.) Mauro pense que nous devrions nous abonner à la feuille de chou que publie le *Fuori*. Qu'en dis-tu? Moi, la politique, je serais plutôt contre.

— Leur papier est de trop mauvaise qualité, pouah! fit Bruno, dont la pochette était assortie à la cravate. S'ils veulent qu'on les lise, qu'ils emploient une encre qui ne tache pas les doigts.

— Et puis, ajouta Jean-Jacques qui se mit à pouffer derrière sa petite main soigneusement manucurée, ils ont trouvé bien la Deutekom dans l'*Armida* de Venise!

— Gaffe de première! dit Bruno en riant.

— Ils ne t'ont jamais contacté? me demanda Raf.

— Si.

— Et... lira-t-on bientôt un papier de toi?

— Jamais, dis-je en serrant les mâchoires.

— Je connais tes objections, reprit Raf. Un écrivain n'a pas à être militant, sa place n'est pas sur les barricades, et ainsi de suite.

— Pourtant, coupa Bruno, ils défendent nos droits.

« Nos droits » : un de leurs refrains, encore, qui m'agace. Parce que, entre Raf, Bruno, les rédacteurs du *Fuori,* quatre millions d'Italiens et moi il y a *une* chose en commun, en doit-il résulter, pour chacune de ces quatre millions de personnes qui diffèrent par tout le reste, la conscience d'un *nous* solidaire et unanime? Et puis la notion de « droits » m'horripile. Pour que j'aime quelqu'un, il faut qu'il ignore complètement avoir des « droits ». Ou, s'il est conscient d'en avoir, qu'il y renonce. J'avais lu plusieurs numéros du *Fuori* : un jargon prétentieux et agressif. Cependant, je comptais déjà trop d'ennemis. Rejeté par l'avant-garde qui s'était sclérosée depuis dix ans mais continuait à terroriser les écrivains, traîné à nouveau en justice pour le film sur Naples aux nudités scabreuses, hué par les étudiants, conspué par les féministes, menacé par la droite, blâmé par la gauche, renié par tous les partis, pouvais-je me payer le luxe de me brouiller avec mes seuls alliés sûrs ?

Je bus une gorgée de mon negroni et dis, en me forçant à un ton aimable :

— J'ai déclaré que je ne collaborerais jamais au *Fuori* parce que je ne crois pas que c'est mon rôle d'aller pontifier dans une revue de jeunes.

— Dommage, répondit Jean-Jacques, car il y aurait à rendre compte de cette extraordinaire floraison de livres qui nous sont consacrés depuis deux ou trois ans. Une véritable explosion, un événement culturel sans précédent !

— Justement, rétorquai-je, d'une voix plus sèche que je n'aurais voulu, je craindrais de montrer mon désaccord avec ce genre de littérature.

— Mais pourquoi ? Quelle idée !

Tous les trois avaient protesté ensemble.

— Du temps où elle était le monopole des psychanalystes, dit Bruno d'une voix désagréable de fausset, je comprends que tu n'avais aucun plaisir à apprendre que le papa d'Oscar Wilde lavait la vaisselle pendant que sa maman tenait les comptes du foyer...

— Farceur ! dit Raf en s'esclaffant. Mais il a raison : peu nous importe de savoir qui épluchait les légumes à la maison pendant que nous sucions notre pouce dans notre berceau... Oncle Sigmund, vraiment, a fait preuve d'une bien curieuse sensibilité potagère...

Quand l'hilarité fut retombée :

— Oui, oui, accordai-je avec un geste las. On ne pleurniche plus, aujourd'hui, on se bat. Mais tous ces livres...

— Quoi, tous ces livres ? reprit Jean-Jacques en relevant le menton pour faire oublier sa petite taille. N'est-ce pas formidable que la question, au lieu de rester tabou, soit devenue un sujet de discussion publique ? Qu'on en parle dans la presse, à la radio, à la télévision ? L'Italie a même plusieurs longueurs d'avance sur Paris, continua-t-il comme s'il apportait un argument irrésistible.

Avec la fatuité coutumière à ses compatriotes, il pensait que je serais tout content de le voir reconnaître la supériorité de mon pays dans un domaine où pour une fois Rome n'était pas à la remorque de la France.

Le compliment me laissa froid. Raf vint au secours de Jean-Jacques :

— Sais-tu que la librairie Feltrinelli, là derrière nous, organise une semaine de débats le mois prochain ? J'espère bien que tu interviendras !

Je fis encore : « Oui, oui », le nez dans mon breuvage, tout en me demandant ce que mes amis des *borgates,* Sergio, Franco, les deux Alduccio, et ceux des abattoirs aussi, Carlo, Romolo et, plus haut dans mon passé, Nuto, Manlio, Elmiro, les compagnons de mes lointains étés, ce qu'ils auraient pensé de cette mobilisation bruyante. Loin d'être un signe de « progrès », une telle abondance de pamphlets, apologies, tables rondes et programmes radiotélévisés me paraissait un funeste présage. Quoi ! Il faudrait désormais accrocher un insigne à son veston ? Nous marcherions sous une bannière ? Je devrais me vanter de ce que je suis comme d'une spécialité ? J'entrerais dans une catégorie ? Ce qui ne dépend pas plus de ma volonté que la couleur de mes cheveux ou la forme de mon nez deviendrait une cause à défendre ? Assumer, revendiquer, défiler, ils n'avaient que ces mots à la bouche... Recul tragique sur mon Italie du Frioul et de Ponte Mammolo, où nous étions ce que nous étions en pleine inconscience, où l'expansion physique du plaisir d'être ensemble nous amenait d'elle-même à l'amour. Mais comment avouer un pessimisme aussi malséant devant ce trio de jeunes recrues fringantes qui affichaient jusque par leur ralliement aux conventions pileuses de Sheridan Square leur fierté d'appartenir à un siècle émancipé ?

Jean-Jacques, qui houspillait Raf, me tira de ma rêverie.

— Qu'est-ce que tu dis ? Que la Souliotis est mieux que la Rysanek dans Lady Macbeth ? Grande folle, va ! Ne fais pas semblant de n'avoir pas entendu comme elle a raté son *contre-ré* dans le boléro !

— Le boléro ? Il appelle boléro le toast du deuxième acte ? Tu confonds avec les *Vêpres siciliennes.* Hou ! Hou ! Si on peut être plus *gloopy-gloop* que ça, hein ?

Ils se chamaillèrent un bon moment puis Raf, qui suivait son idée, m'interpella à nouveau.

— A moins que tu ne sois pas encore tout à fait au clair avec toi-même, Pier Paolo. Tu prétends qu'un écrivain ne doit pas militer dans un parti, mais tu donnes des articles aux hebdos du P.C. Je ne voudrais pas penser que tu restes un peu *closet queen* sur les bords...

— Ce n'est pas ça, intervint Bruno de sa voix aigrelette,

décidément le plus antipathique des trois. Le *Fuori* n'aime pas les couples qui singent le train-train conjugal. Tiens, ajouta-t-il avec une négligence perfide, comment se fait-il que ton petit ami ne soit pas avec toi aujourd'hui ?

— Danilo n'est pas mon petit ami, dis-je sèchement.

— Oh ! mais il n'y a pas de quoi te fâcher, observa Raf. Tu as bien de la chance d'avoir toujours un cortège de jeunes à tes basques.

— Ça coûte cher mais on les tient par l'argent.

De cette petite peste de Bruno venait de partir ce nouveau pet. Je faillis lui jeter mon verre à la figure, mais Raf s'interposa. Il mit sa main sur mon poignet.

— Ne l'écoute pas, Pier Paolo ! Il dit n'importe quoi. L'autre jour, en discutant de toi, il m'affirmait que ta relation à Danilo s'explique par un vieux fonds de culpabilité. Tu as choisi un garçon pauvre et sans instruction, soutenait-il, pour avoir l'occasion de le combler sans cesse de tes bienfaits. Ce que tu lui apportes en argent, en culture, en rencontres, en facilités de toute sorte, est le prix que tu payes pour calmer ta conscience. J'ai haussé les épaules, bien entendu, et répondu qu'il n'y était pas du tout. Dans ton cas, la différence sociale et culturelle entre Danilo et toi exprime au contraire...

— Oui, oui, on sait ce que tu vas dire ! s'écria Bruno. La transgression des barrières entre classes, la liberté absolue du choix, la force subversive de l'amour, et patati et patata, citation de Bismarck à l'appui. Mais d'après aucun de ses livres, aucun de ses films, tu ne peux déduire avec certitude qu'il est gay. Jamais une profession de foi nette et franche. Son *come out,* on l'attend encore. Au fond, tu avais raison tout à l'heure, Raf. Si on peut être plus *crushed fruit* que ça, je vous le demande.

Pour odieux qu'il me fût, avec sa pochette à pois et la peau de son visage qui sortait de chez l'esthéticien, la justesse de son diagnostic m'effraya. J'avais souvent réfléchi sur mon attirance — exclusive, oui — pour des garçons non seulement bien plus jeunes mais d'un rang inférieur. Et si, dans mes moments d'optimisme et de confiance en moi, je pouvais m'attribuer une patente de révolutionnaire capable de renverser par le désir les frontières historiques tracées entre la bourgeoisie et le peuple, d'autres fois il me fallait bien reconnaître que c'était me contenter d'une pieuse rhétorique que de m'arroger cette gloire, malgré l'aval de Proust et l'éclat de sa caution. Sans parler de Svenn, que j'avais aidé à devenir peintre, ni de Danilo, ce garçon livreur promu acteur de cinéma, pouvais-je nommer un seul de mes *ragazzi* pour qui je n'aie pas été un

bienfaiteur, un protecteur ? Jamais, dans toute ma vie, un égal...
Que des fils d'ouvriers, de paysans, qui profiteraient quoi qu'il
arrive de m'avoir rencontré. Obscur espoir de concourir à mon
rachat...

Raf, se souvenant de son passé récent, crut honnête de corriger le
verdict de Bruno.

— Qui d'entre nous est à l'abri d'un petit remords ? Je parie que
toi non plus tu n'as pas jeté dans le Tibre la clef de ton placard, et
qu'elle pend à un clou près de ton lit, pour le cas où... Rome il y a
cent ans appartenait encore au pape ! conclut-il comme s'il faisait
écho à mes pensées.

La conversation devenant trop sérieuse, Jean-Jacques se chargea
de l'égayer.

— C'est samedi prochain, savez-vous, qu'on inaugure le Blue
Angel.

— Au Transtévère ?

— Piazza Trilussa, de l'autre côté du pont Sisto.

— Cachottier, tu ne nous disais rien !

— Notre première boîte, pour nous seuls !

— Un événement, Pier Paolo ! Tu viendras ?

— Une boîte entièrement gay ? demanda Bruno.

— Ne fais pas cette tête ! me dit Raf. A l'époque des polémiques
sur l'avortement, tu prédisais de façon apocalyptique un durcisse-
ment de la persécution. Eh bien ! tu vois, c'est le contraire qui est
arrivé. Le Blue Angel sera une disco publique, ouverte à tous. On
sera entre nous, on dansera entre nous. Une date mémorable ! Pour
la première fois dans la cité de saint Pierre ! N'importe qui pourra
sonner, entrer...

— A condition de payer, dis-je d'un ton sarcastique.

— Il a raison, fit Jean-Jacques, qu'en bon Français près de son
portefeuille cette considération refroidit.

— Ah non, Jean-Jacques ! rétorqua Raf. Tu ne vas pas recommencer ton numéro sur la commercialisation du sexe et la récupéra-
tion par la bourgeoisie. Les autres boîtes sont également payantes, à
ce que je sache ! L'important, c'est que nous disposions maintenant
d'un local pour nous retrouver entre nous. Tranquillement. Quelques années à peine après la révolte du Stonewall Inn, on ne peut
qu'être fier d'un tel résultat.

J'étais content qu'ils se disputent entre eux et me laissent le temps
de me ressaisir. L'affreuse nouvelle ! On ouvrait une boîte gay (mais
si j'ai envie d'être triste ?), une disco complètement « à nous » (oh !
ce possessif qui me rend solidaire de gens à qui sans cet enrôlement
forcé je ne serrerais pas la main !), et dans quel endroit, par-dessus

le marché ? piazza Trilussa, dans le vieux quartier populaire où j'avais tourné mon premier film ! Je ressentis ce petit événement — tant pis pour l'aveu — comme une insulte énorme, une véritable profanation. Insulte à qui ou à quoi ? Si Rome se décidait enfin à devenir une capitale moderne, devais-je juger sacrilège l'abolition du dernier interdit ? Je pris mon verre à deux mains pour regarder au fond. Surtout, me dis-je, ne pas leur montrer mon dégoût, mon horreur. De quel nom m'auraient-ils traité ? Au moment où la tolérance marquait un point décisif, je serais le seul à ne pas me réjouir ? Que regrettais-je ? L'époque où il fallait se cacher, vivre en paria, promener partout avec soi le sentiment de sa honte ?

« Un ghetto, pensai-je, voilà ce que nous avons gagné. Un ghetto doré, mais un ghetto. » Et puis non : là n'était point le motif de ma répulsion, pas plus que dans les tarifs prohibitifs (« le whisky à trois mille lires ! » glapissait Jean-Jacques intraitable sur ce chapitre) ou dans le choix du Transtévère plébéien (il ne l'était plus depuis si longtemps). Prétextes, prétextes que tout cela. La boîte eût-elle été pauvre et gratuite, elle m'aurait inspiré une aversion égale. Ah ! mais je trouverais bien un moyen de leur faire savoir ce que je pense, me dis-je en les regardant consulter leur montre et appeler le garçon pour payer ; et de façon qui les dissuade pour toujours de m'inviter à leur table.

Là se bornèrent mes réflexions, car je ne voulus pas perdre la petite comédie en train de se jouer. Jean-Jacques, que tourmentait le besoin de reparler de ses chanteuses dont il n'était plus question depuis un bon quart d'heure, se précipita sur son attaché-case au moment où le maître d'hôtel du Canova apportait la note sur un plateau d'argent. Cette coïncidence n'échappa à aucun de nous trois. Nous échangeâmes un sourire. De la valisette il tira non plus un flacon de parfum mais la photo d'une jeune femme. Le bonheur d'économiser mille lires en profitant de la traditionnelle hospitalité italienne, joint à la fierté de nous exhiber le portrait dédicacé de Katia Ricciarelli, fit affluer au visage du Français un sang frais et vermeil. Rose de plaisir, il nous vanta les mérites de la nouvelle diva, une blonde encore peu connue dont les autres, pour cette raison sans doute, consentirent à louer le talent.

Bruno, devançant mon geste, sortit le premier son portefeuille. Il glissa un billet sous la note et tendit le plateau au garçon.

51

« Non, non, non ! » Depuis notre rencontre au Canova, j'étais en proie à une agitation de chaque instant. « Non ! » J'essayais de me libérer par ce cri d'un poids qui me suffoquait. « Non ! c'est impossible ! » me répétais-je en marchant au hasard devant moi, sans réussir à articuler plus que ces quelques mots décousus, ni même à comprendre contre qui ou contre quoi je me raidissais avec cette rage absurde. Je me sentais en opposition avec le monde entier. Le printemps romain paradait dans toute sa splendeur. Loin de m'attarder sous les pins odorants de la Villa Borghèse, je fuyais ces parfums, cette lumière. La beauté de Rome me faisait mal. Moins portée à l'indulgence par la finesse de son instinct maternel, Elsa Morante aurait dû se brouiller avec celui qui lui raccrocha au nez pour la punir de l'inviter à dîner dans un nouveau restaurant, selon une habitude affectueuse établie entre eux depuis cinq lustres. Non à l'amitié, non aux repas en bande, non à l'explosion de la nature, non au chant des oiseaux devant mes fenêtres. Même les bourgeons écarlates de mon grenadier m'irritaient comme une inconvenance. Je poussais ce refus universel de la vie jusqu'à ne plus répondre aux sourires des garçons dans la rue.

Quelque apaisement, je ne le trouvais qu'à l'Idroscalo. Je sautais dans ma voiture à n'importe quelle heure de la journée et fonçais par la via del Mare jusqu'au donjon octogonal dont la masse tronquée veille à l'orée du lotissement. De là, à pied, je m'engageais entre les baraques et les cahutes, par les sentiers vides où je ne rencontrais âme qui vive. Comme aucun arbre, aucune plante ne prend racine dans la poussière stérile de cette lande, on ne s'apercevait à nul signe que la saison avait changé. La terre depuis longtemps inféconde ne pouvait se soulever grâce au travail de la sève ni s'épanouir en harmonies végétales. Rien de vert ne rompait la monotonie de la pierraille. Dans sa désolation absolue, c'était le paysage qui convenait à mon humeur exaspérée. Pauvre et sale, le jour lui-même se traînait sans vigueur. Une clarté blafarde coulait sur les plates-bandes de gravats, sur les toits de planches, sur les murs de carton bouilli. La brise qui soufflait de la mer arrachait de mélancoliques tintements aux plaques de tôle disjointes attachées avec du fil de fer pour servir de volets. Chaque maisonnette, au milieu de son enclos, derrière la palissade de pieux plantés de travers et branlants dans le sol mouvant, semblait recroquevillée sur elle-même, comme si un hiver sans fin régnait en ces lieux. Tout était figé, abandonné, mort, désert. Le printemps pouvait bien embaumer dans les jardins de Rome, et joncher de fleurs rouges le fond de la vallée sous mes fenêtres, ici une main invisible avait étendu la grisaille d'un éternel châtiment.

Le film nudiste sur Naples et les deux suivants, qui furent aussi des hymnes à la joie de vivre, l'un tourné dans l'Angleterre du Moyen Age, l'autre dans les splendeurs orientales du Yémen, me faisaient presque honte maintenant. Ours d'argent au festival de Berlin pour le premier volet de cette trilogie, Ours d'or pour le deuxième, Grand Prix Spécial à Cannes pour le troisième. Pierre habillé de son smoking et de son nœud papillon s'en fut chercher ses récompenses, mais Paul aspirait à la solitude et à l'obscurité. Je me repentais d'avoir contribué à la glorification du sexe et des organes sexuels, marchandise mise aujourd'hui à la portée de tous et distribuée par le pouvoir lui-même. La lutte progressiste pour le droit à s'exprimer par le corps avait sombré misérablement dans une permissivité érotique dont l'ouverture du Blue Angel n'était que le plus sinistre résultat.

Danilo, consterné par mon revirement, essayait de me prouver le contraire.

— On vient de saisir une autre fois ton Ours d'or ! m'annonçait-il tout fier, croyant que cette nouvelle allait me ragaillardir.

Il avait deviné que le succès de mes derniers films concourait à mon abattement. Si je provoquais à nouveau les foudres de la justice, c'est que mon œuvre se retrouvait à la pointe du combat. Pendant quelque temps en effet je pus me nourrir de cette illusion. Au lieu de me laisser humilier comme autrefois par la violence des attaques, les dénonciations pour « obscénités » et « pornographie » me rendirent provisoirement du courage. Mes films continuaient à avoir un sens, s'ils révoltaient la conscience bourgeoise et réveillaient la peur des bien-pensants.

— Quinzième plainte contre ton Ours d'argent ! s'écriait Danilo en ouvrant mon courrier. Le Grand Prix Spécial saisi à Syracuse !

Ou bien, brandissant le journal, il cornait d'une voix triomphante :

— Commando de perturbateurs à Tarente, dans les Pouilles ! Jets de fenouils à Ancône ! Séance interrompue à Pérouse ! L'évêque de Trévise monte en chaire pour fustiger ton immoralité. Tu vois bien, Pier Paolo.

Mais je ne pouvais rester dupe longtemps.

— Regarde à la page des spectacles, répondais-je, après m'être laissé bercer, quelques minutes de trop pour être honnête, par l'espoir d'être redevenu un auteur maudit.

— Quoi, la page des spectacles ? faisait-il sans avoir l'air de comprendre.

— Regarde et lis-moi la liste des meilleures recettes.

Et, au fur et à mesure de leur sortie sur les écrans, il devait bien m'avouer que le box-office du cinéma citait régulièrement en tête les trois volets de ma « trilogie du bonheur ».

— Quel titre aussi ! grondais-je, furieux contre moi-même.

Cependant, Danilo ne désarmait pas.

— Dix-huitième plainte contre ton Ours d'argent. Écoute. A Bari, Mme Santoro, inspecteur de police, s'indigne que ton film soit « de l'obscénité la plus dégoûtante et la plus horrible ». Dix-neuvième plainte à Milan. Une « jeune maman » a quitté la salle de projection « hébétée ». Elle est restée en « état de choc » pendant plusieurs jours. Oh ! mais cette fois-ci c'est du sérieux, Pier Paolo. A Benevento le procureur de la République ordonne une nouvelle saisie de ton Ours d'or, sur plainte d'un colonel en retraite. « Rien qu'une pourriture, une saleté crasseuse de la première séquence à la dernière. » Sœur Rosa Zanotti, missionnaire du Sacré-Cœur, a vomi en sortant du cinéma. « Coït anal entre hommes... Accouplements sodomites entre conjoints... » est-elle venue déclarer, toute tremblante des mots qu'elle employait, au magistrat qui recevait sa plainte.

— Tiens, répondis-je une fois, subitement avili de ne garder autour de mon nom un reste d'auréole infernale que par l'entremise d'un inspecteur de police femme, d'un colonel en retraite et d'une bonne sœur, tu devrais ajouter au dossier de ces trois films, si tu veux l'avoir complet, les comptes que vient de m'adresser la Société productrice. Sais-tu combien, à lui seul, le premier a rapporté en trois ans ?

Il souleva les sourcils et écarquilla les yeux du même air ahuri et fripon qui tant de fois m'avait fait rire.

— Quatre milliards, laissai-je tomber d'une voix éteinte. En quatorze ans la vente de mon dernier roman n'a rapporté que dix-huit millions. Les journalistes à qui je déclare avoir renoncé au roman parce que dégoûté du terrorisme jargonnant de l'avant-garde ricaneront quand ils connaîtront ces chiffres.

— Quatre milliards ! répéta-t-il, les yeux comme deux soucoupes.

Puis il resta bouche bée, ne sachant s'il devait se réjouir de cette exceptionnelle réussite ou reconnaître que j'étais devenu le chouchou du grand public. Les cinémas où on projetait mes films drainaient les familles du dimanche en quête d'un spectacle récréatif pour achever leur digestion.

— Non ! Non ! m'écriai-je, cela ne sera pas ! J'abjure ma trilogie. Je vais écrire publiquement que je l'abjure.

Ce que je fis quelques jours plus tard. Mais tant que mon film posthume, avec sa collection appliquée de turpitudes, n'eut pas vidé les salles par un sauve-qui-peut horrifié ni rendu à mon œuvre l'éclat du feu et du soufre, je dus entendre retentir à mon oreille comme une fanfare honteuse le cliquetis ininterrompu des tiroirs-caisses du haut en bas de l'Italie, au-delà des montagnes et de l'autre côté des océans. Seules la délicatesse de Danilo, la grande bonté de son cœur l'empêchèrent de me demander pourquoi je ne distribuais pas autour de moi — par exemple à la veuve et aux enfants du brigadier Pasquale Esposito assassiné par les Brigades Rouges — un peu de la fortune que j'empochais.

Pour me tirer de cette nouvelle contradiction, je fis l'achat d'une ruine coûteuse au nord de Rome, dans la région de Viterbe : une tour massive, isolée, en si mauvais état que les réparations élémentaires se montèrent à au moins cent fois le prix déjà élevé payé pour un monument historique ayant appartenu à un duc de la Renaissance. « Pourquoi vas-tu te fourrer là ? » me demanda Moravia inquiet de me voir manquer autant de sens pratique. C'est vrai que cet endroit était presque inaccessible. On arrivait par une route défoncée qui s'arrêtait en plein bois. Pour atteindre la porte que gardaient deux diables gothiques en forme de gargouilles, il fallait se frayer un passage dans un fouillis de buissons épineux. Personne ne pourrait m'accuser d'avoir choisi les agréments d'une résidence secondaire. Éclairé par la remarque d'Alberto, je laissai la route et les buissons dans l'état. Qui voudrait me rendre visite devrait s'ensanglanter les mains aux piquants. Je deviendrais, sinon tout à fait un Cenci ou un Borgia à l'un desquels, peut-être, cette forteresse avait servi de repaire, du moins un type infréquentable, un sauvage qu'il faut laisser à sa misère. Chaque fois que je courus m'enfermer dans ma tour, c'était comme si je tournais le dos au monde. Un stylite sur sa colonne ne se fût pas trouvé dans une

426

posture plus désespérée au milieu du désert que moi dans ces murs relevés à coups de dizaines de millions.

Là, peut-être incité à ces lectures par les arcs en ogive, les voûtes basses et le puits dont la chaîne rouillée pendait encore au treuil, je rouvris les grandes légendes de l'amour et de la mort, Tristan et Iseut, don Juan et le Commandeur, Phèdre et Hippolyte, saint Paul et Néron. Je nourrissais le projet d'autres films qui seraient aussi noirs et atroces que ceux inspirés par Boccace et Chaucer avaient été souriants et légers.

— Merci bien! s'exclamait Danilo en riant. Tu m'as fait châtrer par les femmes du Yémen. Que veux-tu de plus? Mais dis-moi : tu ne vas pas te monter le bourrichon avec l'adultère, quand même?

Interloqué, je le regardai sans répondre.

— Ni prétendre qu'il faille rôtir en enfer parce qu'on n'a pas couché toute sa vie dans le même lit?

— Où veux-tu en venir? demandai-je.

— Ton film sur Tristan et Iseut tombera à plat. Personne ne comprendrait aujourd'hui qu'on doive expier par la mort une petite infidélité conjugale. Et ton film sur don Juan fera un bide lui aussi. Crois-moi, pense à d'autres sujets.

Avec son robuste bon sens, il venait de mettre le doigt sur un obstacle auquel je n'avais pas songé. La permissivité de notre époque rendait caducs tous les héros mythiques du refus. L'un c'était par le choix de l'adultère, l'autre en violant ses promesses les plus sacrées, un troisième encore à travers l'inceste : peu importait le moyen, pourvu que leur dénégation retentît avec force. Ils incarnaient chacun non pas un péché mais une manière de dire non à leur temps, à leur entourage, aux règles de leur milieu. De nos jours, qui remplirait ce rôle? Dans l'Italie de Vatican II et du Blue Angel, où il n'y avait plus ni Dieu ni tabou, qui apparaîtrait assez scandaleux, assez intolérable pour s'exclure de cette universelle complaisance? Qui sauverait la société, par sa protestation individuelle, du conformisme et de l'uniformité? Qui témoignerait que la grandeur de l'homme réside dans son pouvoir de s'opposer?

— Par exemple, enchaîna Danilo dont l'insistance commençait à me paraître suspecte, tu pourrais... J' sais pas, moi... Tristan et Iseut, en tout cas, c'est vachement déprimant comme histoire. Parce qu'on s'est mis en marge, on n'a droit qu'à crever! Vrai, j' te comprends plus, Pier Paolo! Toute ta vie tu t'es battu pour avoir plus de liberté...

— Je me suis battu pour la liberté quand la répression nous tenait à la gorge.

— Et maintenant qu'on a gagné? Non, mais c'est à devenir

dingue ! T'as l'air furieux aussi dès qu'on prononce le mot *gay* devant toi. Pourtant, combien de fois m'as-tu expliqué que l'ancien mot faisait médical, flicard, dégueulasse... Franchement, Pier Paolo, faudrait savoir ! C'est pas la peine d'avoir acheté ce château (ainsi appelait-il ma ruine) pour te mettre dans des nostalgies de Moyen Age ! Trouve à raconter une histoire d'amour qui finisse bien. Sois moderne ! Pas de ces philtres ni de ces malédictions qui mijotent dans les marmites du destin...

— Pourquoi, dis-je soudain, est-ce que ça te gêne tant que je m'occupe de Tristan ?

Il se troubla sous mon regard, ce qui confirma mon soupçon.

— Ça me gêne pas, fit-il en rougissant, ça m'étonne...

— Ah vraiment ! Tu préférerais sans doute que je n'aie envie que de m'amuser... Que ces grands drames pleins d'épouvante n'aient aucun attrait pour moi... Ça t'arrangerait, hein, de me voir insouciant, gai, libre... Tu dis que je chante faux mais tu aimerais bien que je chante de nouveau comme à Naples... Avoue-le que ça t'arrangerait !

Il blêmit, suffoqué par la violence de ma sortie.

— Va, lui dis-je, laisse-moi maintenant.

Sans se faire prier, il ouvrit toute grande la porte-fenêtre et bondit sur l'aire de terre battue que nous avions aménagée devant la tour. Peu après, je l'entendis attaquer à la hache la forêt de broussailles qui escaladait la colline.

Ce que j'avais découvert par l'indiscrétion d'un ami commun était donc vrai ! Danilo voulait épouser Annamaria mais tremblait de peur de m'annoncer son mariage. Assez fin pour deviner que la castration infligée au jeune Aziz dans le dernier volet de ma trilogie constituait une manière d'avertissement, il cherchait comment éviter de m'apprendre la nouvelle de front. Tous ses espoirs reposaient dans mon empressement à profiter des nouvelles facilités récréatives mises à la disposition des Romains. La ville qui faisait un triomphe au *Dernier tango à Paris* de mon ancien élève Bernardo Bertolucci et ouvrait des boîtes de nuit pour chaque variété de clientèle, cette Rome qui avait tué saint Paul pour la seconde fois, nous acheminerait tout doucement vers une séparation à l'amiable. Un de perdu, dix de retrouvés ! Finie l'époque où la sévérité des mœurs, l'importance des obstacles à renverser, la crainte permanente d'être découverts et punis donnaient une force exceptionnelle à l'amour et l'exaspéraient jusqu'à la passion. Il se débarrasserait de moi en m'envoyant au Blue Angel et s'épargnerait ainsi les embêtements d'une rupture. Calcul adroit mais déjoué, réduit à néant depuis qu'il me voyait sous le charme des vieilles légendes médiévales et plus séduit que fâché par leur rigorisme anachronique. Au lieu de me faire construire, comme tous mes collègues enrichis par le cinéma, une villa sur la plage de Sabaudia au sud de Rome, je m'étais retiré dans cette tour inhospitalière ; et quand l'Italie tout entière, se réveillant sans chaînes après vingt siècles d'oppression, donnait libre cours à ses appétits de jouissance, je prêchais l'absolu, le désert, la solitude, la mort !

Ah ! mais c'est que j'embrassais l'ensemble de ma vie sous un jour nouveau, à présent. Lorsque la société étouffait dans le carcan de Moïse, je m'étais battu pour la liberté ; seul contre tous ; montré du doigt, honni, vilipendé ; le dernier des hommes, comme j'étais flétri dans la presse. Aujourd'hui, les choses avaient changé de fond en comble, mais moi je voulais, je devais rester le même : seul contre tous comme autrefois ; dénonçant la facilité des mœurs comme j'en avais attaqué la tyrannie ; scandaleux dans la société d'abondance comme j'avais été scandaleux dans l'Italie catholique et patriarcale. Montré du doigt, honni, vilipendé par ceux-là mêmes que j'avais poussés à la révolte et que ma volte-face stupéfiait ; méprisé comme le dernier des hommes au moment où j'aurais mérité d'être acclamé en prophète. Telle était ma mission sur la terre : m'opposer, dire non. Quand tous mes contemporains s'enivreraient de lumière, choisir de m'enfoncer dans la nuit. Et si Dieu ou le destin avaient daigné faire de moi un marginal par le sexe, je n'allais pas trahir leur confiance en sonnant à la porte du Blue Angel. Si cette marque d'élection était inscrite dans ma chair, on ne me verrait pas descendre dans la foule pour réclamer ma part d'amusements. Né différent, j'irais jusqu'au bout de ma trajectoire, je monterais jusqu'au faîte de l'exaltation ; tournant le dos à la plaine où le bonheur érigé en idole attire des millions de fervents adorateurs ; et m'élevant par des vallées étroites jusqu'aux cimes arides où on ne peut rencontrer que l'extase ou la damnation. Nul mépris ne brillerait dans mes yeux quand du haut de mon sommet je regarderais en arrière. Il faut que la masse soit heureuse pour qu'un petit nombre se damne. Même Danilo, je n'éprouvais plus ni colère ni rancune contre lui. Tout juste s'il me faisait un peu pitié, avec sa légitime ambition de fonder une famille et de mettre son cœur au chaud. Nous voici arrivés, pensais-je, au carrefour des adieux. Je ne me le disais pas sans douleur, car celui qui s'engage sans possibilité de retour dans une direction inconnue se retourne éperdu et brisé vers tout ce qu'il abandonne. En entendant le bruit clair de la hache retentir vigoureusement dans les taillis, les larmes me montèrent aux yeux. Trop tard, il était trop tard pour rêver à la paix d'une idylle au milieu du silence des forêts. Bientôt nous partirions par deux routes divergentes, bientôt je serais emporté vers un monde où nul n'est jamais entré avec un compagnon. Mais je n'allais pas, à cet instant suprême de ma vie, me laisser déposséder par une minute d'émotion du grand et terrible privilège pour lequel j'étais né.

Régulièrement, nous nous rendions à l'Idroscalo. A contrecœur de sa part, sans joie aucune de la mienne. J'ôtais ma ceinture, je la tendais à Danilo. Résigné, il faisait siffler la lanière avant de m'en cingler le dos. « Plus fort ! disais-je. Plus fort ! » Peu à peu il s'échauffait et frappait jusqu'au sang. A la première goutte il se laissait tomber à genoux, cachait sa tête dans ses mains et murmurait : « Assez ! Assez ! » le corps secoué de frissons. C'était le moment que je choisissais pour le renverser en arrière ou l'étendre à plat ventre sur le sol, et le contraindre à la position où il me plaisait de l'humilier ce jour-là. Il se prêtait docilement à mes exigences, soulagé de ne plus avoir à jouer le rôle du bourreau. Dans le désordre, dans l'ardeur, dans l'imprévu de nos fantaisies, nous retrouvions une sorte d'innocence heureuse, bien que notre seule couche fût un lit de gadoue, et notre excitant à l'amour ce paysage sordide où les mouettes elles-mêmes, lorsqu'elles planaient au-dessus de nos têtes en surveillant les eaux grises de la mer, semblaient nous crier leur désapprobation.

Que faudrait-il de plus pour le pousser à bout et le forcer à rompre ? Un geste fortuit de Danilo me fournit l'occasion que j'attendais. Il s'était éloigné jusqu'au bord du terrain de foot. Je le vis se planter contre le poteau, les jambes écartées. Soudain, sans réfléchir à ce que je faisais, je me dressai sur le coude pour le rappeler.

— Viens ici, Danilo.

Ce ton impérieux le surprit. Il tourna la tête et, sans lâcher son sexe qu'il tenait entre le pouce et l'index, se rapprocha en arquant les sourcils.

— Sur moi, Danilo, sur moi.

Il ne comprit pas tout de suite ce que je lui demandais. Je m'étais laissé aller sur le dos, les bras en croix, les yeux clos. Du bout des lèvres je chuchotais :

— Fais-le pour l'amour de moi, Danilo.

A force de menaces et de supplications il finit par s'exécuter mais ensuite fondit en larmes et m'adjura de ne plus jamais l'obliger à une saloperie qui lui répugnait autant.

— Nous ne sommes pourtant pas des chiens ! geignait-il entre deux hoquets.

Je l'attirai à moi et lui dis à l'oreille, avec une joie sauvage :

— C'est parce que nous ne sommes pas des chiens que nous

allons essayer... quelque chose que jamais deux chiens n'oseraient se permettre !

Il fit un pas en arrière, épouvanté.

— Non ! Non ! implora-t-il. Ça non, Pier Paolo !

Et, comme il me voyait accroupi dans la posture qui lui confirmait qu'il avait bien deviné mon intention et que je ne m'en tiendrais pas aux paroles, il continua à reculer jusqu'à la palissade en bordure du terrain.

— T'es fou, Pier Paolo, t'es complètement fou !

Tout en me répétant avec une stupeur consternée : « T'es fou ! T'es dingue ! » il ramassa une planche qui s'était détachée de la clôture.

— Viens ici ! lui ordonnai-je.

Je m'étais laissé retomber sur le dos.

— Danilo ! dis-je encore.

Et plus bas, dans un souffle :

— Niletto !

Il s'approcha sur la pointe des pieds. Du coin de l'œil j'observais ses mouvements. Il tenait la planche devant lui de manière à couvrir étroitement sa nudité, en sorte qu'il était obligé d'en rectifier la position à chaque pas. Je fus encore plus surpris de le voir se baisser à l'improviste, ramasser le tas de ses vêtements et courir se rhabiller derrière la palissade, avec une pudeur subite qui fut pour moi plus révélatrice que ses balbutiements et ses pleurs.

Eût-il été encore temps de le retenir ? Une force immense me clouait au sol, renversé sur le dos. Mes bras écartés collaient à la fange comme une masse inerte. Je regardais les mouettes qui tournoyaient au-dessus du Tibre puis se laissaient glisser sur leurs ailes silencieuses. Des nuages chargés de pluie s'apprêtaient à crever sur la ligne de grève. « Niletto ! Niletto ! » Mon soupir s'étira dans un murmure désespéré. Si l'envie de serrer dans mes bras Danilo et de recommencer à être heureux avec lui me tourmentait sans répit, une volonté mystérieuse à laquelle je devais obéir m'empêcha de me relever et de partir à sa recherche dans la direction où il avait disparu. J'étais sans pouvoir sur mon corps. Une dépouille gisait dans la boue. Enfin, du côté du donjon — il était donc arrivé déjà à hauteur de ma voiture — me parvint sa voix estompée par l'air humide. « Tu l'auras voulu ! » me criait-il. Je devinais qu'il avait rassemblé toutes ses forces pour me jeter ce défi — arc-bouté sur ses jambes, peut-être, et le poing sur la hanche comme les garçons de Rome en train d'échanger leurs bravades. Sauf que la dernière syllabe s'étrangla dans sa gorge et qu'elle mourut dans un sanglot.

52

Parmi les suspects arrêtés pour le meurtre du brigadier Pasquale Esposito, je lus avec stupeur le nom de Walter Tucci. Malgré la barbe qui cachait son menton en galoche, je reconnus sur la photo du journal le visage sec et hautain de celui qui après avoir milité dans le Groupe 63 passait pour le chef de la colonne romaine des Brigades Rouges. La mort brutale de Feltrinelli, qui se fit déchiqueter sur un pylône de haute tension par l'explosion prématurée de la bombe qu'il était en train d'amorcer, me parut moins horrible que la froide obstination de ce jeune homme dont le goût destructeur n'avait pu s'assouvir dans les polémiques littéraires.

Peut-être, comme moi, vomissait-il le spectacle offert par la jeunesse romaine dans les lieux qu'elle occupait désormais nuit et jour avec le lâche accord des autorités : autour de la fontaine de Trevi, sur les marches de la place d'Espagne, place Navone, place du Panthéon, place Farnèse (jonchée au petit matin de seringues vides), Marché aux Fleurs, parvis autrefois si beaux de Sainte-Cécile du Transtévère et de Sainte-Marie. Dépenaillée, sale, abrutie, droguée. Garçons et filles roulés dans des couvertures et dormant à la belle étoile mais, ce qui me frappa surtout, incapables de tendresse malgré cette promiscuité de chaque instant. Ils s'ignoraient les uns les autres et regardaient droit devant eux sans un sourire pour leur voisin. Aphasiques plus que silencieux, ils ne sortaient de leur torpeur que pour réclamer d'un grognement inarticulé un bout de chewing-gum ou leur tour de joint. Cheveux longs pour les deux sexes, évidemment, bien que cet emblème capillaire, jadis cocarde de la rébellion masculine, ne servît plus aux garçons qu'à proclamer leur incurie et leur paresse d'aller chez le coiffeur.

La plus belle ville du monde tombée entre leurs mains ! Mais ce serait encore trop d'honneur que de les créditer d'une métaphore prise au dieu de la guerre. Car si par leurs accoutrements pittoresques et les empiècements bigarrés de leurs culottes ils pouvaient évoquer les lansquenets de Charles Quint et les soudards qui avaient mis Rome à sac, aucune volonté de faire quoi que ce soit, en bien ou en mal, n'habitait au fond de leurs yeux éteints.

Place Navone, six heures du soir. Un type beau comme le Christ par son front blanc, ses joues émaciées et sa barbe de huit jours essayait de taper les badauds qui affluaient par vagues molles dans l'arène et s'agglutinaient devant les étalages de bimbeloterie orientale et de saris hindous, ne voulant pas manquer ce qu'ils croyaient être une attraction historique. « Cent lires, tu me les donnes cent lires ? » répétait-il d'une voix aphone. Par terre traînaient des tracts ornés de l'étoile à cinq branches où les Brigades Rouges dénonçant l'esclavage du salaire invitaient à la révolte contre toute forme de travail rémunéré. « Cent lires, cent lires, tu me les donnes ? » Exaspéré de voir la rhétorique révolutionnaire concourir à la justification d'un fainéant, j'attendis qu'il passât devant moi pour lui glisser à l'oreille : « Je te file cent fois plus si tu viens faire l'amour. » Crois-tu que la moindre étincelle de désir aurait brillé dans sa prunelle ? Il se recula effrayé et se réfugia derrière la seule insulte que lui suggéra son cerveau engourdi. « Sale fasciste ! » J'aurais dû rire mais ce jour-là, après le coup de téléphone de Danilo — « On a fixé la date, tu sais, impossible d'attendre plus longtemps, Annamaria en est au quatrième mois... » —, ma réaction fut de me jeter à la gorge du type et de lui taper sur la gueule. Trop lâche pour se défendre, il se contenta de pousser un miaulement affolé, qui attira sur nous l'attention des curieux. Une bourgeoise, venue flâner entre les sacs de couchage pour se repaître d'un spectacle dont elle s'indignerait le soir autour de la table de famille, me reconnut. « P.P.P. ! se mit-elle à glapir. Attention à vos enfants ! » Un attroupement se forma devant la façade de Sant' Agnese. Personne ne comprit de quoi il s'agissait, mais chacun voulut dire son mot. « Attrapez-le ! Empêchez-le de se sauver ! Pour une fois qu'on en tient un ! » Allaient-ils me lyncher ? « Les enfants ! Attention aux enfants ! » Quelqu'un, de façon encore plus absurde, cria tout à coup : « Ne restez pas groupés ! Ils vont tirer ! » La peur irraisonnée des balles terroristes dispersa la foule aux quatre coins de la place. Demeuré seul contre la grille de l'église, à l'endroit où ces furieux m'avaient acculé, j'essuyai une sueur glacée sur mon front. Je m'en tirais à bon compte pour cette fois. Ils avaient fui sans se retourner, assez stupides pour croire que de cette masse de vautrés pouvait surgir un assassin.

Hébétée ou criminelle : n'y avait-il donc que cette alternative pour la jeunesse de mon pays ? Nouveaux attentats, nouveaux massacres. Huit morts, quatre-vingt-quatorze blessés à Brescia, après l'explosion d'une bombe dans une corbeille à papiers de la grand-place. Douze morts, cent cinq blessés dans l'*Italicus,* le rapide de Rome dynamité près de la gare de Bologne. En quelques jours, à l'approche des élections du printemps, six militants communistes expédiés en pleine rue d'un coup de pistolet à la nuque. L'extrême droite avait armé les tueurs. Moi, dans mes articles du *Corriere della Sera,* j'accusai la société tout entière d'être la mandante du carnage.

Un couple marche devant moi. Le garçon a glissé son bras autour de la taille de sa compagne. Un tableau charmant, qui nous rappellerait les mœurs simples et honnêtes de l'ancienne Italie. Sauf qu'ils portent tous deux des blue-jeans « Jésus », une marque lancée depuis peu. « Qui m'aime me suive », vois-je écrit en bonne place sur le pantalon. J'ai beau me frotter les yeux, l'inscription est toujours là. Elle s'étale sur la rotondité de leurs fesses. « Qui m'aime me suive », en lettres flamboyantes. L'*Osservatore Romano* a poussé de hauts cris à l'apparition de ce slogan sacrilège ; qui se sont mués bientôt en lamentations résignées ; et pour finir en silence complice. « Tu n'auras pas d'autres jeans que moi » : ce placard passe régulièrement dans les journaux. Le Vatican, réduit à l'impuissance, ne proteste même plus. Et certes, me direz-vous, il conviendrait de se féliciter que l'Église n'ait plus un bras séculier assez long pour rejoindre et châtier les blasphémateurs, si on pouvait attribuer le succès des blue-jeans « Jésus » à une victoire de l'esprit laïque. En réalité, nous vivons une époque où la religion, en train de disparaître comme autorité et comme forme de pouvoir, survit comme réclame utilisable par l'industrie de consommation ; une époque où les valeurs religieuses sont mortes, sans que de nouvelles les aient remplacées. On a vidé le bébé avec l'eau du bain, ainsi que disent les Allemands. Il ne faut pas s'étonner que contre la fesse ornée du doux nom de Jésus un Smith & Wesson calibre 38 arrondisse sa bosse en attendant de cracher son feu.

J'aurais été moins fier de cette dernière formule si j'avais pu prévoir le scandale qui en jaillit, plus retentissant à l'occasion de ce petit apologue tiré de l'observation quotidienne que lorsque je partais en guerre contre la télévision, l'école obligatoire, la Démocratie chrétienne ou l'avortement. Dieu sait pourquoi cette association fesse-Jésus-P 38 (qui était dans les faits et non le fruit d'une mienne fantaisie) déchaîna le tollé. La gauche fonça la première. J'attentais à la Constitution, selon *L'Unità*. *Paese Sera* me traita de néo-aristocrate et de franciscain de retour. « Astéroïde errant » pour *Il Giorno*, « Narcisse prisonnier de son miroir » pour *Avanti*, « myope pathologique » pour *Aut*. Les basses injures : « Fétichiste qui serait moins déçu par ses compatriotes si en se promenant dans la Ville éternelle il levait le nez au-dessus de leur ceinture » alternaient avec le persiflage astucieux : « Savonarole qui s'est trompé de siècle, fanatique qui voudrait qu'on vende encore de la bure dans nos magasins ». La droite, plus simplement, me désigna comme un homme à abattre. On ressortit les affaires d'Anzio, de via Panico, du colt aux balles d'or. On remonta jusqu'à Valvasone, et le cri que j'avais entendu place Navone : « Attention à vos enfants ! » roula d'une extrémité à l'autre de la péninsule. Le courrier m'apportait chaque matin des menaces de mort, signées d'une paire de tibias. Je dus faire changer ma ligne de téléphone et garder mon numéro secret. Un jour d'octobre j'apparus à maman tout sanglant. Ce n'était pas au retour d'une de mes expéditions clandestines du côté de la gare, mais au milieu de l'après-midi, en sortant de l'hôtel Hassler où j'avais déjeuné avec le producteur de mon nouveau film. En plein jour, à trois heures, sous l'œil indifférent de dizaines de garçons apathiques à qui la philosophie de la non-violence servit de prétexte pour rester couchés sur les marches, de jeunes nervis m'attaquèrent au bas de la place d'Espagne. Je vis des croix gammées au revers de leurs blousons. Ils me frappèrent à coups de chaînes et s'enfuirent sur de grosses motos japonaises. Un mois avant que...

Ah ! qu'il serait tentant de présenter ce qui se passa la nuit du 1er au 2 novembre comme le dénouement de la conjuration qui s'ourdissait dans l'ombre depuis si longtemps ! Une voiture qui m'attend près du bar Italia et qui démarre en douce derrière la mienne... Trois ou quatre sicaires qui nous filent jusqu'à l'Idroscalo et se jettent sur leur proie... De mèche avec eux le mineur, à qui son âge ne vaudra que quelques années de prison s'il consent à se charger du meurtre... Un scénario parfait, à me blanchir de mes habitudes nocturnes, à me canoniser entre Winckelmann et Lorca ! Un guet-apens plausible, une probabilité raisonnable, qui deviendra dès le 2 novembre une certitude absolue pour mes amis, pour mes camarades du P.C., pour la gauche en Italie et hors d'Italie, pour tous ceux à qui l'amour, la sympathie, l'intérêt politique ou l'esprit partisan montrent l'assassinat de P.P.P dans un terrain vague comme l'aboutissement logique de la campagne de dénigrement et de haine commencée il y a vingt ans. Pendant vingt ans la presse, la magistrature et l'opinion ont délivré contre lui des permis de tuer. Il fallait bien un jour ou l'autre passer à l'exécution du verdict. Et, pour servir de linceul au cadavre, où trouver un décor plus approprié à ses crimes que ce désert de pierraille et de boue ?

Pour moi-même, ce serait tout bénéfice que de revendiquer la thèse du complot. Vais-je sauter sur cette chance ? Camoufler la turpitude d'un crime de mœurs sous la gloire d'un assassinat fasciste ? Recommencer ce qui m'a si bien réussi à Valvasone, il y a vingt-six ans de cela ? Alors, sous le coup d'une inculpation infamante pour outrage à la pudeur et corruption d'enfants, je m'étais arrangé pour désapprouver publiquement, en présence des autorités scolaires devant lesquelles je prononçais le discours commémoratif de la victoire, les millions gaspillés par le gouvernement pour reconstruire les monuments aux morts de la Grande Guerre. Scandale mais scandale politique, qui hâta ma révocation mais me renvoya avec une petite auréole de martyr. Je n'ai plus vingt-sept ans aujourd'hui, j'en ai cinquante-trois. L'opprobre que s'attache, partout et toujours, le scandale sexuel me stimule au lieu de m'effrayer. Tant pis pour les vestales de la Révolution, qui perdront un feu où réchauffer leur piété. A l'article de la mort, au moment de comparaître devant Dieu, je ne puis par complaisance, même pour mes amis les plus chers, jouer à la belle âme. La vérité, c'est qu'à peine je l'eus aperçu, lui mon splendide et insolent bourreau, appuyé contre une des arcades, les bras croisés et le sourire aux lèvres, je me sentis prêt à la plus honteuse capitulation. Inutile de chercher à sortir la tête haute, à quitter le théâtre du monde sous les applaudissements. L'heure n'est plus ni à l'hypocrisie personnelle ni aux mensonges par dévouement à une cause quelle qu'elle soit. Ce moment suprême, que j'en profite pour m'assumer dans toute l'abjection de mon destin !

Ce samedi 1er novembre, après une bonne journée de travail — le facteur chômant la Toussaint ne m'apporta ni demandes d'interviews ni paires de tibias — je sortis vers neuf heures. Je tendis mon front à maman, qui m'examina avant de m'embrasser.

— Ne rentre pas trop tard, Pier Paolo, tu es fatigué.

— Mais non, maman, où as-tu pris ça ?

Elle avança la main et me toucha la paupière droite.

— Ta paupière tombe, me dit-elle, c'est un signe.

Je tressaillis. Comment savait-elle que depuis vingt-cinq ans le tableau de Caravage me hantait ?

— C'est vrai, opinai-je en revenant de la salle de bains. Le résultat d'un peu d'insomnie. Je dîne avec Niletto et je rentre.

— Pourquoi ne vient-il plus ? me demanda-t-elle. Pourquoi je ne l'entends plus sonner à la porte ?

— Mais tu sais bien qu'il s'est marié, maman !

— Ah ! Une femme te l'a pris, c'est cela ? murmura-t-elle sans me regarder, comme s'il était inutile de discuter une fatalité inévitable.

— Ce sera moi le parrain de leur enfant ! déclarai-je pour la rassurer. Ils me l'ont demandé, j'ai dit oui. Et toi, tu prépareras le gâteau !

Levant de nouveau les yeux, elle me fixa avec une insistance inaccoutumée.

— Tu t'es remis à fumer trop, mon petit. Tu me remplis deux cendriers de mégots tous les jours.

Une inspiration subite me saisit.

— Ne sois pas triste, maman, dis-je à son oreille. Tu ne seras pas seule demain au cimetière.

Ce fut à son tour de tressaillir. Elle se recula et me demanda, les lèvres tremblantes :

— Pas seule au cimetière ? Que veux-tu dire ?

— Oui, j'irai avec toi, maman.

— Ce sera bien la première fois que tu te décides à m'accompagner ! s'exclama-t-elle, bien qu'il n'y eût aucun reproche dans sa voix.

Chaque année, le jour des morts ramenait une petite dispute affectueuse entre nous. Je me refusais à la suivre parmi les sépultures du Verano où elle se promenait en souvenir de Guido, faute d'être à Casarsa pour fleurir sa tombe.

« Adieu », murmura-t-elle sur le pas de la porte. Elle me bénit d'un signe de croix.

— Bonsoir, maman !

D'un bond je franchis les trois premières marches. De quoi se préoccupait-elle ? Tant que je resterais maître de ma paupière gauche, aucun danger en vue pour moi. Nul besoin de me tenir sur mes gardes, selon le serment que je m'étais fait jadis au premier étage de la Villa Borghèse ; si à présent par l'âge je pouvais m'identifier à Goliath, le sort n'avait pas encore désigné celui qui serait mon David ; et rien ne m'empêcherait, cette nuit comme les autres nuits, d'aller tenter ma chance place de la gare après avoir dîné avec Danilo.

53

Je le rejoignis dans une trattoria du côté de San Lorenzo, où il m'attendait avec sa femme. Une fois par mois, désormais, nous y dînions d'un plat de pâtes et d'une friture d'aubergines. Jamais de viande : Danilo m'avait rallié à son horreur de la boucherie. Le patron, un ami — nous l'appelions familièrement « Peppone » à cause de sa corpulence — fit une exception pour nous en ouvrant ce soir-là son local. Les travailleurs émigrés des Abruzzes qui formaient le gros de sa clientèle retournaient en fin de semaine dans leurs montagnes. Fermeture ou non, Peppone ne refusait jamais de nous servir. Un des derniers endroits à Rome où on pouvait se faire lever le rideau de fer si on connaissait l'hôte. Entre le sel et le poivre, au lieu de la bouteille de ketchup, une soucoupe d'origan frais embaumait sur les tables.

Annamaria aussi aimait cette cantine à la simplicité toute rustique, alors que Danilo eût préféré un véritable restaurant. Comme elle avait changé depuis son mariage, et comme je la trouvais sympathique depuis sa métamorphose ! Plus de cours à la faculté d'architecture, plus d'études, plus d'ambitions intellectuelles. L'approche de la maternité avait produit ce miracle de la replonger dans les superstitions de son enfance. Née à Pachino près d'Avola, cette capitale de l'amande d'où son père avait apporté la recette des petits fours, elle s'abandonnait aux croyances les plus absurdes et les plus charmantes de la foi populaire sicilienne. En elle revivait le poétique et légendaire Sud, où les mères suspendent au-dessus du moïse une paire de ciseaux pour qu'ils coupent en deux les esprits du mal qui s'aviseraient de tourmenter leur enfant. Annamaria pivotait d'un tour sur elle-même à la vue d'un chat noir ; jetait du sel par-dessus son épaule en rentrant de promenade si elle avait croisé une religieuse en cornette ; gardait en permanence un couvert dressé dans leur salle à manger au cas où quelque aïeul revenu de l'autre monde leur ferait une visite impromptue. Elle observait une foule de rites qui me plaisaient par leur naïveté apparente et leur sagesse cachée. Je grondais Danilo de les railler comme des enfantillages. Maman avait décousu sur le lit de mort de mon père un point du matelas pour permettre à l'âme du défunt de s'envoler vers le ciel. De telles coutumes, que quelques paysannes âgées pratiquaient encore dans le Frioul, seraient bientôt éteintes du haut en bas de l'Italie. Sauf en Sicile et dans l'extrême Sud, où je finirais peut-être par me réfugier quand Naples aussi aurait succombé à la contagion universelle.

Ce soir-là, avec ses lourdes tresses noires enroulées en bandeau et ses bras, son cou, son visage blancs comme neige que leur propriétaire a mis son point d'honneur à ne jamais exposer au soleil, Annamaria ressemblait à une de ces matrones archaïques dont le profil serein orne les médailles exhumées dans les ruines de Syracuse. De la fade turbulence de la jeune fille elle était passée sans transition à la gravité recueillie de la mère. Pour ce motif sans doute je souffrais moins en revoyant Danilo, qu'elle traitait plus en fils qu'en amant. Ils ne formaient pas un couple d'où je me sentais exclu. A côté d'eux, j'avais l'impression de participer à l'ordre éternel des choses, de reprendre ma place dans l'harmonie de l'univers. Oui, la beauté tranquille, la calme lourdeur, l'assurance plus animale qu'humaine d'Annamaria m'ont permis de couper les amarres qui me rattachaient au passé. J'ai pu grâce à elle éviter la jalousie, les récriminations, les examens de conscience, les ressassements stériles, le désespoir aveugle, les coups de tête furieux, et m'avancer en pleine lucidité et détermination vers la dernière péripétie de mon destin. (Que personne ne s'avise d'établir un rapport de cause à effet entre l'heure douce-amère que j'ai passée avec ce couple et ce qui m'est arrivé — ce que j'ai laissé m'arriver — un peu plus tard dans la nuit. Qu'on ne cherche pas à expliquer par des raisons bassement psychologiques la précipitation fiévreuse puis la docilité soumise qui ont mis fin à mon humaine histoire.)

Annamaria avait demandé à la patronne de l'appeler quand l'eau se mettrait à bouillir. La future parturiente tenait à jeter elle-même les spaghetti. Moyen de connaître, selon qu'ils se coucheraient au fond de la marmite ou resteraient debout, le sexe de l'enfant. Vieille recette magique transmise autour des feux de sarments par la grand-mère de Pachino.

Danilo la regarda se diriger vers la cuisine, de son pas sans grâce mais non sans noblesse qu'elle posait prudemment sur les dalles rendues glissantes par le lessivage hebdomadaire du samedi, haussa les épaules avec un sourire puis me poussa du coude et me dit à voix basse, pendant que l'herculéen Peppone d'un seul geste de son plantureux avant-bras redescendait le rideau de fer ·

— J'ai croisé Bernardo aujourd'hui.

Je ne réagis pas tout de suite, brusquement transporté par ce fracas métallique dans la Bologne de ma jeunesse. Avec Giovanna, avec Enrico, avec Mathias, avec Daniel, figures estompées depuis longtemps dans ma mémoire mais qui surgirent tout à coup aussi nettes que si je les avais quittées la veille, nous allions de bar en bar jusqu'à une heure avancée, poussés dehors par le patron qui nous enfonçait dans le dos le manche en bois de sa gaffe. Le grondement du rideau qui tombait derrière nous remplissait le silence de la nuit. A droite et à gauche s'allongeait la file ténébreuse des portiques. Nous attendions pour nous remettre en marche que l'écho répercuté d'arcade en arcade eût fini de rouler jusqu'au bout de la rue. Un peu de brume flottait sous les voûtes. Le garçon laitier, en équilibre sur les pédales de son vélo, débouchait en sifflant d'une traverse et déposait une bouteille dans les seaux qui pendaient aux fenêtres. Il ne resterait peut-être rien de mes livres, via Eufrate passerait à un autre propriétaire, on changerait mon nom sur la plaque et tout serait dit : mais ces images qui auraient résumé le meilleur de ma vie, ces impressions fugaces, un portail béant ouvrant sur une cour de palais, un lampadaire oscillant sur un fil entre deux maisons, le petit panache de nos souffles dans l'air froid, la fuite des colonnes devant nous, les reflets roses dans l'obscurité tremblante des ruelles, la silhouette d'un couple sitôt évanouie qu'entrevue, ces bruits de pas, de voix, de dernières rumeurs qui s'éteignent, d'une chanson qui meurt sur les lèvres d'un promeneur attardé, ces instants que j'avais crus morts et qui revécurent soudain avec la force intacte de l'émotion suffiraient à justifier mon demi-siècle de passage sur la terre.

Danilo dut répéter sa phrase.

— Bernardo... Bernardo Bertolucci ! Tu rêves ?

— Ah ! fis-je, irrité encore d'avoir été traité avec la dernière désinvolture par mon ancien élève à qui j'avais fait confiance aux temps héroïques de mes débuts dans le cinéma.

L'affaire remontait à l'été précédent. Pendant que je tournais à Mantoue ce qui serait mon œuvre posthume, il réalisait *Novecento* à Parme : un film colossal, financé par l'Amérique après le succès immérité du *Dernier tango à Paris*. Il se pavanait depuis neuf mois sur le set, avec à sa disposition le temps et l'argent qu'il voulait, tandis que mon producteur ne m'avait alloué qu'un budget de misère et deux mois de délai. Bernardo avait-il oublié ses classes dans le Transtévère ? Inconnu et sans qualification, ne l'avais-je pas choisi comme assistant pour mon premier film ? Ingrat et présomptueux ! Ne pas se déranger une seule fois pour venir me saluer à Mantoue, dont il n'était séparé que par soixante kilomètres ! Et puis le souvenir cuisant de cette partie de foot. J'avais lancé un défi à sa troupe. Nous étions peut-être plus pauvres et forcés de nous débrouiller par des moyens de fortune mais en fait de santé physique et d'énergie musculaire nous allions leur flanquer une raclée, à ces citadins qui s'étaient parachutés de Rome dans de grosses limousines avec la prétention de comprendre la paysannerie de la plaine émilienne et de rendre l'âme des campagnes. Je débarquai à Parme, dans un autocar loué, à la tête d'une douzaine de robustes gars, les électriciens et les menuisiers de ma troupe. Comme fétiches, nous portions des maillots à l'emblème du onze de Bologne. Eh bien ! ce fut la déroute, un quatre à zéro sévère : pour moi, doublement atteint dans mon patriotisme de clocher et dans mon orgueil sportif, une véritable humiliation. Je dus ensuite, escorté par le sourire condescendant de Bernardo, visiter le champ de maïs où il avait fait construire une ligne de chemin de fer pour un plan américain de trente secondes ; sans me sentir en droit de critiquer ce caprice ruineux d'esthète, puisque le désastre de la partie de foot avait anéanti le mythe de la supériorité naturelle du prolétaire sur le bourgeois. Nouvelle honte, dont me sauva à point nommé une grossière erreur de Bernardo. Je cherchais comment lui dire que des intellectuels romains ne réussiraient jamais à évoquer dans une fresque plausible l'histoire de l'Italie rurale, et quelle scène soudain le vois-je en train de diriger ? Un paysan à cheval sur une vache ! Pour montrer par une image soi-disant frappante ce qu'on faisait en 1945 des collaborateurs arrêtés dans les villages et offerts à la risée publique. « Mais l'échine d'une vache ne supporte pas le poids d'un homme ! » m'exclamai-je, pendant que Bernardo pressait en vain ses acteurs de mettre cet ordre insane à exécution. Et je conclus, tout content de remonter d'un coup par cette botte notre quatre à zéro calamiteux : « Aucun paysan au monde, pour aucun motif politique, ne soumettrait une vache à un semblable tourment. »

Je n'avais plus revu Bernardo depuis cet incident.

— Eh bien ? dis-je à Danilo, qui hésitait à parler.

— Il est allé à une projection privée de ton film, tu sais. Il t'envoie ses compliments. Seulement, a-t-il ajouté, dis à Pier Paolo que l'arbre en fleur sous lequel la fugitive est tuée n'est pas une aubépine, comme le prétend le commentaire. Rapporte-lui bien mes paroles, hein ? Dis-lui qu'aucun paysan au monde, pour aucun motif politique, n'appellerait aubépine ce qui est un cerisier.

— Un cerisier ? bredouillai-je.

— Tu l'avais drôlement vexé, pour qu'il te retourne mot pour mot ta phrase ! s'écria Danilo en riant aux éclats, sans s'apercevoir de mon trouble.

— Danilo, dis-je, en mettant ma main sur son bras.

Il me vit tout pâle et interdit.

— Pier Paolo ! Tu vas pas te frapper comme ça parce que t'as confondu deux arbres ! Y a si longtemps que t'as quitté le Frioul !

Réflexe idiot, pour une bévue sans importance : mais je me sentais aussi avili que si on m'avait démontré que le dialecte de mes premiers poèmes écrits à Casarsa n'était que du folklore artificiel, du toc. Illusion donc, mes racines paysannes ? Mirage, le paradis de mon enfance ? Imposture, le mythe de cet éden rédempteur ? En quoi différais-je de la masse des petits-bourgeois de mon pays, si je partageais avec eux leur proverbiale ignorance de la nature et leur mépris des rudiments de la botanique ?

Annamaria apparut sur le seuil de la cuisine.

— Alors ? lui cria Danilo.

— Les spaghetti sont restés debout, ce sera un garçon !

Elle s'encadrait dans la porte avec une opulente et placide majesté.

— Et comment s'appellera ce garçon ? lui demandai-je. Est-ce que tu as lu son nom dans les bulles ?

La réponse me prit de court.

— Nous avons décidé de l'appeler Pier Paolo.

— Pier Paolo ? balbutiai-je.

Danilo me jeta un coup d'œil.

— C'est Annamaria qui s'est fixée sur ce nom, dit-il, inquiet soudain qu'un tel choix pût me paraître osé.

— Non, déclarai-je, il ne faut pas l'appeler ainsi !

Ils me regardèrent stupéfaits.

— Vous ne pouvez pas... Vous ne pouvez pas...

Annamaria s'approcha de la table.

— Tu ne veux donc plus être son parrain ? me demanda-t-elle ingénument.

— Ce n'est pas ça, non...

— Pier Paolo ! s'écria Danilo avec tout l'élan de sa nature généreuse, je ne me serais jamais imaginé que...

Mais il s'arrêta net et rougit, devant Annamaria qui nous écoutait. Pas une fois en sa présence nous n'avions évoqué nos anciennes relations Pacte tacite conclu entre nous. Danilo se contenta d'ajouter, en termes à dessein vagues mais où perçait le regret d'avoir rouvert sans le vouloir une blessure dont il me croyait guéri :

— Si, pour une raison ou une autre, dit-il en appuyant sur les mots, ce nom te déplaît, nous en changerons, n'est-ce pas, Annamaria ?

Je secouai la tête. Il se trompait du tout au tout s'il pensait que le souvenir du temps où n'existait pour lui qu'un seul Pier Paolo me tourmentait encore. Ce passé ne pouvait plus m'atteindre.

— Non, non, dis-je en m'efforçant de sourire. J'ai promis d'être parrain et je le serai. Mais je ne supposais pas que vous l'appelleriez ainsi. Une idée stupide m'a traversé l'esprit... Excusez-moi... C'est trop bête !

Aucun des deux n'osait m'interroger. Danilo, pour ne pas rester les bras ballants, apporta l'huilier de la table voisine. Il continua à s'affairer, tournant de mon côté l'étiquette de la bouteille de pinot gris, hommage de notre hôte au vignoble de Casarsa, poussant les chaises devant les couverts, rectifiant la position des assiettes, jusqu'au moment où Annamaria l'envoya à la cuisine me chercher un verre de grappa.

— Il est tout pâle, fit-elle. Il ne doit pas se sentir bien.

— Toi, tu vas me comprendre, lui dis-je quand nous fûmes demeurés seuls. J'ai toujours été superstitieux. Est-ce que, dans un de tes rêves récents, tu m'aurais vu mort ?

Elle se récria :

— Pier Paolo, quelle idée !

— Parce que, dans mon enfance, on ne choisissait jamais le prénom d'un vivant pour un enfant à naître. Les paysans du Frioul croient que le nombre des places sur la terre est strictement limité. Un nouvel être pour venir au monde doit s'approprier non seulement le nom mais la chair et le sang de celui auquel il succède. Aussi prennent-ils soin de chercher parmi les saints du calendrier un nom sous lequel ils ne connaissent personne ni dans leur parenté ni dans leur entourage. « Chaque nouveau-né est un mort inconnu. » Tu aimes ce proverbe ?

— Mais en Sicile ce n'est pas du tout pareil ! Quand nous voulons du bien à quelqu'un, nous pensons qu'avec son nom de baptême il transmettra toutes les qualités qui nous plaisent en lui. « Honore ton père et ta mère, mais copie ton parrain. » Tel est notre proverbe, à nous.

— Ah ! je préfère ça ! dis-je en riant. Ce pressentiment était absurde !

— Pas étonnant, fit-elle en sortant un mouchoir propre, encore plié, de la robe qui bombait sur son ventre. Demain est le jour des morts, et tout le monde se prépare à aller au cimetière. Toi aussi tu auras bien quelqu'un qui t'attend sous une tombe ?

— Oui, dis-je.

Je me souvenais de la promesse faite une heure plus tôt à maman. Ce ne fut qu'après avoir prononcé ce « oui » que la question d'Annamaria me parut formulée d'une manière bizarre et non sans une obscure allusion qui m'arracha un tressaillement. Mais je ne voulus pas inquiéter davantage la jeune femme dont la main apaisante appliquait sur mon front une compresse humectée dans l'eau fraîche de la carafe. Je relevai la tête et la remerciai par un sourire.

— Jésus ! s'écria-t-elle à l'intention de Danilo qui revenait avec le verre de grappa, il a cru que nous lui annoncions sa mort !

54

L'Alfa Romeo 2000 GT métallisée attira le petit groupe qui stationnait sous les arcades. Aucun ne me plut. Je leur dis de s'écarter et m'apprêtais à repartir quand je l'aperçus, l'autre, nonchalamment appuyé à la colonne, les bras croisés et son trousseau de clefs entre les doigts. Il était le seul à ne pas s'être dérangé à l'arrivée de la voiture. Un sourire moqueur flottait sur ses lèvres. Il regardait, dans le vague, de ses yeux à fleur de tête qui accentuaient son air insolent. Je dus me pencher par la portière et l'appeler.

— Tu veux faire un tour avec moi ? Tu auras un cadeau après.

— Pourquoi pas ? répondit-il en montant dans l'auto.

Coup d'œil au rétroviseur : tout en règle. Je m'engageai dans la via Nazionale. Il continuait à jouer avec ses clefs. Son pantalon, collé aux hanches, n'avait pas de poches.

— Ton falzar n'a pas de poches du tout ?

— Une seule derrière.

— Tu t'appelles comment ?

— Pino dit Pino la Rana.

— La Rana ? Mais pourquoi ?

— Rapport à mes mirettes, dit-il laconiquement.

Pino la Grenouille ! Mon père m'appelait ainsi les jours où il se montrait affectueux. Pour la seconde fois ce soir je pensais à mon père. Cela ne m'était plus arrivé depuis des années. La grenouille ! à cause de Galvani. Bologne, le lycée de mes études, le concours des « Livres d'acier »... Pourquoi les souvenirs de jeunesse revenaient-ils en foule ce soir, cocasses ou mélancoliques, comme un film sans unité de style ? Toscanini giflé à l'entrée du théâtre... Ciano sur la colline se goinfrant de hure à la pistache... Le parc Margherita où un jeune cycliste nous apprit l'invasion de l'U.R.S.S... Pourquoi ces images défilaient-elles à toute vitesse dans ma tête ? Voici maintenant la basilique dédiée à saint Dominique et, de chaque côté de l'autel, les deux anges de marbre : le séraphin au visage pur qui serrait contre soi la torchère, sérieux et méditatif comme si à l'instant il était descendu du ciel pour se recueillir dans la pénombre ; et l'autre, trapu, musclé, né de la terre, prêt à bondir et à lâcher son candélabre, et qui peut-être l'avait lâché ce soir pour me rejoindre à la gare, monter dans ma voiture et répondre enfin à mon appel, trente-cinq ans après que je m'étais déclaré partisan de sa fruste et agressive rudesse contre la grâce de son blond collègue plus beau mais trop semblable à Svenn. D'un coup d'aile il avait volé jusqu'à Rome sans que le vent eût dérangé les petites boucles drues de sa toison noire comme l'encre.

J'étendis une main pour lui toucher la cuisse. Geste que je ne me permettais jamais les autres fois. Mais tout n'était-il pas nouveau aujourd'hui ? Crainte de regarder en face mon voisin, perte de mon assurance habituelle, timidité de débutant, je ne me reconnaissais plus. Sans que nous ayons échangé plus de quelques mots, il m'avait mis à sa merci. J'étendis la main avec l'humilité d'un esclave qui veut faire noter son existence à son maître.

Il prit pour une tentative de caresse cet acte de soumission, et grommela d'un ton vulgaire :

— Bas les pattes !

A cette minute, je ne sais pourquoi — nous longions le Colisée et le souvenir des grandes arches plongées dans la pénombre est resté associé dans mon esprit au moment de cette révélation — je revis comme s'il se dressait devant moi le tableau de Caravage. Et je compris l'erreur que je commettais depuis vingt-cinq ans. L'œil éteint, l'œil à la paupière tombante n'était le gauche que sur la toile. J'avais pris l'œil droit de Goliath pour son œil gauche. Pendant vingt-cinq ans j'avais surveillé ma paupière gauche, certain par cette précaution de revenir sain et sauf de mes aventures, sans me douter que j'emportais comme garantie d'impunité un talisman hors d'usage. L'avertissement de maman ce matin : « Ta paupière tombe, c'est un signe » et son geste vers mon œil droit me revinrent en mémoire. Je déplaçai le rétroviseur pour me regarder une autre fois. La voiture fit une embardée, Pino grogna à nouveau. « Eh ! S' tu veux étoiler ton pare-brise, choisis un autre jour ! » Phrase remarquablement abondante dans sa bouche si peu loquace, mais je n'eus plus envie d'en sourire. L'œil droit, l'œil droit me lâchait ! La paupière de l'œil droit s'affaissait ! Le plus étrange est qu'au lieu de faire demi-tour et de ramener Pino piazza dei Cinquecento, j'appuyai sur l'accélérateur. Les phares nous ouvraient le chemin au

446

milieu des ténèbres. Plus vite ! Plus vite ! J'avais hâte de laisser derrière moi les dernières maisons où brûlait une lumière. Toute ma vie n'avait-elle pas tendu à cet instant où un David au sourire énigmatique et cruel disposerait de moi à sa volonté ?

— On va chez toi ? me demanda-t-il, comme nous passions au pied de la pyramide pour enfiler la via del Mare.

— Non.

— Mais y a plus d'hôtels par ici ! s'exclama-t-il.

— On ne va pas à l'hôtel non plus.

— Oh mais ! Faut pas charrier, mon pote. Déjà qu'on caille dans ta bagnole, c'est pas le jour de s'envoyer en l'air dans la nature.

— T'en fais pas, Pino. Je te donnerai vingt mille lires, d'accord ?

Il se calma, posa son trousseau de clefs sur la tablette et se mit à jouer avec sa bague, un primitif bijou de laiton orné d'une grosse pierre rouge sur laquelle je vis écrit, profitant de la halte devant le sémaphore de San Paolo : « United States Army ».

— C'est un cadeau d'un soldat américain ? lui demandai-je.

— Non mais ! Tu me prends pour un *frocio* peut-être ?

— Je n'ai pas dit ça, fis-je en hâte, encore plus vil dans mon empressement à lui complaire qu'il n'était lâche dans sa protestation virile. Je craignais qu'il n'ouvrît la portière et me faussât compagnie, bien qu'il fût confortablement calé dans son siège et ne donnât aucun signe de vouloir me prouver son honneur sinon verbalement.

La via del Mare passait non loin de mes fenêtres. Découpée sur le rideau, j'aurais pu voir l'ombre de maman qui guettait mon retour. La nuit ne semblait pas trop froide pour la saison. Pluvieuse seulement et d'une humidité pénétrante. Mais, clémente ou rude, une nuit de la Toussaint. Le thermomètre ne devait pas marquer plus de douze degrés et moi, au lieu de monter dans mon appartement bien meublé et bien chauffé et de m'enfermer avec Pino dans une des trois chambres à coucher, je filais comme un malfaiteur dans la nuit et le vent. A cinquante-trois ans le sexe restait pour moi une affaire clandestine et honteuse, si je continuais à le dissocier de la famille, du foyer, de la mère, si la couche où je cherchais le plaisir ne pouvait être le lit où maman venait me réveiller. Et puis, en me souvenant de l'exclamation de Pino qui allumait maintenant une Marlboro avec un petit briquet à gaz, j'admis que les toits à l'heure ou au mois ne manquaient pas à Rome. Pourquoi, si je ne voulais pas aller via Eufrate, ne pas me rabattre sur une chambre d'hôtel ? Pourquoi n'avoir jamais songé, avec les millions que je gagnais, à louer ou acheter un studio ? Pourquoi fuir Rome et choisir la terre battue et la boue de l'Idroscalo ? Ne pouvais-je faire l'amour que dans une sorte de communion idéale avec les pauvres et les humiliés des bas-fonds, à l'écart du quartier bourgeois et de l'appartement cossu où j'habitais ?

Deux contradictions qui se ramenaient à une seule, me dis-je avec un sentiment amer de mon échec. Si j'avais besoin d'emmener Pino par une nuit aqueuse de 1ᵉʳ novembre dans la désolation sordide d'un terrain vague, c'est que je n'avais pas encore réussi à harmoniser toutes mes vies dans une vie pleine et unique. L'amour restait pour moi quelque chose qu'il fallait faire à part, dans l'ordure de la zone, incognito, en dépouillant ma double condition de fils et d'intellectuel. A cinquante-trois ans ! De quoi me donner l'envie de laisser ma tête entre les mains du bourreau, n'eût-il pas été de moitié aussi beau que mon jeune compagnon.

Cependant, pour déguiser mon trouble et par habitude professionnelle, j'essayais de le faire parler de lui. Il répondait par bribes. Je parvins à savoir qu'il avait dix-sept ans depuis peu, qu'il habitait avec ses parents sur la via Tiburtina, à Setteville d'où le 209 l'amenait en une demi-heure à la gare. Père commis dans un magasin de lampes via Arenula, sœur vendeuse dans une boucherie de la chaîne Star, mère femme de ménage à mi-temps. (Ce détail me toucha, en souvenir de l'époque de notre arrivée à Rome, lorsque maman dut balayer et laver la vaisselle chez les autres.)

— Et toi ?

Il avait essayé de travailler chez un garagiste près du Colisée, puis comme apprenti chez un oncle boulanger à la Garbatella. Huit jours de prison à Casal Bruciato pour un vol de voiture. Le lundi 3 novembre il entrerait comme aide dans une charcuterie. Soirées devant la télé, peu d'amis. Il dormait dans un meuble-lit qui se rabattait dans la journée sur le mur de leur salon et servait alors de bibliothèque.

— Qu'y a-t-il comme livres dans cette bibliothèque ?

Métal hurlant, Sukia, Jonny Locan, Tex, Topolino, la série complète de *Tiramolla* et du *Corriere dei piccoli*.

— Gare à ma vieille si elle oublie de m'acheter le numéro !

Bref et seul moment d'animation, dans son récit haché marmonné à contrecœur. Étais-je devenu aveugle pour confondre avec mes *ragazzi* d'autrefois ce truqueur incapable de sourire ? Élevé à l'emplacement des *borgates,* non loin de Pietralata et de Ponte Mammolo, mais aride, présomptueux, sans gaieté, fier de son meuble-lit et honteux pour son futur patron charcutier, partagé entre la vanité d'avoir appris quelques rudiments à l'école et le mécontentement d'être condamné par son ignorance à un gagne-pain subalterne, corrompu sans remède par les modèles inaccessibles que lui proposaient les héros de ses bandes dessinées et les stars de son petit écran.

Comme je sortais de la boîte à gants un paquet de kleenex pour me moucher, il se méprit dans l'obscurité sur mon intention.

— Compte pas sur moi pour prendre la *bomba*, hein ?

— La *bomba* ?

Il m'expliqua, non sans réticences, le secret de cette mixture : du tabac à mâcher comprimé en tablette et mélangé à de la poudre de verre. La poudre de verre fait de minuscules entailles sur la langue et dans la bouche.

— Tu mastiques, tu mastiques, comme ça la nicotine elle te rentre dans le sang et ton cœur y s'emballe. Même un type qui n'aurait plus rien dans le fusil, eh bien les mecs se traîneraient à genoux pour lui demander pardon. Arnaldo qui m'a passé le truc m'a dit : « Prends-en, tu te sentiras du tonnerre. Quand j'en prends, qu'il m'a dit, Casanova lui-même n'est plus mon cousin. » Merci bien ! Tu sais leur dernière trouvaille, à ces *froci* ?

— Dis-moi.

— Un anneau pour se la gonfler.

— Ah oui ! le *cock-ring*. Ça vient d'Amérique.

— D'Amérique ou d'ailleurs, c'est bon pour les pédés.

Là-dessus il se rengorgea d'un air suffisant, qui aurait dû me le rendre haïssable. Je voulus le sonder un peu plus.

— Tu vas souvent... au bar où je t'ai trouvé ?

— Comme ci comme ça... J' suis pas un habitué. Papa, y m' file mille lires pas jour. J' peux pas y arriver, avec mille balles par jour. Faut pas me prendre pour ce que j' suis pas, c'est bien clair, hein ? ajouta-t-il d'un ton menaçant. La preuve, c'est qu' tu m' verras jamais accoudé devant un demi de blonde.

— Un demi de blonde ? Ah oui ! c'est le mot de passe.

— Moi, la bière, je la déteste.

— Mais tu m'as suivi ? Tu sais quelle heure il est pour être dans une auto avec un inconnu ?

— Et alors ? Ça n'a rien à voir ! Par-ci, par-là, j' dis pas, mais ça n'a rien à voir. *Frocio* tu nais, c'est comme nègre ou juif, conclut-il avec mépris.

A une courbe du fleuve se découpaient dans la nuit les baies encore éclairées du restaurant de pêcheurs, Tibre Blond, où j'étais souvent allé manger une pizza avec Niletto, avec Elsa et Sandro

— Freine, dit brusquement Pino, j'ai faim.

J'arrêtai la voiture cent mètres après le restaurant, sur le bas-côté de la route plongé dans l'obscurité. Pino trébucha contre les cailloux

449

et jura. L'hôte, un vieil ami, nous annonça tout joyeux qu'il lui restait un demi-poulet à la diable.

— Vous avez de la veine, dans cinq minutes je fermais.

— Tu m'apporteras une bière, lui dis-je. J'ai déjà dîné. Brune ! ajoutai-je avec intention, dans l'espoir de faire rire mon vis-à-vis.

Mais Pino, maussade, s'absorba dans la contemplation de sa bague puis, dès qu'il fut servi, baissa le nez dans son assiette et se mit à dévorer en silence.

— Il n'est pas bon ? lui demandai-je.

— C'est pas ça, répondit-il en haussant les épaules.

— Tu n'aimes pas le poulet ?

Il me fixa d'un œil torve.

— Pour une fois que j' sors, j'aurais mieux aimé autre chose. Y a pas d' la langouste ?

— T'en as déjà mangé ?

— C'est pas si bon qu' ça mais la langouste c'est la langouste, décréta-t-il en achevant la cuisse rissolée et juteuse. Il l'avait déchirée à belles dents, malgré son dédain de la cuisine pauvre du Tibre Blond.

Le patron apporta une carafe de vin rouge puis retourna dans sa cuisine. Personne n'assista à la suite de notre tête-à-tête. Pino attaqua la seconde moitié de sa portion, suivi dans chacun de ses mouvements par mon regard qui l'étudiait. Sans doute pas avec mon détachement habituel de cinéaste à la recherche de figurants qui promène ses yeux au hasard, car leur fixité l'indisposa.

— Qu'est-ce que t'as à m' reluquer comme ça ? Fais gaffe, hein !

— Rien, Pino. Je me demandais quel rôle je pourrais te faire jouer dans mon prochain film.

Il s'amadoua aussitôt, et me sourit pour la première fois.

— Je t'avais reconnu, tu sais. Tu viens chaque soir à la gare.

— Mais toi je croyais que tu n'y venais que rarement !

S'apercevant qu'il s'était coupé, il fourra la moitié de l'aile dans sa bouche pour s'éviter de répondre tout de suite.

— Le cinéma, moi j'aime ça, reprit-il d'une voix qu'il s'appliqua à rendre désinvolte.

— A la bonne heure. Tu m'as dit que tu avais volé une bagnole ?

Il laissa tomber l'os et se récria.

— C'est mon frangin qui m'avait forcé. J' suis pas un voleur.

— Eh ! bois un coup, lui dis-je, te fâche pas !

— Non, j' suis pas un ivrogne non plus.

Il s'empara de la carafe et du verre que je lui avais rempli, se leva, ouvrit la porte et vida le vin jusqu'à la dernière goutte dans le gravier devant le seuil. Cette précision pour réduire à néant les

450

bruits qui ont couru lorsqu'on eut calculé d'après le témoignage de l'hôte l'action d'un litre de riche vin des monts Albains à treize degrés dans les veines d'un jeune de dix-sept ans.

Il regagna sa place et commença à ronger le pilon, non sans s'être rincé le gosier d'une grande et ostentatoire rasade d'eau fraîche.

— Je demande à chacun, tu comprends, de faire dans mes films ce qu'il fait dans la vie. Au voleur je demande de jouer le rôle du voleur...

— Ah bon ! dit-il, regrettant de m'avoir répondu trop vite.

— Au tapin je demande de jouer le rôle du tapin... Mais toi, ajoutai-je malicieusement, si tu n'as pas de spécialité...

— Moi en effet.., bredouilla-t-il, pris au piège.

Mais tandis qu'il baissait les yeux dans une attitude pensive qui ajouta à la beauté brutale de ses traits un je ne sais quoi de doux et de mystérieux comme si mes deux anges de Bologne, le rude et l'efféminé, le plébéien et le séraphique, le profane et le céleste s'étaient fondus en un seul, une illumination terrible me frappa au cœur. Il voulait un rôle ? Il refusait de tenir celui du voleur ou de la marquette ? Il aspirait à un emploi plus noble et plus éclatant ? Eh bien ! qu'avions-nous besoin de chercher plus longtemps ? Le rôle était là, taillé à sa mesure. Dans son menton légèrement prognathe, dans sa bouche large et avide, dans ses yeux à fleur de tête qui avaient l'air de comploter pour leur compte, dans son encolure puissante malgré un torse fluet d'adolescent, dans ses mains épaisses faites pour tenir et pour serrer, je lus les dispositions nécessaires. Tout désignait ce garçon pour jouer le personnage qui manquait encore dans ma vie. Le même instinct qui m'avait dirigé vers lui sous les arcades de piazza dei Cinquecento me souffla que l'heure de le pousser sur la scène était venue. Aucune épée n'étincelait à son poing ; au lieu de la tunique du désert il portait le blouson des banlieues ; mais comment ne pas le reconnaître, avec son regard lointain, ses lèvres figées dans une moue dédaigneuse et sa petite oreille rose qui attirait à elle tout le sang ?

« Allons-nous-en », murmurai-je, pressé d'arriver au dernier acte du drame et de voir comment les deux acteurs se tireraient du dénouement. Quand nous fûmes près de la voiture, au milieu de l'obscurité d'autant plus complète que les lumières du restaurant s'étaient éteintes derrière nous, l'inspiration soudaine à laquelle je dus obéir nous retarda de quelques instants. Je me laissai tomber à genoux devant Pino, inclinai la face jusqu'au sol et baisai la terre à plusieurs reprises. Une compassion intense me courbait aux pieds de celui qui allait être privé de sa liberté pour de longues années et frappé d'infamie jusqu'à la fin des siècles à cause d'un acte non voulu par lui. Je n'avais pas prié Dieu depuis les jours lointains de mon enfance, mais cette fois les paroles montèrent d'elles-mêmes à mes lèvres pour le supplier de prendre en pitié un innocent qui commettrait bientôt un geste dont il ne serait pas responsable. « Seigneur, épargnez-le, aidez-le à supporter l'épreuve du procès et de la prison, inspirez la clémence à ses juges. Et si vous ne pouvez empêcher l'erreur judiciaire, abrégez au moins le temps de sa punition. » Je redressais la tête pour reprendre haleine puis me baissais à nouveau. Mon front heurtait contre la terre, afin que si le ciel n'était pas vide, Celui qui rétablit la justice reconnût le coupable à son attitude.

Pino, cependant, s'impatientait dans le froid. Ne comprenant pas bien ce que je faisais à ses pieds, il se pencha à son tour et alluma son briquet. « Les voilà ! » m'écriai-je en feignant de ramasser les clefs que je tenais depuis tout à l'heure dans ma main. Peut-être, au lieu de me croire, pensa-t-il qu'il avait affaire à un client vicieux ou détraqué. La suite des événements, l'hostilité croissante qu'il me montra, la vivacité de ses réactions au moment décisif s'expliqueraient par ce premier malentendu. Ma pantomime silencieuse inspirée par la plus pure miséricorde l'effraya comme une marque de perversité ou de fétichisme.

Pendant le trajet il ne cessa de fumer et de tirer nerveusement sur ses cigarettes qu'à peine entamées il jetait par la portière. Les dernières maisons d'Ostie s'effacèrent derrière nous. La voiture se mit à cahoter sur le chemin défoncé où les pneus soulevaient des jets d'eau boueuse. Je m'orientais d'après la masse carrée et sombre de la tour San Michele. A la lueur des phares, l'Idroscalo me parut encore plus misérable. Les détails, éclairés soudain comme des gros plans au milieu de la nuit, se détachaient de la grisaille où ils étaient confondus pendant le jour. Des sacs en plastique, accrochés comme des enseignes lumineuses aux fils de fer barbelés, brillaient au détour des ténèbres. Des couleurs criardes, que je n'avais pas remarquées dans mes expéditions précédentes, ajoutaient à l'universelle dérision. Peints à la chaux en lettres rudimentaires, les noms des bicoques s'étalaient sur des écriteaux en bois. Le Ranch, La Sieste, La Villa des Nains. Une caricature des *borgates* disparues. Pino, raide et distant, ne regardait rien. Ce manque de curiosité, qui m'a toujours horripilé chez un jeune, me parut un signe de la grâce qui auréolait mon compagnon. Je faillis attirer son attention sur un arbre de Noël en aiguilles artificielles laissé depuis un an comme ornement dans un enclos. « Mais pourquoi rire de ces gens ? » me dis-je frappé par le mutisme de Pino. Mieux que moi, ce soir, il comprenait que nous avions quitté le monde des humains. La lande qui s'étendait devant nous et autour de nous dans l'obscurité n'appartenait plus à la banlieue de Rome ni à aucune communauté de vivants. Quel Vésuve l'avait engloutie sous une pluie de lave et de cendres ? Le Golgotha fut-il plus désolé et plus aride ? Si jamais cette grève avait été lotie et construite, les habitants en avaient fui chassés par un fléau planétaire. Le désert régnait à nouveau dans son territoire. Je me laissai saisir à mon tour par la solitude, l'abandon et l'extraordinaire majesté du lieu. C'était tout à fait le silence et l'immobilité de la nature quand non seulement Rome aurait disparu de la surface du globe mais la terre entière sombré dans la destruction. L'ultime silence sidéral étendu aux quatre coins de l'univers, après le triomphe de la mort et la purification de toutes choses par le néant.

Je reconnus le terrain de foot où je venais avec Danilo. Je rangeai la voiture un peu plus loin, le long d'une palissade de pieux peints en rose. Autour de nous, la brise de mer soulevait des papiers sales qui retombaient dans les flaques.

Avant de descendre, je me tournai à demi et tendis le doigt sans un mot. Il acquiesça d'un signe de tête à ma prière et se cala en arrière pour me laisser libre d'agir. Je n'eusse pas espéré le trouver prêt aussi vite et aussi glorieusement. Penché sur lui dans un geste qui tenait plus de la prosternation que de la débauche, je rendis à sa beauté l'hommage qu'il accepta avec l'impassible détachement d'une idole.

— Allons prendre l'air, veux-tu ?

Je ne savais pas encore ce que je lui aurais demandé. Je n'avais envie pour l'instant que d'enfoncer mes souliers dans la boue.

Aussi frais que si le fauteuil de l'Alfa Romeo ne nous avait pas servi d'alcôve, il avisa un bidon vide d'orangeade, se mit à dribbler entre les ornières. Je courus après lui et le rejoignis à l'entrée du terrain de foot. Je me collai à lui par-derrière, le couvris de mon corps, saisis de mes deux mains la boucle de son ceinturon, et lui dis à l'oreille :

— Maintenant, tu fais la femme.

Vif comme l'argent, il se retourna et m'assena un formidable coup de poing sur le nez. J'enlevai ma chemise pour tamponner le sang qui coulait à flots. Pino, pendant ce temps, était retourné près de la voiture, effrayé de m'avoir mis dans cet état. Il ne se doutait pas que je ressentais au contraire un obscur et profond soulagement, comme s'il venait de m'ôter le dernier doute. Aucun service ne lui aurait rapporté aussi sûrement les vingt mille lires qu'il tremblait de perdre. « Tiens ! » criai-je en tirant les deux billets de la poche de mon pantalon et en les agitant de loin, par crainte qu'il ne prît la fuite. Je me rapprochai à pas lents puis — les rites devaient être observés malgré ma hâte de me soumettre plus complètement et plus définitivement à sa loi — comme je longeais la palissade, je me jetai sur un pieu qui céda sans effort.

— Pino, dis-je, ôte la bague de ton doigt et pose-la par terre près de l'auto.

Interloqué par ma requête mais rassuré provisoirement il s'exécuta sans discuter, un œil sur mon pieu. Il retira de son doigt, en pestant tout haut, l'anneau un peu juste et s'accroupit pour lui trouver entre les gravats du chemin une place bien en vue où il le récupérerait sans peine. Quand, quelques heures plus tard, la police l'eut pincé au volant de ma voiture dans un sens interdit, et que son premier mot fut pour se lamenter d'avoir perdu sa bague, on en conclut qu'il l'avait abandonnée exprès, avec son paquet de Marlboro et son briquet à gaz, comme la signature du crime dont il déchargeait ainsi ses complices. En réalité, c'est sur mon ordre qu'il l'ôta. Si grossier que fût l'anneau, il n'était pas sans m'évoquer, par la rouge phosphorescence de son chaton, quelqu'une des pierres précieuses incorporées au marbre des autels dans les églises baroques. J'avais besoin de le voir là, entre nous, tel qu'il luisait dans la pénombre, avivé par l'humidité du sol, pièce indispensable du sacrifice dont la dernière phase venait de commencer.

— Pino, repris-je, si tu acceptes de faire ce que je t'ai demandé, je t'en donnerai une autre avec un vrai rubis.

Sans relever l'extravagance de ma promesse, il se retourna pour réfléchir. Je me précipitai sur lui, le pieu à la main. Il prit peur ou feignit de prendre peur, essaya de s'enfuir mais glissa dans la boue et tomba la face contre terre. Je me laissai tomber sur lui, il s'écria : « Ah ! *frocio*, tu recommences ! », donna un coup de rein qui me repoussa sur le côté, puis se dressa à genoux et m'arracha le pieu qu'il brandit au-dessus de sa tête.

Le saisir aux jambes et le plaquer au sol n'eût été qu'un jeu pour moi, champion de karaté. Je m'abandonnai à la renverse et reçus le premier coup sur le bas-ventre. Il tenait son arme comme un bâton et m'en frappa par le gros bout. Une sorte de fureur s'empara de lui. Son visage rayonna d'une terrible beauté. Il jeta le pieu, ramassa une planche et me la brisa sur la tête. Puis il se mit debout et me laboura le thorax de coups de pied. Instinctivement, j'avais étendu les bras en croix. Je le regardais, les yeux grands ouverts. Ce regard muet et adulateur porta au comble son exaspération. Oui, je pense qu'il s'acharna sur moi pour m'obliger à fermer les yeux et qu'il m'eût épargné s'il avait réussi à ne plus sentir peser sur lui l'oppressant fardeau de mon adoration silencieuse. Il pouvait bien frapper et encore frapper : même mort, j'aurais continué à révérer mon libérateur.

Et lorsque, mort en effet, je lui apparus dans toute l'horreur d'un cadavre défiguré et sali, l'éclat de ma prunelle allumée resta fixe au milieu de cette souillure. De mes lèvres entrouvertes entendit-il le chant de louanges monter vers les cieux ? Mon vœu le plus secret venait d'être accompli. J'avais remis ma vie entre les mains les plus indignes de la recevoir, rétabli entre Pierre et Paul l'équilibre d'une fin ignominieuse, servi de jouet sanglant à l'ardeur homicide d'un imberbe, expié autant mes fautes que celles de l'humanité. L'artiste aussi pouvait se dire sauvé. Dans aucun de mes livres, dans aucun de mes films je ne m'étais montré à la hauteur de mes ambitions. Mais maintenant je m'en allais tranquille, ayant organisé dans chaque détail ma cérémonie funèbre et signé ma seule œuvre assurée de survivre à l'oubli.

Achevé d'imprimer en novembre 1982
sur presse CAMERON,
dans les ateliers de la S.E.P.C.
à Saint-Amand-Montrond (Cher)
pour le compte des éditions Grasset
61, rue des Saints-Pères, 75006 Paris

N° d'Édition : 5980. N° d'Impression : 1733.
Première édition : dépôt légal : août 1982.
Nouvelle édition : dépôt légal : novembre 1982.

ISBN 2-246-28201-2 broché
2-246-28200-4 luxe
2-246-28202-0 relié